Tormenta inminente

books4pocket

Suzanne Brockmann

Tormenta inminente

Traducción de Armando Puertas Solano

EDICIONES URANO
Argentina - Chile - Colombia - España
Estados Unidos - México - Perú - Uruguay - Venezuela

Título original: *Into the Storm*
Editor original: Ballantine Books, New York
Traducción: Armando Puertas Solano

Aribau, 142, pral. – 08036 Barcelona
www.titania.org
www.books4pocket.com

1ª edición en **books4pocket** enero 2015

Impreso por Novoprint, S.A.
Energía 53
Sant Andreu de la Barca (Barcelona)

Fotocomposición: Moelmo, S.C.P.

ISBN: 978-84-15870-49-4
Depósito legal: B-22.969-2014

Código Bic: FR
Código Bisac: FIC027020

Impreso en España – *Printed in Spain*

Para Ed, Eric y Bill. Gracias por permitirme ser testigo de vuestra amistad, tan sólida, especial, divertida, a veces ruda pero siempre leal. Puede que las divertidas ocurrencias de Jenk, Izzy, Lopez y Gillman en ciertas ocasiones os parezcan familiares. También os doy las gracias por eso.

Agradecimientos

En primer lugar, gracias a todos en Ballantine Books por permitirme aplazar mis fechas de entrega y darme el tiempo que necesitaba desesperadamente. Gracias muy especiales a Gina Centrello, Linda Marrow y Dan Mallory, así como a mi estupenda editora Shauna Summers por ese esfuerzo extra suyo para que *En la tormenta* llegue a manos de los lectores lo más rápido posible.

Gracias eternas al equipo de casa: Ed Gaffney y mi perra, Sugar, la schnauzer más encantadora del mundo. También deseo agradecer a mi hija Melanie, aspirante a escritora por derecho propio, y a mi hijo Jason, que ya va camino a Broadway. Me siento muy orgullosa de los dos.

Gracias, como siempre, a Steve Axelrod y Eric Ruben, por una lista de favores demasiado larga de enumerar, y a mis padres, Fred y Lee Brockmann.

Gracias al héroe de la vida real, Tom Rancich, por su información sobre la supervivencia en condiciones climáticas adversas, así como por su simpática presencia en Ballantine Books. Tom, sigues siendo fuente de inspiración. Acaba ya de escribir tu libro, ¿vale? Espero con ansias tenerlo en las manos.

Quiero agradecer especialmente a todos los que me ayudaron en mi encuentro con los lectores en Atlanta: Maya

Stosskopf, de EMA, Gilly Hailparn y el equipo publicitario de Ballantine Books, así como a mis maravillosos invitados Alesia Holliday, Virginia Kantra, Catherine Mann y Tom Rancich. Gracias también a mi equipo de voluntarios incansables y creativos: Elizabeth y Lee Benjamin, Suzie Bernhardt, Stephanie Hyacinth, Beki y Jim Keene, Laura Luke, Jeanne Mangano, Heather McHugh, Peggy Mitchell, Dorbert Ogle, Gail Reddin, Erike Schutte (¡ajá, esta vez lo he escrito bien!), y Sue Smallwood. Gracias también a todos los que habéis asistido al acontecimiento. Ya sabéis que si pudiera, os pondría a todos en la lista, y debo decir que me lo he pasado magníficamente compartiendo con todos y cada uno de vosotros.

Recomiendo visitar mi sitio web en www.SuzanneBrockmann.com/appearances.htm para más información acerca de mi proximo fin de semana con los lectores. Ahí también podréis consultar el itinerario de mi gira de agosto/septiembre de *En la tormenta*.

Gracias, Stephen Syta, por haberme prestado el nombre (y mis disculpas a la madre de Stephen).

Por último, aunque no menor en importancia, gracias a mis lectores por avalar este oficio loco, emocionante y maravilloso que adoro. Espero que disfrutéis leyendo la historia de Mark y Lindsey tanto como yo disfruté escribiéndola.

Como siempre, cualquier error que haya cometido o cualquier licencia que me haya tomado son de mi absoluta responsabilidad.

Prólogo

Afganistán
Octubre, 2005

Mark Jenkins estaba a punto de perder los nervios.

No era un estado emocional especialmente positivo en ese preciso momento. No le ayudaba a ocultarse en medio de la fría noche de otoño, a sólo unas sombras del valle donde el enemigo había empezado a montar su campamento.

Volvió a comprobar su MP4.

Tenía el seguro puesto y estaba cargado.

Sin embargo, le seguían temblando las manos.

Jenk se sirvió de la pura fuerza de voluntad y respiró profundo una docena de veces para recuperar la calma.

Algunos tíos en los equipos de las Fuerzas Especiales SEAL, como Izzy Zanella, que ahora lo miraba desde unos cuantos metros, funcionaban en un estado perpetuo de irritación. Izzy ponía su rabia a hervir a fuego lento y la utilizaba como combustible. Jenk siempre había pensado que aquello era peligroso, hasta esa noche.

Porque el hervor a fuego lento era mil veces mejor que la ira desatada y rugiente que se había apoderado de él al ver esas zapatillas deportivas negras que colgaban flojamente y sin vida por encima de su cabeza.

Maldita sea.

Se obligó a respirar. Inspirar. Y espirar.

Suave y regularmente.

Concentrarse.

Olió el humo antes de ver el fulgor de las llamas a lo lejos.

Alguien había encendido una fogata en el campamento, una prueba de que el enemigo creía ser dueño y señor de esas tierras desérticas y olvidadas de Dios. También creía que estaba solo en medio de la noche.

Aquello les favorecía.

También le favorecía que aquel tío nuevo, John Orlikowski, fuera el encargado de las comunicaciones en esa patrulla de los SEAL, una función que solía asumir él mismo.

Ser el hombre de las transmisiones por radio significaba pegarse a la figura descomunal del teniente Jacquette.

En cuyo caso les habría costado mucho a los dos fingir que a él no le temblaban las manos.

Tampoco se podría decir que el teniente no había reparado en ello.

Más allá de Izzy, Jenk vio a Jacquette y a Orlikowski retrocediendo hacia las sombras, alejándose del campamento enemigo. El teniente le hizo una seña a Izzy, que lo siguió.

Jacquette le miró, y le indicó que conservara su posición.

Sí, claro. Perfecto. Tú, el de allí, el tío con la diarrea emocional, quédate donde estás, no te muevas, no estropees esta operación tropezando con tus propios pies tembleques.

Era raro no estar en el meollo del asunto, no saber qué estaba maquinando el teniente.

Aunque, si Jenk conocía a Jacquette (y, sin duda, lo conocía), era probable que el teniente estuviera a punto de ordenar que alguien fuera a investigar el campamento.

Por eso había apostado a Izzy junto a él. Puede que Irving Zanella no fuera el sujeto más adecuado para una invitación a tomar el té con la reina, pero era rápido y sigiloso y, a pesar de su talla alta y delgada, era invisible, sobre todo después de ponerse el sol.

El objetivo de Jacquette sería averiguar cuántos eran los del campamento enemigo. Saber si alguno de los que mandaban formaba parte de la lista de los principales terroristas de Al Qaeda, buscados en todo el mundo en el marco de la guerra global contra el terrorismo.

¿Podían los SEAL matarlos a todos y salir indemnes de la operación? Se trataba sencillamente de disparar a matar y acabar con sus miserables vidas de manera indolora, muy distinto de lo que los muy cabrones habían hecho a aquellos civiles, a quienes habían torturado y luego colgado.

No, un momento. Eso último era su objetivo personal.

Era el motivo por el que estaba ahí sentado en ese rincón, dándose un respiro, intentando convertir su pesar y su rabia en algo útil.

Tampoco importaba. Con un pelotón de ocho hombres (más numeroso de lo habitual), Jacquette podía sencillamente ignorarlo hasta que llegara el momento de la retirada.

Tal como estaban las cosas, correspondía a a él llevar la radio de repuesto en caso de que Johnny O. sucumbiera al síndrome de Supermán. Como el miembro más reciente del equipo, John todavía se sentía obligado a no sentir pánico cuando empezaba a salpicar la mierda. Como si tuviera que demostrar al resto del equipo que tenía los *cojones* bien puestos.* Los jodidos novatos tardaban un tiempo en entender que si les volaban los huevos, no los tenían más grandes. Sencillamente dejaban de tenerlos.

Si no fuera porque él se había obstinado en formar parte de esa operación, en ese momento no estaría ahí. Sólo formaba parte de esa excursión porque dos eran uno y uno no era nada. Porque perder repentinamente los cojones hacía que la voz del novato subiera unas siete octavas. Acudirían a la carrera los perros, pero hablar por radio se convertiría en todo un desafío, y tendría que ocuparse otro.

Desde luego, el anverso del síndrome de Supermán era la posibilidad de que el joven John se quedara sin huevos sin que mediara un enfrentamiento, lo cual era improbable pero posible. Jenk había sido testigo de un caso. A veces ocurría que un tío que pasaba con éxito las duras pruebas de entrenamiento de las Fuerzas Especiales de la Armada se quedaba paralizado durante su primera intervención en el escenario real.

Les temblaba la voz, y las manos también.

Mierda.

Era puñeteramente injusto que la rabia y el miedo se manifestaran de forma tan parecida.

Izzy se arrastró hasta donde estaba apoyándose en los codos.

—¿Estás bien?

Jenk asintió con un gesto.

---

* En cast. en el original.

Iz lo miraba con una expresión muy rara pintada en sus ojos habitualmente burlones. Si hubiera sido cualquier otro, Jenk lo habría interpretado como un gesto de preocupación. O de simpatía. O incluso de compasión.

—Lo siento por lo de Suhayla —dijo Izzy, con voz casi inaudible—. Era ella, ¿no?

Jenk volvió a asentir con un gesto seco.

Sí, era el cuerpo de Suhayla, que colgaba con otros tres civiles de aquel puente reconstruido después de que las tropas estadounidenses hubieran llegado el año anterior y liberado aquella remota aldea perdida entre las montañas.

Por tercera vez.

Jenk había estado ahí. Había visto a los Marines montar el campamento y había creído lo mismo que creían Suhayla y sus amigos, a saber, que la ayuda de verdad había finalmente llegado para quedarse.

Suhayla Naaz, que había estudiado medicina en Londres, había sido lo bastante valiente como para dar un paso adelante y ayudar a organizar el gobierno local después de la primera invasión, al comienzo mismo de la operación Libertad Duradera. Se había visto obligada a esconderse las dos primeras veces que los estadounidenses habían regresado a Kabul, y a duras penas había salvado la vida.

Esta vez no había tenido tanta suerte.

—Es muy duro —dijo Izzy—. Verla tan muerta y eso.

Jenk lo confirmó con otro gesto seco. Sí.

—No vayas a ir y hacerte matar, Marky-Mark. No quiero tener que arrastrar tu cuerpo hasta Jalalabad.

Era típico de Izzy. No podía decir sin rodeos: «Tío, estoy preocupado por ti».

Jenk cambió de tema.

—¿Vais a salir a echar una mirada? —Normalmente, habría usado el lenguaje de las manos para una pregunta tan sencilla, pero tenía los puños apretados con fuerza.

—Enseguida —dijo Izzy, asintiendo con la cabeza. Siguió una pausa—. Fishboy dijo que hacía ya un par de años que conocías a Suhayla. Que recibiste un correo electrónico de ella la semana pasada.

Y Jenk supo por qué Izzy se había arrastrado hasta él. Su misión consistía en recopilar datos.

—¿De verdad te la tiraste durante todo ese tiempo? —le preguntó Iz. Y, sí, era probable que en su voz hubiera un dejo de admiración.

El mundo de Izzy no era sencillo. Creía que un hombre y una mujer no podían tener una relación que no incluyera (en el lenguaje de Izzy) unos buenos polvetes.

Jenk se quedó mirando hacia la noche.

—Me lo tomaré como un no. Pero es lo que querías, ¿no? —En Izzylandia había dos tipos de mujeres. Aquellas con las que uno deseaba acostarse y aquellas con que no lo deseaba.

Antes de ser salvajemente asesinada, Suhayla Naaz era una mujer bella, entera e inteligente. Tenía cuarenta y siete años y estaba casada con un médico inglés que vivía con los tres hijos de la pareja en Liverpool. Durante los catorce días que Jenk había pasado en su remoto pueblo natal el año pasado mientras liberaban el territorio circundante de todo tipo de malos, ella se había dado cuenta de que él era bastante bueno cuando se trataba de llevar a cabo las tareas.

La había ayudado a hacerse con un camión cargado de suministros médicos y generadores, comida y mantas. Y ropa y calzado para niños que lo habían perdido todo.

Reconocieron que eran almas gemelas y que se habían convertido en amigos.

—Por eso estamos aquí —siguió Izzy—, ¿no? ¿Te has montado uno de tus vudúes y te has apañado para que nos encarguen esta misión?

—Vaya imbécil —dijo Jenk, sacudiendo la cabeza.

—Lo digo en serio —insistió Izzy—. No sé cómo lo haces, Eminem. Pero Gillman dijo que vio el correo electrónico, donde tu amiga decía que había graves problemas pero que nadie la escuchaba. Así que tú vas y controlas mentalmente a un almirante para que todos vengamos corriendo y tú quedas como el que ha salvado el día. Y ella está tan agradecida que antes de que te des cuenta ya te has lanzado como todo un valiente. Sólo que mala suerte. Llegamos demasiado tarde. Ahora entiendo por qué te ha entrado el pánico chungo.

Sí. Por eso le había entrado el pánico chungo. Porque ahora que Suhayla Naaz había sido brutalmente torturada y asesinada, y que su cuerpo colgaba de un puente para advertir a los demás que no colaboraran con los estadounidenses, Jenk no volvería a tener la oportunidad de lanzarse como todo un valiente.

Y así, sin más, el juego había acabado. Izzy había ido demasiado lejos.

—Eres un gilipollas. No tienes ni idea —murmuró Jenk, apretando los dientes—. La doctora Naaz era asombrosa. Era lista, y valiente, y trabajaba para la democracia. Era todo lo que los jodidos políticos dicen que tenemos que encontrar aquí, y la han dejado ahí colgando mientras ellos están a salvo y se dicen unos a otros que la guerra es un infierno. Ya puedes decirle al teniente que estoy bien —dijo Jenk a Izzy—. No he perdido la chaveta. Pero me enfurece la ineptitud. ¿Para qué construir un puente si después dejamos que el territorio vuelva a caer en manos de los insurgentes?

—Buena pregunta. Seguro que algún burócrata allá en Estados Unidos habrá dado con lo que creen es una respuesta.

—La idea de que estos cabrones —dijo Jenk, señalando hacia el fuego del campamento— son los que la mataron... Pero nosotros les echamos una mano, maldita sea —dijo, seguido de una retahíla de imprecaciones que habría hecho fruncir el ceño a su propio padre.

Por su lado, Izzy seguía imperturbable.

—Puede que después de que neutralicemos a estos cabronazos que asesinaron a tu amiga, vaya a Washington DC, encuentre a los legisladores responsables y les haga unas cuantas preguntas que vayan al meollo de la cuestión.

—Sí, claro. —Jenk emitió un gruñido despectivo.

—¿Crees que no tengo los huevos para ello? —Iz se encogió de hombros—. Oye, no soy yo el cobardica al que le tiemblan las manos —dijo, y extendió las suyas para demostrarlo.

—Que te jodan. —Jenk acompañó sus palabras con un gesto de la mano, que por fin había dejado de temblar.

Izzy asintió con la cabeza, a todas luces contento de que Jenk volvía a dominar la situación. Ahora era más que evidente que ése era el verdadero motivo por el que se había arrastrado hasta allí. Le dio un golpecito en el hombro.

—Cuando te desahogas, aunque sólo sea un poco, mantienes a raya la rabia.

Palabras sabias de Irving Zanella, psicoterapeuta.

—Así que, venga —dijo Izzy—. Tú y yo, Marky. El teniente Jacquette quiere que demos un paseíto nocturno. Pensó que el aire fresco de la noche te curaría de tus niñerías afeminadas.

Jenk sabía que a pesar de que las manos le habían parado de temblar, nunca las olvidaría. *Niñerías afeminadas*. No tenía duda alguna de que recordaría esa noche hasta el día mismo que dejara la Armada.

Desde luego, no sería necesario que sus compañeros se la recordaran. Jamás olvidaría a la doctora Suhayla Naaz, que nunca debería haber muerto.

—Aunque, te daré un último consejo —dijo Izzy, sacándolo de sus cavilaciones.

Jenk no alcanzaba a verle los ojos en la oscuridad, pero sabía que el larguirucho de Izzy estaba mortalmente serio.

—No servirá de nada —dijo Iz, finalmente y en voz baja—. Aunque después descubramos que se trataba de una célula terrorista con vínculos directos con Bin Laden. Aunque tengamos pruebas de que son los hijos de puta que colgaron a Suhayla y la dejaron así... Aunque nos aseguremos de que no volverán a hacerle daño a otro ser humano... —dijo, y sacudió la cabeza—. En realidad, no servirá de nada. —Sonrió, y acto seguido, recuperando su talante irreverente de siempre, como si de pronto se hubiera dado cuenta de que había delatado sus emociones, agregó—: Pero, claro, tío, te puedo asegurar que tampoco dolerá.

* * *

Eran demasiados.

Era algo irreal. Los insurgentes sabían perfectamente que no debían volver a ocupar el mismo pequeño trozo de territorio por temor a los ataques aéreos. Sin embargo, ahí se habían juntado no pocos hombres, como una especie de reunión de talibanes.

Izzy se había desplazado hacia el norte y había dejado a Jenk contando cabezas y mirando las caras y... Un momento, ¿acaso ése no era...?

Jenk ajustó la visión de sus binoculares infrarrojos.

Si, no cabía duda de que se trataba de Yusaf Ghulam-Khan, el intérprete que había trabajado para las Fuerzas Especiales y para los Marines, la última vez que Jenk había estado allí. Al hombre le pagaban directamente los estadounidenses.

¿Qué era lo que Suhayla había dicho de él? «No confiaría más en él que en mi peor enemigo.»

Cuando Jenk lo había conocido en aquella época, Yusaf tenía acceso a todo tipo de información. Había prestado un juramento de lealtad, aunque aquello no significara nada.

En ese momento, no era prisionero. Se paseaba de aquí para allá, a todas luces un personaje conocido y, al parecer, era objeto de todo tipo de felicitaciones.

Y Jenk lo supo enseguida.

Esa reunión masiva era el problema que había descrito Suhayla. Había enviado a su hermano a Kabul, donde tenía acceso a Internet, para que escribiera un correo electrónico a una de las pocas personas en que todavía confiaba.

Y esa persona era él.

Sabiendo que Suhayla intentaría prevenir a los estadounidenses, y sin saber que ya era demasiado tarde, Yusaf había contribuido a silenciarla. Al menos, la habría identificado. Incluso era bastante probable que él mismo le hubiera atado la cuerda al cuello.

A Jenk volvían a temblarle las manos.

¿Qué palabra había usado Iz? Desahogarse.

—Cabrón, cabronazo, más que cabrón —masculló.

Izzy volvió a aparecer, como respondiendo a una llamada. Con una silenciosa señal, hizo callar a Jenk. Había contado ciento doce hombres. Jenk trasmitió su propia cuenta: ciento cuarenta y siete. Hecha la suma, había unos doscientos sesenta combatientes enemigos.

¿Qué coño estaba pasando?

Aquellos insurgentes no se estaban reuniendo para una inminente batalla. En aquel páramo del culo del mundo no había nada que atacar.

Al menos desde que los estadounidenses se habían retirado. Una vez más.

Jenk retrocedió y se fundió en la oscuridad, lo bastante lejos del campamento como para poder hablar. Iz lo siguió.

—Es un punto de suministros —confirmó Izzy—. Municiones, armas, explosivos... Ahí dentro tiene que haber un arsenal.

Ahí estaba la respuesta. Un punto de aprovisionamiento. La gran pregunta de cómo era posible que los insurgentes no carecieran de municiones y explosivos había dejado de ser un misterio desde hacía un tiempo. Cruzaban la frontera con notable facilidad.

Sin embargo, aquella aglomeración en toda regla daba que pensar. Era una demostración de poder, un claro mensaje para los pueblos de la región. Era una advertencia que decía que los insurgentes habían dejado de ver a las tropas estadounidenses como una amenaza.

Izzy siguió moviéndose, y volvió hacia la posición de Jacquette. Para él, era evidente cómo había que proceder. Tenían que informar al teniente, que se comunicaría con el cuartel para pedir un ataque aéreo mientras los suministros se encontraran en esas coordenadas.

Si dejaban que se dispersaran entre los montes, esas municiones les serían devueltas a los estadounidenses bala tras bala, mortero tras mortero.

Sin embargo, pedir un ataque aéreo era un problema mayor, y no sólo porque en los últimos tiempos había que solicitar un bombardeo con varios días de antelación. Jenk detuvo a Izzy.

—¿Qué piensas de las probabilidades de ocho contra doscientos sesenta? —inquirió al espigado Izzy. Las armas que había visto en el campamento enemigo no se limitaban a armas y municiones—. Tienen armas dirigidas por señales de los equipos de radio, el último grito de la tecnología.

Jenk había utilizado equipos similares en una operación de entrenamiento, y lo malo era que funcionaban. Y muy bien. La tecnología solía superarse a sí misma. No pasaría mucho tiempo antes de que los genios de laboratorio idearan una radio capaz de burlar esa tecnología de detección, pero todavía no lo habían conseguido.

En pocas palabras, si Jacquette rompía el silencio de las ondas de radio, sería equivalente a revelar su presencia (y coordenadas) al enemigo a bombo y platillo.

Combinado con las piezas de artillería que Jenk había divisado gracias a la luz de las fogatas... No, no era buena idea.

—De modo que nos retiramos —dijo Izzy. Nos alejaremos del alcance de los morteros y pediremos un bombardeo aéreo.

—Nos han bloqueado la ruta que baja por la montaña —señaló Jenk.

—Entonces cruzamos los montes y nos metemos en los bosques, si tenemos que hacerlo. Hay más de una manera de llegar a casa de la abuelita.

A diferencia de Izzy, Jenk conocía bien el territorio.

—Eso nos llevará más allá de la frontera. —Al ver la expresión de exasperación de Izzy, agregó—: Escucha, yo no tengo problemas con esa opción. Las armas han llegado desde el otro lado de la frontera. Además, es probable que el joputa de Bin Laden se encuentre allí, y seguro que tratado a cuerpo de rey. Pero te lo puedo decir ya, y es que en cuanto le demos esta información al teniente, dirá que no quiere provocar un...

—...un incidente internacional —dijo el teniente, con semblante grave, tal como había advertido Mark Jenkins. Era un reflejo que tenían todos los oficiales del ejército. Pero, a diferencia de los altos mandos, Jacquette se había formado bajo las órdenes del mejor comandante de todos los tiempos, el teniente coronel (por desgracia, ya jubilado) Tom Paoletti—. ¿Hay alguna otra opción?

Al igual que Tommy Paoletti, Jazz Jacquette tenía la costumbre de consultar con sus hombres e intercambiar ideas con ellos. Pensaba de verdad que era una buena idea poner en práctica las miles de horas de entrenamiento que habían tenido sus hombres de las Fuerzas Especiales, las SEAL, para desenvolverse en el terreno.

Izzy se rascó la nariz mientras intentaba pensar. Tenían que hacer volar por los aires esas armas y municiones, y no morir en el intento. Era una verdadera situación Apolo 13. Los hombres de las SEAL tenían ante sí el obstáculo infranqueable de las montañas y los equipos, armas y provisiones que llevaban eran limitadas.

—Podríamos pasar por su campamento —sugirió Izzy—. Cogemos unos cuantos pañuelos, nos cubrimos la cabeza y la cara y nos largamos sendero abajo. Llamamos para que lancen el ataque aéreo cuando estemos lejos de su alcance.

—Como si nadie fuera a darse cuenta —dijo Silverman, con tono de mofa.

—Puede que no —dijo Izzy. Pero si reparaban en ellos, morirían todos.

—Aún así, cogerían nuestra señal de radio —señaló Jenkins—. Sabrán que hemos pedido un bombardeo aéreo y se dispersarán en cuestión de minutos.

Tenían que encontrar una manera de mantener a los insurgentes en aquel lugar hasta que las bombas empezaran a caer. Y no morir en el intento. Era fácil que sucediera una u otra cosa. El verdadero desafío consistía en que se cumplieran los dos objetivos.

—Tengo suficiente C4 para volar esa cueva hasta sepultarla —dijo Gillman.

—Ya, contigo dentro —acotó Silverman, el señor catastrofista.

—No necesariamente —dijo Izzy.

—¿Acaso te quieres presentar voluntario? —replicó Silverman, que había abierto desorbitadamente unos ojos casi cerrados—. Porque eso sería una clara señal de que el plan se ha ido al puto garete —dijo, y miró a Jacquette para que éste confirmara sus palabras—. Si el señor Psicótico quiere pasar a la acción...

—Yo no he dicho eso —señaló Izzy, hablando por encima de él—. Yo digo que pidamos el bombardeo aéreo y luego salgamos por piernas hacia un refugio. Que, precisamente, está al otro lado de la frontera. Con una retirada rápida, nadie sabrá de nosotros.

Jenkie miró su reloj, pendiente de cada detalle, como siempre.

—El helicóptero no estará disponible hasta dentro de seis horas —informó.

—¿Qué coño? —dijo Izzy, hablando en nombre de todos y mirando a Jacquette para tener una confirmación. *¿Seis horas?*—. ¿Señor?

El teniente asintió con la cabeza.

—El secretario de Defensa está de visita oficial en Kabul, hoy.

Madre mía. ¿De verdad creían que esa misión era más importante que la que ellos tenían entre manos?

En otras palabras, no sólo tenían que correr a todo pulmón sino también esconderse. Durante seis jodidas horas. Y, sí, había muchas cuevas allá en las montañas, pero el enemigo tenía una ventaja porque conocía el terreno palmo a palmo. Además, a ellos las supuestas fronteras les daban un puto rábano.

—Podemos tomar fotos, coger las caras y ver si los de inteligencia los identifican —sugirió Silverman.

—Pero si no les paramos los pies... —El recién llegado, Orlikowski, empezó a protestar, como si existiera una posibilidad real de que sólo tomaran unas fotos.

Hacer eso (que equivalía a nada) no caería bien a ninguno de los que estaban. Izzy sabía que cada vez que un soldado de infantería caía bajo las balas de un francotirador o de una bomba trampa, todos acababan con un mal sabor de boca y con las tripas revueltas pensando en todas esas armas y municiones que caían en manos de los insurgentes.

—No vamos a renunciar a esta operación —dijo el teniente, con su mejor imitación de la voz de Dios.

Jenk pidió la palabra.

—Tengo una idea —dijo, con esa vocecilla aflautada que hacía pensar en un chico sin edad suficiente para votar, una voz que hacía pensar a Izzy que su próxima frase sería *¡Podemos celebrar la próxima reunión en el establo de mi padre!*—. Pido autorización para liberar a uno de los insurgentes, señor.

El teniente Jacquette era afroamericano. Tenía una cara ancha, piel oscura y una nariz similar a la que Jacko se había cambiado, cuando era un chico guapo. Jacquette era un tipo atractivo (Izzy lo sabía porque había salido con muchas mujeres que se lo habían comentado. Sin embargo, la expresión por defecto del teniente era la de alguien que acaba de pisar mierda. Podría haber ganado una fortuna jugando al póquer porque era una expresión imperturbable.

En todo momento.

Vale, puede que cambiara un poco, dependiendo de si la mierda que había pisado era de perro o de vaca. Pero había que conocerlo muy bien para ver la diferencia.

Aquel hombre medía casi el doble que él. Pero el teniente lo conocía lo bastante bien para que no le engañara su aspecto de niñato a punto de cumplir los diecinueve años, alumno de excelentes notas y cara de *boyscout*.

—¿A alguien en especial? —preguntó, seco, a Jenk—. ¿O se trata de un insurgente cualquiera?

—Se llama Yusaf Ghulam-Khan —dijo Jenk porque, sin importar dónde fueran y qué hicieran, conocía enseguida a todos y todo. Y la mejor manera de manipularlos. Izzy supo enseguida que no saldrían de esas montañas con las manos vacías. Pero tampoco en bolsas para cadáveres.

Jenk siguió:

—Le explicaré, señor, cómo nos ayudará Yusaf...

—¡Yusaf! ¡Gracias a Dios! —Jenk tuvo que emplearse a fondo, recurrir a toda su experiencia y talento como el mejor mentiroso del equipo para darle al hombre un saludo que sonara genuino. También tuvo que sacar toda la entereza que había en él para mirar al cabrón a los ojos sin miedo a traicionar su verdadero deseo, un deseo que contemplaba el uso de su cuchillo militar.

El hombre estaba aterrado. ¿Quién no lo estaría después de haber sido cogido por Izzy y Danny Gillman y arrastrado a la noche oscura? También estaba algo más que confundido por el hecho de encontrarse todavía vivo. No hacía más que proferir ruidos con que intentaba articular un no-es-culpa-mía, por-favor-no-me-matéis, con Danny tapándole la boca firmemente.

—Relájate, tío —dijo Jenk, que interpretaba el papel del soldado ingenuo—. Hemos salido en una operación de reconocimiento, una operación estándar, ya sabes, un pelotón pequeño. Y luego nos hemos encontrado con este pastel —dijo, señalando el campamento de los insurgentes—. He visto que te habías infiltrado como topo... —Sí, vale, pero Yusaf enseguida dejó de gimotear—... y nos hemos dado cuenta de que, juntos, podemos acabar con estos cabrones.

Yusaf ahora asentía con la cabeza, fiel a quien fuera que le apuntara con una pistola en la sien. Al menos siempre y cuando el arma estuviera cargada.

Jenk le hizo un gesto a Danny, que dejó de taparle la boca a Yusaf.

—Gracias a Dios que estáis aquí. —Yusaf abrazó a Jenk—. No sabía qué hacer. Mataron a la señora Naaz...

Puede que Jenk fuera bueno mintiendo como un condenado, pero no estaba dispuesto a hablar de Suhayla con ese cabrón. Se liberó del abrazo.

—No tenemos demasiado tiempo antes de que se den cuenta de que no estás. Te diré lo que queremos que hagas.

Jenk empezó a darle detalles de la operación y describió un plan para «engañar» a los insurgentes con el fin de que creyeran que estaban rodeados por fuerzas de la coalición. Los miembros de las Fuerzas Especiales de su pelotón se apostarían alrededor del campamento para lanzar señales luminosas y así marcar la «posición» de cada uno de los dos «batallones».

Entretanto, Jenk se ocuparía de la radio y se prepararía para tomar contacto con el cabecilla de los insurgentes y «negociar» su rendimiento.

Desde luego, Yusaf volvería al campamento de los talibanes y le diría al jefe exactamente cuántos (en este caso, cuán pocos) hombres de las Fuerzas Especiales se ocultaban en la oscuridad.

Ellos lanzarían las señales luminosas y los insurgentes se lanzarían al ataque entre los montes, dejando así despejado el camino para que los hombres de las SEAL escaparan. Después de llamar para pedir un bombardeo aéreo, desde luego.

Y aquí es donde el plan de Jenk se volvía un poco impreciso. Con ese espectáculo de circo ambulante que había en Kabul, tal vez un ataque aéreo inmediato no fuera posible.

Así que Jenk adornó su cuento y cargó su confesión con la típica jerga basura de los tecnócratas. Estaban casi seguros de que habían identificado a uno de los hombres en la cueva como un alto funcionario de un país supuestamente neutral, lo cual ayudaría a demostrar que ese país cultivaba lazos con los terroristas.

—Por eso no podemos ir y pedir un ataque aéreo que los haga polvo —mintió Jenk—. Necesitamos las armas y las municiones como prueba de las actividades ilegales de este hombre, ¿me entiendes?

Yusaf asintió con la cabeza.

Jenk dejó caer su última bomba de desinformación.

—Sólo tenemos que entretenerlos —dijo a Yusaf—. Durante veinticuatro horas, hasta que lleguen las fuerzas de la coalición de verdad. —Siguió una pausa para darle más peso a sus palabras—. ¿Nos ayudarás? ¿Volverás allá y les dirás que los montes están llenos de soldados estadounidenses? ¿Les dirás que nos pondremos en contacto con ellos para negociar su rendición?

Yusaf no paraba de asentir con la cabeza.

—Por supuesto —dijo.

Por supuesto.

Jenk le tendió la mano al hombre mayor y dijo, con toda sinceridad.

—Contamos contigo.

—Entiendo —dijo Yusaf.

Jenk miró a Izzy y a Danny asintiendo con un gesto de la cabeza. Los dos se habían presentado voluntarios para montar las señales luminosas.

—Vamos allá. Tomad vuestras posiciones.

El teniente Jacquette había estado brillante al dejar que Marky-Mark diera rienda libre a su montaje.

El teniente y el resto del equipo estaban preparados, dispuestos a correr montaña abajo, sin necesidad de cruzar la frontera, después de destruir la munición de los insurgentes y sin sufrir bajas.

Izzy apostó su señal luminosa y le añadió un cable de detonación. Después de encender esa preciosura, no tenía ningunas ganas de quedarse en las inmediaciones, y la mecha extra larga le permitiría salir del foco del conflicto.

Mark Jenkins había sabido instalar una mecha de combustión lenta similar en Yusaf y sus compinches insurgentes.

Incluso les había dado un motivo para quedarse un rato, a saber, la presencia de las Fuerzas Especiales en los cerros aquellos. Si esos insurgentes pudieran no sólo matar sino capturar a un equipo de las SEAL, los pasearían por la televisión de Al-Yazira y se convertirían en auténticos héroes.

Nada sabían, gracias a las maravillas de un cable de detonación lento, que las Fuerzas Especiales no estarían ni remotamente cerca de las señales luminosas. Los malos cargarían contra la montaña y no encontrarían nada. Ni a nadie.

Con la excepción de Marky-Mark Jenkins. Pero éste era pequeño y rápido, y sabía esconderse.

La parte más depurada del subterfugio de Jenkins era que le había advertido a Yusaf que contactaría por radio con los insurgentes con la intención de negociar, es decir, intentar ganar tiempo, antes de que entraran en acción las verdaderas tropas estadounidenses.

Daban por sentado que los talibanes captarían la señal de radio de las SEAL con sus equipos de rastreo.

Izzy sabía que Jenk apostaba por que los insurgentes no supieran usar esos equipos con la misma destreza que, al parecer, tenía él. Una parte importante pero hasta ese momento desconocida del plan dependía de que los insurgentes no cayeran en la cuenta de que mientras Jenk mandaba su mensaje de «Preparaos para rendiros», al mismo tiempo también estaría llamando para pedir el mentado ataque aéreo.

Lo cual los conducía al factor chapuza de mierda número uno, y era que Jenk tenía que convencer a los imbéciles al mando de que ordenaran el ataque en ese momento, en lugar de hacerlo tres días más tarde, asunto que tenía una importancia clave.

Una vez que Jenk tomara contacto por radio, gran parte del plan dependía de su habilidad para ponerse en contacto con alguien en el cuartel general que se saltara los protocolos y el papeleo y mandara de verdad la ayuda que necesitaban.

Qué va, pensándolo bien, el factor chapuza de mierda ya estaba eliminado. Jenk conocía a todo el mundo. Y sabía cómo seducir, engañar o controlar mentalmente a cualquiera para conseguir exactamente lo que quería. No había ningún ser humano en el planeta que fuera inmune a los talentos de Jenk.

Desde el punto de observación donde dominaba el campamento enemigo, Izzy hizo un barrido visual del área, buscando a Yusaf. El intérprete seguía en la cueva, sin duda en intensa deliberación con los cabecillas insurgentes, como buen renegado que era, ayudándoles a definir los detalles del contraataque.

Sin embargo, había aumentado la actividad en torno a la radio, a los equipos dirigidos por señales y en torno a toda una instalación de lanzadores de cohetes. Y, sí, lenta pero seguramente, los talibanes empezaban a moverse, alejándose del sendero que bajaba por la montaña y asumiendo posiciones de ataque.

Excelente.

Izzy miró su reloj.

Que comience el espectáculo.

Jenk transmitió las coordenadas para el ataque aéreo en la radio de repuesto y luego lanzó su señal luminosa.

Las otras dos señales iluminaron el cielo al unísono y Jenk se lanzó a correr a toda velocidad.

La suerte, y los pequeños factores les eran favorables. Jenk había conseguido comunicarse con el cuartel general y luego con un coronel de la Fuerza Aérea que en una ocasión había conocido en el bar de un aeropuerto. Para tratarse de un oficial, el tío era listo, y era legal. Enseguida había tenido clara la película.

Les conseguiría el apoyo aéreo que necesitaban. Y, en lugar de días, o incluso horas, el ataque se produciría en unos minutos.

Lo cual significaba que tenían que salir de la zona a todo dar.

Lo cual también significaba romper el silencio de la radio.

—Siete minutos —informó a Jacquette y al resto del equipo de las SEAL, por medio de sus cascos receptores, mientras bajaba deprisa por el monte.

—Sal de ahí como puedas —rugió el teniente.

—En eso estamos —respondió Jenk.

La posición de Jenk era la más vulnerable. Trabajando con los parámetros del peor de los casos (el caso de que los pusieran en una lista de espera para el ataque aéreo) tenían que asegurarse de que Jenk estuviera cerca de la radio que enviaba la demanda de rendición (una grabación en bucle) a los insurgentes. La teoría era que si los malos captaban las dos señales diferentes, quizá pensaran que la segunda era una especie de sombra o reflejo.

Al menos ésa era la teoría que había descrito Jenk al teniente al exponerle su plan.

En ese momento, claro está, no había dicho «quizá».

La posibilidad de que los insurgentes tuvieran un operador de radio entrenado tan bien como un agente de las Fuerzas Especiales, seguía insinuándose entre los hombres, quizá la número quince en la lista con el encabezamiento «Maneras posibles de morir de Mark Jenkins esta noche».

Posible, pero improbable.

Desde luego, ahora el «fuego amigo» había pasado al primer lugar de la lista.

Por oposición al «Accidente de navegación en el río Hudson» que seguía estando en el lugar treinta mil.

Mientras Jenk resbalaba y derrapaba en el polvo y las rocas, aproximándose al sendero más seguro, alcanzó a oír los gritos en el campamento. A pesar de que las lenguas no eran su fuerte, por la inflexión y el tono de las voces que escuchaba, entendió que eran órdenes militares.

—Sí, era decididamente un «¡Preparados, apunten, fuego!» Seguido del ruido sordo del lanzamiento de cohetes.

Tum. Tum, tum-tum-tum. Tum, tum. Tum.

Joder, cuántos cohetes.

Había juzgado mal a los insurgentes y su gusto por la sangre. Había pensado que se les pondría dura si capturaban a un equipo de las Fuerzas SEAL. Pero, por lo visto, habían optado por barrer a los estadounidenses de la faz de la Tierra. Lo cual convertía los minutos que seguirían en la vida de Jenk en más fáciles y difíciles a la vez.

No sabía hacia dónde iban los cohetes (nunca se podía saber). Pero si uno escuchaba el silbido de un obús que se acercaba, probablemente ya fuera demasiado tarde para refugiarse.

Maldita sea, odiaba los ataques de artillería, sobre todo en la fase de lanzamiento.

Pero al cabo de un rato cambió de opinión. Lo que de verdad odiaba era cuando las bombas empezaban a caer, y explotaban con un rugido y con una lluvia de fuego y rocas, sacudiendo la tierra.

La urgencia en caer al suelo y arrastrarse para buscar un modo de cubrirse fue superada por la necesidad de moverse lo más rápidamente posible, así que siguió en pie.

Tum. Tum, tum-tum-tum. Tum, tum. Tum.

Al menos el sendero estaba despejado. Más adelante, se bifurcaba, y Jenk no vaciló. Siguió en dirección al río.

Fue una mala elección.

Oyó el chillido del cohete y supo que moriría. Sin embargo, el instinto de supervivencia era muy fuerte, y se lanzó de cabeza para guarecerse debajo de un saliente rocoso, aunque sin dejar de pensar *demasiado tarde, demasiado tarde.*

Sintió el dolor enseguida al rebotar y ser arrastrado por el suelo. Era como pasarse un papel de lija por las manos y la cara.

Y, aún así, procuró ir más allá, hasta meterse en una pequeña hendidura entre el suelo y una roca. Jamás se había dado por vencido, ni una sola vez en su vida. ¿Por qué habría de empezar ahora justo antes de su muerte inminente?

El ruido de la explosión fue ensordecedor, y la fuerza de la onda expansiva lo lanzó hacia adentro.

Los pulmones se le llenaron de tierra, humo y polvo y los ojos se le irritaron. Se dio cuenta de que pensaba en su madre, en su hermana, Ginny, y en su padre. Vio sus rostros con claridad, como en un pase de diapositivas. No fue su vida lo que pasó ante sus ojos, sino una sucesión de imágenes de las personas que había amado. Antiguas novias. Amanda. Christy. Heather. Incluso Shelly, la perfeccionista, que se volvía muy pesada cuando no estaban en la cama.

El pequeño Charlie Paoletti, con su sonrisa y su mentón tembloroso.

Empezó a toser, sintió que los tímpanos le dolían, mientras se ahogaba con una mezcla de polvo y arrepentimiento. Había tantas cosas que todavía quería hacer, tanta vida aún por vivir.

Pero enseguida se dio cuenta de que el hecho de toser significaba que todavía tenía pulmones, que todavía tenía la cabeza sobre los hombros.

Movió la pierna derecha. El brazo derecho. El...

Una descarga de dolor lo recorrió de arriba abajo, otra prueba, además de la asfixia, de que seguía muy vivo.

Tenía todo el lado izquierdo aplastado. Se giró, intentando liberarse, o para ver la gravedad de sus heridas, y se oyó a sí mismo lanzar un aullido de dolor.

Comprobó que su micro estuviera apagado, y vio que tenía el casco de los auriculares roto. No podía oír a sus compañeros ni ellos podían oírlo a él.

Sin embargo, su reloj todavía funcionaba, y seguía la cuenta atrás. Quedaban dos minutos y diecisiete segundos antes de que la artillería enemiga, que seguía cayendo como fuego graneado, se convirtiera en la última de sus preocupaciones. Dos minutos y diecisiete segundos —ahora dieciséis— antes de que el ataque estadounidense borrara a doscientos sesenta combatientes talibanes de la faz de la Tierra.

Y a él junto con ellos.

Estaba demasiado cerca. Y no tenía idea del alcance de sus heridas. No había manera de alcanzar un refugio en dos minutos, aunque consiguiera quitarse de encima todos esos escombros.

No había manera de que uno de sus compañeros lo encontrara a tiempo ya que se había alejado, no aproximado, del punto de retirada que habían fijado.

Aún así, no era su letanía de *no hay manera* lo que lo sacaría de ahí. El dolor era insoportable, pero empezó a cavar, retorciéndose de una manera que habría enorgullecido a su entrenador de gimnasia en el instituto.

Cayó otro obús, pero esta vez Jenk alcanzó a cubrirse la boca y la nariz sepultando la cara en el hueco del codo.

Y cuando el rugido de la explosión se convirtió en un pitido en los oídos y él volvió a cavar, oyó...

—¡Jenkins!

¿Izzy?

—¿Aquí? —gritó Jenk y luego, gracias a Dios que Izzy estaba ahí, ayudándole a salir, quitando los trozos de roca más pequeños y haciendo rodar otros más grandes, hasta que consiguió sacarlo.

Sintió un dolor horrible cuando Izzy lo ayudó a ponerse en pie, y comprobó que todavía tenía las piernas conectadas a los pies, unos pies sobre los que todavía podía milagrosamente sostenerse.

Su hombro izquierdo era otro asunto muy diferente.

Era una suerte que no necesitara su hombro izquierdo para correr.

Aunque eso tampoco era verdad. A cada paso que daba, el dolor volvía a cortarlo en dos.

Al parecer, Izzy se dio cuenta, y le cogió el brazo bueno por encima del hombro. Hablaba con el teniente por su propio aparato de radio, mientras empujaba a Jenk para avanzar más rápido.

—Tengo la radio. Ah, sí, y también tengo al pequeño Jenkins. Me ha costado encontrarlo, es tan pequeño que se había metido debajo de una roca. No se lo diga a los demás, pero me parece que se ha cagado en los pantalones.

—Que te jodan, capullo —dijo Jenk, con voz ahogada y a pesar del dolor, a través del dolor.

—Llegaremos justito —avisó Izzy a Jacquette, pero lo conseguiremos.

Lo conseguirían. Era un milagro. El milagro más doloroso de toda su vida, pero, al fin y al cabo, un milagro.

Izzy Zanella era su ángel mandado por el cielo.

De alguna manera, Iz había sabido dónde encontrarlo. Sabía exactamente dónde buscarlo.

—La he descolgado pensando en ti —dijo Izzy, ahora hablándole a Jenk, que vio que habían llegado al puente.

Y así era. Los cuerpos de Suhayla y los demás estaban tendidos a lo largo del camino con las caras tapadas en signo de respeto.

—Ya me imaginé que vendrías hacia aquí —dijo Izzy—. Cuando no llegaste, me encargué de ello antes de volver a buscarte. Espero que no te importe.

—No —consiguió decir Jenk—. Gracias, tío.

—Para que lo sepas, le dispararon, Mark. En la cabeza. Fue rápido. Antes de que, ya sabes, la colgaran. Ya sé que no cambia nada. Los muertos están muertos. Sólo pensé que quizá te interesara saberlo.

Izzy había adivinado que Jenk se dirigía a ese lugar, al puente, para asegurarse de que el cuerpo de Suhayla sería descolgado. No por eso dejaba de ser un milagro, porque la idea de un Izzy tan sensible y perceptivo era casi tan absurda como la idea de un Izzy Ángel Omnipotente.

—Nos aseguraremos de que la entierren —le prometió Izzy, con su voz que sonaba grave dentro de su certeza.

No había tiempo para detenerse a rendirle sus honores.

Estaban apenas fuera del alcance de las bombas estadounidenses cuando éstas empezaron a caer. Más allá de la nebulosa del dolor, Jenk oyó que Izzy cantaba.

—¡Y los cohetes lanzaban destellos rojos! ¡Las bombas explotando en el aire...!

Sonaba casi alegre, regocijado. Se parecía más al Izzy que él creía conocer y con el que había guardado sus distancias después de horas. El Izzy que nadie, en realidad, llamaba amigo, pero que todos querían a su lado cuando salían en una operación.

Se detuvieron en el sendero de la montaña cuando una bomba dio de lleno sobre el depósito de municiones. La explosión fue descomunal, y todas esas armas y municiones y dinamita se convirtieron en humo.

Armas que ya no serían usadas para matar a estadounidenses ni a personas inocentes como Suhayla, que sólo había querido vivir y trabajar en su propio país, libre de la opresión y el miedo.

Cuando empezaron a subir por el sendero en dirección al punto de retirada del equipo, Jenk supo que Izzy tenía razón.

No servía de nada. En relación con lo de Suhayla, era demasiado poco, demasiado tarde.

Pero era innegable que tampoco dolía.

Capítulo 1

Dos meses más tarde
San Diego, California
2 de diciembre, 2005

Lindsey Fontaine llamó al despacho de su jefe. La puerta estaba entornada, así que la empujó y asomó la cabeza.

—¿Quería verme, señor? —preguntó, pero enseguida se dio cuenta de que había alguien en el despacho, alguien con uniforme de la Armada sentado al otro lado de la mesa—. Oh, disculpe.

—No, entra, Linds —dijo su jefe, Tom Paoletti, y la invitó a entrar con un gesto de la mano. Conoces a Mark Jenkins, ¿no?

—No oficialmente —dijo Lindsey. Había visto a Jenkins por la mañana, rondando la mesa de la nueva recepcionista.

No era su fuerte reconocer el rango de alguien, pero Tom era un antiguo miembro de las Fuerzas Especiales de la Armada. Su empresa, Troubleshooters Incorporated, tenía muchos negocios con el gobierno, incluyendo el sector militar. Eso significaba que eran muchos los uniformes que pasaban por esa puerta.

Aquel joven casi imberbe (diablos, al parecer, era verdad que en los días que corrían los reclutaban en cuanto dejaban los pañales) se incorporó, inclinándose ligeramente del lado izquierdo. Era un suboficial, primera clase.

Y de eso no cabía duda. Era de verdad de primera clase, en más de un sentido. Muy mono, y con mucho músculo.

Pero, un momento. Su rango daba a entender que llevaba varios años en la Armada, porque los suboficiales empezaban con el rango de tercera clase y desde ahí tenían que abrirse camino hasta la primera. Y eso implicaba que no podía ser tan joven como aparentaba.

Debería darle vergüenza esa costumbre suya de precipitarse en sus conclusiones. Ella tendría que saberlo por experiencia propia, porque solían pedirle el carné de conducir en el cine. Cuando iba a ver una peli equis.

Lindsey sabía de primera mano lo desagradable que era parecer mucho más joven de la edad que tenías.

—Es un placer conocerte, Lindsey —dijo Jenkins al estrecharle la mano.

Buen apretón. Contacto visual seguro. Ojos muy, muy guapos, color avellana. Una sonrisa magnífica. Y unas pecas adorables. Tampoco era demasiado alto. Le había gustado esa primera impresión.

Dejando de lado el hecho de que él estaba a todas luces encaprichado con Tracy Shapiro, la nueva e increíblemente inútil recepcionista de Troubleshooters Incorporated. Desde luego, la mayoría de los hombres parecían convertirse en imbéciles frente a mujeres que tenían el aspecto de Tracy, el peinado sin cerebro.

Lindsey no había cruzado más que un simple saludo con ella, que había empezado a trabajar en el despacho hacía sólo unos días. Sin embargo, era indudable que la nueva recepcionista había activado enseguida el medidor de Peinados-sin-cerebros de Lindsey. Puede que tuviera algo que ver con el hecho de haberle pedido prestado cinco pavos a Alyssa, con cuyo marido, Sam, había estado flirteando hacía sólo unos minutos.

Pero, bueno, no era la parte del coqueteo con Sam lo que importaba. Alyssa tenía que estar acostumbrada a ello.

El verdadero gesto de Peinado-sin-cerebro fue cuando lamentó no tener dinero para la comida y aceptó un billete de cinco pavos de Alyssa con sólo una vaga promesa de pagárselos. Enseguida, sin siquiera darse un respiro, contó que había visto los zapatos que llevaba en unas rebajas, y no se había podido resistir. Aunque no le creyeran —decía— le habían costado *sólo* trescientos dólares.

Cuando Lindsey había empezado a trabajar en Troubleshooters Incorporated, llevaba zapatillas deportivas o botas de tacones gruesos, comprados en las rebajas por 29.95 dólares, así que... No. Le costaba creer que un par de zapatos, ni siquiera los que hacían las sirenas en las costas de Sicilia, pudieran costar trescientos dólares.

—Jenk fue quien nos recomendó a Tracy —informó Tom Paoletti a Lindsey—. Eran amigos en el instituto.

—Ah —dijo ella. *Eran amigos en el instituto* en el código de los tíos sonaba bastante como *Jenk siempre quiso darse un buen revolcón con ella.* Al parecer, todavía no se había rendido, y pensaba que sería un punto a favor ayudar a la chica a conseguir un empleo—. Ahora me lo explico.

Ay, no debería haber dicho eso en voz alta.

—Quiero decir, seguro que todavía intenta sentirse a gusto, tratándose de los primeros días y todo eso —agregó Lindsey, procurando mirar con una expresión que, esperaba, fuera interpretada como optimismo—. Quiero decir, todas hemos pasado por ahí, los primeros días. Da un poco de miedo. Es un poco abrumador...

—Absolutamente —dijo Jenk, mirándola con una ancha sonrisa.

Y los primeros días de trabajo tenían que ser el doble de difíciles para Tracy, cuyo peregrinaje en busca del Mago de Oz para conseguir un cerebro, por lo visto, había sido interrumpido a medio camino.

Lindsey tuvo el acierto de no decir eso en voz alta.

—Siéntate —dijo Tom, con ese tono relajado que tenía para conseguir que una orden sonara como una invitación.

Lindsey se sentó. Jenkins la imitó.

Tom Paoletti era el mejor jefe que Lindsey había tenido. No sólo era un hombre atractivo, a la manera de los calvos atractivos y sexys, sino también inteligente e increíblemente amable.

Quizá demasiado amable. Lindsey tomó nota mental de la idea de ofrecerse como voluntaria para despedir a Tracy en su nombre. Después de los últimos años que había vivido, despedir a alguien sería como quitarle un caramelo a un niño. Ni siquiera pestañearía.

Se lo comentaría a Tom más tarde, cuando Jenk ya no estuviera.

—Vamos a interpretar el papel de Célula Roja, es decir, los terroristas, en una operación de entrenamiento con el Equipo Dieciséis de las Fuerzas Especiales —le informó Tom—. Jenk será nuestro enlace mientras trabajemos en la logística.

—¿Ah, sí? —Lindsey miró al suboficial—. Que... —Estuvo a punto de decir *conveniente,* ya que su condición de enlace le daría más oportunidades de tener acceso a Tracy. Salvo que Tracy no era una mujer apta para múltiples tareas y la presencia de Jenkins la distraería y sería un inconveniente para todos en la oficina. Para empezar, ella ya estaba cansada de atender las llamadas telefónicas porque Tracy había conseguido volver a estropear el sistema de buzón de voz—. Interesante —dijo, al contrario, porque los dos esperaban que acabara su frase.

Jooder, esas pecas en la nariz de Jenk eran absolutamente adorables, sobre todo cuando fruncía el ceño. Junto a esos ojos color avellana y esas cejas oscuras y bien pobladas...

Era más que mono, pero probablemente de una manera que él mismo detestaba. Mono por su cara de bebé. Jenk apretó los labios ligeramente, porque entendió mal su comentario. *Interesante...*

—Tengo veintiocho años.

—Oh —dijo ella—. No, no estaba...

—Te lo estabas preguntando —dijo Jenk—. Ya veía que te lo preguntabas, así que... Ahora ya lo sabes. Tengo edad suficiente para votar.

—En realidad, no me lo preguntaba. —Lindsey miró a Tom, que sonrió, al parecer sin ninguna prisa para hablar de la operación de entrenamiento. Célula Roja. Sería la mar de divertido—. Quiero decir, me lo había preguntado hace un rato, pero luego saqué la cuenta, pensando que probablemente fuiste a la universidad y luego... Pensé que tenías unos treinta años, si quieres saber la verdad.

Lindsey lo había sorprendido.

—¿De verdad pensabas...?

Ella se encogió de hombros.

—Oye, sin maquillaje, yo misma aparento unos doce años.

Él la miró, esta vez de verdad.

—Ser plana favorece la ilusión —dijo Lindsey—. Mido un metro cuarenta y dos y medio, ya ves, cuento hasta los milímetros. También tengo la misma edad que mi talla de sujetador, 30A. La A corresponde a mi media de notas en UCLA, donde estudié antes de trabajar siete años en el Departamento de Policía de Los Ángeles —dijo, y le sonrió—. Soy una de las mejores guardaespaldas de Tom, por cierto. Me especializo en la protección de personas que a veces no quieren que sus amigos, socios comerciales y/o enemigos sepan que gozan de protección. Porque ya me he dado cuenta de que tú sí que te lo preguntabas. —Ya lo había sorprendido, así que se volvió hacia Tom, que ahora sonreía sin disimulo—. Célula Roja, ¿eh? Así que me has llamado para decirme que interpretaré el papel del Doctor Malvado, el cerebro terrorista, ¿no?

A Lindsey le caía bien Tom por muchos motivos, pero sobre todo porque la hacía reír. Algunas personas no entendían su sentido del humor, aunque Jenkins Cara Bonita parecía estar en la misma frecuencia, ahora que había salido de su asombro.

—Lo siento, soy yo el cerebro terrorista esta vez —dijo Tom—. Ha sido una petición expresa del almirante Tucker.

Ah.

—Eso me deja el papel de... —dijo, dejando que su voz se apagara—. ¿Mini?

Tom volvió a reír.

—Tentador, pero no. No del todo.

Ay, ay.

—Por favor, no me digas que soy...

Tom pronunció la palabra al unísono con ella.

—La rehén.

Lindsey se lo quedó mirando.

—Alguien tiene que hacer de rehén —señaló Tom, impasible ante su expresión de incredulidad.

—Sí, pero venga. ¿Crees que es realista que un rehén pese cuarenta y dos kilos? —preguntó, y se inclinó hacia delante para preguntar—. ¿Acaso no quieres presentar un desafío a los hombres de las Fuerzas Especiales? —Lindsey se giró hacia Jenk—. Dile que queréis a alguien que os plantee un reto. Dile que queréis que ... no sé, que Sam Starrett interprete el papel de rehén. ¿Cuánto mide él? ¿Un metro noventa y pico? ¿Noventa y cinco kilos? Si además tuviera alguna enfermedad cardiaca, sería el rehén perfecto.

—Esta vez serás tú —dijo Tom.

Lindsey sabía cuándo dejar de presionar, así que se limitó a suspirar ruidosamente.

—De acuerdo.

—Seguiremos hablando de ello más tarde —dijo Tom, seis palabras que parecían aún más intrigantes debido al brillo en sus ojos. ¿Acaso era posible que fuera algo más que la rehén? De pronto, las cosas volvían a parecerle divertidas.

Quizá.

—Sólo quería que conocieras a Jenk —siguió Tom—. Si necesita ayuda con la programación, o con cualquier cosa, en realidad —agregó, mirando directamente a Jenkins—, vendrá a verte, Linds.

Ah, estupendo. Ella se convertiría en la secretaria, además de la rehén, y ayudaría con la programación. Vaya, qué entretenido. Habría reclamado porque nunca veía a Tom asignándole a Sam Starrett la tarea de ayudar con la programación, aunque, en realidad, Sam estaba furioso porque Tom le había dado precisamente esa tarea la semana pasada.

—Pensaba que era una buena idea que los dos equipos se reunieran en algún momento de la próxima semana —sugirió Jenk—. ¿Quizás en el Ladybug Lounge?

—¿En serio? —Lindsey parecía escéptica—. ¿No parece demasiado poco realista, eso de que se conozcan con antelación, y en un bar?

Hola, Bin Laden, ¿tus chicos de la célula durmiente de San Diego podrían presentarse a una fiesta el martes por la noche?

—Se trata de una tarea de bala de plata —le informó Jenk, y enseguida tradujo—. Es casi una operación de prueba de Recursos Humanos. O se suponía que tenía que serlo. Hasta que al almirante Tucker se le metió entre ceja y ceja que sería divertido poner a Tommy frente al nuevo oficial al mando del Equipo Dieciséis.

Ay. Lindsey miró a su jefe.

—¿Tu antiguo equipo contra tu nuevo equipo? —preguntó—. Tiene que ser muy aburrido. Para tu antiguo equipo, quiero decir —dijo, y volvió a girarse hacia Jenk—. Vamos a volaros el culo que no veas.

—Sí, pero no lo creo. Somos de las Fuerzas Especiales. Y, sin ánimo de ofender, Tommy, el comandante Koehl es un buen oficial al mando, así que...

—Pobre hombre —dijo Lindsey—. Porque, cómo decirlo, ¿no es el Equipo Dieciséis ése que todavía llaman «el equipo de Tom»? Quiero decir, eso debe doler. ¿Cuánto tiempo lleva allí Koehl? ¿Un año por lo menos? Debe ser muy frustrante. Y ahora, si pierde... o, mejor dicho, *cuando* pierda.

Tom interrumpió.

—En las operaciones de entrenamiento no se trata de ganar o perder. Se trata de aprender. De mejorar.

Lindsey miró a Jenk, que la miraba a ella con la misma expresión de incredulidad. ¿No se trataba de ganar? ¿A quién creía engañar Tom?

—Y, sí —siguió Tom—, se suponía que esto era divertido. Así que veamos si podemos encontrar un momento para esa reunión social. No te olvides de invitar a Lew Koehl, y tratemos de minimizar el aspecto del ganar y perder. Empezando ahora mismo.

Lindsey volvió a mirar a Jenk.

—Le tengo manía al aprendizaje —dijo, mientras miraba fijamente el punto donde estaba plantado el trasero de Jenk en esa silla, y sin dejar de hacer con el pie un leve movimiento como para propinarle una patada.

—Totalmente a favor de mejorar —convino él, transmitiéndole a Lindsey una discreta *P* de Perdedora, formada con el dedo cordial recogido sobre el índice, fuera de la línea de visión de Tom.

Lindsey no pudo evitarlo. Rió, y enseguida lo disimuló tosiendo.

Desde luego, a Tom no lo engañaban. Se frotó la frente.

—Hablo en serio, vosotros dos. Esto será... en el mejor de los casos, difícil. Tanto para el comandante Koehl como para mí. Quiero que trabajéis juntos. Consigamos que con esto ganemos todos —dijo, sonriendo apenas—. Excepto, quizás, el almirante Tucker.

—Deberíamos mirar el calendario —dijo Jenk a Lindsey—. E intercambiar números de móvil.

Esas palabras pronunciadas por esos labios deberían haberle acelerado el corazón. Mark Jenkins quería su número de móvil. Era un tío guapo, divertido e inteligente, y se equivocaba horriblemente. Al fin y al cabo, estaba cachondo con el Peinado. Y el gesto de pedirle su número de móvil sólo tenía relación con el trabajo.

De una cosa no había dudas, Jenk era su tipo de hombre, es decir, un hombre clara y perfectamente fuera de su alcance. A menos que bebiera unas copas de más y acabara volviendo a casa con ella como su indudable segunda opción.

Sí, señor. Si jugaba bien sus cartas, era posible que se diera totalmente de morros con éste.

Aunque hacía ya algún tiempo que no se había dado de morros con nadie, o que había estado a punto de hacerlo, lo cual era mucho más agradable.

Aún así, sería prudente guardar cierta distancia.

—¿No crees que Tracy sería una mejor elección para ayudar a Jenkins en esta tarea? —sugirió, mientras cogía una tarjeta de visita de Troubleshooters Incorporated de la mesa de Tom. Escribió su número en el dorso—. Quiero decir, para mí será un placer. Pero pensaba, bueno, ya que son viejos amigos —dijo, con un doble guiño—, puede que Jenk agradezca la posibilidad de trabajar un tiempo con ella.

A Jenkins le pareció bien esa idea.

—Gracias —dijo, y se guardó la tarjeta en el bolsillo mientras buscaba la suya. Por lo visto, Lindsey había acertado al pensar que favorecería esa elección. Al observar a Jenkins, vio que no tenía total dominio de su brazo izquierdo.

Su propio hombro —el derecho— se contrajo levemente como muestra de simpatía.

Si no hubiera tomado la decisión de guardar cierta distancia hacía un momento, podría haberle dado unos cuantos consejos de rehabilitación y recuperación.

Entretanto, Tom no parecía tan entusiasmado como Jenk con la idea de Tracy como compañera de reparto.

—Tú eres el apoyo técnico oficial de Troubleshooters Incorporated —le recordó a Lindsey—. Si necesito respuestas, consultaré contigo. Pero puedes dejar que Tracy te ayude todo lo que quieras. Para eso la han contratado. De hecho, puedes aprovechar la oportunidad para conocerla, conseguir que coja el ritmo.

Vaya, que emoción.

Tom era un líder excelente. Sabía lo que pensaban sus subordinados incluso cuando, como en el caso de Lindsey en ese momento, ponían su mejor cara de póquer.

—También hablaremos de eso más tarde —dijo—. Ahora tengo unas cuantas cosas que quiero hablar con Jenk.

—Los primeros días siempre son duros —les recordó Jenk, cuando Lindsey se levantó de su silla. Él también se levantó, un gesto de perfecta cortesía, y le entregó su tarjeta.

—Veré si puedo encontrar el calendario con el programa de la oficina —dijo ella.

—¿Estarás por aquí más tarde? —inquirió Jenk.

—Estaré toda la tarde.

—Estupendo —asintió él, con un gesto de la cabeza—, entonces te veré después de comer. —Era evidente que saldría a comer con Tracy. Qué pena. Aún así, su sonrisa era contagiosa, y Lindsey también le sonrió al salir y cerrar la puerta, aunque guardando cierta distancia, o al menos eso esperaba.

En la recepción, Tracy estaba ocupada copiando documentos mientras intentaba atender las llamadas telefónicas. Tracy era una chica delgada, pero tenía todas las curvas en los lugares adecuados, pelo castaño largo y unos impresionantes ojos azules en un rostro perfecto. De medir diez centímetros más, podría haber ganado una fortuna como modelo.

Se tambaleaba precariamente sobre esos tacones demasiado altos de esos ridículos zapatos de trescientos dólares, yendo de la fotocopiadora al teléfono.

—Hola, Sam —dijo, al contestar una llamada, con una voz acaramelada que reservaba para cualquiera que anduviera por ahí con la genitalia colgando—. No, Decker no ha venido. ¿Puedo ayudarte en algo? —Las otras líneas tenían las luces encendidas y la fotocopiadora se había detenido, pero Tracy lo ignoraba todo porque tenía a Sam Starrett al teléfono.

Lindsey suspiró y fue a la otra mesa para atender las llamadas entrantes.

—Troubleshooters Incorporated. No cuelgue, por favor. Troubleshooters Incorporated, perdón, ¿puede esperar un momento?

Tracy Shapiro era una chica agraciada, eso era indiscutible. Tenía un cuerpo que muchas mujeres deseaban pero que pocas llegaban a tener, y parecía bastante amigable (demasiado amigable cuando se trataba de Sam Starrett). Y, vale, de acuerdo, quizá ella se equivocaba en lo de las carencias intelectuales. Puede que Tracy fuera especialista en cohetes espaciales. Algunos especialistas en cohetes espaciales que había conocido en UCLA tampoco sabían contestar a más de un teléfono a la vez.

Había muchas cosas que Lindsey no sabía de Tracy, pero había un detalle en que habría apostado mucho dinero si hubiera tenido alguien con quien apostar.

Y ese detalle era que las Tracy Shapiro del mundo no encajaban bien con los Mark Jenkins.

Jenkins no tenía ni la más mínima posibilidad con ella.

Lo cual aumentaba seriamente las probabilidades de que ella misma acabara dándose de morros.

Pulsó el último botón encendido mientras Tracy prolongaba su conversación con Sam con una pregunta acerca del estado del tráfico en la Quinta. Madre mía. Si Lindsey fuera Alyssa, la mujer de Sam, se sentaría directamente frente a Tracy, al otro lado de la mesa. Y pondría a punto su colección de armas de fuego. Vaya zorra.

—Troubleshooters Incorporated, ¿con quién desea hablar?

Lugar: desconocido
Fecha: desconocida

Tenía frío. Siempre tenía frío.

También tenía hambre.

Él mantenía el sótano húmedo a temperaturas bajísimas, y la tenía a ella rigurosamente mal alimentada.

Y casi siempre en la oscuridad. No había ventanas, ninguna manera de saber si era de día o de noche.

A veces él encendía las luces, sólo para desorientarla. No había ninguna regularidad en ello, como tampoco había motivos.

Ella intentaba llevar la cuenta del tiempo, pero era imposible, sobre todo en días como ése, cuando no había oído sus pasos en la cocina durante lo que le parecía una eternidad.

No recordaba la última vez que le había traído algo de comer. Sólo sabía que las provisiones que hasta entonces había racionado se habían acabado. Empezó a creer que moriría de hambre, encerrada ahí abajo, sola en medio del frío.

Intentaba convencerse a sí misma que morir estaría bien. Que sería preferible a lo que él le había hecho a la Número Cuatro.

Pero entonces lo oyó. Los pasos arriba.

Sus pasos. Los habría reconocido donde fuera.

Ahora deslizaba algo sobre el suelo de la cocina.

Alguien.

Sabía muy bien que no se había dedicado a ir de compras mientras estaba ausente tanto tiempo. Y sabía que eso que había arrastrado desde el coche no era un saco de patatas de cuarenta kilos.

Eran pocas las certezas que podía tener acerca de su vida, de esa pesadilla en que su vida se había convertido. Pero era evidente que no había vuelto a casa solo.

Y así lo comprobó cuando él abrió la puerta y bajó unos cuantos peldaños. La luz de la cocina se derramó por el sótano, dejándolo a él en contraste, de manera que a ella le costaba verle la cara.

—He vuelto, Número Cinco. ¿Me has echado en falta?

No recordaba qué aspecto tenía. Y, en realidad, nunca le había visto los ojos. No con esas gafas de sol que él llevaba cuando ella subió a su coche. El tiempo era una sustancia inasible, pero ella sabía que habían pasado meses desde que él la encerrara allá abajo. Puede que incluso años.

Antes había tenido un nombre. Beth. Pero ahora era un número. El cinco.

Él la llamaba así, y también la llamaba su campeona, con su acento monótono de yanki, cuando abría la puerta para traerle comida. A veces traía agua, y así ella no se veía obligada a beber de ese líquido salobre que manaba y formaba un charco en un rincón de su prisión.

Dios, cómo lo odiaba, y cómo lo temía. Y, aún así, cuánto añoraba esos momentos de luz deslumbrante.

Esta vez, él le lanzó algo. Ella lo esquivó, y el objeto dio contra la pared antes de que ella viera que se trataba de una barra de pan. Un frasco de mantequilla de cacahuete. Lo abrió de un tirón y empezó a comer a toda prisa. Porque ya había aprendido que todo lo que él le daba podía quitárselo con la misma facilidad.

Habría querido guardarlo, porque nunca sabía si la comida y el agua que le traía era lo único que tendría durante quién sabe cuánto tiempo. Si él hubiera vuelto a subir las escaleras enseguida, ella lo habría racionado, temiendo y a la vez rogando que volviera a aparecer.

A veces le dejaba comida unos metros más allá de lo que alcanzaban sus cadenas, y ella no tenía cómo llegar. Se quedaba sentada en la oscuridad, muriéndose de hambre, oliéndolo, aunque fuera por encima del hedor permanente de la muerte.

A veces, él cogía el cubo que le había dado para que hiciera sus necesidades y lo vaciaba. A veces no lo traía de vuelta durante días. Otras veces sí lo traía. Se lo lanzaba y la empapaba con su propia suciedad si ella no sabía esquivarlo.

Y no paraba de llamarla Número Cinco.

—Te has portado muy bien, Número Cinco.

—Te has portado muy mal, Número Cinco.

No importaba lo que ella hiciera. Sólo Dios era testigo de que intentaba portarse bien y hacía lo que creía que él quería, pero no tardó en quedar demostrado que aquello que le había valido cumplidos un día se convertiría en objeto de su ira al día siguiente.

Era una manera horrible de vivir.

Sólo una cosa tenía por cierto.

Después de alguna de sus largas ausencias, él le decía que ya era hora de asearse. Sacaba una manguera y la rociaba con un chorro de agua pestilente que le hacía daño y que la dejaba empapada y con más frío que nunca. Él le tiraba la llave que abría el candado del grillete en el tobillo.

Pero antes, pronunciaba esas palabras que a ella la aterrorizaban, palabras que ella se esperaba, y que escuchó en esta ocasión.

—Te he traído una amiga nueva.

San Diego, California
Viernes, 2 de diciembre, 2005

Dave traía dos tazas de café cuando entró en el despacho de Sophia.

—¿Lo has preparado tú? —preguntó ella.

Él respondió con un gesto afirmativo y se dejó caer en la silla frente a la mesa de ella. Adoptó una postura horrible. Quizás el cerebro le pesara demasiado, y no tenía la fuerza para mantener la cabeza erguida demasiado rato.

—Sí. Ya tenía concertado un accidente con la cafetera anterior.

—Así que —dijo Sophia, bebiendo un sorbo—. No sabe preparar café, no sabe cómo funciona el buzón de voz, a las copias de mi informe les falta la página cinco...

—Sólo lleva aquí un par de días —dijo Dave, condescendiente—. Dale una oportunidad.

—El cliente de Phoenix estuvo esperando veinte minutos en el teléfono —dijo Sophia—. Y, lo siento, pero era un documento de seis páginas. ¿Tanto costaba saber si faltaba la página cinco?

—He llevado a cabo una encuesta no científica. Lindsey la odia tanto como tú. —Dave se reclinó aún más en la silla y estiró las piernas—. A Alyssa le hace rechinar los dientes y Tess pone los ojos en blanco cada vez que oye su nombre. Por otro lado, los hombres están todos de acuerdo en que quizás el trabajo sea más duro de lo que parece.

—¿Y entonces, qué insinúas? ¿Qué somos inseguras y celosas? ¿O que sencillamente estáis todos cegados por el maravilloso jersey de Tracy?

—Es un jersey adorable —convino él. De todas las personas que ella había conocido desde su llegada a Troubleshooters Incorporated, David Malkoff era el que menos aires se daba. Vestía como el personal técnico, camiseta y pantalones cortos y holgados, con su pelo largo adornando una cara a la que no le sentaba nada bien el pelo largo—. Le sienta bien al color de sus ojos.

Sophia rió.

—Sí, sin duda todos se han dado cuenta del detalle del color.

—Yo sí —dijo él. En realidad, Dave tenía el aspecto de un contable vestido como Jerry García en Halloween.

—Sí, claro.

Dave se incorporó ligeramente y parpadeó como si lo hubieran ofendido.

—Yo sí me he dado cuenta.

Tenía un aspecto, pues... ridículo, para ser sincera. Ignorable. El caballo castrado en un corral de sementales.

En realidad, era un antiguo hombre de operaciones de la CIA, brillante y sumamente capaz.

—¿Sabes? Tienes una blusa que a veces te pones —siguió él, muy serio—. Es como una camiseta, pero algo más elegante. Es del mismo color azul de tus ojos. Es asombroso. Y, desde luego, el tejido consigue... colgar no es la palabra adecuada, pero ya sabes lo que quiero decir. Se ajusta. A ti. Como la blusa que llevas ahora mismo, que es... —Dave empezó de verdad a sonrojarse—. También es muy bonita. Pero es el color. El azul. De la blusa. Es del mismo color de tus ojos, de eso... me di cuenta. La primera vez.

Era posible que Sophia también se hubiera sonrojado. Pensando en su accidentado pasado, se había propuesto nunca vestir de forma provocativa. La blusa que se había puesto ese día no tenía nada de especial. La cubría totalmente, incluso con el primer botón holgadamente desabrochado. Sin embargo, no era una caja de cartón. Era verdad que el tejido se le ajustaba al cuerpo.

Un cuerpo que Dave, como muchísimos otros, había visto completamente desnudo. No era algo de lo que hubieran hablado, pero había momentos (como éste) en que Sophia veía el recuerdo de la propia desnudez en sus ojos.

—No puedes no darte cuenta del cuerpo... que tienes —insistió Dave, ya bien entrado en terreno peligroso, pero matizando su opinión—. Y, sin embargo, te pones esa blusa azul. O la que llevas puesta ahora. En lugar de un chaleco Kevlar, que taparía por completo... ya sabes. A ti. Tracy también es una mujer bella. No es culpa suya si... como ocurre contigo... la ropa que se pone para venir a trabajar le queda bien.

—Quizá debiera ponerme un chaleco Kevlar —dijo Sophia, poniéndose la chaqueta porque, de pronto, necesitaba cubrirse aún más. Dave, el hombre menos amenazador del planeta, se había fijado en su cuerpo.

—Lo siento —dijo él, a todas luces compungido—. No era mi intención que te sintieras incómoda. —Como un verdadero caballero, cambió de tema—. ¿Ya has decidido si viajas a Boston?

Sólo Dave podía cambiar de tema y hablar de algo que le fuera igualmente incómodo. Ir a Boston o no era algo en lo que no quería pensar, ni mucho menos hablar de ello. Ni siquiera con él.

—¿Has hablado con Tom a propósito de ese puesto de jefe de equipo que quiere que asumas? —preguntó ella a su vez.

Malkoff hizo una mueca porque había entendido perfectamente el mensaje subyacente. Su respuesta era un *no* enorme, igual al de ella. Aún así, vaciló.

—Ya sabes, si decides que quieres hablar de ello...

—Lo mismo digo a propósito del trabajo —dijo Sophia.

Su jefe, Tom Paoletti, estaba convencido de que Dave sería un brillante jefe de equipo. Sophia estaba de acuerdo. Dave era un hombre justo y honesto, sí, a veces hasta brutalmente honesto, y era muy respetado. Había llegado la hora de que empezara a dar órdenes en lugar de recibirlas.

Sin embargo, la última vez que habían hablado de la oferta, Dave había pronunciado frases como «ni la más mínima posibilidad» y «por encima de mi cadáver». No había necesidad de ello, insistía. No mientras trabajara en una empresa donde ya había muchas personas que llevaban escrito en la frente su condición de líderes.

Alyssa Locke, la segunda al mando en Troubleshooters Incorporated después de Tom Paoletti, era ex agente del FBI y ex oficial de la Armada. Su marido, Sam Starrett, al igual que Tom, había pertenecido a las Fuerzas Especiales. Lindsey Fontaine había trabajado en el Departamento de Policía de Los Ángeles. Tess Bailey y Jimmy Nash eran ex agentes de una misteriosa agencia que no tenía nombre. PJ Prescott era paracaidista de la Fuerza Aérea especializado en misiones de rescate.

—Deck llega esta tarde —dijo Dave.

Y luego, estaba Lawrence Decker.

Antiguo comandante de las Fuerzas Especiales, ex comando de la CIA, campeón de la libertad, protector de los oprimidos, entregado a la causa de la verdad y la justicia, Decker era, discreta e indiscutiblemente, un auténtico héroe americano.

Sólo había cometido un error en toda su vida, el día que había conocido a Sophia Ghaffari.

Todavía tenía que perdonarse por ello.

Todavía tenía que perdonarla a ella también.

Sophia asintió con un gesto de la cabeza y empezó a ordenar las carpetas encima de la mesa, incapaz de sostener la generosa mirada de Dave.

—Gracias por avisarme —dijo.

Era el verdadero motivo por el que había venido. El café era sólo un pretexto, y hablar de la nueva recepcionista era sólo una distracción. Incluso la mención de Boston no era sino un prolegómeno para un tema aún más espinoso.

Dave era un buen amigo, y siempre cuidaba de ella, aún cuando dejara muy claro que sabía que era perfectamente capaz de cuidar de sí misma.

—He oído a Tom hablando con Lindsey —dijo Dave—. Al parecer, se prepara una especie de juegos de guerra con el Equipo Dieciséis de las SEAL.

Era, por decir lo menos, una oportunidad para vestirse de camuflaje, ponerse pintura de guerra y correr por el bosque. Sophia no tenía ese tipo de entrenamiento, y su trabajo en Troubleshooters Incorporated consistía sobre todo en relaciones con los clientes. Presentaciones, reuniones y asuntos de negocios.

En realidad, se había ilusionado con la idea de probar algo nuevo.

Pero ahora...

—Deck viene para integrarse a ese plan —dijo Dave, confirmando sus sospechas—. Se supone que todos participamos. Todos los que actualmente no tienen una tarea. Lo cual te incluye a ti, por cierto.

Al oír eso, Sophia lo miró. Acababa de terminar su informe para Cleveland y todavía no había programado su inminente viaje a Phoenix. Pero...

—Deck no trabajará conmigo.

Dave se encogió de hombros.

—Creo que esta vez no tiene elección.

Ella echó mano del teléfono, dispuesta a llamar a Phoenix. Era lo único que tenía que hacer, una llamada por teléfono, para cambiar de inmediato su condición de *asignada*. Pero Dave sabía en qué pensaba, y se inclinó hacia delante y le cubrió las manos con las suyas, impidiendo que levantara el auricular.

—Si viene Deck, tú sales a comer. O te vas a Cleveland —siguió.

—Lo pongo incómodo —dijo Sophia—. Lo menos que puedo hacer es...

—¿Por qué haces siempre lo que Decker quiere? —le preguntó Dave.

Era una buena pregunta.

Pero la respuesta era fácil.

—Tengo una gran deuda con él —dijo ella, con un hilo de voz—. Y tú lo sabes.

Seguía teniendo pesadillas. Sus sueños eran como un retorcimiento de sus recuerdos, de aquellos momentos en que había corrido para salvar la vida en las calles sin ley de la ciudad de Kazabek, perseguida por un hombre que no habría dudado a la hora de separarle la cabeza del tronco. A veces, en sus sueños, el hombre la atrapaba. Sin embargo, en algunos sueños era Decker el primero en encontrarla.

En cualquiera de los dos casos, se despertaba con el corazón desbocado.

Dave le separó la mano del auricular y le dio un apretón antes de soltársela.

—Han pasado casi dos años —dijo—. Creo que ya le has pagado lo que le debías. Es hora de que empieces a pensar en lo que te debes a ti misma. —Dave se levantó de su silla—. Si quieres salir a comer, tengo el mediodía libre... iré contigo. Pero quizás hoy deberíamos comer aquí.

Después de haber comido un bocadillo a la carrera, Jenk se reunió con Lindsey Fontaine en el despacho de Alyssa

Locke, la directora ejecutiva de Troubleshooters Incorporated.

Lindsey le estaba enseñando a Alyssa a introducir información en el calendario de la oficina, y estaba inclinada junto a su hombro mirando la pantalla.

—Correcto —dijo Lindsey—. Ahora, ya lo ves, aparece en azul en la pantalla porque es una cita personal. Y no tienes por qué especificar, ya que no es asunto de nadie saber por qué te tomas ese tiempo pero, a la vez, nos permite saber a los demás que el martes entre las dos y las cinco no estás disponible.

Jenk llamó a la puerta y las dos mujeres lo miraron, una afroestadounidense y una asiática estadounidense. Con el niño blanco Jenk en el despacho, era como pertenecer al «Pequeño Mundo» de Disney.

O ser un personaje de un videojuego.

Además, el nombre de Lindsey era andrógino. Con su pelo negro muy corto, casi como una gorra de baño en la cabeza, a Jenkins le recordaba un personaje de unos dibujos animados japoneses. Desde luego, en gran parte tenía que ver con su manera de vestir. Con esa camisa hawaiana, con esos pantalones holgados y esas sandalias, la podrían confundir con un chico japonés.

Un chico japonés muy guapo, con sus enormes ojos marrones, una cara de corazón, unos labios exquisitamente dibujados y un mentón afilado casi como un elfo.

—Perdón, señora —dijo, mirando a Alyssa—. Lindsey, cuando hayas acabado, ¿te importaría...?

Alyssa miró a Lindsey, más pequeña.

—Hemos acabado —dijo—. Ya entiendo cómo funciona el programa.

—Sí, vale, pero se trata de algo más que entenderlo —dijo Lindsey. Era impresionante. Le hablaba a Alyssa como si ésta no fuera para ella una figura ferozmente intimidatoria. Jenk conocía a la directora ejecutiva de Troubleshooters Incorporated desde hacía años, y todavía la trataba de señora aquí y señora allá cuando le hablaba. Quizás era por miedo a que si no la trataba con esa deferencia, ella lo castigaría con su mirada maléfica.

Desde luego, desde que ella y Sam Starrett, el viejo compañero de equipo de Jenk, se habían casado, el uso de su ojo maléfico había disminuido notablemente. Era probable que se debiera a que en el pasado el principal objeto de dichas miradas fuera Sam.

Lindsey incluso se apoyó en la mesa de Alyssa. Y le habló con severidad.

—El programa del calendario no funciona a menos que lo usemos todos. Lo cual significa que después de que yo me vaya, tendrás que dedicar los próximos diez minutos a introducir todos tus futuros compromisos. Y tienes que hacerlo ahora, no más tarde. Ni en una hora ni mañana. Ni siquiera debes esperar un minuto. Vale, ¿nos entendemos en ese punto?

—Nos entendemos —repitió Alyssa, obediente.

—Si me mientes —le advirtió Lindsey, dejando la mesa de Alyssa para ir hacia Jenk—, volveré, y entonces será más desagradable.

—Ya me ocuparé de ello —dijo Alyssa—. Enseguida. ¿Lo ves? Ya estoy en ello.

Lindsey le lanzó una última y severa mirada antes de salir al pasillo con Jenk.

—Voy a dejar la puerta abierta para que pueda oírte —dijo a Alyssa, que se había puesto a teclear obedientemente. Se volvió hacia Jenk.

—De nada —dijo—, porque sé que estás pensando *Gracias*. Ya sabes, por hacer el trabajo de tu novia.

Desde luego. Tracy tendría que haberse encargado de tener al día el calendario de programación de la oficina.

—No es mi novia —señaló Jenk, cuando ya entraban en la sala de reuniones de Tommy.

—Querrás decir *todavía* no.

—Somos amigos.

Lindsey no estaba convencida.

—Sí, ¿y desde cuándo que te trae loco? ¿Será desde el primer año de instituto?

Jenkins no pudo reprimir la risa. Lindsey lo había datado perfectamente. Cerró la puerta cuando ella entró.

—Dos años antes —dijo.

—Ay, pobrecito. —Lindsey se sentó en la mesa, con lo cual quedaron frente a frente. Era una pena, porque a Jenk le gustaba su manera de levantar la cabeza para mirarlo. Aquello no ocurría muy a menudo. Todas las mujeres que eran más bajas de la media, como Tracy, solían llevar tacones altos. De hecho, con los zapatos que llevaba en ese momento, sumados al peinado, daba la impresión de que Tracy era más alta que él, y por mucho.

La playa. Tenía que invitar a Tracy a la playa. Conseguir que se descalzara...

—Estás más ausente de lo que pensaba. —Lindsey le estaba hablando y él tuvo que centrarse—. ¿Puedo hablarte sinceramente? —le preguntó.

—¿Más sinceramente de lo habitual? —Jenk estaba como aturdido.

—En mi opinión, Tracy no nació con el gen de la recepcionista —dijo—. Puede que tengas ganas de invitarla a cenar esta noche, darle vino en abundancia y prepararla para la verdad de que un reloj de oro al jubilarse al cabo de treinta años de trabajo probablemente no forma parte de su futuro. Puede que la convenzas de que sea la madre de tus hijos. Sabes, de hecho se ha demostrado que los astronautas, tanto varones como mujeres, y no quiero ser sexista, se vuelven más eficaces y organizados después de tener hijos. Creo que es parte de ese principio darwiniano que habla de la supervivencia de los más aptos y todo eso.

Jenk no sabía demasiado bien qué decir, sobre todo porque Lindsey seguía hablando.

—Además, esta noche es luna llena. Las personas actúan impulsivamente durante la luna llena. Más peleas a navajazos, pero también más sexo. Apostaría a que a Tracy no se le dan demasiado bien las peleas a navajazos.

¿Acaso insinuaba de verdad que él...? Resultaba difícil saber cuándo Lindsey bromeaba y cuándo hablaba en serio.

—Esta noche me toca hacer de canguro —avisó Jenk. Era agradable sorprenderla a ella, para variar—. Me lo han pedido Tommy y Kelly. Tienen una especie de cena de ensayo de algo.

La sobrina de Tommy se casaba al día siguiente.

—Vaya —dijo Lindsey—. Vale, debo decir que estoy impresionada. ¿Un macho alfa que no se siente aterrado ante la idea de pasar una noche con un bebé de siete meses?

Esta vez no bromeaba. Al menos él no lo creía. Su sonrisa era sincera, su mirada cálida, y su admiración más que palpable. Era evidente que se sentía atraída por él. No había pensado en ello cuando estaban en el despacho de Tommy. Vaya, qué... interesante. En cualquier otra situación, él se habría aprovechado, porque la atracción era mutua, de eso no había duda.

Por otro lado, la mujer de sus sueños por fin estaba disponible. Se había mudado a San Diego, se había peleado con el impresentable de su novio y buscaba nuevos aires, un cambio. En esos días, Jenk tenía unas miras que iban más allá de la mera atracción mutua. Así que dio un paso atrás e intentó que su sonrisa fuera más amigable.

—Será divertido —dijo—. Quiero decir, los niños, ¿sabes? Los niños son magníficos.

La sonrisa de Lindsey era del todo genuina. Y las sospechas de Jenk quedaban confirmadas. Era verdad que las mujeres tenían un punto débil por los hombres que simpatizaban con los niños. Haberse quedado sin dinero durante una partida de póquer en casa de Tommy hacía un mes había sido un regalo potencial. Jenkins sencillamente no se había dado cuenta en ese momento.

Tenía una mano imbatible, perfecta. Ases y reyes. Pero Tommy se había resistido a abandonar y había apostado todo lo que tenía para obligar a Jenk a descubrirse. Éste había escrito un pagaré por cinco noches de canguro, sólo para estropear el farol de Tommy.

Desde luego, lo de Tommy no era ningún farol. Tenía colores, y le había ganado al full de Jenk. Tommy tenía una suerte increíble.

No sólo en el póquer, sino en la vida y el amor.

La verdad era que Tommy se había casado con la chica que lo traía loco en el instituto. En él se inspiraba Jenk. Si

Tommy se podía ganar el corazón de Kelly, él podía ganarse el de Tracy.

Todavía no le había dicho a Tracy que esa noche hacía de canguro, y decírselo a Lindsey había sido como un ensayo. Pero ahora ansiaba ver la misma dulzura en los ojos de Tracy.

En cuanto a lo del canguro, Charlie Paoletti era simpático. Muy difícil no podía ser.

—¿Has hecho de canguro alguna vez? —le preguntó Lindsey. La dulzura había cedido a la preocupación. Y, muy posiblemente, a la diversión. Costaba saberlo, porque ese brillo de diversión era un rasgo habitual en los ojos marrón oscuro de Lindsey.

Jenk sacudió la cabeza.

—Me acompañará un amigo, para echarme una mano. —Seguía siendo raro llamar amigo a Izzy—. Tiene unos nueve hermanos y hermanas. Él es el menor, y todos sus hermanos y hermanas ya tenían hijos cuando él sólo contaba, digamos, diez años.

Tom no había estado del todo seguro de dejar a Charlie solo con Jenk, hasta que Izzy se había presentado voluntario para ayudar. Al parecer, ya había hecho de canguro en otras ocasiones.

Era curioso, pero era verdad.

—Qué bien —dijo Lindsey—. Que tengas ayuda. También será más fácil para tu... para tu hombro.

—¿Tommy te lo ha contado? —preguntó él. Se dio cuenta de que, inconscientemente, se lo estaba frotando.

Ella negó con un gesto de la cabeza.

—Se te nota. Aunque ligeramente. Sólo me he dado cuenta porque sé lo que es. Hace unos cinco años, tuve un accidente de coche. Me hice daño en el hombro; un mal movimiento —dijo, e hizo rotar el brazo derecho. Ahora tengo tendencia a dislocarlo, lo cual es muy divertido.

—Yo todavía voy a rehabilitación —confesó Jenk.

—Es un dolor en el culo, ¿no? —dijo ella, asintiendo.

Y ahí estaban, de vuelta a las sonrisas de lado y lado. Sonrisas de amigos, se recordó él. Tracy, Tracy, Tracy.

—Tommy tiene muy buena opinión de ti —dijo Jenk.

Ella despachó el cumplido con un gesto de la mano.

—Y yo hablo en serio a propósito de Tracy —dijo—. Sé que es tu amiga, pero éste no es el empleo más adecuado para ella.

—Trabajar en recepción no es tan difícil.

—Es verdad —dijo ella—. No lo es y, sin embargo...

Tracy no estaba cumpliendo. Maldita sea.

—Hablaré con ella —dijo Jenk.

—Lo que este despacho necesita de verdad es un señor Landingham, ¿sabes? El viejo secretario del presidente en... Supongo que no miras *El ala oeste*.

—No suelo mirar la televisión.

—¿Ni siquiera *Perdidos*? —preguntó ella.

Jenk negó con la cabeza.

—¿Ni *Boston Legal*? A veces pienso en fundar una nueva religión, donde William Shatner sería mi dios.

—¿Cuándo podría tener tiempo para mirar la tele? Todas las historias están conectadas, y es como mirar la cadena hispana. ¿Qué co... qué diablos hace una prostituta en una puñetera selva, me quieres explicar? Así que cambio a una cadena de deportes. Un partido de fútbol puedes empezar a verlo a partir de la media parte y sabes qué ocurre. Con algunas de esas series, tienes que planificar tu vida entera para poder seguirlas.

—Sí, lo mío no es vida —dijo Lindsey—. Voy a trabajar y vuelvo a casa. Mi relación más íntima es la que tengo con mi TiVo. Me compraría un gato, pero soy alérgica. Y, por cierto, no pasa nada si dices la palabra coño. Después de siete años trabajando con los policías de Los Ángeles ya la he oído unas cuantas veces. Al menos seis o siete veces.

Jenk rió.

—¿Tantas? —dijo.

—Para volver a lo de Tracy —le recordó Lindsey—. ¿La conoces muy bien?

—No demasiado —reconoció él—. Quiero decir, ha pasado mucho tiempo desde el instituto. Estoy seguro de que ha cambiado. Yo también.

—Lo que pasa es que se distrae muy fácilmente. Parece mucho más pintada para trabajar en ventas al detalle. O trabajar en un *mall*, con todas esas cosas brillantes por vender.

—Podemos ayudarle a coger el tranquillo —dijo Jenk.

—Podemos —repitió Lindsey.

Seguía muy escéptica. Pero no del todo carente de interés. Eso estaba bien. Lindsey tenía un gran sentido del humor, lo cual era importante cuando trataba con Tracy, que a veces caía en uno de esos estados de «Yo no soy lo bastante buena para esto».

En los últimos tiempos, ésa era la actitud predominante. Jenk se había enterado por su hermana, Ginny, que a Tracy la habían despedido de su empleo como responsable de las citas en la consulta de un dentista la misma semana que ella había sorprendido a su novio abogado engañándola con su última amante. Su traslado a California era un intento de volver a empezar desde cero.

Sin embargo, jugar la carta de la compasión no funcionaría con Lindsey. No, pero Jenk sabía perfectamente cómo reclutarla para sus planes.

—Si me ayudas con Tracy —propuso—, convenceré a Tommy de que no debe asignarte el rol de rehén durante la operación de entrenamiento.

Ella abrió los ojos desmesuradamente.

—¡Vaya! ¿Podrías conseguirlo?

—Sí, podría. —Teniendo en cuenta que él era quien había montado toda la operación. Pero no quería comprometerse a ello, no después de que el almirante Tucker había puesto de su lamentable parte en el asunto y lo había convertido en un duelo entre Tommy y el comandante Koehl.

—Vaya —repitió ella.

—¿Tenemos un trato?

—Gracias, pero no. He hablado con Tom mientras tú saliste a comer. Ahora lo de ser la rehén me parece bien.

Lindsey hablaba en serio. Jenk se dio cuenta de que le buscaba la mirada. Era imposible ver algo en sus ojos, salvo ese brillo de diversión que bailaba en ellos. Y en cuanto a la leve sonrisa que se insinuaba en las comisuras de sus finos labios... Si él no fuera un comando aguerrido de las Fuerzas Especiales, podría haberlo asustado.

Sobre todo cuando ella siguió.

—Los dos sabemos que diga lo que diga Tom, esta operación de entrenamiento será una competencia. Vosotros contra nosotros. Así que éste es el trato. Yo te ayudo para que le eches una mano a Tracy en los próximos días, hasta el día de la operación. Si gana tu equipo de las SEAL, le daré un mes de gracia. Pero si tú pierdes, le pedirás que presente su dimisión en el plazo de ese mismo mes, para que Tom no tenga que despedirla.

Madre mía. ¿Qué le había dicho Tom a Lindsey? Algo que la había convencido de que el equipo de Troubleshooters Incorporated iba a ganar ese pulso.

Desde luego, Tommy no conocía realmente tan bien al comandante Lew Koehl.

Lindsey estiró el pie y le dio ligeramente en la pierna.

—A menos que tú mismo no creas que tus SEAL puedan ganar, lo cual, quiero decir, es comprensible. Es probable que conozcas a Tommy mejor que yo. Es un hombre formidable. Y Sam Starrett y Alyssa Locke, Larry Decker... Tenemos todo un equipo. Yo, personalmente, no apostaría. Quiero decir, si estuviera en tu pellejo.

Lo estaba manipulando totalmente, trabajándolo y moldeándolo como un trozo de arcilla. Si alguien lo sabía, era él; a menudo había utilizado esas tácticas en el pasado.

Aún así, Jenkins le tendió la mano.

—Tenemos un trato —dijo, estrechando la de ella.

Lindsey tenía una mano pequeña con dedos finos que parecían frescos al tacto.

Sin embargo, en su sonrisa brillaba una chispa diabólica.

—Estás —dijo Lindsey, con una sonrisa alegre—, total y completamente acabado.

Capítulo 2

Sucedió en el vestíbulo del despacho. En la recepción, justo bajo la curiosa mirada de la nueva recepcionista de Troubleshooters Incorporated.

Sophia y Decker.

Cara a cara por primera vez en lo que debían ser meses.

Dave Malkoff se apartó torpemente, sabiendo que lo último que los dos necesitaban en ese momento era un público, aunque dispuesto a no abandonar a Sophia.

—¿Cómo estás? —Decker tuvo que aclararse la garganta antes de hablar.

—Bien. —Sophia consiguió sonreír—. Tienes aspecto... de que las cosas te van bien.

En realidad, Decker tenía un aspecto horripilante. Un aspecto horripilante de cansado. Desde luego, a David siempre le parecía horripilante y cansado hasta la médula, lo cual probablemente se interpretaba como que le iban bien las cosas. En fin, en su caso, por lo menos.

—Sí —dijo Decker a Sophia—. Gracias. Tú también pareces... en forma.

¿En forma? ¿En forma? Sophia era, sin ningún género de dudas, una de las mujeres más bellas que jamás había pisado el planeta Tierra. Con su largo pelo rubio y su tez de porcelana, era de una belleza etérea, como un ser mítico mitad hada y mitad humana, creado cuando un rayo de luna se había cruzado con un relámpago y había nacido mágicamente a la vida.

Vale, quizá Dave había mirado demasiadas veces *El señor de los anillos* pero, hablando en serio, ¿era posible que lo mejor que pudiera decir fuera *en forma*?

Increíble.

Ahora fue Sophia quien carraspeó. El corazón de Dave latía por ella. ¿Por qué Decker tenía que ponerle las cosas tan difíciles?

—¿Estás aquí porque estás ayudando a Tom con el...?

—Con el entrenamiento del Equipo Dieciséis —le ayudó a terminar Deck—. Sí, es una... buena oportunidad para todos, ya sabes, los operativos, para tener un poco de entrenamiento también. No queremos volvernos muelle.

Eran palabras asombrosas en boca de ese hombre, precisamente. Si había una palabra que nadie usaría jamás para describir a Decker, era *muelle*. De hecho, era un tipo implacablemente duro bajo esa apariencia sin pretensiones. Y su feroz intensidad, cuando se entregaba a su trabajo como uno de los mejores jefes civiles de los equipos antiterroristas en todo el país, lo hacía parecer no sólo duro sino también afilado como una navaja. Si alguien se le acercaba demasiado, corría el riesgo de acabar con un corte.

Y, sin embargo, ahí estaba Sophia, con el corazón a todo dar, sin querer otra cosa que estar cerca de él.

El muy cabrón era un insensible.

—O más muelle de lo que algunos ya estamos —corrigió Decker.

Era probable que aquello lo hubiera dicho con una intención jocosa. Al menos eso fue lo que Dave pensó. Pero no tuvo ganas de imitar a Sophia y obligarse a reír mientras Decker miraba por el despacho y su mirada finalmente se posaba sobre él, como si fuera el vivo ejemplo de la caída cerro abajo que todos vivían en ese momento.

—Hola, Dave, me alegro de verte.

A Dave no le quedó más remedio que estrechar la mano que Decker le tendió.

—Deck.

—¿Has sabido algo de Murphy? —le preguntó.

Dave sacudió la cabeza.

—No. —Murphy había estado a punto de morir bajo las balas de un francotirador en una misión en Hollywood un año antes. Su mujer había muerto en el mismo incidente. Como todos los demás en Troubleshooters Incorporated, Decker no dejaba de pensar en ello—. Ha desaparecido del mapa.

Decker asintió con un grave gesto de la cabeza, como si ya se esperara la respuesta. Se volvió hacia Sophia.

—¿Cuándo te marchas a Phoenix? —inquirió, sin ocultar la implicación de la pregunta. *Ya que yo estaré en la ciudad las próximas semanas, te toca a ti esfumarte.*

Sophia no lo dijo. Dave supo por su expresión que no diría palabra. Así que él respondió en su lugar.

—Sophia no irá a Phoenix. Está asignada al ejercicio de entrenamiento.

Sophia lo tocó en el brazo. Tenía los dedos fríos, a pesar del calor reinante.

—Dave —murmuró, preparada para echarse atrás, como de costumbre.

Y Dave perdió la compostura.

—¿Qué? —preguntó—. ¿Al final, piensas ir a Phoenix?

—No es para tanto —dijo ella.

—¿Ah, sí? —dijo él, irritado con ella tanto como con Decker, ese cobarde egoísta—. A mí no me lo pareció cuando te oí hablando con Lindsey de ello. De hecho, hasta sonaba como si hubieras pensado que sería divertido. Dime, Sophia, ¿cuándo fue la última vez que te divertiste con algo?

Ella no le contestó. Al contrario, miró a Decker como para disculparse. Una vez más.

—¿Quieres adivinar cuándo fue la última vez que se divirtió? —interrumpió Dave, situándose entre los dos y mirando fijo a Decker—. ¿No? Entonces te lo diré yo. Diría que han pasado al menos un par de años, probablemente desde que su marido fue asesinado delante de ella. ¿Me equivoco, Soph?

Tracy, la nueva recepcionista, creyó oportuno intervenir.

—¿Alguien quiere un café?

—Vuelve a tu sitio —dijo Dave, con un gruñido, y Tracy retrocedió, con la sorpresa pintada en la cara.

Sophia volvió a tirarle de la manga.

—¿Qué haces?

—Me estoy enfadando por ti —dijo Dave—. Ya que por lo visto eres incapaz de enfadarte tú misma.

—Pero si no estoy enfadada. —Lo suyo era mortificación—. Si crees que esto es una manera de ayudarme, para, porque no lo necesito.

Pero Dave ya no podía callar.

—Sí que lo necesitas. Porque *sí* deberías estar enfadada. Querías participar en este ejercicio. Te oí hablando de ello. Dijiste que interpretarías el papel de chica loca aspirante a comando, vestida con la última moda de camuflaje. Te oí reír —dijo, y se volvió hacia Decker—. La oí *reír*. —Sophia nunca reía, en realidad, nunca. Claro, emitía un ruido que parecía risa y se obligaba a sonreír, era bastante buena fingiendo. Era muy verosímil, pero Dave sabía de qué iba. No era una risa genuina. Salvo que esta vez sí lo había sido—. Y luego apareces tú y... vaya, Sophia se marcha a Phoenix. ¡Porque tú no eres lo bastante hombre para lidiar con tus errores!

Vale, esa última parte había quedado un poco estentórea. Empezaron a asomar cabezas por las puertas.

Pero Dave no había acabado.

—Puede que pienses que yo soy *muelle* porque nunca he pertenecido a las Fuerzas Especiales de la Armada. Puede que sí lo sea. Pero puede que me importe un comino tu opinión. Ya no.

Tom Paoletti se acercó hasta el vestíbulo, probablemente porque Tracy por fin había hecho lo correcto y lo había llamado por el interfono.

—¿Qué os parece si ponemos fin a esto en mi despacho? —dijo.

—Gracias, señor, pero no, ya he acabado. —Dave no se atrevía a mirar a Sophia porque su expresión le habría roto el corazón—. Vete a Phoenix —dijo—. Que tengas un buen viaje.

Tracy seguía mirándolos, con los ojos desmesuradamente abiertos.

—Ahora me tomaré ese café —dijo él. Entró en su despacho y cerró de un portazo.

• • •

A Izzy le gustaba pasar por la sede de Troubleshooters Incorporated. Siempre pasaban cosas que valía la pena ver.

—¿En qué puedo servirle? —Aquella hembra buena con la cafetera y las piernas larguísimas por fin había reparado en él en la entrada, mientras Tommy Paoletti invitaba a pasar a su despacho a un ex oficial de la Armada llamado Decker y a la increíblemente sexy Sophia Ghaffari.

Tommy decía algo a propósito de aclarar las cosas pero, hablando en serio, ¿había algo que aclarar? La situación era bastante diáfana para cualquiera que tuviera un par de ojos. Decker, el muy cabrón suertudo, se había acostado con Sophia. Ella, como la mayoría de las mujeres, había querido tener una RE-LA-CIÓN. El capullo de Decker había activado su supercromosoma Y, se había pirado rápido y, ahora, cada vez que se miraban a los ojos, ocurrían cosas raras.

Entretanto, el loco de Dave Malkoff, que dedicaba mucho tiempo a fingir ser el amigo de Sophia, cuando lo que de verdad quería era quitarle las bragas, estaba celoso. De ahí la fusión en frío que Izzy acababa de presenciar.

Caso cerrado.

Izzy centró su atención en un misterio bastante más apasionante, a saber, ¿podría atenderlo la Señorita de las Piernas?

La chica parecía salida de un videoclip. Labios de colágeno, hinchados justo hasta el punto de un mohín muy atractivo, y un cuerpo que se volvía hipnotizador cuando se ponía en movimiento. Tenía un pelo exquisito, largo y sedoso, una especie de pelirrojo y castaño y ojos tan grandes y azules como la Sirenita.

Te lo ruego, Padre Celestial, deja que sea ella quien me atienda.

Ella escrutaba su uniforme, lo escrutaba a *él* debajo de su uniforme. La sonrisa que le ofreció era fuera de serie, una sonrisa acompañada de un *hola, ¿y tú de dónde has salido?* Lo cual, según las experiencias de Izzy con chicas buenas, con o sin una cafetera en la mano, solía dar paso a otro tipo de sonrisa, el tipo de sonrisa que acompañaba el sonido de su cremallera bajando hacia el sur.

No de inmediato, por descontado. Al cabo de unos cuantos días. O, si estaba de suerte, en horas. Dependiendo de la proximidad de ingentes cantidades de alcohol.

—¿Es usted uno de los miembros de las SEAL del equipo de Tom?

—Bien adivinado —dijo él—. Sí, soy Izzy.

—Izzy —repitió ella, como si le gustara cómo sonaba su nombre, dándole vueltas en su boca—. Tom está en una reunión. ¿Quiere que le sirva algo? ¿Café? ¿Mientras espera?

—Estoy bien, gracias. De hecho, no he venido para ver a Tommy.

Ella dejó la cafetera, se instaló detrás de la mesa de recepción y le sonrió.

—¿Ha venido así, de pasada? No es que me importe. Últimamente aparecen miembros de las SEAL por todas partes... Aleluya.

Madre mía, aquella chica prácticamente le estaba haciendo señales con banderines. Era probable que pudiera cerrar el trato con dos cervezas, quizá tres. Estupendo. Con una sola salvedad potencial. Esperando equivocarse, preguntó:

—¿Eres Tracy Shapiro?

En su carita asomaron unos hoyuelos. Vaya, cómo le gustaban a Izzy los hoyuelos.

—Sí.

Y en un abrir y cerrar de ojos todas sus esperanzas y fantasías se desvanecieron, quedando reducidas a cenizas.

—Soy un amigo de Jenk —dijo—. Quedamos en reunirnos aquí. De hecho, llego unos minutos antes de tiempo.

Ella sacudió la cabeza.

—Perdón, ¿ha dicho un amigo de...?

—Jenkins —dijo Izzy, pero ella siguió mirándolo como si no entendiera.

Muy, pero que muy bien. Aquello no presagiaba nada bueno para la supuesta inminente relación romántica de Mark con esa mujer. Tal como lo había descrito Eminem, él y Tracy ya eran prácticamente novios. Qué manera de fantasear.

Aún así, Jenk había invocado la regla de la novia, una regla que no podía ser violada. Al menos no sin que corriera la sangre y se acabara la amistad.

—¿Mark? —dijo, probando otra vez.

—Oh, *Mark* —dijo Tracy, y rió de sí misma. Era una risa maravillosa, grave y melódica—. Vale. Jenk. Jenkins. Tonta de mí. Ginny... su hermana, que ahora se llama Ginny Genaro... era mi mejor amiga en el instituto.

—Vaya, qué coincidencia. —Si su intención fuera avanzar al siguiente nivel, Izzy se habría inclinado y apoyado en el mostrador. Pero, joder, sólo porque ahora sabía que no habría un siguiente nivel no tenía por qué sentirse incómodo. Se inclinó hacia delante—. Así que conoces a Mark desde que era crío, ¿eh?

Su lenguaje corporal era todo un ejercicio de antropología. En un momento Tracy estaba sentada en su silla, reclinada, completamente abierta. Si hubiera querido ser más atrevida, se habría tendido de espalda con las piernas abiertas. Pero enseguida cambió, se cruzó de brazos y se cerró. Otro cambio y volvía a estar abierta. Y cerrada. Y luego abierta nuevamente. Si Izzy la interpretaba bien, Tracy era una chica buena que deseaba ardientemente ser mala.

¿Por qué, de todos los misterios del universo, lo odiaba tanto Dios?

—Solíamos llamarlo tentetieso —dijo Tracy—. Ya sabes, como esos muñecos de goma que se tambalean cuando les das, pero no caen.

Por otro lado, era posible que fuera a Jenk al que Dios odiaba.

—Sí —dijo Izzy—, recuerdo los tentetiesos y... ¿Sabes una cosa, Tracy? Es probable que Mark no vea con buenos ojos eso de que vayas contando lo de su viejo mote. Quiero decir, es material perfectamente apto para el chantaje así que, en tu lugar, yo me lo guardaría para el momento adecuado.

Ella volvió a reír, y se mordió el labio inferior cuando alzó la mirada hacia él.

—¿Quieres que llame a Mark y le diga que estás aquí?

Madre mía, qué buena estaba.

Izzy se obligó a enderezarse. A retroceder.

—No, ya lo esperaré. Y dejaré que vuelvas a tu trabajo.

Había empezado a sonar el teléfono.

—¿Seguro que no quieres que te traiga algo? —Con el mentón apoyado en una mano, Tracy lo miró cruzar el vestíbulo hasta los sillones de cuero en la sala de espera.

—Estoy bien —volvió a decir él.

—Ya lo creo que sí —dijo ella, pero enseguida pareció avergonzarse, volverse tímida. Puede que incluso se sonrojara.

Madre de Dios bendito.

No había ninguna mujer en el mundo que lo hubiera hecho arrepentirse de haber salvado la vida a un amigo. Pero, en este caso, había estado a punto de hacerlo.

Sophia iba a matar a Dave.

Lo habría hecho ya, pero él la había dejado de una pieza. Sophia nunca habría creído que Dave fuera capaz de perder los nervios de esa manera. Jamás se habría imaginado que diría las cosas que le había dicho a Decker, así, sin más. Como si estuviera dispuesto a anunciarlo a los cuatro vientos.

Habría sido divertido, si no hubiera sido tan horriblemente lo contrario.

Se sentó en el despacho de Tom, y Decker lo hizo a su lado, prácticamente el mismo Decker que había visto la última vez. Hasta era posible que llevara puesta la misma camiseta, gris con los bordes marrones en mangas y cuello.

Decker no era un tío grande, más bien una perfecta talla mediana. Tampoco era especialmente atractivo, con su pelo castaño normal y corriente y unos ojos marrones anodinos. Tenía una cara agradable, y llevaba siempre la barbilla bien afeitada. Arrugas en los ojos que llevaba con comodidad. No había nada malo en su aspecto, eso era indudable. Sólo era... Decker. Sólido. Callado. Un tipo fiable.

Hasta que la vida se volvía peligrosa, porque entonces no había en él nada de anodino, nada ni remotamente mediocre.

Ahora estaba ahí sentado y en silencio, mientras el jefe hablaba midiendo sus palabras con mucho cuidado.

—Estoy seguro de que sabéis que no impongo reglas en lo que respecta a las relaciones personales de mis empleados —dijo Tom—. Pero esta tensión que existe entre vosotros dos empieza a ser cuento viejo.

Decker se removió ligeramente en su asiento y se aclaró la garganta como si fuera a hablar, pero Tom no le dio la oportunidad.

—Todo el mundo en esta oficina es consciente del juego que os traéis entre manos, que nunca estáis en el mismo lugar al mismo tiempo, al menos no durante mucho tiempo. Todos también son conscientes del precio que los dos estáis pagando, porque la verdad es que hay un precio. Os he visto malgastando una gran cantidad de energía para evitaros mutuamente. En cuanto a la cantidad de dinero de la empresa que habéis gastado —dijo Tom, y alzó la mano para silenciar las protestas de Decker— en viajes de negocios innecesarios, no lo sé. Puede que no sea mucho, pero sí estoy seguro de que no es cero. Resumiendo, estoy harto. Todos los demás en este despacho, con la excepción de Tracy, que es nueva, también están hartos. Así que se va a acabar. Ahora mismo.

Y siguió:

—Ahora mismo vais a dirimir vuestras diferencias, y vais a trabajar juntos en la misma tarea con el Equipo Dieciséis.

Sophia ni se atrevía a mirar a Decker, pero percibía que él la miraba a ella.

—Y, si después de que termine esta tarea vosotros decidís, por la razón que sea, que no podéis hacerlo —dijo, con una voz que no era de animosidad sino de certeza absoluta—, espero que dejéis vuestras respectivas cartas de dimisión en mi mesa.

—No hay necesidad de esperar —dijo Decker, incorporándose—. Se la puedo traer enseguida, señor.

Sophia también se incorporó. Decker lo había entendido mal.

—No, Deck...

Él se volvió hacia ella y su intensidad la hizo retroceder un paso, hasta topar con la silla. Sophia no recordaba cuándo la había mirado por última vez, de verdad, como ahora la miraba.

—No dejaré que seas tú la que se vaya —dijo él.

—Tom ha dicho *cartas*, en plural.

Decker se giró hacia Tom, que seguía sentado.

—Os vais los dos o bien os quedáis los dos —confirmó el jefe—. Nadie hará el papel de mártir, no permitiré ese juego —dijo, esperando que los dos hubieran captado el mensaje—. La elección es vuestra. Os sugiero que os toméis este ejercicio de entrenamiento como una prueba, y veáis si vuestras diferencias son de verdad irreconciliables.

—Señor —dijo Decker, pero Tom no lo dejó seguir.

—Ya os podéis retirar.

En silencio, Decker fue hacia la puerta. La abrió y se apartó para dejar pasar a Sophia.

Siempre un caballero.

Bueno, casi siempre.

—Lo siento —dijo a Sophia, después de cerrar la puerta del despacho.

Ella lo interrumpió antes de que él pronunciara el *pero*. *Pero sencillamente no puedo trabajar contigo. Pero no puedo lidiar con el hecho de verte todos los días.*

—De verdad me gusta este trabajo —dijo Sophia.

Él apretó la mandíbula, pero ella siguió:

—¿Por qué no intentamos conseguir que funcione? —preguntó—. Sabes, la verdad es que pensé, allá en Kazbekistán, que habíamos conseguido ser amigos.

Para Decker, era difícil hablar de aquello, aunque fuera en clave, como en ese momento.

—¿Y verme no te recuerda...?

—¿El hecho de que me salvaste la vida? —preguntó ella—. Claro que sí. También me recuerda que me ayudaste a volver a levantarme. Me prestaste dinero, me ayudaste a conseguir este empleo. Sí, me recuerda todo eso cuando te veo.

—Lo he intentado —dijo él, con voz grave—, pero no puedo olvidar que me aproveché de ti.

—A mí no me parece que ocurriera así —objetó Sophia con voz temblorosa, a pesar de sus esfuerzos—. No te aprovechaste de mí. Y aunque eso fuera verdad, ¿no crees que ya va siendo hora de que pares de castigarme por ello?

Decker no tenía respuesta para esa pregunta, así que Sophia lo dejó ahí plantado y se alejó por el pasillo hacia su despacho, esperando que él la siguiera.

Pero sabiendo perfectamente que no lo haría.

Jenk iba sentado en silencio mientras Izzy conducía hacia la casa de Tom Paoletti.

Aquello no había salido como él esperaba.

En su versión de fantasía, él entraba en la recepción de Troubleshooters Incorporated y descubría que Tracy había por fin aprendido a manejar el sistema de buzón de voz. Ella le sonreía y enseñaba un dedo perfectamente bien cuidado, pidiéndole que esperara un segundo mientras conectaba sin problemas la llamada de un cliente que requería la ayuda de una operadora. Luego volvía a sonreírle y le agradecía por haberle ayudado a encontrar ese empleo maravilloso.

Él le recordaba que había prometido llevarla a la tienda de muebles con su furgoneta y recoger el juego de sillas y mesa de comedor que ella había comprado en unas rebajas. También le había prometido que lo subiría todo hasta su piso en la segunda planta y le ayudaría a montarlo.

Ella sugería que fueran aquella tarde, después del trabajo. Y él le decía que tenía que hacer de canguro para el pequeño Charlie Paoletti, y ella abría los ojos desmesuradamente, con la misma sorpresa que había manifestado Lindsey.

Izzy lo miró.

—Tío, detesto tener que anunciártelo, pero tu amiguita quiere llevarme al huerto.

¿Qué?

Izzy asintió con un gesto de la cabeza.

—Es verdad.

—¿Por qué la gente dice *detesto tener que anunciártelo* cuando, a todas luces, están contentísimos con la noticia que van a compartir? —inquirió Jenk.

—Yo no estoy contento —dijo Izzy.

—Sí que lo estás, tío.

—En realidad, estoy deprimido porque la verdad es que creo que esta noche habría mojado.

—Ya, no me lo creo.

En lugar de plegarse a su fantasía de contacto visual cargado de significados y sonrisas cálidas, Tracy se había puesto a hablar por teléfono con Lyle, el capullo de su ex. Jenk había entrado en la recepción mientras sonaban todas las líneas de la oficina y Tracy se ocupaba de una llamada personal, sin haberse acordado de activar el sistema de buzón de voz.

Lindsey iba justo detrás, y entre los dos consiguieron reestablecer la situación. Desde luego, a esas alturas Tracy concentraba toda su energía en disimular que la conversación con Lyle la había hecho llorar.

Y la noticia de que él iba a hacer de canguro para Tom esa noche pasó totalmente inadvertida.

Totalmente. Ni siquiera se había merecido un guiño de complicidad.

—Tracy tiene ese ex que no la deja en paz —dijo Jenk a Izzy—. El muy capullo pretende que se vuelvan a juntar y... Ella está muy colgada. Tengo que encontrar una manera de...

—Oye, Jenkins, fíjate en lo que te digo, ¿vale? Te equivocas totalmente con esta chica. Y aunque ella estuviera interesada en ti, te aconsejo salir corriendo. ¿Has visto los zapatos que lleva? ¿Y su bolso? Es una compradora nata. Fóllatela, desde luego, pero sigue tu camino, a menos que quieras dedicarte a pagar las facturas de su tarjeta de crédito el resto de tus días.

Follársela, y seguir su camino. Jenk ya había hecho eso de *follársela y seguir su camino*. Pero haber estado al borde de la muerte en Afganistán lo había despertado a una nueva realidad. Ahora deseaba esa cercanía que compartían Tom y Kelly, por ejemplo. Quería experimentar esa magia que el jefe tenía con su mujer.

Quería que alguien lo esperara en casa cuando volviera del trabajo.

Hasta el chalado del comandante Karmody había encontrado su media naranja. Si Karmody podía, él también podía.

¿Y por qué habría de descartar a Tracy Shapiro?

Cuando recibió esa llamada de su hermana, Ginny, que le contó que Tracy por fin se marchaba de Nueva York, que quería ir a San Diego para empezar de nuevo, él había creído recibir una señal de Dios.

Le había ayudado a conseguir ese empleo, después de haberla instruido por correo electrónico para que diera las respuestas apropiadas cuando la entrevistara Tommy.

Desde luego que tenía defectos. Nadie era perfecto. Pero en lo que tocaba a los vicios, la manía de comprar era uno menor. La atracción sin ambages que sentía por Lyle, un tipo que le había hecho daño muchas veces en el pasado, era más preocupante, aunque no era un problema insuperable.

Tracy era divertida, dulce, bella y generosa. Y, sí, también era inteligente.

Aunque Lindsey no pensara lo mismo.

Y él había perdido la chaveta por ella, siempre.

Así que, ¿por qué no Tracy Shapiro?

Era verdad que ella apenas se había percatado de su existencia. Todavía lo veía como el hermano pequeño y molestoso de Ginny. Era una percepción que tendría que modificar.

¿Acaso sería una tarea fácil? No señor.

Y ¿el hecho de que no fuera a ser una tarea fácil iba a detenerlo?

No, señor.

Él era miembro de las Fuerzas Especiales de la Armada. Ya había superado situaciones difíciles en el pasado.

Conseguiría que Tracy se fijara en él, que se enamorara de él y, sí, incluso que se casara con él, si llegaba a la conclusión de que eso era lo que quería.

Puede que tardara un tiempo, pero una cosa sí había aprendido acerca de sí mismo en los últimos años; a saber: que era un hombre paciente.

—Esa Lindsey está muy buena —dijo Izzy, justo cuando giraban en la calle de Tommy—. Además, creo que le he caído bien.

—¿Lindsey? —Jenk no pudo ocultar el tono de incredulidad.

—¿No te parece que está buena? —preguntó Izzy, que lo había interpretado mal—. Tío, las mujeres asiáticas son increíblemente bellas. E inteligentes.

Dios mío.

—Escucha, hazme un favor, ¿quieres? —dijo Jenk—. Mantente alejado de Lindsey, ¿vale? Lindsey es...

—¡Vaya! —interrumpió Izzy—. Tiempo muerto, MarkyMark. No puedes establecer prohibiciones sobre todas las hembras. Una a la vez, ¿vale? Lo justo es lo justo. ¿Así que cuál de las dos será, Lindsey o Tracy?

Mierda.

—Tracy —dijo Jenk—. Pero, hablando en serio, Zanella, Lindsey es... diferente.

—¿Sabes si es amiga de Ellen? —Izzy aparcó frente a la casa de los Paoletti—. Eso molaría, y mucho. ¿Sabes si tiene una amiguita? Porque siempre he querido hacérmelo con unas lesbianas. —Izzy rió al ver la expresión de Jenk—. Mírate, tío. Es una broma. ¿La captas? Los capullos van y piensan *las lesbianas son muy calientes, ¿crees que se lo harán conmigo?* Sólo que son demasiado estúpidos como para darse cuenta de que son lesbianas porque no van con hombres y... olvídalo.

—No, si te entiendo —alegó Jenk—. Pero, joder, Izzy, a veces me das miedo.

—Vale, ¿y qué piensas? ¿Es o no es lesbiana?

Jenk lanzó un suspiro de exasperación al bajar del todoterreno de Izzy.

—No lo sé, no estaba en el cuestionario que le pasé sobre sus preferencias sexuales. Y, francamente, me importa un rábano. Me cae bien, ¿vale? Como amigo, no quiero que la cagues con ella.

—Puedes prohibírmela si quieres, pero entonces tendrás que renunciar a Tracy. Si no, no tienes ningún derecho. A menos que vayas y descubras que, no sé, Lindsey es tu hermana que llevaba años perdida. Entonces podrás invocar la regla de la hermana. Pero basta echaros una mirada para saber que no colará.

Jenk siguió a Izzy hasta la puerta de la casa.

—No sé por qué me preocupo. Lindsey te romperá los huevos.

—Perfecto —dijo Izzy—. Me gusta que me duela. Tentetieso.

Jenk se lo quedó mirando. ¿Eso que acababa de decir Izzy...?

—Tracy me dijo que era el mote que tenías, justo después de que insinuara que quería hacérselo conmigo.

Era probable que fuera verdad. El gusto de Tracy en materia de hombres era espantoso. Izzy era un gilipollas que bien podía medirse con ese Lyle, así que ¿por qué no habría de sentirse atraída por él?

Aquello iba a ser más difícil de lo que había imaginado.

Izzy lo miró con una sonrisa irónica.

—Me da por pensar que de pequeñín eras más gordito, Tentetiesoman.

—Que te jodan.

—A ti también —replicó Izzy, alegremente, como si Jenkins acabara de bendecirlo y él debiera bendecirlo a su vez para corresponderle.

Del interior de la casa les llegó el llanto de un bebé. Izzy tocó el timbre con gesto feroz.

—Dos hombres de las Fuerzas Especiales contra un bebé de siete meses —dijo, como pensando en voz alta—. No se sabe como acabará esto.

Lugar: desconocido
Fecha: desconocida

La número veinte era una luchadora.

Las luces del sótano se encendieron, aunque Cinco sabía por experiencia que él podía apagarlas en cualquier momento, sólo para hacer más duro el desafío, para aumentar el miedo.

Él se alimentaba de miedo, y esa noche se estaba dando un festín.

Veinte lloraba cuando Cinco se abalanzó sobre ella. Estaba aterrada, como tenía que estarlo.

Sin embargo, había tenido alguna experiencia rudimentaria en técnicas de defensa propia. Sabía cómo no dejar que Cinco se le acercara a la cabeza lo suficiente como para darle un golpe, o lo bastante cerca del cuello como para cogerla.

Así que Cinco le dio en la espalda, y la patada la lanzó contra la pared.

Mientras le seguía dando patadas, se obligó a odiar a Veinte, por sus pantalones vaqueros relativamente limpios, su pelo no enmarañado, los restos de maquillaje en su cara de culo.

El miedo podía conseguir que la chica más guapa del mundo se convirtiera en un espectáculo grotesco.

También odiaba a Veinte por lo que su presencia allí implicaría para ella como obligación.

Sin embargo, siempre era más fácil con una luchadora. La número Diecinueve había hecho poca cosa más que acurrucarse en un rincón y llorar.

Él estaba en las escaleras, observando, disfrutando con el miedo, riendo mientras Cinco obligaba a Veinte a refugiarse en un rincón.

—¡Úsalo! —gritó—. Venga, Veinte, ¡úsalo ya!

¿Usar qué?

Y entonces Veinte se giró, una masa de rizos dorados, y algo lanzó un destello cuando le propinó a Cinco un golpe con el puño cerrado.

Ésta paró fácilmente el golpe con el brazo, pero sintió una aguda descarga de dolor.

Dio un paso atrás. Le había hecho un corte... el brazo le... ¿sangraba?

Veinte seguía sollozando, y la luz volvió a rebotar en la hoja que sostenía torpemente por delante, como para defenderse.

Ese hijo de puta le había dado a Veinte una navaja.

Capítulo 3

San Diego, California
2 de diciembre, 2005, viernes por la noche

La pizza del horario poslaboral de Lindsey acababa de ser entregada, con todo su glorioso queso extra, cuando sonó su teléfono.

Ella lo miró, dispuesta a ignorarlo, a menos que fuera su padre o el despacho, y vio que el que llamaba no era otro que Mark Jenkins.

Así que contestó.

—¿Hola?

—Lindsey, soy Izzy Zanella. Ya sabes, el amigo alarmantemente guapo de Jenk.

El amigo alarmantemente guapo de Jenk. Lindsey había pensado que el marino de las Fuerzas Especiales, alto y con pinta de peligroso, estaba un poco demasiado convencido de que era todo eso, pero ahora se reía de sí mismo. Al menos eso esperaba ella.

—¿Tienes un segundo? —le preguntó Izzy.

—¿Se trata de algo más importante que una pizza portobello con champiñones?

—En mi opinión, no —dijo él—. Pero Jenk me ha pedido que te llamara, y por eso te estoy llamando. ¿Sabes algo de bebés?

—Si me llamas para contarme tus aflicciones de canguro sólo porque soy una mujer...

—En realidad, Jenk pensó en llamarte porque antes eras policía. Pensó que habrías tenido alguno que otro caso con un bebé enfermo.

Lindsey se incorporó en su asiento.

—¿Charlie está enfermo?

—Qué va —dijo Izzy—. Bueno, al menos eso creo. Pero Marky-Mark no está tan convencido. Por otro lado, todos mis conocidos que tienen hijos han salido. Debe de ser la Noche de la Cita Anual de las Parejas o algo así. Lo digo en serio. Nadie está en casa. Y la mayoría de las canguros con que hemos hablado suenan como si tuvieran trece años, así que... A estas alturas estamos llamando a cualquiera que haya visto un bebé alguna vez en su vida.

—¿Qué problema tenéis? —le preguntó Lindsey.

—Tiene que ver con los pañales —confesó Izzy.

—Como diciendo: «¿Quieres venir a cambiarle los pañales a Charlie?»

—Por favor —dijo Izzy, ofendido—. Podrías darnos algo más de crédito. Nos han entrenado en operaciones de reconocimiento. En una ocasión, no dejé mi posición durante cincuenta horas, y quiero decir *no me movía.* Me cagué tres veces en los pantalones.

—Vaya —dijo Lindsey—. Es más información acerca de ti de lo que jamás esperé saber.

Él rió.

—Así que es verdad que te parezco irresistible, ¿eh?

—Mm —dijo Lindsey.

Era verdad que su risa sonaba agradable.

—Lo que quería decir es que un pañal de bebé no me asusta.

—Y, entonces, ¿qué problema tenéis?

—Vale, en dos palabras...

Lindsey sabía exactamente cuáles serían esas dos palabras.

—Caca verde.

—Caca verde —repitió ella.

—Y verde de verdad —informó Izzy—. Oye, estás a sólo unas manzanas de aquí, ¿no? ¿Hay alguna posibilidad...?

—Un momento. Y tú conoces mi dirección porque... —dijo, y su voz se apagó peligrosamente.

—Opción A, porque soy un asesino en serie y ya he fabricado un altar para ti en la guantera de mi todoterreno. Opción B, Tommy tiene tus señas en una lista de nombres de emergencia pegada en la nevera...

—¿Ah, sí? —Vaya, aquello empezaba a convertirse en un día emocionante. Primero, Tom se había referido a ella como su «arma secreta» y ahora se enteraba de que sus coordenadas se encontraban en una lista pegada en su nevera...

—Sí. —Al parecer, a Izzy no le impresionaba tanto—. Entonces, ¿podrías venir y echar una mirada? Y ya que vienes, ya sabes, ¿podrías traer la pizza?

—No lo creo. —Lindsey oyó que Jenk gritaba algo a lo lejos. También había un perro grande que ladraba. ¿Desde cuándo Tom y Kelly tenían un perro?—. ¿Charlie tiene pinta de enfermo? ¿Llora o...?

—Digamos que llorar es su especialidad. Espera un momento —pidió Izzy, y Lindsey oyó el murmullo de otra voz—. ¿Ah, sí? —Izzy volvió a coger el auricular—. Jenk aquí dice que es probable que estés demasiado ocupada mirando *Ame-*

rican Idol como para venir a ayudarnos con la emergencia de la caca verde, lo cual es patético. ¿De verdad Ryan Seacrest te parece más guapo que yo y que Jenk?

Lindsey se preguntó qué diría si le confesaba la verdad. *No, en realidad estoy a punto de caer en un estado de enamoramiento feroz por Mark Jenk, así que he pensado que limitaría mis horas de cara a cara con él al horario de trabajo. En un fútil intento de evitar una catástrofe ferroviaria.* Al contrario, dijo:

—*American Idol* no empieza hasta febrero. Pero si fuera esta noche te puedo asegurar que Ryan no querría comer mi pizza.

—Además, Ryan tampoco es un hombre de las Fuerzas Especiales —señaló Izzy, después de transmitirle sus palabras a Jenkins—. No iría a salvarte la vida si alguna vez necesitaras que te salven.

—Hmm —dijo Lindsey, como si reflexionara—. No. No necesitaría que me salvaran, soy perfectamente capaz de cuidar de mí misma. Seguiría con Ryan. Si quieres saber mi opinión, por lo que valga, te diría que la caca de Charlie es verde porque comió algo verde a mediodía. Pero si tienes alguna duda, deberías llamar a Tom y a Kelly. Ya sabes que Kelly es pediatra.

—Ya, pero Jenk no quiere molestarlos. Vaya, me están llamando. Alguien que me devuelve la llamada. Oh, es Tracy Shapiro. Decididamente, no es lesbiana.

—¿No es qué? —preguntó Lindsey, totalmente confundida.

—Seguro que puedo convencerla de que venga —dijo Izzy—. A ella le gusto. Hasta pronto, muñeca.

—Izzy, espera —dijo Lindsey. ¿Acaso no sabía que Jenk tenía serias intenciones con Tracy? Dios, aquello sería un enredo mayúsculo. Pero Izzy ya había colgado.

Lindsey volvió a su pizza, salvo que ahora ya no sabía tan bien.

Fue a su armario de condimentos, buscó la pimienta roja, molesta consigo misma por preocuparse del tío que quizá le habría gustado, si el momento y la situación hubieran sido diferentes. Sí, preocuparse de que Tracy no le rompiera el corazón a Jenk era un gesto sano... en un universo paralelo.

Sacudió el frasco sobre su trozo de pizza, y cuando probó un bocado, la boca estuvo a punto de explotarle. Mucho mejor.

Y, sin embargo, no le quitaba el ojo de encima al teléfono. Quizá debiera llamar a Izzy, asegurarse de que no hiriera los sentimientos de su amigo sin querer.

Quizás ahora debiera ir y darse de morros.

Lo de venir a California estaba dando resultados.

Lyle, el muy cabrón, iba a venir a San Diego el próximo fin de semana.

Viajaba a Los Ángeles por negocios, pero luego alquilaría un coche y haría el breve trayecto por la costa para ir a verla.

Tracy aparcó en la calle frente a una casita muy bien cuidada, con un jardín casi desbordante de preciosas flores. Volvió a mirar la dirección que había escrito en el dorso de un sobre. Era la casa, no cabía duda. La casa de su jefe.

Pequeña era la palabra clave, a pesar de los maravillosos jardines y bonitas farolas solares que iluminaban el camino hasta la entrada. Ella esperaba algo más...

Algo mucho más. En cantidad y en calidad.

Algo menos implacablemente clase media.

Tom Paoletti era el dueño y director ejecutivo de Troubleshooters Incorporated. Tenía que ganar mucho dinero. Y su mujer no era una médico cualquiera, sino una médico con un fondo de inversiones. Y, sin embargo, vivían allí.

Vaya una a saber. Desde luego, era un bonito barrio, y le recordaba a la calle de su propia infancia, una de esas calles sin salida que gustaban a los chavales. Además, no todos eran unos trepas como Lyle, que aspiraba a convertirse en socio de su bufete de abogados.

Tracy bajó la visera y comprobó el estado de su maquillaje en el espejo.

La gente era extraña y estúpida. Desde luego, tendría que incluirse a sí misma en esa generalización.

Cogió la botella de Chardonnay que había comprado al venir, bajó del coche, y caminó por la entrada que llevaba a la casa, dejando el eco de sus tacones en el ladrillo rojo.

Había venido a California para llamar la atención de Lyle. Pero, vaya, ¿qué decía aquello de su relación con él? Es decir, verse obligada a dejar la urbanización donde vivían para comunicarse de verdad con él. Y no irse a vivir a Brooklyn. No, había tenido que viajar a miles de kilómetros para que él le hiciera caso.

Enderezarse y volar.

Ah, y, por cierto, esa mano izquierda suya que no llevaba anillo exigiría, en caso de regreso, un diamante y un anillo de boda.

Mark Jenkins abrió la puerta incluso antes de que tocara el timbre.

—Hola, Trace, gracias por venir. —Entonces abrió la puerta de rejilla y la saludó con una gran sonrisa.

Tenía una sonrisa espectacular. Siempre había pensado que Mark era guapo como hermano menor, pero no fue su sonrisa lo que la dejó paralizada en ese momento, mirando boquiabierta y como pegada con cola al suelo.

Jenk no tenía la camisa puesta. Vestido con sólo unos pantalones cortos y unas sandalias, con ese bronceado dorado y todos esos músculos, vaya, por Dios, el pequeño tentetieso era todo músculos; se parecía a uno de los surfistas que había visto en la playa.

No, en realidad, se diría que era el rey de los surfistas.

Desde luego que era de porte más bien pequeño, pero esos apretados músculos abdominales lo compensaban con creces. Y esa manera de colgarle el pantalón, muy abajo, cerca de las delgadas caderas...

—Lo siento por lo de... —dijo, señalando su torso desnudo, como si aquello pudiera representar un problema para ella—. Al parecer, los bebés vomitan como parte de su rutina. He puesto mi camiseta a lavar.

Sus tacones la hacían más alta que él, pero Jenk la miró con una sonrisa radiante, como si eso no le importara. ¿Por qué habría de importarle, con ese cuerpazo? Jenk cerró la puerta y la convidó a entrar.

Tracy cayó en la cuenta de que no lo había visto sin uniforme desde su llegada a California y desde que él había vuelto del extranjero. Jenk le había ayudado a encontrar su piso y un empleo por correo electrónico desde un hospital en Alemania.

Los pantalones cortos le llegaban hasta más abajo de la rodilla, pero le sentaban de maravilla. Hasta diría increíblemente maravillosos. Dios mío, ahí estaba ella, comiéndose con los ojos el culito fantásticamente prieto del pequeño tentetieso.

Y ella que pensaba que su amigo, cómo se llamaba, Izzy, era el más bueno de los dos.

Mark se giró para mirarla, con un brillo de diversión en sus atractivos ojos verdes. Ginny siempre había detestado que, de los dos hermanos, a él le habían tocado las pestañas largas.

—¿Vienes?

—Sí, disculpa. —Tracy se quitó los zapatos, los dejó junto a la puerta y, sin dejar el vino, lo siguió para penetrar en la casa notablemente clase media de su jefe.

Tracy Shapiro no sabía ni una mierda de bebés.

Izzy acababa de calmar al pequeño Charlie y ella entró y lo despertó. El ruido de una voz femenina que reía interrumpió el sueño del pequeño.

Era probable que no hubiera sido intencionado. Aún así, no tendría que haber sido demasiado difícil para Tracy, al llegar a una escena de emergencia con un bebé, por así decirlo, darse cuenta de que el niño por fin se había calmado y que debía hablar en voz baja.

Lo bueno era que Tracy estaba del lado de Izzy y Lindsey en la discusión relacionada con la caca verde del bebé. Ahora eran tres contra uno diciendo que no había de qué preocuparse, y Jenkins finalmente tuvo que dar su brazo a torcer.

¿Alguien quiere un poco de vino? Desde luego, ella había traído una botella.

Izzy salió al patio trasero mientras Charlie todavía estaba en la fase de sorbido de mocos, quizás a punto de echarse a llorar, esperando que el aire fresco de la noche lo distraería.

Además, se dio cuenta de que Charlie dejaba de llorar en cuanto él le cantaba. Desde luego, el niño no estaba interesado en Bruce Springsteen ni en los Dire Straits ni en nada que pudiera ser cantado en voz alta en público. No, tenía que ser Elton John o The Carpenters. O Celine Dion, pero vaya, tenía que poner un límite en algún momento.

—*Don't you remember you told me you love me, baby,* cantaba Izzy, mientras veía a Tracy haciendo su numerito frío/caliente con Marky-Mark. Los grandes ventanales le daban una perspectiva de la cocina y el salón.

Izzy no oía lo que decían, pero su lenguaje corporal lo decía todo, mientras Charlie le apretaba el dedo meñique con su diminuta mano, cautivado por su interpretación de la canción.

En el salón, las manos de Tracy volaban de aquí a allá para arreglarse el peinado, de por sí perfecto, mientras se sentaba en un extremo del sofá.

«Tu torso desnudo, tan masculino, ha hecho subir mis niveles de estrógeno por las nubes.»

Jenk salió de la cocina con una copa de vino y una bandeja de queso y galletas saladas.

«Toma, deja que provea por ti, porque soy un macho alfa fuerte a pesar de mi baja estatura.»

—*Dios mío, Chaz* —cantaba Izzy con la misma melodía, lo cual le parecía bien a Charlie. Conocerse la letra al dedillo no era tan importante para los menores de dos años—. ¿Te puedes creer esa basura?

En el interior de la casa, Tracy le sonrió a Jenk. Le aceptó la copa y un trozo de algo microscópico de la bandeja. Dio un pequeño mordisco, girándose de modo que su cuerpo quedó abierto a él, que fue hacia el otro lado del sofá.

«Ay, esta comida que me has traído es deliciosa —imaginó Izzy que decía Tracy». En verdad eres un candidato meritorio entre los que desean acoplarse conmigo. Me sentaré de esta manera para que me puedas imaginarme desnuda más fácilmente.»

Jenk también se sentó, pero no en los cojines sino en el brazo. Lo hacía parecer más alto y le definía los músculos abdominales con más precisión. Apoyó un brazo en el respaldo, pequeño diablillo, para exponer otros músculos.

«Ya veo que has visto que soy demasiado sexy para llevar puesta una camisa», Jenk rió, pero era una de esas risas raras, de cuando hay un público diverso, decididamente no una risa de chiste divertido.

Tracy también rió, y luego se ajustó el jersey, tirando de abajo.

«Veo que tú también has reparado en mis generosos y bien dotados pechos. Sin embargo, debes ganarte el derecho de mirarlos fijamente, aunque nunca te dejaré olvidar que están ahí.»

Y seguían y seguían y seguían, hasta que Izzy se quedó mirando mucho después de haber dormido al pequeño Charlie.

Entendía perfectamente al pequeñajo.

Jenk se lo estaba trabajando como un profesional, cargando del lado del encanto, dejando que Tracy hablara, asintiendo para demostrar que la escuchaba, siempre devolviéndole un sincero contacto visual. Sólo de vez en cuando su rostro traslucía su enorme confusión, que siempre disimulaba sonriendo o incluso riendo.

«Eres tan rara como todas las demás de tu bello sexo, pero fingiré que entiendo todas las historias que me cuentas, respondiendo a mi pretensión obsesiva de clavarte contra la pared.»

Tracy se incorporó y señaló hacia la cocina.

«Iré hasta allí, candidato al acoplamiento, para que me puedas mirar el culo. Porque eso es lo que quiero que hagas, aunque si te sorprendiera mirándome, fingiría que estoy muy molesta.»

Dejó su copa en el aparador de la cocina y desapareció por el pasillo.

Sentado en el brazo del sofá, Jenk aprovechó la oportunidad para acomodarse los huevos. Así me gusta. Puede que le costara, pero tenía el derecho de sentirse cómodo mientras lo hacía. Aprovecha para rascártelos, también. Eso.

Luego hizo girar su hombro malo. Por lo visto, le molestaba, sobre todo con el aire fresco y descamisado. También flexionó los músculos del cuello, como si fuera a correr una maratón o se preparara para un par de asaltos en un combate de boxeo.

Era una locura. ¿Qué creía Jenk que estaba haciendo? ¿Qué el duro trabajo al que estaba dedicado esa noche llegaría a buen puerto algún día? El tío quería que Tracy fuera su novia o, incluso peor, su mujer. Pero una mujer como Tracy no se contentaría con hacer la colada, preparar la cena de vez en cuando, realizar gimnásticas posturas sexuales según lo demandado y luego despedirse alegremente cuando el deber lo llamara. «¡Que te lo pases bien con tus amigos de las Fuerzas

Especiales, cariño! ¡Nos veremos en unas semanas! Yo estaré bien aquí, sola, haciendo rompecabezas y mirando películas de Jane Austen hasta que vuelvas a casa.»

No, con Tracy habría lágrimas. Exigencias. Horas interminables de conversaciones oscuras en el sofá. Sería Jenk quien hiciera toda la gimnasia, saltando de aro en aro en un intento inútil de aplacarla.

Aún así, Izzy no conseguía reprimir los celos. Por lo visto, cuando Tracy se había dedicado a pseudoflirtear con él en el vestíbulo de Troubleshooters Incorporated, no significaba nada. Aunque ahora sospechaba que flirteaba de la misma manera con todos y con cualquiera, como si fuera su modo por defecto.

Desde el otro lado, se abrió otra puerta. Era la puerta de la habitación de invitados y...

—*¡Oz!* —gritó Izzy—. No. *¡Sit!* ¡Quieto! ¡Mierda!

El perro pasó a su lado, ignorándolo del todo, corriendo como un endemoniado por el césped impecable de Tommy. Desapareció en la oscuridad de los setos en los lindes de la propiedad.

Charlie se despertó porque, desde luego, Izzy le había gritado en la oreja, y empezó a llorar cuando Tracy se asomó, dubitativa, al porche.

—Estaba en la puerta —dijo, señalando el sitio que el perro había ocupado hasta ese momento—, como si necesitara salir.

Jenk seguramente habría oído el ajetreo, porque se asomó por el otro ventanal.

—Tracy ha dejado salir al perro —le avisó Izzy—. Guau, guau, guau.

—*¿Qué?* —Jenk salió al porche—. *¡Oz!* —llamó, en medio de la noche, haciendo chasquear los dedos y silbando—. Aquí, chico.

—Ya, sabes, por cómo iba lanzado, a estas alturas debe de estar en Laguna Beach. —Izzy cantó con toda la suavidad posible al oído de Charlie—. *Get back, honky cat. This living in the city just ain't where it's at...*

—Lo siento mucho —dijo Tracy, con sus ojos de sirenita desmesuradamente abiertos—. Creí que el jardín estaba vallado.

—No lo está —dijeron Izzy y Jenk al unísono.

—*Oz*, el perro, es un regalo de boda para Mallory, la sobrina de Tommy —informó Jenk.

Aquello no lo decía todo. *Oz* era *el* regalo de boda del novio a la novia. Mallory había realizado un trabajo de fotografía en un centro de acogida de animales y se había enamorado del pequeño perro, cuyo dueño acababa de morir. El piso en que vivían ella y su novio, David Sullivan, no aceptaba mascotas. Sin embargo, Sully había conseguido llegar a una especie de acuerdo con el propietario y... todo arreglado.

—Era una sorpresa —siguió Jenk—. Tommy escondía a *Oz* en su casa como un favor a Sully, el novio.

—Creo que será mejor llamarlo y avisarle, que se vaya corriendo al centro comercial. Las zapatillas son un excelente regalo —sugirió Izzy—. *Get back, honky cat...whoo.*

Y Charlie, el único que se lo estaba pasando en grande, dejó escapar una auténtica risa.

—Ay, Dios mío —dijo Tracy, y se dejó caer en una de las sillas de la terraza—. Estoy *muy* despedida.

• • •

La noche se había ido al garete.

Jenk llevaba veinte minutos al teléfono, reuniendo un equipo de búsqueda, llamando a todos los amigos del Equipo Dieciséis que le debían algún favor.

Detestaba gastar todos esos favores en un perro extraviado.

Sí, la noche se había ido decididamente a tomar por saco.

Y eso había sido después de haber tenido que escuchar a Tracy hablar y hablar y hablar de su ex, Lyle, el super abogado. Era evidente que todavía seguía totalmente colgada de él, aunque, hablando en serio, había que reconocer una pequeña victoria. El truco de ir sin camisa había funcionado como un hechizo.

Tracy había dejado de verlo como el gordinflón hermano de Ginny Jenkins que se hartaba comiendo Cheetos de queso. Esa misión había llegado a buen puerto.

Sin embargo, la campaña estaba lejos de haber terminado y parecía que iba a ser larga. Y no especialmente agradable, porque era evidente que él no había oído todo lo que había que contar sobre Lyle, un tipo que, al parecer, cobraba —madre mía— por encima de seiscientos dólares la hora. Y el muy hijo de puta venía a verla la próxima semana. Aquello prometía grandes momentos, antes, durante y después.

Ahora mismo, eso sí, su principal objetivo era encontrar un schnauzer en un pajar.

Lindsey había venido enseguida. *Que Dios la bendiga,* había pensado Jenk. Ella, a su vez, había hecho unas cuantas llamadas, y el resultado había sido una buena cantidad de empleados de Troubleshooters Incorporated que ya habían llegado o venían en camino para echar una mano. En ese momento, Sophia Ghaffari, Tess Bailey y Jim Nash formaban equipo con los suboficiales Danny Gillman y Jay Lopez. Se dirigían hacia el norte, armados con una correa y unos trozos de hamburguesa descongelada en el microondas que Lindsey había cogido de su propia nevera después de recibir la llamada de Jenk.

Aquella mujer no sólo era eficiente, también sabía pensar rápido y se desenvolvía bien mandando en una situación de caos.

El jefe CartaLoca Karmody prestó su ayuda desde su casa. Había sacado un mapa de la zona en su ordenador y Lindsey lo había puesto rápidamente en contacto con todos los que colaboraban en la búsqueda mediante el móvil, de manera que podía dirigirlos y coordinar sus movimientos.

Los otros dos jefes del Equipo Dieciséis, Stan y Cosmo, habían venido con sus mujeres. Los dos usaban sus propios coches, esperando encontrar el perro perdido mientras recorrían lentamente las calles del barrio, algo que también había ideado Lindsey.

Izzy mantenía a Charlie ocupado cantándole con una voz sorprendentemente dulce.

Tracy, que Dios se apiadara de su alma, estaba en la cocina de Tommy preparando café.

Sonó el teléfono de Jenk. Era Lindsey.

—Sam y Alyssa me han llamado. Ya están en camino. —Lindsey hablaba muy calmadamente. Costaba oírla, y Jenk se tapó el otro oído—. Les dije que llamaran al jefe Karmody, que salieran del coche para ver si encontraban a *Oz*. ¿Te parece bien?

No sólo se había puesto al mando sino que también se aseguraba que todas sus decisiones contaran con su aprobación.

—Sí —dijo Jenk—. Gracias.

—De nada —contestó ella—. Me alegro de poder ayudar.

—¿Con qué grupo has salido? —le preguntó él.

—Estoy sola —dijo ella—. Estoy a sólo unas casas de distancia. Intento pensar como un schnauzer asustado. ¿Me puedes volver a recordar qué aspecto tiene un schnauzer?

—Pequeño —dijo él—. Éste pesa unos seis kilos. Se parece a un terrier, pero con el pelaje más suave. Blanquinegro, pelo negro con cejas blancas, lo cual le da un aspecto de permanente sorpresa. Es muy mono. Orejas caídas, cola achaparrada.

—¿Muerde? —preguntó ella.

Buena pregunta.

—No lo creo, pero ten cuidado. Cualquier animal que se sienta acorralado podría morder.

—Hablando de animales acorralados —dijo ella—. Dave Malkoff y Larry Decker también vienen. Quizá quieras organizar su grupo para que vayan en direcciones diferentes.

—Sí. Vaya —dijo Jenkins—. Gracias por avisar. Eso podría ser... —dijo, y no pudo reprimir la risa—. Precisamente lo que esta noche no necesitamos.

—O podrías dejar que Izzy y Tracy se encarguen —sugirió Lindsey—. Y tú podrías venir a ayudarme porque creo que... estoy cara a cara... con... Hola, bonito. Hola, qué guapo eres. Mira tus grandes ojos marrones... un schnauzer muy nervioso que se llama *Oz*.

Aquello era perfecto.

Dave bajó de su coche al mismo tiempo que Decker bajaba de su todoterreno.

Y, como era de esperar, se fue directamente hacia Dave. Al parecer, la única persona de la que Decker se escondía era de Sophia.

—Fui a verte a tu despacho pero ya te habías ido —dijo Decker. Nada de saludos, así, a bocajarro, directo al grano. Tal como lo habría hecho el hombre que David siempre había admirado.

Dave asintió con un gesto de la cabeza.

—Sí, eh, quería evitar cualquier posibilidad de violencia. —Aún después de haberse desahogado, Dave se había quedado con unas ganas irreprimibles de darle a Decker un puñetazo en toda la cara.

Lo cual habría acabado posiblemente con Dave en el hospital con la mano rota. Así que había decidido irse a casa temprano.

—Ya sé que no opinas lo mismo, pero todo lo que he hecho ha sido para ponerle las cosas más fáciles a Sophia —comenzó a explicar Decker. Pero Dave no se creía nada.

—¡Y una mierda! Te has puesto las cosas más fáciles a ti mismo. —Dave estaba más que cabreado. Y esa potencial mano escayolada todavía pendía sobre su cabeza en un futuro bastante probable. Jamás en su vida había tenido tantas ganas de golpear a alguien—. ¿Sabes una cosa? Antes, me caías bien. No sólo eso. También te respetaba. Y te admiraba. Incluso te adoraba. Eso era antes de enterarme de que eres un cabrón egoísta. O quizá no lo fueras entonces. Quizá te has convertido en eso con el tiempo.

Decker guardó silencio. No negó nada, de manera que Dave no pudo resistirse.

—Venga, Deck, dime de qué vas. ¿Qué es eso que sueles decir? *Dave, no tienes ni idea de lo que Sophia tuvo que vi-*

vir. Salvo que te diré una cosa. Tengo una idea. ¿Por qué? Porque me he pasado el último año y medio hablando con ella. Dispuesto a escuchar siempre que ella estuviera dispuesta a hablar. Y estaba dispuesta a hablar. Un poco, no demasiado. Es probable que hubiera contado más de lo que vivió si yo hubiera sido tú. Por algún motivo, confía en ti. Te aprecia. Es divertido, ¿no te parece? Todavía piensa en ti como un amigo. Puede que incluso como un héroe.

Decker se dio media vuelta.

—¡Eso! —dijo Dave, alzando la voz—. Vete. ¿Cómo es eso que siempre te dices a ti mismo? ¿Qué la mejor manera de ser amigo de Sophia es mantenerse alejado de ella? Deja de mentirte —dijo, con voz temblorosa—. Tú eres mejor hombre. Y ella te necesita como amigo. Después de todo este tiempo, sigue teniendo necesidad de ti.

—Para ser su amigo —repitió Decker—. Se había detenido, y ahora se giró para mirar a Dave. Bajo la luz tenue de la calle, sus ojos quedaban en la sombra, pero no era del todo imposible ver en ellos. Estaba inseguro de sí mismo, aún cuando su talante fuera una certeza de macho alfa en toda regla.

Y Dave sabía exactamente en qué pensaba.

—Su amigo —repitió él, también. Tenía una punzada en el vientre, pero lo dijo de todas maneras—. O incluso... más que eso.

Estaba dicho, ahí quedaba la frase flotando entre los dos. La verdad acerca de Sophia.

—¿Ella querría eso? —preguntó Decker, con un hilo de voz.

Costaba creer que Decker no lo supiera, que no fuera de eso de lo que se había escondido todos esos meses.

Sin embargo, Dave le contestó de todos modos porque, por lo visto, había cosas que había que decir en voz alta.

—Eventualmente —dijo—. Creo que sí. Sí.

—No lo... —empezó a decir Decker—. Me he puesto como regla no intimar con las personas con las que trabajo.

—¿Intimar? —preguntó Dave—. Entonces no trabajes con ella. Habla con Tom. Después de este ejercicio, hazle saber que queréis misiones separadas. No será tan difícil de arreglar.

Decker no se movía de su sitio, y se lo quedó mirando.

—Estos últimos meses —dijo, finalmente—, cuando he pedido que tú formes parte mi equipo... Tu falta de disponibilidad no era fortuita, ¿no?

Dave también le contestó con la verdad a esa pregunta, mientras iba hacia la casa.

—No, señor.

Decker volvió a asentir con un gesto de la cabeza, y lo siguió.

—Habría querido que fueras franco conmigo en ese aspecto.

—Y yo quisiera —dijo Dave, mientras tocaba el timbre—, que todavía me importara algo lo que tú quieres.

Izzy asignó a Dave y a Decker a dos equipos de búsqueda diferentes en los dos extremos opuestos del barrio; finalmente consiguió poner a dormir a Charlie en su cuna, y se fue a buscar a Tracy.

La encontró en la cocina, cuando Tracy ya había dejado de fingir que no estaba llorando.

—Hola —dijo.

—Vete —dijo ella—. Déjame sola con mis miserias.

Era un drama en toda regla. Él casi esperaba que Tracy se girara hacia él con gesto triunfal, con los brazos en el aire, y gritara:

«¡Es una actuación!»

Él diría:

«Genial». Y ella contestaría:

«Gracias.»

Aunque era probable que Tracy fuera demasiado joven para recordar a Jon Lovitz en *Saturday Night Live*. O quizá lo hubiera visto en reposiciones. Pero no, lo suyo era sin duda *Sexo en Nueva York*. Lo más probable es que hubiera estudiado la serie para saber cómo vestir, qué pensar, hacer y sentir.

Ese momento preciso, por ejemplo, era el momento adecuado para unas buenas lágrimas. Maldita sea, Izzy ya estaba cansado de oír llorar a los bebés.

—*It's a little bit funny* —cantó—. *This feeling inside...*

Ella se giró para mirarlo fijo.

—¿Qué dices?

Vaya uno a saber. También funcionaba con Tracy.

—¿Por qué cantas esa canción de *Moulin Rouge*? —le preguntó.

—No es de *Moulin Rouge*. La cantaban en *Moulin Rouge*, pero es una canción de Elton John. —Si Tracy no sabía quién era Elton John, él se encargaría de aliviarla de su sufrimiento y le rompería el cuello en ese mismo instante.

Tracy se limpió la nariz con el dorso de la mano.

—Ya sé que es una canción de Elton John —dijo, con un tono de sentirse vagamente insultada—. Pero ¿por qué me la cantas a mí?

—Porque estoy trágicamente enamorado de ti —dijo él, y luego vio que ella se lo creía—. Es una broma —añadió, retrocediendo, pero por esa mirada de Tracy ya veía que era demasiado tarde.

Así que intentó convencerla de que era una broma dándole con el canto de la realidad en los dientes.

—Sabes, las probabilidades de encontrar a *Oz* antes de que vuelva Tommy son prácticamente nulas. Las probabilidades de encontrarlo algún día son... —dijo, y se encogió de hombros— muy remotas.

Era una lástima haber hecho eso, porque Tracy había parado de llorar. Y, ahora, los ojos volvieron a llenársele de lágrimas.

—Ya lo sé —dijo, con gesto valiente—. Soy una estúpida. Todo ha sido culpa mía.

Ahora lo miraba como si necesitara consuelo. Era muy probable que añorara unos brazos fuertes que la cogieran, con un poco de *Va, cariño, no es culpa tuya. Es un error que podría haber cometido cualquiera. Arriba esos ánimos. Ya encontraremos al perro...*

—Claro que es todo culpa tuya —dijo Izzy, al contrario, mientras abría la nevera y sacaba una gaseosa—. La has montado en grande. ¿No se te ocurrió preguntar antes de abrir esa puerta? Ha sido una estupidez. ¿En qué estabas pensando?

Tracy no se disolvió inmediatamente en lágrimas, lo cual le valió unos cuantos puntos. Al contrario, se defendió.

—Oí que el perro gemía y daba golpes en el vidrio cuando pasé para ir al lavabo. Al volver, no oí nada, así que abrí la puerta y eché una mirada, y él estaba como... casi sentado, como se ponen los perros. Y lo único en que pensé fue afuera,

¡que lo haga afuera! Sólo intentaba ser útil —dijo, y las lágrimas finalmente brotaron—. Siempre lo estropeo todo.

Esta vez también quería que Izzy le dijera que se equivocaba.

Y esta vez él tampoco respondió de esa manera. Pero, vaya, no era fácil. Tracy tenía muchas ganas de llorar en su hombro, a pesar de que se había prestado a ese descarado ritual de cortejo con Jenk hacía sólo un rato.

Si lloraba en su hombro, significaba que se dejaría ir con todo su tremendo cuerpo hacia él, lo cual habría sido una buena recompensa por haber tenido que cantar *Rainy Days and Mondays* al pequeño Charlie. Y no una, sino siete veces seguidas.

Walking around, some kind of lonely clown...

Pero había acertado en cuanto a Tracy, eso sí. La chica flirteaba con cualquiera que tuviera una polla. Pobre Weeble. Todo ese trabajo al que se había entregado esa noche no le serviría de nada.

—En mi trabajo, lo hago fatal, por si no te habías dado cuenta —dijo ella, que empezaba a irritarse al verlo ahí parado como un imbécil, mirándola llorar.

Izzy se tomó su tiempo antes de contestar, y bebió un largo trago de gaseosa.

—Es verdad que he oído rumores de que las cosas no van bien —dijo, finalmente, lo cual tampoco era lo que Tracy quería oír—. Pero creo que esta tarde lo has hecho bien con lo de Sophia y Decker. Llamar a Tommy para decirle que el circo había llegado a la ciudad me ha parecido acertado. Quiero decir, es sentido común elemental, pero sigue siendo una decisión correcta.

—Genial —dijo ella—. He hecho una cosa *básica* bien. En cuatro días. ¿Y ahora dices que hay rumores...? Todos me odian, ¿no?

Puaj, madre de Dios.

—Venga, Shapiro, eso es un poco exagerado, incluso para ti. Jenk no te odia —señaló—. En estos momentos está ahí afuera, haciendo lo que puede para salvarte el culo. ¿Sabes una cosa? Es lo que deberías estar haciendo tú en lugar de estar aquí compadeciéndote de ti misma. Deberías ponerte a pensar en la mejor manera de devolverle el favor.

Vaya. Ahora sí que se había vuelto gélida. Las lágrimas se le secaron como por arte de magia.

—¿Intentas decirme que Mark está haciendo todo esto porque espera que yo le *devuelva el favor*?

Su manera de decirlo fue muy divertida, como si fuera una especie de alta sacerdotisa virgen a la que acabaran de comunicar que tenía que inmolarse como propina para el repartidor de pizzas.

Izzy emitió unos ruidos de *cómo se te ocurre*.

—¿Marky-Mark? Es demasiado buen tipo para eso. Y está chalado por ti desde hace años. No se lo esperaría. Ni siquiera lo pensaría. Pero haría lo que fuera por ti, como conseguirte este empleo y, ahora, limpiar tus desaguisados. Así que yo sólo digo eso. Puede que quieras devolverle el favor.

En la mirada de Tracy había aparecido la sombra de una duda.

—¿Mark está chalado por mí?

—¿Hola? —dijo Izzy—. ¿No acabas de pasar la última hora coqueteando con él? ¿Acaso estás ciega? Está obsesionado contigo.

—La verdad, sí —dijo ella—. Me he dado cuenta, pero... —balbuceó, y sacudió la cabeza, frunciendo el entrecejo. Sin duda pensamientos muy serios pasaban por esa cabecita. Los labios se le torcieron en una sonrisa triste—. ¿...quién habría dicho que crecería y llegaría a ser como es ahora?

—Nuestro amigo Mark está muy bueno —convino Izzy—. Aunque a mí me parece un poco bajito. Yo prefiero los hombres más altos.

Tracy lo miró.

—Es una broma —dijo Izzy—. ¿Nunca interpretas el lenguaje corporal de las personas? He estado mandando mensajes del estilo de *vendería al diablo el alma de mi santa abuela si pudiera hacérmelo contigo una vez,* desde la primera vez que te vi.

¿De veras? —susurró ella.

Vale. Todo ese contacto visual empezaba a caldear el ambiente de la cocina. Debería haberse ofendido y, sin embargo...

Era evidente que no se había ofendido.

Volvía a pensar. Miraba a Izzy y pensaba.

Éste retrocedió unos pasos para salir de la cocina.

—Voy a echarle una mirada a Charlie.

El perro echó a correr.

Tiene que haber oído venir a Jenk, y sencillamente se largó.

—No —dijo Lindsey, pero Jenk ya se había puesto en movimiento y se había lanzado a por el perro, a punto de darle un susto de muerte y, quizá, recibir una mordedura como recompensa por sus esfuerzos.

Así que Lindsey hizo lo único que podía hacer.

Se le plantó delante.

Con su intervención, en lugar de coger a *Oz*, Jenk le dio de lleno como una bola de demolición. Lindsey era fuerte pero ligera, y habría salido volando hacia una valla metálica si él no la hubiera agarrado y obligado a caer al suelo con él.

Fue un fuerte encontronazo y, si bien Lindsey no acabó con las marcas de la valla metálica en la cabeza como recordatorio permanente, se encontró tendida entre el suelo muy duro y un hombre muy fuerte.

—Dios, lo siento —dijo Jenk, intentando incorporarse y correr tras *Oz*—. ¿Qué has hecho? Podría haberlo agarrado.

Lindsey lo cogió y... yaj. Tenía la camiseta fría y húmeda. Aún así, no lo soltó.

—Déjalo ir —dijo, con un hilo de voz, como si fuera un padrino de la mafia en sus horas postreras.

Jenk la había dejado sin una gota de aire en los pulmones, y ahora hacía lo posible por recuperar el aliento.

—Pide ayuda —consiguió articular.

Por lo visto, su imitación de la respiración moribunda asustó más a Jenk que a ella misma, porque él buscó inmediatamente su móvil. Se lo ajustó entre la oreja y el hombro.

—¡Lopez! ¿Dónde estás? Necesito ayuda médica, ¡ya!

Ahora empezó a buscarle los botones y dejó el móvil para concentrarse totalmente en su blusa. Intentaba dejársela más suelta, lo cual era ridículo, porque la blusa ya era bastante holgada. Pero entonces Lindsey se dio cuenta de que Jenk quería comprobar si no le había dado en la tráquea o si había dañado alguna otra parte vital de su aparato respiratorio.

Y mientras no pudiera hablar para avisarle, era divertido ver que le desabrochaba la blusa con tanta urgencia por un motivo muy diferente. Hasta podría haberlo dejado seguir, si no lo hubiera visto tan preocupado.

Tuvo que poner toda la energía que debería haber usado para recuperar el aire en los pulmones para alcanzar a decir:

—Estoy bien.

Jenk no le creyó. O quizá sí le creyó, pero era una de esas personas que tienen que ver con sus propios ojos. La tocó, le palpó el cuello, la garganta, la clavícula... como si tuviera algún tipo de formación médica. Que probablemente sí tenía, por el hecho de pertenecer a las SEAL. Tenía las manos cálidas cuando la tocó, como si con sólo tocarla fuera capaz de saber si estaba malherida o no. Y, sin embargo, aun así vaciló, lo cual lo hacía muy diferente del contacto impersonal y profesional de un médico o un paramédico.

Se parecía mucho más a la experiencia con un amante por primera vez.

Lo cual no era de gran ayuda para su problema de respiración. Sobre todo cuando le volvió a palpar el cuello y la garganta.

—Dios —dijo él, exhalando aire, más una exhalación que una palabra en toda regla. Durante medio segundo, el tiempo se detuvo.

Y Lindsey supo que estaba perdida. Si él la besaba, ella le devolvería el beso. Por mucho que se lo propusiera, no sería capaz de resistir la tentación.

Sin embargo, la realidad se impuso.

—Tienes el cuello increíblemente delgado —dijo él, como maravillado—. ¿Cómo consigues mantener la cabeza levantada?

Y pensar que algunos decían que los tiempos románticos se habían acabado.

Jenk siguió explorando con las manos hasta rodearle la cabeza, queriendo saber si se la había golpeado al caer. Al menos eso creía Lindsey hasta que Jenk rió.

—Tienes una cabeza pequeña también. Ahora entiendo cómo funciona.

Lindsey intentó apartarle las manos.

—Resulta que tengo unas proporciones perfectas para mi altura, gracias —dijo, con un silbido de voz.

—¿De verdad que estás bien? —preguntó él, cogiéndole ambas manos con las suyas y mirándola. El alivio era una emoción curiosa. Incluso en la penumbra de la noche, Lindsey podía leer perfectamente en los ojos de Jenk.

—Sí —dijo, a pesar de que apenas era capaz de otra cosa que susurrar—. Sólo me he quedado sin respiración. Y la ayuda que te he pedido era para acorralar a *Oz*. Por donde ha ido, quedará atrapado, porque ahí atrás hay una valla —dijo, y se movió—. ¿Te importaría...?

Y luego percibió un brillo del todo diferente en sus ojos, cuando Jenk se dio cuenta de que estaba encima de ella. Lindsey vio que hasta ese momento no se había percatado, pero ahora él estaba a horcajadas sobre ella y el contacto de los muslos era cálido, mientras la tenía cogida de las manos.

Durante varios largos segundos, se quedó sentado ahí, mirándola a la luz de la luna, como si quizá tener un cuello delgado como un lápiz al fin y al cabo no estuviera tan mal.

Sonó el móvil de Jenk, lo cual lo sacó de su ensimismamiento. Gracias a Dios. Se quitó de encima y, mientras sostenía el móvil para hablar, la ayudó a sentarse.

—Sí, Card, lo siento, ignora mi última orden —dijo por el móvil. Era evidente que hablaba con Karmody CartaLoca, el transportista improvisado—. No necesitamos un médico. Lindsey está bien. ¿Le harás saber a todos dónde estamos? Estamos... vale, bien, estamos exactamente en ese punto. El perro está acorralado. Tendremos que crear una red. Diles que vengan pero que guarden silencio. El animal está muy asustado.

Colgó y se inclinó para juntar los dos lados de la camisa de Lindsey.

—Lo siento —dijo—. Yo, eh...

Ella permanecía sentada, en el mismo lugar, con la camisa hawaina totalmente desabrochada, dejando a la vista...

Vaya. Se había puesto *ese* sujetador, el transparente. Tenía sujetadores que la cubrían más que algunos bañadores, pero ¿ese día llevaba uno de ésos? Claro que no.

En realidad, no era para tanto. Al fin y al cabo, ella ya le había dicho cuál era su talla de sujetador.

¿Y qué si le había visto los pezones? Ella también veía nítidamente los de él, bajo la luz de la luna, perfectamente delineados por debajo de su camiseta húmeda, ajustada y desagradablemente fría.

Desde luego, su comentario sobre el «cuello flaco y la cabeza pequeña» todavía le resonaba en los oídos. Era de agradecer que se hubiera guardado ese género de comentarios para hablar de sus pechos.

La verdad es que Jenk se aclaró la garganta unas dos o tres veces.

—Estoy confundido con tu estrategia —dijo, finalmente—. Podría haberlo agarrado.

—No quería que te mordiera. —Lindsey oyó que los demás llegaban e intentó abrocharse la blusa a toda prisa. Costaba ver en la oscuridad.

—Hay cosas peores —dijo Jenk.

—¿Como, por ejemplo, que Tom vuelva a casa y vea que el perro no está?

Más que verla, Lindsey intuyó su sonrisa.

—Ésa está en la lista, sin duda.

—He revisado esta zona —dijo ella. Joder, se había ajustado mal los botones, y ahora tenía toda la camisa mal abrochada de arriba abajo—. Sé que hay dos vallas que hacen esquina. Si se ha ido por donde creo, sabía que estaba atrapado.

Él vio lo que ocurría y le ayudó, empezando por el botón y el ojal de más arriba.

—También hay mucho matorral, lo mejor para esconderse. —Lindsey intentaba fingir que las manos que se encontraban, él intentando abrochar los botones, y ella queriendo quitarle las manos de encima, no le molestaban—. Ya lo tengo, gracias —dijo, cuando él se concentró en quitarle las briznas de hierba que tenía en el pelo.

Vale, eso también era un poco agradable.

Lindsey carraspeó.

—Mi plan es ir hacia allí, con más hamburguesas... Se ha comido toda la que yo traía —siguió—. Tú tienes más, ¿no?

Él se metió la mano en el bolsillo.

—Mierda.

Ella lo supo antes de que él se lo dijera, y procuró no reír.

—¿Caca verde o la regular?

—Qué graciosa —dijo él—. Se ha roto la bolsa y ahora tengo la hamburguesa cruda en el bolsillo y... jo, qué mierda.

Lindsey dejó de hacer esfuerzos para no reír. Intentó reír por lo bajo, para no asustar al pobre *Oz*.

—Estos bolsillos son de malla y, se ha filtrado a toda la pierna. Vaya, joder. —Jenk volvió a tenderse en el césped—. Deberían felicitarme. Tengo hamburguesa cruda hasta donde no llegan los rayos del sol. Mi noche ha sido redonda.

—No del todo —objetó Lindsey—. Todavía nos queda atrapar a un perro, y tú eres el cebo. Creo que todavía tienes más experiencias por vivir.

Él giró la cabeza en redondo para mirarla.

—Una experiencia que preferiría especialmente evitar es acercarme demasiado a *Oz*.

—Venga, Jenkins —dijo ella, estirando las manos para ayudarle a levantarse—. ¿Dónde está tu espíritu aventurero? Uno no puede decir que ha vivido hasta que tiene un chucho hambriento lamiéndole los huevos.

Jenk se echó a reír.

—Quisiera señalar que ese riesgo, aunque presente, será sumamente bajo —siguió ella—. Yo te protegeré.

Él le cogió las manos y se dejó levantar.

Pero cuando él la siguió a la zona más oscura, Lindsey no pudo evitar agregar.

—Sí, yo y mi cuello de lápiz y mi cabeza de alfiler te mantendré a salvo del pequeño perrito.

—Oye. —Jenk la detuvo cogiéndola por un brazo—. Espera un momento, yo no he dicho eso. Y, desde luego, no tenía la intención de... —balbuceó, y retiró la mano como si tocarla fuera un gesto demasiado íntimo, ahí mirándose los dos a la luz de la luna—. Es, bueno, yo mismo no me siento muy a menudo, ya sabes... Grande. Y, por favor, no hagas chistes de pollas porque no me refiero a eso, y tú lo sabes.

—No tenía intención de hacer un chiste de pollas —dijo Lindsey—. Y, en realidad, prefiero utilizar el término chistes johnson. Es más digno. Tiene más clase.

—¿No puedes hablar en serio un minuto, ahora mismo?

Lindsey sabía que aquello no era buena idea. Serio significaba ser sincero y, sinceramente, ella no estaba dispuesta. No con ese tío, bajo la luz de la luna. Pero él la miraba con tal dejo de imploración que cedió.

—De acuerdo.

—He utilizado la palabra incorrecta —reconoció Jenk y, mientras ella lo miraba a los ojos, se dio cuenta de que se había equivocado con él. Intensidad, determinación, firmeza y valor. Las tenía todas, además de la incapacidad de usar la palabra *renunciar*—. No debería haber dicho *delgado* sino *esbelto* o, no sé, *elegante*. Quizá *delicado*. En resumen, resulta que me pareces sumamente guapa. Y, sí, de proporciones muy bonitas.

Dios mío. Lindsey tuvo que apartar la mirada, temiendo que viera cómo se prendía de él, pues lo vería con toda claridad en sus ojos.

Y, vale, ya no podía ser más sincera o acabaría por desmayarse.

—Gracias —dijo Lindsey—. Creo que mientes como un bellaco, pero gracias. Loable intento. Para salvarte.

—Hablo en serio —insistió él—. Si fuera soltero, no te dejaría tranquila.

Genial. Jenk había llegado a la conclusión de que ella se sentía muy atraída por él. Era probable que tuviera algo que ver con el hecho de que cada vez que la tocaba, ella babeaba.

—Pero si eres soltero —señaló Lindsey, decidida a que la cosa no fuera a más—. Y no me dejabas tranquila; estabas encima mío. Aunque estoy bastante segura de que ha sido mejor para ti que para mí.

—Sabes que no es eso lo que quería decir —dijo él—. Y en cuanto a estar soltero... Creo, por lo menos después de esta noche, que tengo algo con Tracy.

—¿En serio? —Lindsey no pudo disimular su incredulidad.

La sonrisa de Jenk se torció.

—Vale, puede que sea una afirmación demasiado optimista. Ella todavía está muy enrollada con su ex novio. No para de hablar de él. Pero por lo menos he conseguido captar su atención. Es un paso en la dirección correcta. En cualquier caso, no he querido darte una idea equivocada.

Y, ¡bum!, se había acabado. Oficialmente hablando, ahora Lindsey lo tenía cuesta arriba. Era una tonta cuando se trataba de hombres honrados.

Mejor dicho: hombres honrados inalcanzables.

Consiguió sonreír. Al parecer, Tracy era más lista de lo que ella había pensado si había dejado que algo captara su atención.

—Impresionante. Sobre todo teniendo en cuenta que aquello era mucho antes del asunto de la hamburguesa cruda en el bolsillo del pantalón, que en mi caso siempre da resultados, cuando intento captar la atención de alguien.

Jenkins volvió a reír.

—¿Y, cómo lo has hecho? —inquirió Lindsey—. ¿Has recitado a Shakespeare, has cocinado una cena de doce platos o...?

—Me quité la camisa —dijo él.

Ella rió por lo bajo.

—No, ¿en serio? —Ay, ay. Jenk no bromeaba—. Vaya —dijo—. Vale. Seguro. Con eso sí lo conseguirías. —Siempre que la mujer objeto de la atención fuera increíblemente superficial y que no se lo mereciera—. Para que lo sepas, conmigo no tuviste que quitarte la camisa para captar mi atención.

Ahora él la miraba con un dejo de inseguridad, como si no supiera si aquello era una broma, mitad broma o nada de broma.

—Pero me alegro de que haya dado buenos resultados —siguió Lindsey—, porque sé lo mucho que te gusta.

—Gracias —dijo él, todavía con mirada cauta.

Era probable que se debiera a que sus súper sentidos de comando de las SEAL estuvieran despertando.

—No te muevas —dijo Lindsey, en voz muy baja—. Perro hambriento, a las ocho en punto.

Capítulo 4

Lugar: desconocido
Fecha: desconocida

Le había dado una navaja a la Número Veinte.

Lo verdaderamente perverso de todo aquello era que Número Cinco tenía celos, más allá de la mezcla de miedo y dolor que sentía, mientras la sangre del brazo le corría entre los dedos y ella intentaba restañar la herida apretándosela.

¿Acaso a él le gustaba Veinte, con su bonito pelo rubio, más de lo que le gustaba Cinco? ¿Estaba cansado de ella? ¿Lo había aburrido? ¿De verdad quería que Veinte ganara?

¿O acaso estaba solamente cansado de los métodos de Cinco? ¿Quería ver sangre? ¿Necesitaba más drama, o quería subir las apuestas?

Veinte intentó torpemente asestarle un golpe, y Cinco tuvo que saltar hacia atrás.

Veinte volvió a la carga. El mismo movimiento, dejando el mismo flanco abierto. Esta vez Cinco estaba preparada, y le dio de lleno en la sien.

La rubia perdió el equilibrio y se estrelló contra la pared del sótano. Dejó caer la navaja, que resbaló sobre el suelo.

Número Cinco no necesitaba una navaja. Volvió a darle a Veinte en la cabeza. Y otra vez. Y otra.

Veinte cayó de rodillas y se apoyó en las manos y Cinco le propinó una patada en el mentón. Veinte rodó como una muñeca de trapo y dio en el suelo con un golpe sordo. Al volverse, tenía los ojos en blanco.

Cinco se giró hacia las escaleras, pero ahí donde él estaba no podía verle la cara. Estaba ocupado consigo mismo, o eso pensó ella antes de que él hablara.

—Usa la navaja.

Ella se acercó hasta el arma. La cogió. La cerró. No le gustaba la sangre, él lo sabía. Veinte llevaba un cinturón. Cinco se agachó junto a la mujer y le soltó la hebilla.

Él volvió a hablar.

—Usa la navaja o déjamela.

Que te jodan. No quería decirlo en voz alta. No se atrevía. Pero no podía dejar de pensar en ello. De un tirón, le quitó el cinturón de los pantalones vaqueros a Veinte.

Tendría que haber sabido que él lo había planeado así. Al fin y al cabo, le había dado esa navaja a Veinte.

Tendría que haber sabido que él también estaría preparado para ella.

Al contrario, le sorprendió el agua de la manguera a presión. Le dio como un palo en el hombro y la hizo girar, alejándola de Veinte, quitándole de un golpe el cinturón de las manos y empujándola hacia el suelo del sótano.

Con la misma rapidez con que había comenzado, la fuerza del agua cesó, dejándola chorreando y adolorida, con la cabeza zumbándole del golpe contra el cemento.

—Tienes siete segundos antes de que me la lleve arriba —avisó él—. Seis...

No tenía tiempo suficiente para hacerlo con el cinturón.

—Cinco...

Como siempre, él había ganado, obligándola a elegir entre dos perversidades innombrables.

—Cuatro...

No le quedaba alternativa. Abrió la navaja.

Veinte empezaba a volver en sí. También a ella le había dado con el chorro de agua. Por supuesto. Lo había planeado así. Vio que Cinco se acercaba, vio la hoja de la navaja que brillaba con el reflejo de la luz. Y el ruido que hizo, mezcla de miedo y desesperación, era un ruido del que se alimentaría durante muchas noches.

—Tres... —Ahora reía—. Dos...

—Lo siento mucho —dijo Cinco, y de un certero navajazo le cortó el cuello a Veinte.

San Diego, California
2 de diciembre, 2005, viernes por la noche

La fiesta que comenzó en el salón de Tom Paoletti se desplazó sin mayores esfuerzos hasta el Ladybug Lounge.

Sophia se sentó a una mesa frente a Dave, que ya bebía su segunda cerveza de la noche. O era eso, o intentaba estar a la altura de su imagen de ciclista grunge y había pedido una botella para cada uno.

Él se deslizó en el asiento frente a ella.

O... había pedido la cerveza para ella.

—¿Tan predecible soy? —preguntó ella—. ¿Qué habría pasado si esta noche hubiera querido vino?

—No lo has querido. —Dave sonrió y se apartó un mechón de pelo detrás de la oreja. Empezaba a tenerlo muy largo, y ahora lo llevaba suelto en lugar de recogérselo en una coleta, como de costumbre. Su sonrisa se desvaneció—. Oye, siento lo de esta tarde. Puede que haya dado la impresión de lo contrario, pero no tenía ninguna intención de humillarte.

—Lo sé.

Decker estaba junto al bar hablando con su amigo Nash y con la mujer que estaba a punto de convertirse en la señora Nash, Tess Bailey. Sophia intentaba no mirar en su dirección.

Al contrario, paseó una mirada por toda la sala.

Sophia no había vivido en Estados Unidos demasiado tiempo. Sus padres la habían llevado a vivir al extranjero cuando era muy pequeña. Aparte de unas visitas ocasionales a sus abuelos en Nueva Inglaterra, había pasado la mayor parte de su vida en el extranjero. Vivir en Estados Unidos estaba lleno de descubrimientos y sorpresas pero, al parecer, como sucedía en cualquier parte del mundo, un bar era un bar.

Apenas iluminado, con rótulos de neón y espejos que permitían hasta a los clientes más duros mirarse la espalda, el Ladybug Lounge podría haber sido un bar en cualquier ciudad del mundo. La música sonaba con unos cuantos decibelios menos que en una discoteca, pero lo bastante fuerte como para crear una atmósfera de fiesta. Además, había que hablar en voz alta, y se oían frecuentes risotadas.

Se oyó el pitido de un teléfono móvil y todo el mundo comprobó sus bolsillos.

Era el móvil de Tracy. Mientras Sophia miraba, la recepcionista salió de prisa del ruidoso bar hacia la quietud relativa del aparcamiento.

El tipo de las SEAL llamado Izzy se movió desde donde estaba sentado hasta la ventana, sin duda para vigilar. Aquella no era precisamente la parte más tranquila de la ciudad.

Dave también vio salir a Tracy. Y también se volvió enseguida para mirar por la ventana. Se dio cuenta de que Sophia lo notaba, y sonrió.

—No tiene demasiado sentido común, ¿no te parece?

Sophia sacudió la cabeza para decir que no.

—Esta noche me ha sorprendido.

—A mí también —dijo él.

Tom y Kelly Paoletti habían vuelto a casa después de la cena y se habían encontrado con nueve personas de Troubleshooters Incorporated y ocho hombres de las Fuerzas Especiales en su salón.

Mark Jenkins estaba dispuesto a asumir la responsabilidad por la improvisada partida de búsqueda y rescate. Empezó a dar una larga explicación, empezando por una historia del cambio de pañales del pequeño Charlie.

Tracy podría haberse quedado tranquilamente en segundo plano. Pero dio un paso adelante y cortó de plano la explicación de Jenk.

—Yo fui la que dejó salir al perro —confesó—. Todo ha sido culpa mía.

Al parecer, Tracy no era una perdedora nata.

Al otro lado del bar, Decker se giró para mirar y Sophia desvió rápidamente la mirada. Ella ni siquiera se había percatado de que volvía a mirarlo, pero eso era lo que hacía. Hablando de perdedoras...

Dave se entretenía en quitar la etiqueta de su botella de cerveza.

—Entonces —dijo—, en una escala de uno a diez, ¿cuán jodido es este decreto de que tú y Decker tenéis que trabajar juntos en esta operación o dimitir los dos? Para mí, es un ocho coma cinco. Me siento como un auténtico miserable. Ya sé que te he estado presionando para intentar que te enfrentes con Decker, pero otra cosa es obligarte a ello... No creo que Tom Paoletti tenga derecho a... quiero decir, con sólo veros esta noche ha sido... —dijo, sacudiendo la cabeza—, doloroso.

—Lo siento —dijo ella—. No esperaba verlo y no sabía qué decir.

Dave se inclinó ligeramente hacia ella.

—¿Le has dicho algo a Tom acerca de...?

—No. —Sophia sabía cuál era la pregunta, a saber, si le había contado al jefe lo que había ocurrido entre ella y Decker hacía unos cuantos meses—. Y no pienso hacerlo.

—Si lo hicieras —señaló Dave—, podrías presentar algún tipo de queja oficial contra Decker...

¿Oficial?

—No —dijo ella.— No.

—Lo cual te permitiría quedarte...

—No voy a presentar una queja. —Sophia había tomado una firme decisión—. Cualquier actuación condenable ha sido tanto de mi parte como de la suya. En realidad, más mía que suya. Él dijo que no, y yo... —dijo, y bebió un trago de cerveza.

—Te permitiría a ti seguir trabajando en Troubleshooters Incorporated y Decker se iría —concluyó Dave—. Puede que sea un recurso técnico para superar este escollo en concreto. Es lo único que digo. Si Tom se enterara del motivo...

—No —insistió ella.

—Piénsatelo.

—No, el error fue mío —dijo ella, y dejó la botella en la mesa con gesto enérgico—. ¿Qué te ha contado Decker? ¿Ha entrado en detalles?

—Por supuesto que no —dijo él.

—¿Qué te ha contado? —insistió Sophia.

Dave había formado parte de un equipo de Troubleshooters Incorporated enviado a Kazbekistán, un país de Oriente Medio que había sufrido un terrible terremoto. Como consecuencia de ello, un líder terrorista había muerto. Al equipo se le había asignado la misión de encontrar el portátil del terrorista, ya que se creía que contenía información sobre planes de futuros ataques.

Decker era el jefe de la misión.

Se había dedicado a buscar a un hombre que, en su opinión, podía ayudarles, un hombre de negocios que había vivido en ese país muchos años, un hombre que resultó ser el marido de Sophia, Dimitri Ghaffari. Pero Dimitri había muerto, víctima de un señor de la guerra llamado Padsha Bashir, que se había apoderado de sus negocios, su cuenta bancaria y su casa.

Y de su mujer.

Después de pasar meses prisionera en el palacio de Bashir, Sophia había escapado. El señor de la guerra puso precio a su cabeza. Si hubiera dado con ella, la habría matado, de eso no cabía duda.

Cuando Decker y Sophia se conocieron, ninguno de los dos había confiado en el otro. Sophia estaba convencida de que Decker era un cazarrecompensas que la vendería a Bashir. Tenía la certeza de que, si no escapaba de él, iba a morir. Y que sería una muerte horrible.

Así que había hecho lo que tenía que hacer para sobrevivir.

En ese momento, en el Ladybug Lounge, a miles de kilómetros y a muchos meses de distancia de ese horrible encuentro, Dave no se atrevía del todo a mirarla a los ojos.

—¿Qué te contó Decker? —volvió a preguntar Sophia.

—Que tú y él os enzarzasteis en un fuerte conflicto que... eh... se salió de madre. Lo cual arrojó como resultado un encuentro de... eh... carácter sexual.

Madre mía. Aquélla era una versión aún más aséptica de lo que Sophia podría haber imaginado. Aún así, hizo un gesto de asentimiento con la cabeza.

—¿Te contó que intenté matarlo? Tenía un arma y le disparé. A él. Y fallé.

—Me parece bien —dijo Dave, finalmente, y la miró a los ojos—. Y, sí, eso lo mencionó.

—¿Son palabras tuyas? —preguntó Sophia—. *¿Un encuentro de carácter sexual?*

—Suyas —confirmó Dave—. Aunque estoy casi seguro de que fue más conciso. Un encuentro sexual. Así lo llamó.

—¿Qué crees que quería decir con eso? —insistió ella.

—No tiene mayor importancia —dijo Dave, sacudiendo la cabeza.

—¿Ah, no? —preguntó Sophia—. ¿Si voy a presentar una queja? ¿Detalles como quién tocó primero a quién, o quién dijo que no?

Dave se encogió de hombros.

—Sé que Decker dijo que no, si le creemos. Sé que no se ha perdonado por lo que sucedió a pesar de que dijo que no. Y, desde luego, puedo suponer... —dijo, y calló. Respiró hondo y volvió a empezar—. No tiene importancia. Los detalles son discutibles. Tú fuiste la víctima, Sophia.

Ella abrió la boca para decir algo pero él la interrumpió.

—Fuiste la víctima de Bashir. Y Decker también lo fue.

—¿Así que no sientes ni siquiera un poco de curiosidad?

—No —dijo él, con voz queda—. Siento curiosidad por muchas cosas cuando tiene que ver contigo. ¿Piensas ir al Hospital General de Massachusetts a visitar a tu padre? Me gustaría saber qué piensas hacer con respecto a eso, el tiempo se acaba. También quisiera saber más acerca de Dimitri. Sé que lo amabas. Por lo poco que me has contado, pues, me gustaría haberlo conocido. También siento curiosidad por esos meses que viviste prisionera de Bashir, pero no por lo que ocurrió. Eso me lo puedo imaginar. Lo que sí quiero saber es cuándo harás caso de mis consejos y buscarás ayuda profesional para lidiar con todo lo que has vivido. Siento curiosidad por saber cuándo volverás de verdad a integrarte en la raza humana y darte otra oportunidad para ser feliz. Siento curiosidad por las cosas importantes —dijo, y volvió a encogerse de hombros—. Quién se la hizo a quién como un intento de distracción, hace una eternidad... Sencillamente no tiene importancia.

—¿Qué no tiene importancia?

Sophia alzó la mirada y vio a tres hombres del Equipo Dieciséis de las SEAL que se habían acercado a su mesa. Ella había formado parte de un equipo de búsqueda con dos de ellos esa noche.

—¿Podemos sentarnos con usted, señorita? ¿Doctor Malkoff? —preguntó Jay Lopez, muy correcto.

Sophia miró a Dave.

—¿Doctor? —preguntó.

—Doctor en Filosofía —dijo él, con un gesto de la mano que insinuaba que el título no era gran cosa—. ¿No habías dicho que tenías que retirarte temprano?

Le estaba facilitando una salida, en caso de que no le apeteciera la compañía.

Pero los hombres de las SEAL siempre serían los hombres de las SEAL, y ya se estaban acomodando. Al menos Danny Gillman, que se deslizó en el sitio junto a ella. Alto y bronceado y, sí, joven y guapo. Danny había animado al equipo de búsqueda esa noche contándoles cómo había ganado un premio de imitación del grito del pavo cuando tenía once años. Al parecer, los schnauzers tenían un ladrido único, y también lo había demostrado.

—Venimos con obsequios —dijo, y puso otra cerveza delante de ella.

Lopez dejó en la mesa una segunda botella, y esperó hasta que Dave se sentara junto a ellos. El tercer hombre trajo una silla y se sentó en un extremo de la mesa.

Era Izzy Zanella y... Sophia miró y comprobó que Tracy Shapiro había vuelto a entrar. Estaba en la barra con Mark Jenkins y una docena de marines que babeaban al mirarla.

—Según los rumores, señorita, usted participará en el ejercicio de entrenamiento —dijo Izzy.

Era curioso, pero su manera de decir señorita era diferente de la de Lopez.

Todos esperaban su respuesta, todos los ojos fijos en ella, una buena cantidad de testosterona que apuntaba en su dirección.

—Por una vez, el rumor es correcto —dijo ella.

—Qué bien —contestó Gillman, entusiasmado. Lopez también le sonrió.

Izzy volvió a mirar a Tracy Shapiro, que en ese momento salía del local con Mark Jenkins.

No eran los únicos que volvían a casa.

Mientras Gillman se lanzaba a contar una anécdota sobre el anterior ejercicio de entrenamiento de las SEAL, Sophia vio que Decker, todavía en la barra, se despedía de sus amigos. Cogió su cerveza y, con un gesto resuelto, se giró.

Tenía la intención de acercarse a ella y a Dave. Sophia lo supo porque lo vio vacilar, sólo un poco, cuando vio que la mesa estaba llena.

Pero no se detuvo, ni siquiera cruzó una mirada con ella. Sencillamente pasó al lado, fingiendo que su destino era el wurlitzer.

Se le daba bien eso de fingir.

Desde luego, a ella también se le daba bien.

Tracy quitó el seguro de la puerta del coche y se volvió para mirar a Jenk.

—Puede que me arriesgue a pasar vergüenza —dijo, con una risita nerviosa—, pero te tengo que decir algo.

La luna brillaba sobre su pelo y proyectaba sombras en su rostro de por sí exóticamente bello. Los ojos no tenían color, se veían más bien oscuros y estaban llenos de incertidumbre.

Era absolutamente asombroso. Quizá porque Jenk había soñado con este momento incontables veces se sentía curiosamente indiferente. Distanciado.

Incluso cuando Tracy se humedeció los labios con la punta de la lengua.

—Te escucho —dijo porque, al parecer, Tracy necesitaba un leve empujón.

Pero ella no dijo nada, sólo atinaba a mirarlo.

Así que Jenkins hizo lo único que podía hacer, dadas las circunstancias de la luz de la luna.

La besó.

La cogió con la guardia baja, y saboreó su sorpresa, además de un poco de sal que quedaba después de su última margarita. Su boca era suave y cálida y dulce, y a él el corazón le iba a mil porque, alabado fuera Dios, por fin besaba a Tracy Shapiro y ésta, en lugar de rechazarlo, le devolvía el beso.

Lo abrazó, lo atrajo hacia sí, le acarició la espalda y el pelo.

Tracy tenía su maravilloso cuerpo tocándolo a él.

Debería haber sentido el corazón a punto de salírsele por la boca, las rodillas convertidas en gelatina y el cerebro sobrerrevolucionado.

Pero, por el contrario, no hacía más que pensar en un montón de estupideces.

Que tenía el teléfono móvil en el bolsillo delantero de los pantalones cortos que le había prestado Gillman, y la bolsa de viaje en el maletero de su coche. ¿Acaso Tracy lo sentiría, al besarlo, y pensaría que se le había puesto dura? Si eso ocurría, ¿acaso también pensaría, debido al pequeño tamaño del móvil, que no estaba demasiado bien dotado? ¿O se daría cuenta de que era su móvil y entonces vería que no estaba excitado? ¿Y sospecharía que quizá no estaba excitado porque se había aliviado mientras se daba una ducha en casa de Tom Paoletti después del incidente de la hamburguesa en los pantalones? ¿Pensaría entonces que era un pervertido, haciéndose pajas en el cuarto de baño de su antiguo comandante, demasiado excitado por una hamburguesa para no dejar que su organismo tan encendido se calmara solo?

La verdad era que la hamburguesa no era el elemento que lo había excitado.

¿Y dónde había ido Lindsey, tan bruscamente, sin más, mientras él se duchaba? Ni siquiera se había despedido.

Sonó su teléfono móvil con una sacudida, y luego empezó a vibrar, por lo que tuvo que apartarse.

Tracy se giró, falta de aliento, preciosa y, muy posiblemente, temblando, cuando él sacó el móvil del bolsillo.

—Disculpa —dijo.

—No —contestó ella—. Es probable que sean buenas noticias.

Jenk miró el número de la llamada y...

Era Lindsey. ¿A quién llamaba?

El demonio que había en él quiso contestar, pero ese mismo demonio le había inspirado unas cuantas ideas geniales en el pasado. Hacer snowboard en el techo de su casa cuando tenía diez años, después de fabricar una combinación de paracaídas y vela con un atado de sábanas. Había funcionado bastante bien.

Como también había funcionado bien la competencia de quién bebía más con Alec MacInnough, el oficial conocido en el equipo como Big Mac, porque era un tipo enorme. O aquella vez en que él y Silverman habían tomado prestada la moto del jefe O'Leary sin pedírsela. O mandar un ramo de flores a la mujer del almirante Tucker con una tarjeta que decía: «Gracias, querida, por tu contribución tan especial a mi campaña», con la firma del Presidente. O el viaje improvisado a Hawai para estar presente en la boda igualmente improvisada de Knox —la primera— que le habría valido una detención si el jefe no le hubiera salvado el culo...

Jenk silenció al demonio y el sonido del móvil a la vez y lo devolvió a su bolsillo, donde siguió vibrando.

Entretanto, Tracy había abierto la puerta del coche y lanzado su bolso en el asiento del pasajero.

—Eso ha sido un error —dijo, dándole la espalda. Se refería al beso.

—A mí no me pareció un error —contraatacó Jenk.

—Izzy me dijo que yo te gustaba. —Tracy se giró para mirarlo, como si aquella noticia le planteara una especie de problema.

—Es verdad —reconoció él.

—No quiero hacerte daño —dijo Tracy. Se le veía muy contrariada pero, desde luego, lo suyo era siempre el drama por todo lo alto—. Pero eso es lo que voy a hacer.

—Aprecio que te preocupes y me doy por advertido —dijo él.

—Hablo en serio —avisó Tracy.

Quizá su problema fuera que siempre hablaba demasiado en serio. Con Tracy, todo era vida o muerte. No sabía relajarse y vivir la vida. Pero, Dios, que buena estaba.

El teléfono de Jenk volvió a sonar. Era Lindsey, que había dejado un mensaje en el buzón de voz. Quizá fuera que no podía aguantarse las ganas de contar el último chiste sobre la hamburguesa en los pantalones. Jenk sonrió, lo cual irritó a Tracy.

—Es lo que voy a hacer —insistió—. Acabaré volviendo con Lyle —dijo—. Siempre hago lo mismo. Es lo que iba a decirte. Quiero decir, tengo ganas de castigarlo, pero...

Tracy quería *castigar* a Lyle. Vale.

—Escucha, puede que vuelvas con él, puede que no —replicó Jenk—. Creo que se merece la apuesta.

A ella se le llenaron los ojos de lágrimas.

—¿Ah, si? Pues, no se lo merece —dijo ella—. Yo no me lo merezco.— Subió al coche y puso el motor en marcha con un rugido. Metió la marcha pero, como si se lo hubiera repensado, bajó la ventanilla—. No me sigas —dijo.

Decididamente, lo más indicado habría sido decir *Ni pensaba hacerlo*. Y, aún así, daba la impresión de que Tracy quería que le respondiera algo. También podría haber dicho *Creo que tienes que bajar el nivel de tu melodrama unos diecisiete grados*, pero tampoco era una buena elección.

Dios, qué cansado estaba. Hablar con Tracy era equivalente a hacer una hora y media de ejercicios. Y mucho más difícil que sólo contemplarla, eso era indudable.

—En realidad, no te conozco —dijo Jenk, finalmente—. Y estoy bastante seguro de que tú no me conoces a mí. Creo que los dos hemos cambiado mucho desde el instituto. Así que quizás un día de éstos deberíamos salir. Tú y yo. Sin Lyle. Nada de hablar de él, y ni siquiera pensar en él.

Pero ella ya negaba con la cabeza.

—Eso es imposible.

Jenk se echó a reír.

—¿Lo ves? En realidad, no me conoces, porque si me conocieras, sabrías que no tienes que decir eso. No acepto un imposible por respuesta. Jamás lo he aceptado ni jamás lo aceptaré. —Dio un golpecito en el techo del coche con un—: Conduce con cuidado.

Y luego, gracias a Dios, Tracy se marchó y las luces traseras del coche se perdieron en la noche.

Jenk sacó su móvil y marcó el número de Lindsey mientras volvía a casa, a sólo unas manzanas de distancia. No se justificaba molestar a Izzy para que lo llevara.

—Hola —contestó Lindsey—. No esperaba que me devolvieras la llamada.

—Tú me has llamado a mí —señaló él.

—He dejado un mensaje —dijo ella.

—No lo he escuchado —reconoció él—. Era más fácil volver a llamarte.

—¿Siempre eres tan perezoso? —preguntó ella, o es que se te ha agotado la carne picada.

Él rió.

—Sabía que tenías que hacer un último chiste con la dichosa hamburguesa antes de irte a dormir.

—¿Sólo uno? —preguntó ella.

—Para tu información, tengo quince mensajes, tendría que mirarlos todos antes de llegar al tuyo. ¿Así que piensas decirme qué pasa o quieres que lo adivine?

—He resuelto el misterio de... —dijo Lindsey, y siguió una pausa dramática—. La caca verde. Inspirada en Sherlock Holmes, con un afán similar de búsqueda de la verdad, y con una sed inagotable de respuestas... —dijo, y cambió a su voz normal—. Mientras estabas en la ducha, le pregunté a Kelly Paoletti qué había comido Charlie a mediodía. ¿Quizás... espinacas? Pues, la verdad, sí. Seguí indagando y descubrí que sí, que eso le haría tener, cha-chán, caca verde.

—Oye, ¿por qué te fuiste tan pronto? ¿Tenías que llegar a casa para ver *American Idol*?

—Ja, ja. Eres casi tan divertido como tu amigo Izzy. No, la verdad es que recibí una llamada de mi padre en el móvil —explicó Lindsey—. Hablamos muy rara vez, nos comunicamos mucho por mensajes de voz, así que me marché para hablar con él.

—Ah —dijo Jenk—. Tommy me contó que tu padre es una especie de eminencia en Stanford. —Nada más haberlo dicho, Jenk se arrepintió. No era un comentario de un simple amigo. Hacerle saber que le había hecho preguntas a Tommy acerca de ella.

Al parecer, ella no se dio cuenta. O, si se dio cuenta, supo disimularlo.

—Así es. En económicas. Y pensar que yo soy una de esas personas que no saben ni llevar las cuentas del talonario, y él siempre me dice que invierta en algo. No podríamos ser más diferentes, ni aunque fuera adoptada. En fin, cuando acabamos de hablar ya era demasiado tarde para volver al Ladybug. ¿Lo habéis pasado bien? ¿Habéis hecho la barra americana, Izzy y tú? Me habría gustado verlo.

—No es ese tipo de bar. Ni barras, ni bailarinas.

—Qué pena. —Jenk percibió la risa en su voz—. En fin, he llamado para que no te pasaras la noche en vela pensando en el cuento de los pañales.

—Gracias.

—¿Sigue en pie lo del lunes? ¿Con pan de hamburguesa? —preguntó Lindsey—. ¿Y planificamos este ejercicio y acabamos ya?

—Sí, pero ¿de verdad me has llamado sólo para...?

—Sí, era un buen chiste, ¿no te parece? Y, por cierto, después de esta noche, se acabaron los chistes malos. *Finito*. Lo prometo, no pienso seguir *ad nauseam*.

—Ya te tomaré la palabra —dijo Jenk—. Y, otra vez, gracias por echarme una mano esta noche.

—Cuando quieras. —La voz de Lindsey sonaba cálida a sus oídos—. Nos veremos el lunes.

Colgó antes de que Jenkins pudiera preguntarle por el día siguiente, para saber si iba a la boda. Pero lo más acertado quizá fuera no preguntar. Además, si iba, ya se la encontraría.

Guardó su teléfono móvil. *Pan de hamburguesa*. Caminó el resto del trayecto a casa, sonriendo en la quietud de la noche.

Izzy acababa de coger otra cerveza en la barra cuando se abrió la puerta y Tracy Shapiro volvió a entrar.

Se quedó un momento allí, mirando a su alrededor. Barriendo el lugar con la mirada como si buscara a alguien.

Cuando giró lentamente la cabeza hacia él, Izzy también se giró, de modo que ya no miraba directamente hacia ella, aunque la seguía teniendo dentro de su visión periférica.

Mientras miraba, sin ver del todo claro, Tracy encontró a la persona que buscaba y se dirigió hacia ella.

Hacia él.

Sí, era verdad que Dios no existía. Tracy buscaba a Izzy.

Él tenía dos alternativas. Ignorarla y esperar que se equivocara, o girarse y ver cómo se acercaba, pues si tenía un aspecto fenomenal estando quieta, cuando se movía...

Ay.

Había una tercera opción. Echar a correr a todo dar.

—Estos colores nunca huyen —dijo Izzy, con su mejor imitación de John Wayne, cuando ella estuvo lo bastante cerca para oírlo.

Ella se paró en seco.

—Sabes, la mitad de las veces, no tengo ni la menor idea de lo que dices.

—Tengo que ser yo mismo —dijo Izzy—. ¿Dónde está Mark?

—Se ha ido a casa —contestó Tracy—. Yo casi había llegado a mi piso cuando me acordé de que me había dejado la chaqueta. Así que... he vuelto a buscarla.

Su lenguaje corporal estaba a punto de hacerle estallar la cabeza a Izzy. Tracy volvía a mostrarse igual de contradictoria, abierta, cerrada, invitándolo a acercarse, advirtiéndole que se mantuviera alejado. Y luego estaba lo del lenguaje textual oculto en sus palabras. Se había dejado la *chaqueta* allí. Desde luego, él estaba dispuesto a responder a cualquier nombre que ella quisiera ponerle.

O habría estado dispuesto, tuvo que recordarse. Si Tracy no fuera la futura señora Jenkins. Vaya, eso sí que sería una lástima, si Mark de verdad se casaba con esa chica loca...

—¿La has encontrado? —le preguntó Izzy, aunque la había observado desde que entrara y Tracy no había recogido nada.

—Sí —dijo ella—. No tenía ni idea de cómo mentir y, además, no llevaba nada en las manos.

—Y qué has hecho, ¿la has vuelto a perder?

—No —dijo ella—. Al llegar aquí me he dado cuenta de que la tenía en el coche; se había caído al suelo en el asiento trasero, y ahí estaba.

¿Así que había vuelto al interior del bar para...? Izzy no formuló la pregunta. Se limitó a fruncir el ceño y a esperar.

Ella se mordió el labio inferior y se abrazó a sí misma mientras soltaba la siguiente mentira.

—Cuando intenté poner el coche en marcha de nuevo, no quiere... no se encendía el motor... No sé qué le ocurre. Esperaba que quizá pudieras... ¿ayudarme?

Palabra por palabra, era el tipo de diálogo que aparecería en una película porno de bajo presupuesto. Palabras pronunciadas sensualmente por una morena ninfómana de grandes tetas que pensaba en algo más que en la reparación del coche.

—Pues, claro que sí, señorita —dijo Izzy, con su propio acento, como de John Wayne de estrella porno—. Yo le echaré una mano.

La mirada que ella le lanzó carecía de ese matiz de *ven y fóllame*. En realidad, era casi cien por cien una mirada de *¿qué hace este imbécil hablando de esa manera?* Aún así, Tracy lo condujo al aparcamiento, donde la luna colgaba del cielo como una luminosa bombilla hinchada en el brumoso cielo nocturno.

Entonces se detuvo de pronto y él casi tropezó con ella.

—Vaya —dijo Tracy con un suspiro, como hechizada—. Allá en el este no tenemos lunas como ésta.

Quizá Izzy llevaba demasiado tiempo en las SEAL, pero era incapaz de mirar la luna y decir ¡oh, ah!, qué bella es. Para él, en primer lugar, la luna era un dolor en el culo porque iluminaba la cobertura que prestaba la noche.

Aún así, tenía que reconocer que Tracy parecía especialmente bella bañada por su luz. Y si, probablemente si bailaba para él, desnuda, en una playa a la luz de la luna, recuperaría al menos una parte de su aprecio por el maldito satélite.

—Siempre he soñado con ser astronauta —dijo Tracy, con cara de ensueño—. Cuando era pequeña, estaba segura de que algún día caminaría sobre la superficie de la luna.

Vale, eso no era parte de un típico diálogo de peli porno. A menos que caminar en la luna fuera un eufemismo para decir, por ejemplo, tener relaciones sexuales en una cama elástica o quizás en una cámara con gravedad cero.

Pero, bueno, ahí estaba el coche, en un extremo del aparcamiento, con el capó levantado. Como si de verdad hubiera tenido problemas para ponerlo en marcha.

Puede que dijera la verdad.

Tracy seguía mirando la luna, mirando hacia un pasado lejano en el que todavía se permitía soñar con aquello que ahora veía como imposible. ¿Cuándo había ocurrido? ¿Cuándo había dejado de ser la pequeña que estaba convencida de tener lo que era necesario, y se había convertido en esa mujer terriblemente insegura, tan pendiente de los problemas triviales y cotidianos de la vida que no podía tener un simple empleo de recepcionista sin estropearlo todo?

Tracy se volvió hacia él, como volviendo a lo que tenían entre manos.

—Cuando he girado la llave en el contacto, no ha pasado nada. El motor ni siquiera se ha puesto en marcha, o lo que sea. ¿Se dice girar? Dios, soy una inútil en materia de coches.

Lo dijo como si se sintiera orgullosa de ser una inútil.

—Suena como si pudiera ser el alternador. —Izzy echó una breve mirada al motor. Todo parecía en orden en cuanto a los tubos y las conexiones. Entonces abrió la puerta del conductor—. A ver cómo se escucha.

Ella se sentó al volante y su falda, que ya era corta, quedó aún más subida, dejando sus muslos suaves y bronceados a la vista. Pero no se la bajó ni cerró la puerta.

—No servirá de... —Giró la llave y el motor se encendió. Con un rugido—. Ay, Dios mío, ¡muchísimas gracias!

—De nada —dijo Izzy—. Pero yo no he hecho nada.

Tracy lo miraba con una expresión de maravilla y gratitud. Y de incredulidad.

—Supongo que es otra de tus bromas extrañas, ¿no?

—No, no he tocado el motor —dijo Izzy, y se encogió de hombros. Se apartó unos pasos de la puerta abierta del coche y de las piernas de primera clase de Tracy iluminadas por la luz de la luna—. Ahora parece que todo está en orden.

El asombro se convirtió en inquietud.

—Pero si es el alternador... Una vez tuve un coche que se quedó sin alternador. Iba por la carretera de Saw Mill, por la noche. Las luces no funcionaban, ni siquiera las de emergencia. Daba bastante miedo.

Ella lo miraba para que él hiciera algún comentario, y era probable que...

—Debe de haber sido eso —dijo Izzy.

—¿Podrías... te importaría...? ¿Sería pedir demasiado, aunque ya sé que sí lo es, si te pidiera que...? —Tracy bajó la voz hasta convertirla en un susurro— ¿me siguieras hasta casa?

De pronto, volvían a estar en la tierra de los diálogos de película porno.

—Capto unas vibraciones extrañas —le dijo Izzy—. ¿Tu intención es emitir vibraciones extrañas, porque...?

—No importa. —Tracy cerró la puerta del coche y las piernas desaparecieron—. Olvídalo. Sólo pensé que... —Sacudió la cabeza y con las dos manos se apartó el pelo de la cara—. Debo ser una especie de total y absoluta imbécil.

Metió la marcha y, con un chirrido de neumáticos, salió disparada.

—¿Qué acaba de ocurrir aquí? —preguntó Izzy a la luna.

Ésta no contestó, pero puede que le sonriera.

Capítulo 5

Al este de San Diego, California
Jueves, 8 de diciembre, 2005

El teniente comandante Lewis Koehl, oficial al mando del Equipo Dieciséis, era un hombre de buen ver. El pelo oscuro y ondulado, la mandíbula cuadrada y una gran habilidad para llevar el uniforme militar arrojaban una buena combinación.

Y luego, los ojos, de un tono marrón oscuro, como de gran ídolo de público de *matinée,* con que ahora miraba a Lindsey de arriba abajo.

De hecho, cada vez que ella alzaba la mirada, él la estaba observando.

Y, sí, también fruncía el ceño, de modo que era probable que su inspección no fuera para saber si próximamente la invitaría a cenar en un ambiente romántico. Era más probable que se preguntara quién había dejado venir a su hija adolescente a aquel lugar potencialmente peligroso del ejercicio de entrenamiento de las Fuerzas Especiales y Troubleshooters Incorporated.

Tom Paoletti le había dicho a Lindsey que se vistiera como una aspirante a estrella del pop, y ella le había obedecido. Llevaba los pantalones vaqueros caídos hasta las caderas, dejando demasiados centímetros de piel a la vista, piel que empezaba a sufrir un frío gélido. ¿Cómo se las apañaban las chicas de hoy en día para soportar el aire acondicionado con temperaturas bajo cero de los centros comerciales sin congelarse?

Su top era más un accesorio que una verdadera blusa, y echaba de menos un jersey. Pero eso habría estropeado un aspecto que parecía salido del departamento de ropa interior, realzado por un *wonderbra* relleno con que creaba la ilusión de un escote.

Al menos tenía los pies calientes gracias a sus enormes botas. El calzado que Lindsey prefería cuando iba de agente secreto era el *look* progresista vegetariana de Sheryl Crow, en lugar de los tacones de aguja de diez centímetros de Christina Aguilera.

Se había recortado el flequillo al estilo de lo que había observado en una alumna de instituto que trabajaba en la tienda de vídeos. Aquello le daba una apariencia muy juvenil, y el efecto era aún más marcado gracias a un maquillaje de tonos rosados.

Aún así, era evidente que no parecía demasiado joven porque Mark Jenkins casi había dejado caer la caja con los equipos que ayudaba a trasladar cuando la vio por primera vez.

Al parecer, casi se había torcido el hombro malo al evitar que la caja cayera, porque después de dejarla en el suelo se lo frotó como si le doliera. Siguió observándola mientras ella escuchaba a Tom —cabía esperar que fuera la última vez— decirle lo importante que era que se mantuviera tan a salvo como fuera humanamente posible en el curso de aquel ejercicio.

Hablar de seguridad personal era algo que los oficiales al mando de Troubleshooters Incorporated hacían antes de cada misión, de entrenamiento o de otro tipo, a todos los miembros de la empresa. No era que todos ignoraran que había riesgos en su trabajo. La propia Lindsey era muy consciente de que algunas personas habían muerto en el trabajo.

Incluso en ejercicios de entrenamiento.

Aunque probablemente esta vez no sería el caso.

Aún así, Tom tenía que lanzar su recordatorio de «Tened cuidado». Dejar pasar la ocasión y no recordarlo era como reírsele a la cara al destino, un temerario desafío a la mala suerte.

Y Lindsey llevaba suficientes años en el negocio de la custodia de la ley para saber que la suerte desempeñaba un papel muy importante cuando se trataba de decidir quién vivía y quién moría.

Así que aunque ella no tuviera ni rituales ni supersticiones, no estaba dispuesta a cuestionar los rituales de nadie. Y Tom no era el único. Dave Malkoff siempre llevaba un pequeño trozo de vidrio pulido que había encontrado en la playa y que, sin duda, significaba algo especial para él. Tess Bailey y Jimmy Nash tenían una historia de contacto visual que siempre cumplían cuando alguien brindaba. Alyssa Locke tenía lo que Lindsey había llegado a reconocer como su CD de repartir patadas. Si se oía una melodía de Aretha Franklin saliendo de su despacho, ya sabían todos, a excepción de su marido, Sam Starret que había que salir corriendo.

Y hasta el propio Sam tenía sus propias historias en la sección de supersticiones. Todos habían aprendido, de la peor manera posible, a no sentarse en su silla especial cuando él estaba estresado. Y pobre del que se atreviera a desordenar las cosas en su mesa. Por otro lado, Lindsey sospechaba que la insistencia de Sam en pasar al menos seis horas a solas con su mujer después de una misión en ultramar o arriesgarse a una racha de mala suerte en la próxima misión era, al menos parcialmente, pura invención.

Aún así, el trato era como sigue: Si todos los rituales se habían llevado a cabo y todas las supersticiones habían sido respetadas al pie de la letra, y la mala suerte lograba levantar cabeza, si alguna tragedia llegaba a ocurrir, habría menos especulaciones del tipo «que habría pasado si...».

A Lindsey le costaba imaginar lo horrible que sería para un jefe, o incluso para un oficial superior en la cadena de mando, perder a un miembro de su equipo.

No había pasado tanto tiempo desde que Tom y Decker habían perdido a Vinh Murphy o, técnicamente, a la mujer de Murphy. Su muerte bajo los disparos había sido más que horrible, una tragedia ocurrida durante una misión que, al igual que ésta, se suponía fácil. Y habían perdido a Murph. Había desaparecido tan irrevocablemente como si lo hubieran enterrado junto a su Angelina. A Lindsey todavía le dolía recordarlo. Dios, cómo los añoraba a los dos.

De modo que no tenía nada de raro que Tom siguiera un poco espantado y que Decker todavía fuera por ahí con una permanente cara de reconcentrada seriedad.

Era probable, por cómo Decker apretaba las mandíbulas esos días, que pronto tuviera que someterse a una dieta de comida blanda. Tenía los dientes prácticamente roídos hasta las encías. Y luego, estaba aquella historia con Sophia, fuera lo que fuera. Aquello era algo más que un romance que había fracasado, eso al menos Lindsey lo sabía. Pero nadie hablaba de ello.

A Lindsey le parecía bien. Ella tenía su propia lista de temas de los que no hablaba. La muerte de su madre. El distanciamiento y retiro de la vida de su padre después de enterarse de la identidad de su padre biológico. Sus siete años de cosas horribles y de sufrimientos de los que había sido testigo como algo habitual en su trabajo, años que habían acabado en la destrucción y desesperanza. Sí, su compañero Dale y el tiroteo. Hablar de ese tema y salir corriendo era una sola cosa.

Sin embargo, todos tenían su historia, sus puntos calientes y su dolor. Dejar a Tom hablar de seguridad no les costaba, y a él era evidente que le hacía bien, así que...

Por fin acabó su discurso y Lindsey quedó libre para acercarse a Jenk. Se saltó las cortesías del saludo.

—Eres una mierda —le dijo, a bocajarro. Sin embargo, veía en sus ojos que él ya lo sabía.

—Lo siento. Ha sido una semana de locura.— Jenk se seguía frotando el hombro. Tenía que haberle dolido de verdad, aunque tampoco se quejaba. Tenía aspecto de estar agotado, y Lindsey sintió que se derretía, que lo perdonaba.

—Lindsey, niña de mis ojos. —Izzy ya iba vestido de camuflaje y, con las marcas marrones y verdes en la cara, tenía un aspecto feroz y primitivo. Pero en ese momento sonrió, lo cual produjo un efecto aún más raro. Un monstruo feliz y amigable—. ¿Qué te ha ocurrido?

—Si crees que esto es feo, deberías ver mis disfraces de cuando trabajaba para la Brigada del Vicio —dijo Lindsey—. Tengo que cerrar mi armario cuando viene a verme mi padre. Sería una pena que lo abriera y creyera que de verdad uso ropa de spandex rojo.

—Un momento, un momento —pidió Izzy—. Nadie cree que haya nada ni remotamente malo en esta Lindsey nueva e increíblemente mejorada. Echas humo, nena —dijo, y le dio un golpecito a Jenk—. ¿No te parece que echa humo? ¿Quién habría dicho que era capaz de calentar así el ambiente?

—Zanella —dijo Jenkins, con un suspiro. Hizo una mueca al cruzar una mirada con Lindsey—. Lo siento.

—¿Qué dices? Como si ella no supiera que es una empal...

—Por favor, no lo digas.

—Una empalagosa, iba a decir empalagosa —dijo Izzy, sonriéndole a Lindsey. Era evidente que no era eso lo que iba a decir.

—Soy una persona adulta —le recordó Lindsey a Jenk—. Trabajé durante años en una comisaría de policía donde la mayoría eran hombres. Créeme, he oído todos los comentarios más estúpidos y patéticos posibles; viene con el paquete. ¿Por qué crees que soy tan buena con los chistes johnson?

—Oye —dijo Izzy—. Un momento. ¿Vosotros dos habéis estado contando chistes de pollas sin mí?

—Preferimos llamarlos chistes johnson —dijo Jenk, con expresión seria—. Tiene más clase.

Sólo cuando Lindsey rió, Jenk se permitió esbozar una sonrisa. Los dos se quedaron mirando e Izzy repitió:

—¿Más clase?

—Mucho —dijo Jenk, sosteniendo la mirada de Lindsey.

Era una verdadera pena que Tracy existiera.

Lindsey se obligó a borrarse la sonrisa tonta de la cara.

—En cuanto a tus disculpas, Jenkins, necesitaré unas de mucho más calibre para justificar tu asombroso numerito cuádruple a lo Houdini. Yo también he tenido una semana muy loca, teniendo en cuenta que he debido ocuparme de mi trabajo y del de Tracy a la vez.

—De verdad que lo siento —dijo él, como si lo dijera en serio—. Te habría ayudado si hubiera podido.

—¿Qué ha pasado? —preguntó ella.

—No es tanto lo que pasado como lo que no ha pasado —intervino Izzy.

—Empezó el sábado por la mañana, temprano —explicó Jenk—. Recibimos una llamada diciendo que nos íbamos, destino desconocido, aunque todos sabíamos que era Afganistán, y todos se cabrearon porque nos perderíamos la boda de Mallory Paoletti y, ya sabes, pensé que tú irías.

—¿A la boda? —preguntó Lindsey, sorprendida. ¿De verdad la había buscado—? No, quiero decir, claro, Tom me invitó, pero sólo había visto a Mallory en una ocasión, y sabía que quería que la boda fuera en la intimidad, así que... pensé que mandar mis disculpas sería el mejor regalo.

—Tendrías que haber venido —dijo Jenk—. Fue una bonita fiesta. Excelente orquesta.

—Había una grave carencia de mujeres —agregó Izzy—. Sobre todo mujeres estupendas cuyas cinturas puedo rodear con... —Se movió como si quisiera demostrarlo y Lindsey dio un paso atrás.

—Ni te creas que me pondrás esas manos encima —dijo.

Izzy se miró y pareció sorprendido de ver que en sus dedos quedaban los residuos marrones y verdes de la pintura de camuflaje.

—Entonces, ¿no invitaste a nadie? —preguntó Lindsey a Jenk. Estaba bastante segura de que no había invitado a Tracy. Si la hubiera invitado, ella habría oído hablar de ello sin parar en los últimos cuatro días. O quizá no. Quizá la única persona de la que Tracy hablaba sin parar era de Lyle.

—Qué va. Les respondí hace meses diciendo que iba solo —dijo Jenk, apoyado en un montón de cajas. Intentaba aparentar normalidad, pero Lindsey sabía que seguía con ganas de masajearse el hombro.

Ella quiso ofrecerse para frotárselo, pero sabía que pensaría que intentaba ligar con él.

El problema era que habría acertado.

Joder. Lindsey no había visto a aquel tipo durante casi una semana. Había pasado largos ratos junto a Tracy, la mujer de sus sueños, lo cual debería haber sido un aburrimiento, porque Tracy era una imbécil.

Vaya, qué mala era. Tracy no era una imbécil. Sólo que tenía la costumbre de tomar decisiones importantes verdaderamente descabelladas. En realidad, era bastante divertida, y tenía un buen corazón, y quería desesperadamente hacer las cosas bien. Era difícil no cobrarle simpatía, al menos un poco. Sin embargo, aquella mujer no sabía hacer dos cosas a la vez... hasta el punto de que Lindsey empezaba a preguntarse si no tenía algún tipo de trastorno cognitivo.

Aún así, era más que evidente que Tracy no había dejado a Lyle definitivamente. Era verdad que había dejado su apartamento y se había marchado al otro extremo del país, pero seguía llevando a aquel hombre bajo la piel.

Si Mark Jenkins no podía ver eso, él también era un gran imbécil.

Lindsey había andado un largo camino para convencerse de eso. Hasta que vino él, y casi dejó caer su caja y le sonrió.

—¿Sabes? —dijo Izzy, todavía con las manos teñidas de marrón y verde por delante—, esto me recuerda un chiste johnson muy bueno. En realidad, se trata más de una historia johnson, ¿correcto, Marky-Mark?

De pronto, dio la impresión de que a Jenk le había caído encima un rayo. Sorprendido y atontado y totalmente horrorizado.

—No —dijo—. No, no. Ni te lo pienses...

—Ah, venga —dijo Izzy—. Eras joven, apenas un renacuajo. Es una historia magnífica.

—No, no lo es, Zanella. Te juro por Dios que si vuelves a hacer circular esa historia... —dijo Jenk, aunque era probable que supiera que no había manera de parar a Izzy. Se giró hacia Lindsey—. Ni siquiera es verdad. Esta historia. Es como... como una leyenda urbana a la que alguien fue y le puso mi nombre. —Se giró hacia Izzy—. Dime una persona que estuviera presente. No puedes, ¿no es cierto?

—Eso es porque los has destinado a todos a la costa este.

—¿Yo los he trasladado? —preguntó Jenk. Volvió a mirar a Lindsey—. No soy oficial. ¿Acaso soy oficial? —preguntó, pero sin esperar la respuesta—. No, ni siquiera estoy cerca de serlo. ¿Así que cómo voy a ir y destinar a todo un pelotón de las Fuerzas Especiales a la costa este?

Izzy se encogió de hombros.

—No lo sé. De la misma manera que haces todo lo demás. De la misma manera que montaste este pequeño ejercicio de entrenamiento.

—Yo no... —dijo Jenk, y emitió un bufido de exasperación—. Puede que haya planteado el germen de la idea...

—Ahora se está haciendo el modesto —dijo Izzy a Lindsey—. Si necesitas hacer algo... empezar una guerra, movimientos importantes de tropas, una comida en la Casa Blanca... habla con Jenk. Él se encargará de ello.

—¿Qué te parece una cita a cenar con Lew Koehl? —preguntó Lindsey. Dios mío, ¿de verdad había dicho eso? ¿Qué le ocurría, estaba loca? Era una táctica propia de una chica de instituto, fingir que le gustaba Lewis para que Mark se pusiera celoso.

Jenk y su amigo Izzy se la quedaron mirando.

—¿Has perdido la chaveta? —preguntó Izzy—. Porque el oficial al mando es... —dijo, y miró a Jenk—. Maldita sea, ¿cuál es la palabra que busco?

—Puritano —sugirió Jenk.

—Ésa es la versión elegante. También se puede decir remilgado. También podría decir tieso, pero ya que hablábamos de chistes johnson, eso podría malinterpretarse como una cualidad —dijo Izzy—. En pocas palabras, el hombre está seriamente impedido, y muy cómicamente.

—Sí, eso no se sabe —dijo Jenk—. Creo que en alguna parte de su mente tiene algo de sentido del humor. Tiene que tener algo. Mira con lo que tiene que tratar todos los días. Es sencillamente una persona muy formal. Muy chapado a la antigua. Conservador. Para ser sincero, no creo que sea del tipo de Lindsey.

—Desde luego, jamás se ha reído de un chiste johnson en toda su vida —convino Izzy.

—Anticuado de hecho puede estar bien —dijo Lindsey porque a todas luces ella tenía la edad mental de una chica de doce años—. Y, ya sabes, no tengo que contar chistes sobre ninguna parte de la anatomía humana.

—Oh, yo sí —dijo Izzy, y Jenk suspiró ruidosamente, exasperado—. Relájate, ¿vale? —pidió Izzy a su amigo—. No le diré nada a Tracy. Tú no se lo contarás a Tracy, ¿no, Linds?

Jenkins sabía que ya había perdido la batalla, pero rendirse no era un reflejo natural en él.

—Zanella.

—¿Es divertido? —preguntó Lindsey—, ¿o sólo es grosero?

—Es divertido. —Izzy disfrutaba a todas luces de la incomodidad de Jenk—. Y grosero, teniendo en cuenta el tema en cuestión. ¿Sabes qué? Te diré lo que voy a hacer. Lo contaré sin mencionar ningún nombre.

—Sí, eso —dijo Jenk—. Eso sí que será una solución, después de que ya le has dicho que era yo —alegó, y se giró hacia Lindsey—. No era yo. —Respiró hondo—. ¿Me harás el favor de decirle a Zanella que no tienes ganas de escuchar su historia totalmente ficticia de algo que nunca ocurrió?

Lindsey hizo una mueca.

—Sí, supongo que podría, pero... mentiría.

—Estupendo. Gracias, Iz. ¿Te acuerdas de cómo me salvaste la vida? Pues, ahora estamos en paz —dijo, con un gesto hacia Izzy—. Venga, adelante, cuenta la historia, estropea nuestra amistad.

—Estropea nuestra amistad —dijo Izzy con tono burlón—. Ya lo superarás. Siempre es igual —dijo, volviéndose hacia Lindsey—. Este cuento circula cada cierto tiempo. Pero todavía no ha matado a Jenkie. Vale, aquí va. ¿Lista?

Ella asintió con un gesto de la cabeza. Aquello sería divertido.

—Vale, tenemos a este tío nuevo en el equipo, ¿vale? Es un buen tío, pero es muy joven. Extremadamente verde. Y a punto de volverse aún más verde —dijo Izzy, aguantándose la risa.

Jenk se incorporó.

—¿Sabéis qué? He cambiado de opinión. He escuchado esta historia demasiadas veces como para soportarlo una vez más. Lindsey, de verdad, no fui yo, y te veré más tarde.

—Vale, espera —dijo Lindsey, y lo detuvo—. Primero, tengo que saber lo de la boda. Supongo que ocurrió algo que te permitió ir...

—Sí, nos dieron doce horas de gracia, así que llevamos nuestros equipos a la iglesia, por si acaso.

—Pero, además, después nos dieron otras veinticuatro horas —agregó Izzy—. Y, finalmente, el domingo recibimos una llamada diciéndonos que no nos necesitaban. Sólo unas horas más tarde, a las tres de la madrugada, el lunes por la mañana, ¿no? —preguntó a Jenk.

—¿Oyes un ruido raro? —preguntó Jenk a Lindsey—, un ruido como de oxígeno que se está desperdiciando.

—Sí, seguro que fue el lunes de madrugada —confirmó Izzy—. Alrededor de las tres.

—El lunes nos volvieron a llamar —siguió Jenk, ignorando del todo a Izzy—. Esta vez, nos dicen que es en serio. Nos vamos. Cuando tú y yo hablamos por teléfono el martes...

Jenk había llamado a Lindsey al móvil, pero sólo había tenido unos treinta segundos para hablar, y se había dedicado casi todo el rato a disculparse por tener que abandonar la ciudad.

—...Estaba en Virginia —informó Jenk—, preparándome para salir con destino desconocido.

—Una vez más —dijo Izzy.

—Estábamos en Europa, en Alemania, antes de que nos dieran la orden de volver.

—Una cosa sí es segura: algo está ocurriendo en Afganistán —dijo Izzy.

—Sólo es cuestión de tiempo antes de que partamos de verdad —dijo Jenk a Lindsey—. Por eso la prisa para llevar a cabo el ejercicio ahora.

Lindsey asintió con un gesto de la cabeza.

—En Troubleshooters Incorporated han aumentado las llamadas de las agencias del gobierno —dijo, mirando a Jenk—. Y esto lo sé porque me he pasado los últimos cuatro días ayudando a Tracy a aprender a manejar la centralita telefónica.

Era la tarea en la que Jenk había prometido ayudar.

—¿Qué tal le va? —preguntó.

—¿Qué te ha contado ella? —preguntó Lindsey a su vez. ¿Sabía que Lyle había venido a la ciudad hacía varios días y que él y Tracy iban a cenar juntos esa noche? No sería ella quien le diera la noticia a Jenk. O el hecho de que Tracy había estado hablando sin parar acerca de la posibilidad —o no— de que Lyle intentara reconciliarse.

Jenk sacudió la cabeza.

—No he hablado con ella en toda la semana. Ni siquiera le he mandado un mensaje de texto. Después de que supimos que hoy era nuestra posibilidad de realizar este ejercicio, tienes suerte de que haya tenido tiempo para darme una ducha.

Alguien tenía que contárselo. Sería horrible si Jenk llegaba al despacho al día siguiente y veía a Tracy recogiendo las cosas de su mesa, luciendo un enorme anillo de diamantes. Se había especulado mucho esos últimos días acerca de la posibilidad de que Lyle jugara la carta del «Cásate conmigo» para que Tracy volviera. Lindsey se había guardado sus propias especulaciones, pero sospechaba que ése había sido el plan de Tracy desde el comienzo.

—Es curioso —dijo Jenk—. Creí que la mayor parte del trabajo se haría en el despacho de Tom. Me equivoqué.

—¿Lo ves? —preguntó Izzy, con voz triunfante—. Fuiste tú quien montó este ejercicio, ¿no?

—Sí —dijo Jenk—. ¿Vale? Sí. Tú, cuenta tu cuento y... No. ¿Sabes qué? Yo se lo contaré. Acabemos con esto de una vez por todas, y adelante, ¿vale? ¿Cómo empieza?

Lindsey tomó una decisión. Le contaría a Jenk lo de Tracy y Lyle justo después del ejercicio.

—Resulta que hay un tío nuevo en la unidad que se llama Mark Jenkins —sugirió Izzy.

—Y una mierda —dijo Jenk—. Lo contaré poniendo tu nombre en los espacios en blanco, a ver qué te parece, gilipollas —advirtió, y respiró hondo—. Hay un tío nuevo en la unidad que se llama Izzy Zanella, y es la primera vez que sale en una operación de verdad. Está asustado, pero está preparado. Se trata sólo de una operación de reconocimiento, recoger información básica sobre el campamento enemigo, cuántos guardias vigilan, qué tipo de armas se ven, y volver.

—Puede contarlo como si fuera yo —interrumpió Izzy—, pero en realidad era él. Si no, ¿cómo estaría tan enterado de la misión?

Jenk lo ignoró con gesto serio mientras Lindsey intentaba no reír.

—Están en medio de la selva —siguió Jenk—, sólo recopilando información, mezclándose con el paisaje. Resulta que tienen que quedarse más tiempo de lo que habían calculado, así que se instalan, abren unas latas de comida y comen un poco. Una hora más tarde, más o menos, el tío nuevo, Izzy, dice: *Joder, no he traído mis rotuladores. Ni siquiera tengo pintura de camuflaje.*

—*No era yo* —dijo Izzy a Lindsey, desde detrás de Jenk, modulando sin hablar. Jenk le dio un codazo—. ¡Auch!

—Y el jefe lo mira intentando calmarlo, ya sabes —dijo Jenk—. Zanella, estás bien así. Tienes la pintura un poco sucia por el sudor, pero eso no tiene importancia. Pero el jefe no sabe qué quiere decir este chico con eso de sus rotuladores. ¿Qué pretende? ¿Escribir una señal o quizás una carta a casa? Con los tíos nuevos nunca se sabe. Pero no es el lugar ni el momento para largas explicaciones.

»Pero Izzy dice: *No, jefe, de verdad tengo que ir a cagar, pero no me he camuflado el culo. No sabía que estaríamos fuera tanto tiempo y...* Así que el jefe se lo queda mirando, sin entender nada.

Sabiendo perfectamente bien lo que seguiría, Lindsey empezó a reír.

—Sí —dijo Jenk—. Ya lo has adivinado. Resulta que en la base, cuando se preparaban para salir en esta misión, vienen unos cabrones sádicos y le dicen a Izzy que tiene que usar pintura de camuflaje en cualquier parte del cuerpo que asome fuera del traje de campaña, incluyendo su... johnson. Sobre todo su johnson, porque no querrá que se lo vuelen de un disparo, ¿no? Y le dicen que, en lo que se refiere a esa parte de la anatomía, es más fácil usar rotuladores indelebles. Así no tendrá que estarse pintando cada vez que sale por ahí. Así que ahí está él. Con pintura de camuflaje (al parecer, lo hizo bastante bien) en su unidad durante unos dos meses.

—¡Gillman, Zanella, Lopez! —Al otro lado de la instalación Quonset, el jefe de campaña estaba entregando los equipos.

—Yo creía que eran más bien cuatro meses —dijo Izzy—. Pero, bueno, tú deberías saberlo.

Jenk apretó la mandíbula.

—Dicen los rumores que si uno mira detenidamente, todavía puedes ver algún rastro. Incluso después de todo este tiempo.

—Si eso dicen —alegó Izzy, llevándose las manos al cinturón—, puedo demostrar ahora mismo que no era yo.

—No gracias —se apresuró a decir Lindsey.

—Es una leyenda urbana —dijo Jenk—. Ve a Fort Bragg y escucharás una versión donde el ingenuo es un soldado. Ve a la base de la Fuerza Aérea en Eglin y la historia sucede durante un entrenamiento de pilotos. Nunca ha ocurrido. Es pura ficción.

—¡Zanella!

—Luego nos vemos, chico —dijo Izzy, y desapareció.

Jenk le lanzó una mirada suplicante a Lindsey.

—Me crees, ¿no?

Ella no tuvo tiempo para responder antes de que el jefe de operaciones gritara su nombre.

—¡Jenkins!

Jenk no se movió con la misma rapidez que Izzy, y caminó de espaldas para seguir hablando con ella.

—Es probable que no te vea hasta el momento del rescate.

—En ese caso —dijo Lindsey—, no me verás hasta que acabe el ejercicio. Recuerda que el Equipo Dieciséis no ganará esta apuesta.

Él rió, del todo seguro de sí mismo.

—Prepárate para una desilusión —dijo.

—Volviendo a ti —dijo ella—. Sabes, no he podido evitar darme cuenta de que no pareces dispuesto a demostrar que la historia no va contigo.

Quizás una chispa asomó en sus ojos. O quizá fue una mezcla del sol que se ponía y de sus deseos no confesados.

—No siento la necesidad de demostrar nada —dijo él—. Además, soy demasiado chapado a la antigua.

Vale, eso sí que era flirtear, ¿no?

—Lindsey —llamó Tom Paoletti—. Hay que moverse.

La pandilla intencionalmente variopinta del equipo de Troubleshooters Incorporated tenían sus aparejos. Estaban preparados para desaparecer con su rehén (Lindsey) en el desierto.

Cuando Lindsey volvió a mirar atrás, Jenk seguía mirando cómo se alejaba, y ella sintió que el corazón le daba un ligero vuelco.

Lugar: desconocido
Fecha: desconocida

Ella antes tenía un nombre.

Beth Foster.

A veces lo decía en voz alta en medio de la oscuridad, sólo para oír algo además del ruido de su respiración, o el goteo incesante del agua, el ruido ocasional de las pisadas de él en el suelo de la cocina en la planta de arriba.

A veces recitaba todos los nombres. Connie Smith era la última. El olor de la sangre de Connie Smith, metálica, penetrante, se acumulaba como un charco en el suelo de cemento, flotando en el aire del sótano, retorciéndole el estómago y provocándole dolor de cabeza.

Viva. Viva. Su corazón todavía latía. Su propia sangre fluía, segura, por sus venas. En cualquier caso, la mayor parte. Viva. Viva. Viva.

Y Connie Smith, que en paz descanse, se había marchado a un lugar mucho mejor.

—Connie Smith —murmuró.

Él siempre tenía el detalle de decirle sus nombres, pero nunca mientras estaban vivas. Sólo después de que su sufrimiento había llegado a su fin. Después de que ella las eliminara.

—Connie Smith, Jennifer Denfield, Yvette Wallace, Paula Kettering, Wendy Marino, Julia Telman, Debra Perez, Liana Bergeron, Cathy Quinn, Maris Olietto, Nancy Stein, Michelle Kulhagen, Brianna Martin, Jennifer Denfield... No, un momento. Jennifer Denfield era la Jennifer Dos. Jennifer McBride era la Jennifer Uno. Jennifer McBride y... Número Cuatro.

Número Cuatro había sido la primera de Beth.

No sabía su nombre.

Era posible que, según un conjunto de reglas retorcidas que él imponía, no se había ganado el derecho de saberlo.

O lo más probable era que él todavía no hubiera descubierto que decirle sus nombres era otra manera de atormentarla.

Dejaban de ser un cuerpo anónimo aterrorizado y se convertían en personas con un nombre. Personas que tenían una vida y una familia que las querían y las lloraban, como ella misma las tenía.

Hacía un tiempo, ella había tenido una madre. Estricta y autoritaria. Llena de reglas y reprimendas. *¿Cómo conseguirás un empleo de verdad sin formación? ¿Por qué no vuelves al ejército? ¿Cómo dejarás de beber si trabajas en un bar? Si te vistes como una mujerzuela, te tratarán como una mujerzuela. ¿Él estaba casado? ¿Y de verdad eso te sorprende? Lo que va, viene...*

Hacía mucho tiempo, Beth creía tener problemas, líos, dolores...

No había tenido ni idea.

Este de San Diego, California
8 de diciembre, 2005, jueves por la noche

La situación de desastre total del ejercicio de entrenamiento empezó cuando Dave pidió tiempo muerto más o menos una hora después de haber empezado la segunda fase del plan de Tom Paoletti.

La Fase Dos —para el pequeño equipo de Dave y su rehén— consistía en moverse, siempre moverse. Se permitían sólo el más breve respiro en la clara noche del desierto.

Sin embargo, Lindsey los ralentizaba a propósito, los obligaba a ir más lento, como habría hecho un rehén de verdad. Alguien le había dado una manta porque el aire era fresco, pero ella tropezaba con la manta a cada rato.

Aún así, era Sophia la que de verdad necesitaba tiempo para detenerse y coger aire.

Así que Dave se sacó de la manga algún motivo para ir a consultar con Decker, después de dejar a Lindsey sentada en una roca custodiada por Tom y Sophia.

Sophia se había vestido realmente como una aspirante a comando, con pantalones y camiseta de camuflaje, sin duda comprados en alguna tienda elegante. El pantalón le quedaba muy bien y, al igual que la camiseta, tenía unas etiquetas brillantes del fabricante, lo que de alguna manera contradecía su objetivo.

Tampoco era de gran ayuda el hecho de que el camuflaje estuviera diseñado para la selva, no para el desierto.

Pero era el pañuelo que Sophia llevaba en la cabeza, al estilo de un ciclista, lo que de verdad le daba ese aspecto de comando. Sobre todo con las docenas de trenzas delgadas con que se había recogido el pelo largo y que le colgaban por la espalda.

Tenía un aspecto de ferocidad estilo Hollywood, más que nada por su manera de llevar el arma, algo que delataba la falta de destreza en su manejo.

La parte verdaderamente divertida del aspecto de Sophia era que, mientras Dave había estado en el campo de batalla, había visto combatientes enemigos vestidos igual de cuidadosamente y sosteniendo sus armas con la misma torpeza. Era como si creyeran que tener aspecto de soldado fuera más importante que, por ejemplo, el entrenamiento.

Y Sophia sabía reproducir esa apariencia a la perfección. Los había hecho reír a todos en la tienda Quonset, antes de que comenzara el ejercicio. Con ese rifle que era casi de su mismo tamaño, sus ojos habían realmente lanzado destellos al informar solemnemente a Tom que sólo respondería a su nuevo nombre, señorita Diablo.

Estaba totalmente metida en su personaje. Hizo desternillarse de la risa a Dave, que también se había emocionado y sentido el corazón apretado en la garganta. Si hasta ese momento persistían sus dudas, ya se habían disipado, porque Sophia Ghaffari había decididamente optado por volver al mundo de los vivos.

Al parecer, sin ayuda de Decker.

En cuanto a éste, se había propuesto mantener las distancias, pero Tom, que era el que daba las órdenes, había dividido los elementos de Troubleshooters Incorporated en tres células. Había asignado a Deck y Sophia a la patrulla encargada de la rehén. El último insulto había sido nombrar a Dave jefe de aquella célula.

Si había algo que Dave no deseaba por nada del mundo era una posición de mando, nunca. Y especialmente en ese momento, con ese grupo de personas.

Pero no tenía alternativa. Tom había explicado amablemente que ese tipo de operativos estaban hechos para experimentar. ¿Cómo podía saber Dave, había dicho con su voz tranquila cargada de razón, que no quería ser jefe de equipo si nunca lo había intentado? ¿Y qué mejor momento para intentarlo que aquí y ahora?

Así que ahí estaba él, por primera vez al mando, a cargo de una unidad de cinco personas, entre las cuales esos dos elementos, Decker y Sophia, que en Troubleshooters Incorporated representaban el agua y el aceite.

La primera decisión de Dave fue nombrar a Decker el adelantado del grupo. Deck tendría que ir por delante en la oscuridad creciente, solo, muy por delante. Lo más lejos posible de Sophia.

Él y Sophia, es decir, la señorita Diablo, estaban encargados de vigilar a la rehén, dejando a Nash en la retaguardia, a cargo de la cobertura de los otros seis y borrando las huellas que iban dejando en el camino.

La primera fase del plan maestro de Tom para mantener a Lindsey lejos de las SEAL había funcionado de maravilla. Desde luego, les favorecía que el equipo de Troubleshooters Incorporated —con la excepción de Lindsey— hubiera dedicado los últimos días a explorar la zona, durante el día y la noche. Por el contrario, los oficiales del equipo rival, sólo habían dedicado unas pocas horas a estudiar mapas y esquemas. Era la primera vez que recorrían ese terreno, como solía ocurrir en numerosas situaciones de rescate.

La parte A de la primera fase, exigía poco más que dejar que los scouts de las SEAL encontraran al equipo de Dave y a la rehén. Sus rivales de las Fuerzas Especiales estaban muy bien entrenados, y no pasó mucho tiempo antes de que Tess recibiera un mensaje por radio del equipo de Alyssa de que habían divisado a al menos un SEAL que ahora seguía a la rehén.

La parte B de la primera fase era más complicada. Exigía una sigilosa caminata por los cerros y luego volver sobre sus pasos, siguiendo sus propias pisadas, intentando hacerlo lo mejor posible —y lo intentaban— con el fin de borrar sus huellas.

Acabaron en una mina abandonada que Decker y Nash habían descubierto unos días antes. Era un sector lleno de estructuras vetustas. Pero tenía algo especial porque contaba, por así decirlo, con una salida por la parte de atrás. Había más de una manera de entrar y salir.

El grupo de Dave había llevado a la rehén hasta la mina, donde se había encontrado con la célula de Alyssa. Habían cambiado a Nash y Tess, que se quedaron afuera, como si vigilaran a la rehén, por Tom Paoletti, quién si no.

No había nada más intimidatorio para Dave que tener de pronto al jefe en su equipo justo la primera vez que él tenía que asumir el mando. Pero no había tiempo para quejarse ni reclamar. Al igual que una visita al dentista, aquello eventualmente acabaría. Y dolería menos si seguían moviéndose.

Así que la célula nueva, más pequeña y compacta de Dave, cogió a la rehén y salió por la puerta trasera. El resto del equipo de Alyssa los siguió. El grupo de Sam ya estaba apostado, preparado para tender una emboscada a los SEAL, que se acercaran a la mina a rescatar a la rehén.

Aquello iba a ser un baño de sangre, al menos virtual. Las armas que usaban ambos bandos no disparaban balas, aunque hacían el mismo ruido que una metralleta de verdad. Sin embargo, eran una versión más adelantada de las armas con receptor láser. Los chalecos de los uniformes que todos llevaban portaban sensores. Un disparo convertía a su portador en un hombre caído en acción y una de las franjas de la manga del chaleco se teñía de un siniestro color negro. El arma de la persona tocada dejaba de disparar y, siguiendo las reglas, se quedaba al margen durante el resto de la operación. No podía moverse (a menos que un compañero/a la llevara sobre los hombros) ni podía hablar.

—¿Qué dice Alyssa? —preguntó Dave a Decker, que había relevado a Tess en la radio.

—Dice que no nos han seguido —informó Deck.

Apenas había dicho eso cuando se oyó la voz de una mujer que gritaba:

—¡Tom! —Y un grito que pareció demasiado real. ¿Era Sophia o Lindsey? Se oyeron disparos, desde más abajo en el camino, muy cerca.

Costaba saber quién se movió más rápido. Quizá Decker hubiese llegado antes, pero la ventaja que le sacó a Dave era de sólo unos centímetros. Dieron la vuelta en una esquina, uno junto al otro, y...

Sophia yacía en el suelo. Tom Paoletti también. En su manga tenía una franja negra.

—¡Mierda! —Dave lanzó una mirada feroz a su alrededor, buscando a Lindsey, que había desaparecido. Debería haber sabido que no podía sentarse a descansar. Su equipo había sido masacrado y las SEAL habían recuperado a la rehén.

Al igual que Dave, Decker tenía su arma en alto y preparada para disparar, pero los que habían cogido a Lindsey no se habían quedado por ahí.

—Encuentra a la rehén —ordenó a Decker, que respondió dejando caer su arma y la radio y se arrodilló junto a Sophia. Pero ¿qué se...?

No la habían matado. En la manga no tenía nada. Estaba tendida porque estaba... ¿herida? Dave también se arrodilló junto a ella.

—¿Te encuentras bien?

—Creo que he matado a Tom —dijo Sophia. Se incorporó y cogió el arma que había dejado caer.

—¿Has matado a Tom? —Dave no podía disimular la incredulidad en su voz mientras Decker le acercaba el arma a Sophia.

Ésta asintió, avergonzada.

—Gracias —dijo a Deck, e hizo una mueca al descubrir que se había rasguñado la rodilla, y que ahora sangraba a través de un corte en el pantalón.

—¿Qué ha ocurrido? —preguntó Dave.

—Alguien la empujó y la hicieron caer mientras cogían a la rehén, eso es lo que ocurrió —dijo Decker—. Y cuando los encuentre, acabaré con ellos.

—Le estaba preguntando a Sophia —dijo Dave a Decker con voz queda—, aunque seguro que aprecia la retórica del macho guerrero. ¿Quieres darte de golpes en el pecho también?

Al parecer, Tom, que estaba muerto, también rió.

—Nadie me ha empujado —dijo Sophia—. Y si vosotros dos os ponéis a pelear, yo me largo de aquí.

—Encuentra a Lindsey —volvió a ordenar Dave, mirando a Decker, como si fuera un perro con minusvalía mental. Cogió la radio. Tenía que hacerle saber a Alyssa y a Sam que habían perdido a la rehén. Tenían que elaborar un plan para recuperarla. Pero, desde luego, la radio estaba completamente muerta. Dave no pudo disimular la frustración.

—¿Qué le pasa a este trasto?

—Tendrás que subir a un punto más elevado para tener una señal. —Decker cogió su arma, se incorporó ágilmente con un movimiento atlético propio de él e hizo todo lo que pudo para parecer elegante. Dave, al contrario, tendría que gruñir al menos un par de veces, moviendo torpemente codos y rodillas para volver a levantarse.

—¿Por dónde se la han llevado? —preguntó Deck a Dave.

Ella se encogió de hombros como pidiendo perdón.

—No lo sé. Por allá, creo, por puro descarte. —Señaló hacia el norte—. Ella estaba sentada en esa roca, yo estaba aquí —dijo, y señaló un punto cercano—. Oí un ruido y me levanté para comprobar qué era y, cuando volví, Lindsey ya no estaba —dijo, y se giró hacia Dave—. No oí a nadie. Fue como si... hubiera sencillamente desaparecido.

—Y nadie te empujó —repitió Deck, como si no acabara de creérselo.

—No había nadie cerca de mí —reconoció ella—. Me sorprendió mucho que Lindsey hubiera desaparecido. Grité llamando a Tom, tampoco sabía dónde se había metido, y creo que di un paso atrás y tropecé. Debo de haber cogido mal mi arma, el único entrenamiento que he tenido es con armas pequeñas. Se disparó sola y... es entonces cuando debo de haber matado a Tom —dijo, y miró hacia él—. Lo siento, jefe —se disculpó.

Dave volvió a darle una orden a Decker. Quizás a la tercera lo consiguiera.

—Ve y síguele la pista al equipo que ha cogido a Lindsey. Sophia y yo enviaremos un mensaje a Alyssa e intentaremos remediar el daño hecho. —Se incorporó con sólo un gruñido y estiró la mano para ayudar a Sophia a levantarse—. Será mejor que nos movamos porque esos disparos tienen que haber captado la atención de alguien.

Sin embargo, Decker no se movió.

—¿Estás segura de que estás bien? —preguntó a Sophia, que asintió con un gesto de la cabeza.

Sólo entonces obedeció.

—Venga —dijo Dave, y llevó a Sophia en la otra dirección.

Le tocaba a ella vacilar.

—¿Y se supone que dejamos a Tom aquí tirado?

—Somos unos desalmados terroristas —señaló Dave—. Se supone que tenemos que arrancarle sus dientes de oro, quitarle las botas y la ropa y dejarlo para que se lo zampen los linces de aperitivo.

—Lo siento mucho —volvió a decirle Sophia a Tom, cuando Dave la arrastró para seguir con ella por el camino.

—Yo no lo siento —gruñó Dave—. Es totalmente culpa suya por haberme nombrado jefe de equipo.

Se habían oído disparos.

Habían mandado a Jenk a investigar, junto con Izzy, Lopez, Orlikowski y Gillman.

Izzy fue el primero en encontrar al enemigo.

—Tommy ha muerto —informó con voz alegre.

—No puede ser. —Danny Gillman no se lo creía.

—Ve a verlo con tus propios ojos, chico —dijo Izzy—. Está tendido al lado del camino. Franja negra.

—No —contestó Jenk. No había tiempo para que Gillman llevara a cabo su rutina de Tomás, el incrédulo—. Iz, ¿viste a Lindsey?

—Ni rastro de ella, eme. Lo cual podría confirmar que la han dejado en esa mina.

—Eso podría confirmar que la mina tiene más de una entrada —señaló Jenk. Era verdad que no habían visto a Lindsey salir de la mina. Pero ¿qué pasaba con Sophia, Dave o Decker? Tampoco los habían visto salir a ellos.

—No me acerqué lo suficiente para escuchar lo que decían —siguió Izzy— pero, al parecer, se han dividido. Decker ha ido por un lado y Malkoff y Sophia por el otro.

—Yo seguiré a Sophia —dijeron Danny y Lopez al unísono. Qué sorpresa.

—¿Crees que puedes seguirle la pista a Decker? —preguntó Jenk a Izzy.

—Eso depende. ¿Voy a tener que arrastrar tu pobre culo conmigo?

—Que te den —dijo Jenk.

—Lo tomaré como un sí.

Jenk se volvió hacia Johnny O.

—Envíale esta información al comandante Koehl. —Las radios no funcionaban, lo cual era una mierda, aunque probablemente fuera intencional. La tecnología era un regalo, un agradable instrumento en esos momentos en que todos los equipos funcionaban como debía ser. Sin embargo, siempre tenían que estar preparados para prescindir de ellos, y por eso sabían orientarse siguiendo las estrellas y hacer fuego con un par de palos. Entre otras cosas, usaban corredores para llevar los mensajes y comunicarse.

Orlikowski desapareció.

—Seguid a Dave y a Sophia —dijo Jenk a Gillman y Lopez—. ¿Podéis hacerlo sin tropezar con vuestras pollas?

Izzy contestó por ellos, aunque se marcharon tan rápidamente como Orlikowski.

—Lopez, sí, Gillman, no. Pero la estupidez es contagiosa, así que ya puedes aumentar en dos nuestras bajas.

—Puede que aprendan algo —dijo Jenk.

—Puede. —Izzy calló un momento—. ¿Desde cuándo nos hemos convertido en los veteranos sabios?

—No lo sé —dijo Jenk. Pero mentía. Él había empezado a madurar la primera vez que uno de sus compañeros murió en una operación de ésas. Su reciente viaje a Afganistán, en el que casi había acabado muerto, no era más que el glaseado. Hacía tiempo que esa tarta se estaba cocinando.

—¿Alguna vez has pensado en dar el salto? —le preguntó Izzy—. Ya sabes, ¿pasar a la ECO antes de que seas demasiado viejo?

En realidad, Izzy hablaba de convertirse en oficial, asistir a la Escuela de Candidatos a Oficial. Y, madre mía, hablaba en serio.

O quizá no. Con Zanella, era difícil saberlo.

Sobre todo cuando pasaba directamente a otro tema.

—Así que Sophia Ghaffari —dijo—, hace babear a los chicos. Pero a ti no, ¿eh?

—Es guapa —dijo Jenk—, pero... no sé.

—Distante —convino Izzy—. Pero me la tiraría, si me lo pidiera. Quiero decir, ¿quién diría que no a algo así? En cuanto a Lindsey Fontaine. Totalmente follable, ¿no?

Jenk suspiró.

—Ya, ya —asintió Izzy—. Finges que es sólo una amiga, pero te he visto mirándola como si tuvieras un cohete en el bolsillo. En el medidor de follables de Mark Jenkins, donde una puntuación de diez sería quién: ¿Julie Andrews?

—Que te jodan —dijo Jenk, riendo. Tenían que moverse.

Pero Izzy no había acabado.

—He ahí un afirmativo sin matices. Y, tío, de verdad, no tienes por qué avergonzarte. Mary Poppins está buenísima. Así que Julie es un diez, lo cual significa que Lindsey es... ¿qué? Fuera de la puntuación, con un quince nunca visto. Guau.

—Deberíamos callar ahora —dijo Jenk. Querían encontrar a Decker, no que Decker los encontrara a ellos.

—Y, una vez más, me lo tomaré como un sí. —Izzy se dio por satisfecho.

Lo cual le parecía bien a Jenk. Que tuviera la última palabra, que pensara que tenía razón. Aunque no la tuviera.

Si Jenk hubiera tenido ese marcador inexistente, la puntuación de Lindsey Fontaine habría sido muy superior a quince.

Capítulo 6

A Sophia le costaba creer que, con una magnífica y única maniobra desastrosa, hubiera perdido a la rehén y matado a su jefe.

Aunque quizás había merecida la pena, sólo por ese momento en que Decker se había agachado junto a ella con la preocupación pintada en el semblante. *¿Estás segura de que te encuentras bien?*

Tenía la rodilla malherida, y le dolía ahí donde se había hecho el rasguño. También tenía las palmas de las manos muy tocadas, algo que había conseguido ocultar a Decker y a Dave. Al menos a Decker. Era evidente que Dave se había dado cuenta de las heridas en las manos cuando la había cogido por la muñeca y la había llevado rápidamente con él a una cueva que no era más que una hendidura entre las rocas.

—¿Qué...?

Dave sacudió la cabeza, se llevó un dedo a los labios y luego se tocó la oreja. Había oído algo. Alguien los seguía.

¿Cuántos? Sophia preguntó modulando en silencio.

Dave sacudió la cabeza. No lo sabía. Volvió a tocarse la oreja. Había que escuchar.

Había pocos hombres en el mundo con quien Sophia se encontrara lo bastante segura ocupando los mismos escasos centímetros cuadrados sin sentirse incómoda, y Dave Malkoff era uno de ellos.

Dave había subido unos cuantos kilos desde la última vez que habían estado juntos en un espacio reducido. Era curioso, pero ella no había reparado en ello aunque, ahora que lo pensaba, Dave había mencionado hacía poco que se había inscrito en un gimnasio. Y la verdad es que últimamente tenía la tendencia a vestir pantalones y camisetas holgadas.

El brazo de Dave en torno a ella era reconfortante en lugar de amenazante. Escuchó cómo intentaba ralentizar la respiración, y sintió su corazón galopante. Sin duda estaban metidos en un lío más grande de lo que había pensado.

Era muy probable que estuvieran rodeados por los SEAL que se habían llevado a Lindsey. Pero, si querían matarlos, ¿por qué habían esperado hasta ese momento? No tenía sentido.

Dave aflojó el brazo con que la protegía mientras intentaba en silencio hacer funcionar la radio.

Sophia le tocó el brazo.

—*¿Por qué nos siguen?* —preguntó en un susurro cuando él la miró y pestañeó, las caras separadas por sólo unos centímetros.

Él se inclinó más cerca para hablarle.

—Creo que se han dado cuenta de que no tenemos contacto por radio con las otras células —dijo, casi sin hacer ruido. Sintió su aliento cálido junto a la oreja.

Vale, aquello sí que era raro. O lo habría sido si se hubiera tratado de cualquier otro que no fuera su buen amigo Dave. Sophia estaba apretada junto a él, desde los hombros hasta los muslos, con la mano izquierda atrapada entre el torso de Dave y sus propios pechos. Si alargaba el brazo, su mano quedaría colgando en un sitio donde ella no la quería ver colgar.

—Saben que en cuanto se comunique la noticia de que Lindsey ha desaparecido —explicó Dave—, la prioridad de nuestro equipo será recuperarla. Es probable que sepan que si nos neutralizan, gozarán de una importante ventaja.

Sophia tenía la sensación de que estaba a punto de romperse la muñeca, así que desplazó el hombro y dejó descansar el brazo en la espalda de él. El resultado fue que la parte superior del cuerpo quedó aplastada contra el suyo, y la boca de Dave no sólo cerca de su oreja sino tocándola, apretada contra ella. Él siguió hablando.

—Estoy casi seguro de que... Lo siento. Estoy...

Se separó, lo cual era todavía más raro, porque ahora la miraba directamente a los ojos. Movió los labios en silencio.

Lo siento.

Durante varios largos segundos, algo quedó colgando en el espacio entre los dos. Algo palpable y consciente y cálidamente sexual... Y a ella le entraron ganas de llorar porque, por el amor de Dios, se trataba de Dave.

Dave era su amigo.

O quizá no lo fuera. Quizá no fuera más que otro hombre que quería poseerla. Quizás intentaba meterse en su cama indirectamente. Quizás era peor que los demás, que al menos manifestaban abiertamente lo que deseaban.

Ahora, Sophia tenía una alternativa. Dejar descansar la mano izquierda a lo largo del hombro de él o en su cintura. Las dos posiciones eran igualmente sugerentes, y ella no quería ni la una ni la otra.

—Mierda —dijo él—. *Mierda*. ¿Cómo es posible que me tengas miedo?

¿Cómo lo sabía? ¿Acaso era así de transparente? Al parecer, sí.

—Escucha —dijo Dave, cogiéndole la cara con ambas manos, a todas luces abandonando el prurito del silencio, sin importarle ya quién los escuchara—, eres una mujer muy atractiva. Yo te encuentro atractiva... tendría que haber estado muerto, digamos, unos dos años para no encontrarte atractiva, y... supongo que a veces me cuesta ocultarlo. Pero, por favor, por favor no creas que me comportaría jamás de una manera que hiciera peligrar nuestra amistad. Piensa en ello, Sophia. Debo ser una de las pocas personas que de verdad puede adivinar el tipo de abusos a los que sobreviviste en Kazbekistán. Jamás me aprovecharía de ti. *Jamás*. Antes, preferiría morir.

La mirada en sus ojos era absolutamente Dave, sincero, honesto y desesperantemente genuino, y Sophia de pronto encontró el hueco perfecto para su brazo izquierdo. Lo envolvió en torno a él y lo estrechó.

—Lo siento. Soy una estúpida. —Estúpida y retorcida y quebrada. ¿Algún día volvería a confiar en alguien?

—No, esto ha sido culpa mía —dijo Dave, y le estampó un beso en la frente—. Esto no es más que... un juego tonto, y he dejado que la idea de ganarlo importe más que... —Cambió de posición, como para sacarla del estrecho escondite que proporcionaban las rocas—. Rindámonos. Podemos salir de aquí con las manos en alto. Poner fin a esto ahora mismo.

Ella se echó hacia atrás para mirarlo, sorprendida de que Dave se atreviera a proponer algo así. Y, al mismo tiempo, agradecida.

—Te apuesto a que nos convidan a un poco de chocolate —dijo, como para convencerla.

—¿Traicionarías la causa por un poco de chocolate? —preguntó ella, ajustándose el pañuelo y lanzándole su mirada más altanera—. La señorita Diablo te escupe en los zapatos —dijo, fingiendo hacer precisamente eso, y él rió.

Pero la sonrisa se desvaneció enseguida.

—¿Sabes? El hecho de que estés aquí es... Me siento muy orgulloso de ti.

Dave estaba ligeramente inclinado sobre ella, con los hombros encogidos, como para darle todo el espacio que pudiera. ¿Cómo era posible que ella hubiera pensado que constituía algún tipo de amenaza? Dave estaba *orgulloso* de ella. Tenía ganas de llorar.

—De acuerdo —dijo él—. Hemos perdido a Lindsey y matado a Tom. No quieres chocolate, así que ¿cuál será nuestro próximo paso?

Sophia esta vez no pudo reprimir la risa.

—Ha sido un «nuestro» muy generoso.

Dave se encogió de hombros.

—Soy el jefe del equipo. Puede que lo hayas hecho tú, pero yo soy el responsable. Teniendo eso presente, ¿qué haremos ahora?

—Tenemos que transmitirle el mensaje a Alyssa —dijo Sophia—. Vuelve a intentarlo con la radio.

Dave obedeció y se llevó el auricular al oído.

—Sigue sin funcionar.

—De acuerdo —dijo ella—. Te diré lo que creo que tenemos que hacer.

• • •

Jenkins volvió a materializarse junto a Izzy y le transmitió un mensaje silencioso con un movimiento de la cabeza.

Nadie los seguía.

Aquello tenía algo de irreal.

Izzy y Jenk seguían a Decker, que daba vueltas en redondo hacía bastante rato, buscando algo que, al parecer, no encontraba.

Deck había dado marcha atrás y había seguido la dirección por donde Lopez y Gillman habían ido mientras seguían a Sophia y a Dave Malkoff.

No pasó mucho tiempo antes de que Decker (ex hombre de las Fuerzas Especiales) encontrara la huella de Lopez y Gillman. Ahora los seguía mientras ellos seguían a Sophia y a Dave. Y mientras Iz y Jenk lo seguían a él.

Jenk pensaba claramente lo mismo que Izzy porque mediante el lenguaje gestual había comunicado que iba a dar un rodeo por detrás para asegurarse de que no lo seguían.

Se había convertido en una bruma humana y se había alejado.

A pesar de todos los comentarios despectivos de Izzy, Jenkins era uno de los mejores elementos del Equipo Dieciséis. No era un Irving Zanella, pero se le parecía bastante.

Ahora que Jenk había vuelto le transmitió, con su lenguaje de manos, un *¿Qué coño está pasando?*

No había manera de que Izzy explicara de forma no verbal por qué se habían detenido, así que se inclinó y le susurró a Jenk.

—Sophia y Dave se han asustado y se han metido en una cueva. —Dibujó a toda prisa un esquema con la posición de los demás participantes en aquel juego de Seguid al líder terrorista. Jenk utilizó sus binoculares infrarrojos para localizar primero a Decker y luego a Lopez y Gillman y, finalmente, la entrada a la cueva.

Nadie se había movido y ya habían pasado diez minutos.

—¿Qué están haciendo ahí dentro? —murmuró Jenk, mirando hacia la cueva con los infrarrojos.

—Quizá tienen a Lindsey ahí —sugirió Izzy—. O quizás estén disfrutando de un polvete rápido.

Como si le tocara hablar, Sophia habló, y su voz quedó resonando en la quietud de la noche.

—¿Dave?

Todos se quedaron quietos. Izzy usó su propio visor de infrarrojos para barrer el área donde se escondían Decker y los hombres de las SEAL. Antes, casi todos eran invisibles, pero ahora se habían fundido totalmente con las rocas y los matorrales del desierto a su alrededor.

Se oyó la voz de Sophia, esta vez más fuerte.

—Dave, oh, Dios mío. *¡Dave!* ¡Que alguien me ayude, por Dios!

Era el truco más viejo de los manuales. Pedir ayuda, atraer al enemigo a campo abierto y hacerlo picadillo.

Sin embargo, Sophia no permaneció oculta entre las rocas. Fue ella misma la que salió al descubierto.

—Por favor, sé que hay alguien ahí fuera. Necesitamos una radio. Y asistencia médica... por favor... es Dave... Creo que ha tenido un infarto.

Izzy miró a Jenk, que le devolvió la mirada.

—Nos está tomando el pelo, ¿no?

—¡Va en serio! —sollozó Sophia. Dejó caer el arma con un sonido sordo y alzó las manos—. ¡Estoy desarmada y necesito ayuda! ¡Disparadme si tenéis que hacerlo, pero ayudadme!

Jenk sacudió la cabeza, presa de una seria duda. Joder, si ellos se preguntaban si Dave sufría de verdad una emergencia médica, Tonto y Retonto, que estaban más cerca de la acción, estaban probablemente...

Izzy enfocó a Lopez y Gillman con su visor nocturno. Joder, los dos iban a abandonar su escondite. Lopez, que solía ser el más listo de los dos, iba primero. Pero Lopez era paramédico. Por principio, era incapaz de no arriesgar la propia vida cuando alguien pedía atención médica. Ese principio, más la promesa de gratitud que brillaba en los ojos lacrimosos de Sophia había dado al traste con su coeficiente intelectual.

En cuanto a Gillman, que lo seguía, no tenía perdón.

—Sí, nos está tomando el pelo —afirmó Jenkins.

Izzy enfocó el visor nocturno hacia la cueva donde Dave Malkoff ni soñaba con encontrarse a las puertas de la muerte. Desde la posición de los otros SEAL, e incluso desde la posición de Decker, estaría completamente oculto, pero Izzy y Jenk tenían una perspectiva clara y sin obstáculos de Dave que se desplazaba de puntillas entre los tulipanes y corría hacia la libertad.

Entretanto, Sophia se había derrumbado sollozando en su escenario polvoriento.

Y ahí estaba Lopez, confiando en que por el hecho de tener su arma a menos de dos metros, Sophia no se levantaría y le dispararía.

Izzy dejó de mirar a través del visor que le daba una visión verde del mundo, mientras Jenk avanzó a toda prisa. ¿Qué coño...?

Pero entonces vio que Decker también se movía. Se había desplazado hasta los límites del claro, todavía oculto por los matorrales, con el arma preparada para volarles el culo a Lopez y Gillman. Jenk procuró acercarse lo suficiente para eliminar a Decker, pero no llegó a tener la oportunidad.

Porque cuando Lopez y Gillman, los muy imbéciles, se acercaron a Sophia, ésta sacó una segunda arma, probablemente la de Dave, más pequeña y, por lo tanto, disimulable, de debajo del chaleco.

Y apretó el gatillo a su gusto, barriendo el terreno hasta vaciar el cargador.

Jenkie se aplastó contra el suelo.

Decker no tuvo tanta suerte. Estaba tan muerto como Lopez y Gillman. Izzy alcanzaba a ver las franjas verdes brillantes con su visor nocturno. Traducido a la visión del ojo desnudo, aquello era negro. El tío se había tendido de espaldas como signo de exasperación. Sophia lo había matado y la gran ironía era que ni siquiera lo sabía.

—Tío —dijo Gillman, sentado junto a Lopez. Se había acabado su participación en el juego, y los dos sabían que el parte de guerra los pondría a parir. En su momento, tendrían que dar unas cuantas explicaciones. Lopez se escudaría en su condición de paramédico y eso le valdría un ligero perdón. Pero a Gillman se lo comerían vivo. ¿Qué excusa daría por haber seguido a Lopez? *Lo siento, señor, pero temía que si Lopez iba solo y salvaba la jornada, acabarían agradeciéndoselo, y yo sólo quería asegurarme de que compartiría las felicitaciones con él.*

—Lo siento, chicos —dijo Sophia, mientras se apoderaba de las armas.

—Venga, será mejor moverse. —El buenazo de Dave se había quedado en segundo plano, esperándola, en lugar de correr como un desesperado cuando tenía la oportunidad.

—Deberías haberte ido hace rato —lo regañó Sophia.

—¿Ah, sí? Pues tú deberías estar muerta. —Dave le tendió la mano, primero para reclamar su arma y luego para ayudarla a escalar el terreno rocoso—. Por cierto, bien hecho.

—Gracias. No puedo decir lo mismo de ti. ¿Y si me hubieran matado? Te habrían dado caza enseguida.

—Pero no ha ocurrido así —dijo Dave, tranquilo—. Shh. Ahora hay que guardar silencio.

Izzy los siguió. Jenk volvió a situarse a sus espaldas.

—Sí —dijo Sophia, burlona—. Shh. No quieres hablar de ello porque sabes que tengo razón. Tendrías que haber empezado a correr en cuanto los distraje. Se lo diré a Tom.

—Eso será un poco complicado —comentó Dave—, teniendo en cuenta que lo has matado.

—Pero ahora tengo en mi hoja de servicio algo más, aparte de perder a Lindsey y matar a Tom —se defendió Sophia—. Tengo la marca de dos SEAL muertos en mi cinturón, quiero decir, si llevara un cinturón....

Jenk tiró de la manga de Izzy hasta que éste se giró.

Han perdido a Lindsey, le dijo, articulando sólo las palabras.

—¿Está diciendo que...?

Izzy se llevó un dedo a los labios, no porque pudieran oírlos (era imposible que los oyeran por encima de su propia conversación). Pero Sophia volvió a hablar.

—Deberíamos separarnos —dijo—. Tenemos que transmitirle ese mensaje a Alyssa. ¿Por qué no me pasas la radio? Buscaré un lugar más elevado y...

—No pienso dejarte sola aquí —dijo Dave.

—No seas ridículo —dijo ella.

Dave escalaba con ella, y su intención era evidente: probar esa radio a la que se aferraba como si fuera su oso de peluche favorito.

Sophia escaló detrás de él.

—Vale —dijo Dave—. Espera, espera... —Escaló otro poco y se puso los auriculares—. ¡Sí!

—Por fin —dijo Sophia.

—Sí —dijo Dave, ante el micrófono—. Aquí Malkoff. Tengo un mensaje importante para Alyssa Locke, cambio.

—Comunícalo, sin más —dijo Sophia—. Si la radio vuelve a apagarse...

Dave alzó la mano intentando callarla.

—Sí —dijo—. Necesitaremos un cambio de plan drástico. El enemigo se ha llevado a la rehén. Repito, los SEAL tienen a Lindsey, cambio.

—Diles que ha sido culpa mía —pidió Sophia.

Dave le contestó algo que Izzy no alcanzó a escuchar, porque Jenk no sólo le tiraba de la manga sino directamente lo arrastraba hacia atrás.

—Nosotros no tenemos a Lindsey —dijo.

—¿Qué? ¿Cómo lo sabes?

—Nuestra radio también funciona —le informó Jenk, con semblante grave—. Acabo de hablar con el jefe de operaciones. Y *no* tenemos a Lindsey.

Lugar: desconocido
Fecha: desconocida

El olor pútrido de la sangre le daba náuseas.

Cinco había vomitado toda la noche hasta tener el vientre vacío, hasta que ya no había más que purgar. Pero seguía teniendo arcadas y tosiendo.

La oscuridad la rodeaba, a veces pesada y caliente, a veces frágil y fría, y ella temblaba y luego sudaba.

Vino Número Cuatro, como solía hacer cuando él la dejaba sola y la noche seguía y seguía interminablemente, pero esta vez todavía tenía toda su cara. Esta vez imploraba entre sollozos:

—Por favor, acaba conmigo, por favor —pedía mientras la sangre se le escurría entre los dedos y caía en el suelo de cemento del sótano—. ¡No dejes que me lleve arriba!

—Yo no lo sabía —intentó decirle Cinco, intentó explicarle.

Pero al cabo de un rato ya no estaba, y la luz era aún más intensa, brillando en el pelo dorado de Connie Smith, reflejándose en la hoja del cuchillo cuando le propinó a Cinco un corte en el brazo.

Y luego ella estaba en el suelo, y era su propia sangre la que se le escurría entre los dedos, mientras Connie Smith avanzaba hacia ella.

Sin embargo, a Connie los ojos se le tiñeron de miedo antes de acercarse más, llenos de un terror desnudo, del trauma y del dolor... *¿cómo has podido?* Y luego se volvieron vidriosos cuando su vida salpicó a Cinco en la cara y los brazos, una vida tibia y húmeda como la sangre.

Se movió su boca, pequeña, apretada más allá de esa mueca abierta y moribunda. *¿Cómo has podido?*

—No podía —dijo Cinco, mientras se sacudía con aquel dolor agudo e interminable— dejar que te llevara arriba.

Al este de San Diego, California
8 de diciembre, 2005, jueves por la noche

Jenk se convirtió en Rambo.

Izzy recordaba que aquello había ocurrido entre los hombres del Equipo Dieciséis sólo unas cuantas veces en el pasado y, desde luego, en una de las ocasiones él mismo había sido Rambo, la parte culpable. Pero ni en el más desquiciado de sus sueños se había imaginado a Marky-Mark haciendo lo mismo.

Sin embargo, eso fue lo que ocurrió.

Arrancó en la misma dirección que habían tomado Sophia y Dave, como si él no existiera. No mencionó plan alguno, ni siquiera dijo adiós. No intentó guardar silencio ni camuflarse. Sencillamente arrancó a correr por el sendero.

Desde luego, Starsky y Hutch estaban demasiado ocupados hablando de sus profundos e íntimos sentimientos para darse cuenta de que un elefante se les venía encima, así que probablemente no importó. Salvo por el hecho de que habría un punto de contacto físico inevitable.

Y entonces qué, ¿eh, Marky-Mark?

Izzy lo siguió a una distancia prudente que le permitiera buscar un punto para cubrirse, pero lo bastante cerca como para ver el desarrollo de la acción.

Acción que no duró más de dos segundos.

Dave oyó que venía Jenk cuando éste gritó «¡Hey!», con lo cual violaba la regla número tres de los juegos de guerra, a saber, nunca enfrentarse al enemigo con un grito que alertara al enemigo sobre tu presencia.

Sophia y Dave se giraron, pero Sophia consiguió estropearle las cosas a Dave. Estaba demasiado cerca de él, con lo cual imposibilitó que éste se girara para disparar.

Y Jenk... ¿Qué coño...? empezó a disparar. Rat-tat-tat-ta.

Sophia y Dave se miraron, luego miraron las franjas negras en sus mangas, volvieron a mirar a Jenk, que seguía corriendo hacia ellos, sin parar de preguntar.

—¿Dónde habéis perdido a Lindsey?

Los dos volvieron a mirarse, como diciendo ¿quién se cree que es?

—Estamos muertos —dijo Dave.

—Olvídate de eso. Perdóneme, señora, he oído su transmisión por radio —dijo Jenk—. Sé que su equipo no tiene a Lindsey. Nosotros tampoco la tenemos.

—¿No la tenéis? —preguntó Sophia.

Dave estaba sentado y tiró del chaleco de Sophia, intentando que también se sentara.

—Las reglas dicen que...

—A la mierda con las reglas —dijo Jenk—. Perdóneme, señora. Escuche, he aprendido a conocer a Lindsey un poco en la última semana y esto es algo que sin duda haría, es decir, intentar escapar. Pero el desierto es muy diferente de las calles de Los Ángeles. Hay peligros que quizá ni conoce, linces, coyotes, perros salvajes...

Izzy se le acercó.

—Tío, hay más probabilidades de que la rapten los alienígenas de que la ataquen los perros salvajes o los coyotes. No se meten con las personas...

—Sí, los ataques de los que yo he sabido han sido todos a niños —dijo Jenk—. Pero Lindsey es pequeñita...

—También es una oficial de policía competente y bien entrenada...

—Que no va armada.

Vaya, Jenk estaba serio y ferozmente alarmado.

—Seguro que está bien —dijo Dave, para tranquilizarlo—. Ya sabes que no debería decirte nada, pero Decker le sigue los pasos. Seguro que a estas alturas ya la ha encontrado.

—Decker está muerto —dijo Izzy—. Sophia se lo ha cargado al disparar a Lopez y Gillman.

—¿Qué? —Sophia estaba indignada—. Eso no es verdad.

—Sí que es verdad —confirmó Jenk.

Ella volvió su indignación hacia Jenk.

—¿Sabías que...?

—No —dijo él, sacudiendo la cabeza—. No lo sabía. Lo digo sinceramente.

—Lo seguíamos nosotros —explicó Izzy—. No encontró a Lindsey.

—Sí —dijo Jenk—, pero quizá sepa dónde está.

—Está muerto —le recordó Izzy, como si eso fuera a detener a Jenk.

Éste ya volvía sobre sus pasos hacia donde habían visto a Decker morir. Sophia los seguía.

—Estamos muertos —le recordó Dave.

—Y una mierda que estamos muertos —dijo ella, imitando a Jenkins—. Voy a ayudar a Mark a encontrar a Lindsey.

• • •

—He intentado encontrar sus huellas —dijo Decker—. Pero no había nada.

—Todavía está por ahí en algún sitio. —El teniente MacInnough estaba convencido. El oficial de las SEAL, un hombre grande y fornido, se había encargado de establecer un perímetro y de contener a los «terroristas» en un área—. No puede haber pasado más allá de donde están mis hombres.

Tom y el comandante Koehl habían suspendido el ejercicio, y habían usado las radios que tenían para enviar un mensaje de «fin de juego», pidiéndole a todos que se reunieran en el aparcamiento cerca de la tienda Quonset, tanto los vivos como los muertos.

Dave se percató de que había un porcentaje más bien alto de participantes en ambos lados del ejercicio que tenían franjas negras en sus mangas. Normalmente, en un ejercicio como ése, era fácil distinguir a los ganadores de los perdedores. Pero en este caso eran todos perdedores, ya que el objetivo principal era tener la posesión del rehén.

Y nadie sabía dónde estaba la rehén en cuestión.

Jenk se había convertido en un pitbull. Quería que llevaran luces de búsqueda al lugar donde habían visto a Lindsey por última vez y comprobar el área más exhaustivamente. Quería pedir un helicóptero y llevar a cabo una búsqueda con infrarrojos desde el aire. Quería que trajeran altavoces para anunciarle a Lindsey que se entregara. Quería su propia cabeza en una bandeja por haberla enviado sin su propia radio.

Quería hacer cualquier cosa excepto quedarse ahí sin hacer nada y hablar. Sobre todo en ese ambiente que tenía algo de fiesta, donde se comentaban los errores y los aciertos y a menudo ambos provocaban risas.

Sophia estaba rodeada de su club de admiradores, entre ellos, a los dos SEAL que había matado. Dave sabía que, como de costumbre, Sophia era muy consciente de la presencia de Decker. No paraba de mirar en su dirección. Pero, a pesar de eso, la oía reír, lo cual seguía pareciéndole un milagro. Nunca olvidaría esa mirada suya, cuando la tenía ahí atrapada en esa cueva. Todavía se recriminaba a sí mismo por haberla puesto en esa situación, por olvidar lo terriblemente vulnerable que era.

Sophia era vulnerable y frágil y valiente, aunque no fuera más que por levantarse de la cama cada día, por no hablar de su participación en un ejercicio como ése.

Dave fue hacia donde estaba Jenk, que parecía dispuesto a coger una de las armas para volver y matarlos a todos.

Alyssa Locke llegó antes. Como todos los demás, intentó tranquilizar a Jenk.

—Ya sé que es difícil para ti, sobre todo en el ambiente de sólo chicos de los SEAL, pero Lindsey sabe cuidar de sí misma. Tom le pidió que se vistiera de camarera conejita por una razón, y era para que tú y tus compañeros la subestimarais.

—Yo no la subestimo —insistió Jenk.

—No se parece en nada a Tracy —dijo Alyssa—. Si Tracy estuviera en su lugar, entonces sí que me preocuparía.

—Sí. Jenk estaba realmente distraído. La luna había salido y él miraba la variedad de coches y todoterrenos en el aparcamiento.

—Perdón señora, lo siento, pero ¿sabe usted si Lindsey vino en coche?

—No estoy segura —dijo Alyssa.

—Sí que vino en coche —dijo Dave—. Cuando llegamos, me contó que se había parado a cenar, y que un poli le había pedido el permiso de conducir porque creía que le había robado el coche a su madre...

Jenk ya había desaparecido.

Corría por las filas de coches. Dave lo siguió, llevado por la curiosidad. Izzy también.

—¿Qué pretende ahora? —preguntó Izzy.

—Creo que quiere ver si el coche de Lindsey sigue aquí —dijo Dave.

—Su coche es un híbrido blanco —gritó Izzy.

—Lo sé —dijo Jenk—. No esta aquí. Lánzame tus llaves.

Izzy buscó en sus bolsillos y le lanzó un llavero.

—¿Qué hace? —Ahora era Dave el que preguntaba mientras Jenk abría la puerta del pasajero de un todoterreno.

—No lo sé —reconoció Izzy—, pero es mi coche. Hemos venido juntos. Quizás esté sacando algo de su bolsa.

Cuando se acercaron comprobaron que Jenk sí sacaba algo, su teléfono móvil. Se lo puso al oído y señaló un lugar de estacionamiento en la fila de al lado, vacío entre todos los demás vehículos.

—No sabes con seguridad que estuviera aparcada aquí —dijo Izzy.

—¿Estabas aparcada justo frente a Zanella? —dijo Jenk hablando por su teléfono móvil.

—¿Hablaba con...?

—Había aparcado aquí —anunció Jenk.

—Al parecer la ha encontrado —dijo Izzy—. ¿La has encontrado? —preguntó a Jenk, que dijo que sí con un gesto de la cabeza. Sí—. Jenk la ha encontrado —gritó, lo bastante fuerte como para atraer a una multitud.

Jenk reía por algo que le había dicho Lindsey, y se había apoyado en el todoterreno, aliviado. Se limpió el sudor de la cara con la mano libre.

—Dios, nos has dado un susto de muerte. Sí... sí, vale. Eso haré. Me alegro... de que estés sana y salva —dijo, y colgó—. Lindsey está en el Ladybug Lounge —avisó a los demás—. Quiere saber por qué hemos tardado tanto.

—¿Ha burlado nuestra vigilancia? —Los hombres de las SEAL todavía no se lo creían—. Es imposible.

El comandante Koehl y Tom se habían acercado.

—Ya era hora de que alguien comprobara el estacionamiento —dijo Tom al comandante.

—Ha sido uno de los míos —señaló Koehl—. Buen trabajo, Jenkins.

—Vale, vosotros tíos habéis perdido, y lo sabéis de sobra —se burló Tom.

—Tu equipo también ha perdido.

—Sí. —Tom rió con ganas—. Perder a veces nos enseña grandes lecciones de la vida, ¿no crees, Lew?

—Absolutamente, Tom.

Jenk los miró a los dos, boquiabierto. Finalmente, consiguió hablar.

—¿Ustedes dos han montado esto? ¿Todo este tiempo sabían dónde estaba?

—Yo no sabía que estaba en el Ladybug. ¿Y tú? —preguntó Tom a Koehl, que sacudió la cabeza diciendo no—. Es bastante impresionante. Decididamente, la que ha ganado aquí es ella —dijo, mirando fijo a Koehl—. Es una de las mías.

Jenk interrumpió y alzó la voz para que todos lo oyeran.

—Lindsey dice que si no podemos llegar al Ladybug en los próximos cuarenta minutos, la primera ronda la pagarán Tom y el comandante Koehl.

—¿Ah, sí? —preguntó Tom.

Jenkins se encogió de hombros con un gesto expresivo.

—Lo siento, señor, sólo transmito lo que ella me ha dicho.

Tom intercambió una mirada con el comandante. Al parecer, no eran necesarias las palabras entre los dos oficiales al mando del Equipo Dieciséis de las SEAL, el del pasado y el del presente. Koehl asintió con un gesto de la cabeza y Tom dijo:

—Bueno, ¿y a qué estáis esperando?

Capítulo 7

Mark Jenkins debió haber estado hablando por el teléfono móvil durante todo el trayecto hasta el Ladybug Lounge.

Lindsey lo sabía porque los Troubleshooters y los hombres del Equipo Dieciséis de las SEAL entraron en el bar en un grupo enorme y masivamente organizado que sólo podía ser obra de Jenk. Todos cayeron de rodillas ante ella en el suelo roñoso del bar y empezaron a hacerle reverencias.

Sam Starrett y Alyssa Locke, Decker, Nash y Tess. El jefe de las SEAL, cuyo aspecto daba miedo, y el oficial ejecutivo del equipo, Jazz Jacquette, que aún daba más miedo, los soldados y oficiales por igual, Nilsson, Muldoon, MacInnough y muchos más cuyos nombres no recordaba. Todos le sonreían.

Tom Paoletti y el comandante Koehl no se arrodillaron ante ella pero se acercaron a estrecharle la mano.

—Excelente trabajo —dijo Tom—. Tengo que reconocer que has superado mis expectativas en más o menos un mil por ciento.

Lindsey lo miró entrecerrando los ojos.

—¿Qué dice, jefe? ¿Acaso no creía en mí? ¿Pensaba que estaba exagerando?

—Sí —reconoció él—. Una cosa es tener experiencia en evasiones y escapes y otra, totalmente diferente, es poder burlar a un personal que cuenta con el entrenamiento y las habilidades que tienen nuestros hombres. Larry Decker intentó encontrarte, Linds, y no dio ni con la más mínima huella. Nada de nada.

—Es de esperar que no —dijo ella, y alzó su copa—. Por el abuelo Henry, que me enseñó todo lo que sé. Bueno, casi todo.

Todos rieron al oír su brindis, y luego todos en la sala alzaron su copa, al menos los que consiguieron que les sirvieran.

—¡Por el abuelo Henry!

Jenkins estaba situado a la izquierda de Tom, y sonreía mirando a Lindsey, por delante de Izzy. Así debe de sentirse Tracy Shapiro, siempre rodeada de hombres atractivos y atentos, uno de los cuales al menos la encontraba... ¿cómo decía esa curiosa expresión? ¿Follable?

—Quiero que elabore un parte con mis hombres —dijo el comandante Koehl. Era asombroso cómo era de diferente el trato de Koehl. Tom hacía que las órdenes parecieran peticiones, mientras que las peticiones de Koehl parecían órdenes.

Jenk lo había llamado puritano. Tieso. Formal. Anticuado. Pero, joder, tenía una mandíbula que parecía una obra de arte.

—Estoy segura de que podemos arreglarnos, señor —contestó Lindsey, mirando a Koehl.

—Con todos mis respetos, señor, no puedo creer que usted estuviera al corriente de esto —dijo Jenk, como acusando al comandante.

—Fue idea de Paoletti —explicó Koehl, con una sonrisa demasiado fugaz—. Se trataba de crear una situación donde todos pierden. Convertirlo en otra cosa, dejar de lado el enfrentamiento entre rivales del almirante Tucker con el fin de llevar a cabo un entrenamiento de verdad.

Por lo visto, para Jenk aquella estaba siendo una noche de sorpresas.

—¿Llevaremos a cabo otros ejercicios con los Troubleshooters de Tommy? —preguntó a su comandante.

—¿Acaso no es evidente que lo necesitamos? —El teléfono móvil de Koehl empezó a sonar y éste lo miró de reojo—. Perdón, señorita. —Koehl hizo un gesto hacia Lindsey mientras se apartaba para encontrar un lugar tranquilo desde donde hablar.

—Todavía no hemos hablado de la programación —dijo Tom—, pero por mucho que quisiéramos hacerlo lo más pronto posible, no pasará nada antes del próximo año.— Él también estaba a punto de retirarse—. Estoy orgulloso de que formes parte de mi equipo —dijo a Lindsey.

—Gracias, señor —respondió ella.

Tom cogió a Izzy por el brazo y se lo llevó a un lado.

—¿Tienes un momento, Zanella?

Su jefe era tan sutil como un palo en la cabeza. Era vergonzosamente evidente que sabía que Lindsey quería estar un rato a solas con Jenk, lo cual no era fácil en un bar lleno de gente que la había coronado Reina por un día.

Pero Jenk, al parecer, no se percató. O, si se percató, no se asustó. Dejó su botella de cerveza y se deslizó en el taburete a su lado.

—Así que, vaya.

—Sí —dijo Lindsey—. Tom es muy listo, ¿no te parece? Todo esto ha sido idea suya.

—La rehén desaparece y nadie gana —rió Jenkins—. Era curioso, pero parecía mucho menos cansado ahora que el ejercicio había acabado, a pesar de las horas que había pasado corriendo y escondiéndose. Ella sabía por experiencia que esconderse exigía una buena dosis de energía. Por eso también dormiría muy bien esa noche—. Es brillante.

—Cuando Tom me habló de ello —reconoció Lindsey—, estaba muy preocupado por vuestra moral, ya sabes, la moral del Equipo Dieciséis. Creo que tenía miedo, si ganabais, de que algunos de vosotros tuvierais una reacción encontrada por haberlo vencido, ya que se trata de vuestro ex comandante. Es muy consciente de que muchos de los tíos del Dieciséis todavía le son muy leales. Y también es consciente de que Koehl está sujeto a críticas.

—Sí. —Jenk tomó un trago de su cerveza y el movimiento del brazo hizo que se le estirara la camiseta a la altura del pecho. Tenía una mancha terrosa en la manga y el brazo. En realidad, parecía que una nube de polvo se desprendería de su ropa si se paraba ante un ventilador—. Koehl no... Lo respetan. Es un líder sólido, nadie lo pone en duda. Sólo que...

—No es Tom. —Lindsey acabó la frase por él y él sonrió al mirarla.

Ella sintió que el corazón le daba un vuelco. Que Dios se apiadara de su alma.

—Sí, la verdad es que no se parece en nada a Tommy —reconoció él, con la mirada fija en su cerveza, inclinando ligeramente la botella para ver la etiqueta. ¿Acaso había quedado tan impresionado como ella por la chispa de aquel breve contacto visual? Probablemente no, porque enseguida volvió a mirarla—. Koehl es un tipo de líder diferente, de la vieja escuela. Más típico de la Armada. Todo tiene que ser *sí, señor* y *a sus órdenes, mi capitán*. Tommy, al contrario, era un oficial de barbacoas, siempre ha invitado al equipo, tanto oficiales como tropa, a su casa a comer hamburguesas y a tomar cerveza.

Lindsey tuvo que reír mientras acababa su copa de vino.

—Es verdad que le gustan las fiestas —dijo, y se arriesgó a volver a mirar a Jenk. En ese momento, él la miraba, así que ella fingió estar fascinada con el sarro al fondo de su copa.

—Lo echo de menos —suspiró Jenk—. Todos lo echamos de menos.

Empezó a hacer dibujos en la barra con el agua de la condensación de la botella, lo cual significaba que Lindsey podía mirarlo sin que se produjera una fusión.

—Piensa en lo difícil que debe ser para Lew Koehl —dijo ella—. No debe ser fácil reemplazar a Tom. Y ya te puedes imaginar lo duro que habría sido para Koehl si su equipo hubiera perdido en este ejercicio, es decir, si le hubiera ganado el nuevo equipo de Tom. Una pesadilla.

Jenk entornó los ojos.

—Y qué manera de desatar la discordia entre los hombres. El Equipo Dieciséis no necesita eso, ya hemos tenido un año lo bastante duro.

—De modo que Tom lo monta para que todos pierdan gloriosamente unidos. El Equipo Dieciséis de las Fuerzas Especiales y Troubleshooters Incorporated se encuentran en el mismo bote, nadie es oficialmente superior al otro.

—Excepto tú —señaló Jenk, cuando el camarero le puso a Lindsey otra copa de vino.

—Eso, por descontado —dijo ella—. Por cierto, he ganado nuestra apuesta.

—No, no la has ganado porque Troubleshooters Incorporated no ganó.

Cuando se trataba de poner las cosas en su sitio, Lindsey se permitía el contacto visual sin problemas.

—No, pero la apuesta no era si ganábamos, era si el Equipo Dieciséis perdía.

—Mierda —dijo él, al pensárselo dos veces. Pero luego agregó—: Pero seguiremos haciendo ejercicios de entrenamiento conjuntos.

—Sí, oí que Tom lo mencionaba. Quizás en enero. —Lindsey apoyó el mentón en una mano, con el codo en la barra—. ¿Qué insinúas? ¿Doble o nada? Si yo vuelvo a ganar, ¿tú dejas la Armada y te conviertes en nuestro nuevo recepcionista?

Jenk rió.

—Ya, no lo creo.

—Aún así, si tengo que esperar hasta enero para el próximo ejercicio...

—¿Y yo qué saco? —preguntó él—. Si gano.

Vale, el contacto visual ya no era para poner las cosas en su lugar. Ahí dentro empezaba sin duda a hacer calor.

—Tracy se queda para siempre —dijo Lindsey, antes de darse cuenta de que mencionar a Tracy era probablemente una manera de enfriar los ánimos. Y así fue porque el chisporroteo, real o imaginario, quedó como muerto. Pero ya que ella había tocado el tema—.... Aunque hay una buena posibilidad de que ella no lo desee —dijo, preparándose para la decepción de Jenk—. Su ex está en la ciudad esta noche. Ha venido antes de lo previsto.

—Sí, eso he oído —dijo Jenk, riendo. No se lo podía creer—. Así que tú también lo sabías, ¿eh? Al parecer, he sido el último en enterarme.

—Yo me he pasado toda la semana con ella —señaló Lindsey.

—Me lo podrías haber dicho antes del ejercicio.

—Sí —convino ella—. Podría. Pero no te lo dije. Fusílame. Hablar contigo de Tracy no está en mi lista de las cosas más divertidas.

Aquello sí que lo dejó sin habla.

Y ahí estaba, una vez más, ese brillo especial en la mirada de Jenk. Esta vez estaba claro que no era un reflejo del sol que se ponía.

Era probable que significara que Lindsey fuera el plan B de Jenk. Pensó que debía indignarse, o al menos molestarse con esa idea, pero le era imposible.

—Gracias —dijo, al contrario—. Puede que te tome la palabra—. Como si hubiera barajado la posibilidad de negárselo.

—El vino lo paga el comandante —dijo el camarero al pasar, y señaló con un gesto de la cabeza al oficial de las SEAL, en un extremo de la barra.

Vaya, quién lo habría dicho.

—Lew Koehl me ha pagado una copa —dijo Lindsey, en voz alta.

—Le ha ofrecido una ronda a todo el mundo.

—Un millón de gracias por haber roto mi pequeña fantasía. Sabes, puede que sea un hombre anticuado y de la vieja escuela, pero es tan... ¿Cuál sería la palabra que busco? Mmm... ya lo sé. Perfectamente *follable*.

Jenk sabía que estaba en un lío. Lindsey se dio cuenta de su confusión cuando intentó dar un sentido a lo que decía. Mientras observaba, primero, supo que *follable* era una palabra del léxico de Izzy. Quiso recordar alguna conversación con Lindsey e Izzy a la vez, pero no le vino ninguna a la cabeza.

Lindsey tomó un trago de su copa. Vaya, exquisito. Era mucho más caro que sus primeras copas.

—¿Sabes una cosa, *Marky-Mark*? En el marcador de Lindsey Fontaine, la puntuación de Lew Koehl es un once clarísimo.

—Joder —dijo Jenk, y en seguida se disculpó—. Dios, lo siento.

—¿Por tu lenguaje? —preguntó ella—. ¿O por tu horrible gusto en materia de amistades?

—¿Por los dos? —preguntó él. La expresión de su rostro mutó rápidamente y se convirtió en asombro—. ¿De verdad estabas ahí, tan cerca como para oír lo que decíamos?

—Cariño, estaba lo bastante cerca para sacudiros el polvo de la ropa —dijo Lindsey, y eso fue precisamente lo que hizo. Una cosa era admirar sus músculos desde cierta distancia y otra, muy diferente, era tocarlo. Su piel era cálida y el cuerpo... duro. Sí, había cosas peores en la vida que ser el plan B de alguien como Mark Jenkins.

No habría grandes sorpresas. Una semana, no más, quizá dos, de risas y sexo, y luego vendría su decepción con Tracy. Al cabo de un tiempo, perdería interés. Y sencillamente se alejaría o... No, Jenk no se alejaría. Se sentaría a su lado. Le cogería la mano y le explicaría amablemente que no era el momento adecuado, que tenía que centrarse en su carrera o en su microdestiladora o en su nueva amiguita, aunque probablemente no mencionaría a ésta última.

Pero no pasaría nada, porque ella sabría que eso ocurriría. Incluso ahora, antes de que empezara.

—Es... increíble, francamente —dijo él.

—No me buscabas a mí —dijo Lindsey, y retiró la mano, aunque sabía que él quería que la dejara ahí. Al fin y al cabo, Jenk la encontraba *follable*, y Tracy había abandonado el terreno de juego—. Nadie me buscaba a mí, allá perdida y completamente sola. Ése ha sido el principal defecto del ejercicio, en mi opinión. Ambos bandos supusieron que yo formaría parte de un grupo, ya fuera como prisionera de los terroristas o como objeto de rescate para las SEAL. Una sola persona, sobre todo una persona de mi tamaño, es mucho más difícil de encontrar y de seguirle la pista.

—Fui yo, al fin y al cabo, el que se dio cuenta de lo que ocurría —dijo él. Y, ay, aquella era una frase de doble sentido, ya que él había movido el pie y lo dejó descansar en la barra de su taburete, con lo cual le rozó la pierna con la rodilla. Sólo un poco. Justo lo suficiente.

—Sí, pero yo ya había desaparecido hacía rato. —En cuanto a los mensajes ocultos, aquello era una mentira redonda, ya que ahora estaba sentada a su lado. Aún así, era una buena idea dejar que Jenk se lo preguntara.

—Hola, preciosa. —Izzy se deslizó en el taburete junto a Jenk y se inclinó para sonreírle a Lindsey.

—Lo siento —dijo Jenk—. Ya sabes, a propósito de...

—¿De tu manera degradada de tratar como objetos a las mujeres con que trabajas? —dijo Lindsey, encogiéndose de hombros—. Podría ser peor. Podría haber obtenido una puntuación inferior a Julie Andrews.

—Ay, ay —dijo Izzy.

—Quizá —dijo Lindsey a Jenk, asombrada de sus propias palabras en cuanto las había pronunciado, y en cuanto volvió a estirar la mano para sacudirle el polvo, esta vez de la camisa a la altura del pecho—. Si me lo pienso detenidamente, ya encontraré alguna solución para que me lo puedas compensar.

Izzy sabía que era preferible que mantuviera la boca cerrada cuando Lindsey bajó del taburete.

Quiso esperar hasta que ella llegara al otro extremo de la sala, cuando ya no pudiera oírlo, y se giró hacia Jenk.

—Tío, vaya plan que te estás montando esta noche.

Y Jenkins no quiso decir que no. No quería negarlo. Ni siquiera intentó fingir que él no pensaba exactamente en lo mismo. ¿Cómo podría? Lindsey no podría haberse expresado con más claridad ni aunque se lo hubiera gritado al oído con un megáfono.

Después de que hubieran chocado esos cinco, Izzy diría: *Entonces ¿eso significa que puedo tener a Tracy?*

Vale, un momento. Quizá no fuera la mejor manera de decirlo. Y, sí, claro, lo que todos pensaban era que Tracy iba a recoger las cosas de su mesa y prepararse para volver al este, lo cual era un golpe duro para Marky-Mark, puesto que había pensado en una relación que durara medio siglo. En cuanto a Izzy, él sólo quería cuarenta minutos en un armario de la limpieza y todavía no había tirado la toalla con la esperanza de una cita con Miss Nacida para ser Mala.

Pero antes, Jenk se volvió hacia Izzy.

—Creo que ha bebido más de la cuenta.

Ay, no, no.

—Tío, está perfectamente.

—¿Sí? Pues, yo no lo creo.

—¿Qué pasa? ¿Crees que Lindsey tiene que estar borracha para tirarte las bragas? —Izzy no se lo podía creer—. Jenkins, escúchame lo que te digo. Ya la tienes en el saco. Celébralo, no lo conviertas en un problema.

—Es evidente que está bajo la influencia del alcohol.

—Sí —dijo Izzy—. La gente bebe para estar bajo la influencia del alcohol. Para ponerse las cosas más fáciles para follar.

Jenkins sacudía la cabeza. Sin embargo, también miraba disimuladamente hacia donde Lindsey se había detenido a charlar en una mesa llena de oficiales de las Fuerzas Especiales, del pasado y del presente.

—¿Qué pasa con Tracy?

—¿Qué pasa con Tracy? —contestó Izzy.

Jenk lo miró.

—Con el tiempo se dará cuenta de que Lyle es un mentiroso de mierda.

—Con el tiempo, se derretirán los casquetes polares. ¿Piensas entregarte al celibato hasta que eso suceda también?

—No seas capullo —dijo Jenk.

—Y eso lo dice el hombre que está a punto de ser coronado rey de los capullos —replicó Izzy.

—Estoy muy enamorado de ella —dijo Jenk, y *ella* era Tracy—. ¿Por qué estaré pensando siquiera en irme a casa con otra mujer?

—Porque no eres tonto —dijo Izzy—. Puede que sea muy romántico languidecer por ella, pero también es una soberana estupidez. ¿Qué crees que está haciendo esta noche?

Jenk sacudió la cabeza.

—Esta noche iba a encontrarse con su ex, ¿correcto? —insistió Izzy—. ¿Correcto?

—Correcto —convino Jenk—, pero...

—A la mierda con los pero —dijo Izzy—. Es evidente que va a encontrarse con ese tipo, y quiero decir ¿cómo podría no encontrarse con él cuando lo tiene encima y está gimiendo *ay, cariño, oh, sí, cariño, venga, estoy contigo, te he echado taaanto de menos...*?

—Gracias por esa imagen —dijo Jenk.

—¿Sabes una cosa? —musitó Izzy—. Tuve una novia con la que el sexo después de haber roto era cien veces mejor que cuando éramos novios oficiales. Renee. Estaba metida con una mierda muy fea. —Renee todavía lo llamaba de vez en cuando, aunque él había aprendido (de la manera más dura) a simplemente decir que no. Pero, oh, Renee, Renee...

Salvo que esa visión, por simpática que fuera, no le ayudaba en nada a Jenk, que, a pesar de no reconocerlo, buscaba una buena excusa o una buena manera de justificar que esa noche se fuera a casa con Lindsey.

—Escúchame —dijo Izzy—. Puede que Tracy sea la chica. Y, en unos cuantos meses, cuando haya acabado de tener relaciones sexuales con ese como se llame, después de separarse...

—Lyle.

—Eso. Quizá después de que se haya despedido para siempre de Lyle, vosotros dos engancharéis y será estupendo. Y los pajaritos cantarán y las flores florecerán y tú te casarás con ella, tra la la, y viviréis para siempre felices, lo cual significará que nunca, repito, nunca, tendrás relaciones sexuales con una chica preciosa, inteligente, divertida y sexy que quiere enrollarse contigo un par de noches, sin ataduras.

Ese argumento sí dio en el blanco, así que Izzy añadió otro.

—Nunca, nunca jamás —agregó, para estar seguro. A menos de, desde luego, Jenk fuera un cabrón tramposo como Knox, que ya se había casado tres veces y seguía engañando a su mujer.

Jenk dejó de fingir que no miraba a Lindsey, que ahora reía con algo que había dicho Alyssa. Unas cuantas cervezas más, y seguro que acabaría cediendo. Izzy le pidió otra.

—¿Crees que de verdad es lo que quiere Lindsey? —le preguntó Jenk—. ¿Nada de ataduras? —Frunció ligeramente el ceño, como si de repente la idea le creara un problema de conciencia. O como si barruntara que un par de noches no sería suficiente para borrarla de su lista de «Cosas que quiero hacer», en lo que tocaba a Lindsey.

—Soy muy bueno interpretando el lenguaje corporal, y estoy prácticamente seguro de que lo quiere esta noche. —Izzy se levantó—. Aunque hay una manera muy guai de saber qué está pensando otra persona —le advirtió—. Te acercas y hablas con ella. Casi siempre da buenos resultados.

La cena estaba exquisita.

Tracy había pedido la ternera. Lyle había pedido una botella de vino de trescientos dólares, y ella casi se la había bebido entera.

El postre se llamaba algo así como Muerte Doble por Chocolate, una mousse en una pirámide recubierta de chocolate, con una capa de galleta más que sublime.

Toda la cena probablemente costaba más que un mes entero de alquiler.

Para Tracy, no para Lyle, que todavía vivía en Manhattan.

Tracy se limpió los labios con la fina servilleta. Se había mostrado de acuerdo en cenar con él con la condición de que no hablaran —para nada— de las esperanzas de reconciliación, hasta después del postre.

Aquello no había dejado demasiados temas sobre la mesa, aunque Lyle se podía pasar horas hablando de sí mismo y de su trabajo.

Antes no era un cabrón tan pretencioso.

Bueno, quizá sí lo era. Siempre le había encantado oírse a sí mismo. Y siempre se había considerado a sí mismo, quizá con razón, el hombre más inteligente ahí donde estuviera. Pero al menos, cuando se habían conocido, él era capaz de reírse de ello.

Por aquel entonces, Lyle también dedicaba los miércoles por la noche a trabajar de voluntario, antes de que su ambición por convertirse en socio se transformara en la fuerza que lo impulsaba a todo, incluso hasta a respirar.

Ahora carraspeó. Tracy detestaba esa manera de darse importancia con que carraspeaba Lyle y con que anunciaba un cambio de tema. Pero había llegado la hora. Ahora era oficialmente el momento de después del postre, y él quería ir al grano.

—Quiero que vuelvas a casa. *Necesito* que vuelvas a casa, Tracy.

Ella dejó su servilleta.

—¿Por qué habría de hacer eso?

—Porque me amas —dijo él.

Tracy sacudió la cabeza y deseó no haber bebido tanto vino.

—No es tan sencillo, ¿sabes? —insistió ella—. He empezado a salir con alguien.

Eso no era del todo verdad, aunque sí recordaba aquella noche en que tentetieso —Mark— la había besado. En realidad, había tenido la lengua de otro hombre dentro de su boca, lo cual era una novedad para ella.

Lyle asintió con gesto grave, como si de verdad le creyera.

—Y, desde luego, también está tu trabajo. Tu madre me ha dicho que has encontrado un trabajo que te gusta. Para una empresa que ofrece... guardias de seguridad, ¿no?

Era típico de Lyle hablar de su empleo como si ella trabajara para una agencia del tres al cuarto. Y, sin embargo, siempre había insistido en que consiguiera un empleo, sin duda temiendo que si estaba todo el día en casa, acabaría acostándose con el encargado del edificio. *No, Lyle, eres tú el que se folla todo lo que anda por ahí.* Tracy sólo flirteaba. Siempre e incesantemente. Lo había perfeccionado tanto que ni siquiera se daba cuenta cuando lo hacía. Sin embargo, se estaba vengando de él, de una forma agresivamente pasiva, por sus pasadas indiscreciones.

—Troubleshooters Incorporated ofrece protección personal. Seguridad personal. Y trabaja sobre todo en misiones contra el terrorismo. Nuestras misiones nos llevan a todas partes del mundo. Salvamos vidas.

Tampoco se podía decir que la recepcionista viajara demasiado ni salvara demasiadas vidas. Pero, aún así. Además, tampoco era el momento de comentarle que estaban a punto de despedirla.

Si ella volvía con Lyle, éste tendría que trabajar duro para conseguirlo.

—Ya veo que convencerte me va a costar más que promesas —dijo él.

—Sinceramente —dijo ella—, lo único de lo que estoy convencida es que si de verdad vuelvo a Nueva York, sólo será una cuestión de tiempo antes de que estés follando con tu nueva becaria en nuestra cama.

El camarero estaba ahí, junto a ellos, volviendo a llenar sus copas con agua de pozo importada de Túnez, o lo que fuera que Lyle bebía ahora, pero él ni siquiera pestañeó.

No estaba contento ni con su lenguaje ni con su falta de discreción —qué demostración de histeria— y esperó a que el camarero se hubiera retirado antes de hablar.

—Te doy mi palabra —dijo—. No volverá a ocurrir.

—¿Y se supone que yo debo creerte? —preguntó ella, riendo—. La última vez que prometiste eso no fue más que una promesa. Pero ahora me has dado tu palabra, así que...

—Te doy más que mi palabra —dijo él, y buscó en el bolsillo interior de su chaqueta para sacar... una caja de una joyería. Dios mío, ¿de verdad había funcionado? Lyle deslizó la caja sobre la mesa—. Tracy, los dos hacemos tan buena pareja. Mi vida no funciona sin ti. Cásate conmigo.

¿De verdad acababa de pedirle...? Tracy abrió la caja y... sí. En el interior había un anillo con un diamante del tamaño de un pequeño planeta.

—Sé que no soy perfecto —dijo y, Dios, tenía lágrimas de verdad en los ojos—. Nunca seré perfecto. Pero te amo, y sé que podemos conseguir que lo nuestro salga adelante.

Podemos conseguir que lo nuestro salga adelante. No *haciendo un gran esfuerzo y con una terapia y mucho tesón para evitar caer en la tentación constantemente, puedo cambiar y no ser un cabrón tramposo que no puede mantener la bragueta cerrada.*

Pero cuando Tracy vio la inscripción grabada en el interior del anillo, *Tracy y Lyle para siempre*, se dio cuenta de que asentía con la cabeza y empezaba a llorar. Era lo que había deseado desde hacía tantos años.

Era demasiado tarde, demasiado tarde. ¿Cómo podía ser demasiado tarde? Era lo que ella quería. Echaba de menos vivir en Nueva York, en aquel condominio caro de Lyle, con un portero que la conocía por su nombre. *¿Cómo está, señorita Shapiro?* Echaba de menos cenar en restaurantes caros como el de esa noche.

Y echaba de menos formar parte de un *nosotros*. Dios, cómo detestaba vivir sola.

Debía de haber dicho sí. Había dicho sí, ¿de verdad? Porque él pidió una botella de champán para llevar, la cuenta y su coche.

Y entonces la besó mientras esperaban afuera, como sólo Lyle sabía besar, y ella reía y lloraba a la vez cuando él la abrazó en el asiento trasero.

Descorchó la botella ahí mismo, y le dijo a su chófer que los llevara al Hotel del Coronado lo más rápido posible, y bebieron directamente de la botella.

Desde luego, ya que Lyle era Lyle, no podía esperar ni veinte minutos y la atrajo hacia sí de tal manera que ella quedó montada a horcajadas mientras lo besaba. No importaba que el chofer estuviera mirando por el retrovisor antes de cerrar el vidrio tintado que los separaba.

Con una mano, Lyle se ocupó de los pantalones y con la otra buscó las teclas del control de la radio en el techo del coche. Se encendió la música a todo volumen y entonces él se sirvió de ambas manos para liberarse y luego para bajarle las bragas a ella. Dios, oh, Dios, había pasado demasiado tiempo.

La embistió con fuerza y, Dios se apiadara de ella, pero era tan agradable.

Puede que Lyle fuera un cabrón, pero en cuanto estuvieron enganchados, se convirtió rápidamente en un amante exquisito, aunque se tratara de un polvo rápido en el asiento trasero del coche.

Recordaba justo dónde tocarla para ponerla a mil, y cuando rió ante la respuesta ardiente de Tracy, ella supo que había delatado no haber tenido relaciones sexuales en una eternidad, que no había estado con nadie más desde el día en que había hecho las maletas y lo había dejado.

—Ah, Tracy —suspiró él, con voz enronquecida.

Y ella se olvidó del chófer, del tráfico, se olvidó del hecho de que un anillo con un diamante no significaba nada, que no era un talismán mágico que haría de él un hombre bueno ni sincero.

Lindsey había llamado la atención de un Marine particularmente insistente.

Jenk seguía sentado en la barra, sin decidirse a intervenir y rescatarla.

A algunas mujeres no les gustaba que las rescataran y Jenk sabía demasiado bien que Lindsey sabía cuidar de sí misma.

Mientras observaba, Lindsey hablaba con el tipo —un cabo de los Marines— y la sonrisa y el gesto con que lo saludó era decididamente un adiós. Sin embargo, él la siguió y cruzó la pista de baile del Ladybug Lounge, a todas luces prendido de ella.

La detuvo sujetándola por el brazo. Estaba un poco demasiado borracho y era un poco demasiado rudo, y en un segundo Jenk ya se había puesto de pie y cruzaba la sala antes de darse cuenta de lo que hacía.

Desde luego, Lindsey escogió ese preciso momento para mirarlo y...

—Aquí llega mi novio —dijo, girándose y señalando ¿a... Jenk—? Hola, cariño.

—Hola —dijo él, y dio un par de pasos hasta llegar a ella—, cariño.

Ella le pasó el brazo por la cintura, dejándolo a él con el brazo sobre su hombro, sobre la suave piel de su hombro desnudo. Ay, dioses del Olimpo. Ella se acurrucó junto a él.

—Mark, Frank, Frank, Mark —los presentó ella, y Jenk se vio a sí mismo estrechando la mano de un Marine muy decepcionado.

—Eres un hombre muy afortunado —dijo a Jenk Frank-el-Marine, con la seriedad del muy borracho—. Yo también tengo algo con las tías asiáticas que están super buenas —dijo, y luego bajó la voz, como si conspirara—. PMFA —dijo—. Una pequeña máquina de follar amarilla, ¿sabes?

El muy hijo de puta no bromeaba. No era un chiste, y era muy ofensivo. Hablaba en serio, y acababa de llamar a Lindsey...

—Dime, cariño —le preguntó Jenk—. ¿Quieres que le dé una buena paliza a este EBSP?

Ella entendió las dos primeras letras.

—¿Estúpido, blanco...?

—Sin polla —terminó él por ella, que es lo que será cuando acabe con él y salga de aquí arrastrándose y pidiendo a su mamaíta.

Frank no estaba impresionado. En realidad, se enfureció.

—No te tengo miedo, júnior.

Oh, no, desde luego que no. A aquel tío le salía todo bien. Jenk vio por la expresión de Lindsey que creía que perdería los nervios.

Pero Jenk le sonrió.

—Cariño. Pienso que quizá debería sencillamente matarlo. ¿Sabes si ya he agotado mi cuota mensual de Marines?

—Oh —dijo ella—. Sí, creo que...

—Verás —dijo Jenk a Frank—, los militares gastan tanto dinero entrenando a las Fuerzas Especiales de la Armada que a todos nos dan un cierto número de lo que llaman Puntos de Transgresión.

—¿Eres de las SEAL? —Frank parecía mucho menos beligerante ante esa noticia.

—Nos dan veinte puntos al mes. Sirven para cualquier cosa, desde pasarse semáforos en rojo o emborracharse y destrozar un bar, hasta asesinato... quiero decir homicidio, porque, en realidad, no te dejan planearlo. Bueno, sí puedes planearlo, pero... En fin. Veinte puntos equivalen a dos civiles o cinco Marines, ¿vale? Porque los Marines son, como se sabe, infrahumanos.

—Creo que ya has gastado tus cinco Marines en diciembre —dijo Lindsey, que le seguía maravillosamente la corriente.

—Vaya, mierda, ¿ya están todos? —se quejó Jenk.

Ella asintió, con cara de *¿qué le vamos a hacer?*

—¿Recuerdas la historia del centro comercial? ¿Con el camión? —preguntó ella.

A Jenk le entraron ganas de besarla de lo rápida que era.

—Mierda —dijo—. Es verdad. Me cargué a cuatro con una acelerada. Mala movida. Y el número cinco fue ese cabo del ejército que te ofendió con ese chiste de Amy Tan.

—¿Eres de las Fuerzas Especiales de la Armada? —volvió a preguntar Frank.

—Sí —dijo Jenk—. Pero, espera un momento, ¿quieres? No te vayas. Tengo a mi amigo Izzy por aquí. También es de las SEAL, y puede que no haya matado a todos sus Marines este mes. Seguro que no le importará matarte para hacerme un favor, teniendo en cuenta que has llamado a mi novia una máquina de follar amarilla. —Pronunció las últimas palabras apretando los dientes, y Frank palideció visiblemente.

—Yo diría que no soy tan... amarilla —dijo Lindsey, imitando perfectamente a una chica tonta—. Quiero decir, mírame los brazos. ¿Amarillos? No lo creo. No sé cuál de esos exploradores occidentales tiene la culpa, Marco Polo o quién sabe, pero ¿qué le habrá dado para decir *amarillo?* Tiene que haber tenido un serio problema de daltonismo.

Frank ya se había ido, había desaparecido por la puerta. Pasaría mucho tiempo antes de que volviera al Bug.

—Por lo visto, no tienes problemas con lo de *pequeña* —señaló Jenk.

Ella rió, pero él vio que estaba bastante cabreada.

—Lo siento. En todo caso, gracias por no matarlo y meterte en un lío.

—¿Te ocurre muy a menudo? —preguntó él.

—Bueno —dijo Lindsey—, me tratan más a menudo de zorra asiática caliente que de PMFA. Esa grosería la escucho más cerca de la base militar.

Jenk le puso los dos brazos en los hombros.

—Me siento como si tuviera que pedir disculpas por toda la raza humana.

—Acepto tus disculpas —dijo ella—, pero no eres responsable por los Frank del mundo. Y aprecio tu manera no violenta de tratarlo. Antes salía con ese tipo en la universidad, y estoy casi segura de que el único motivo por el que salía conmigo era porque le gustaba meterse en peleas.

Ella lo tenía cogido a él por la cintura, casi como si estuvieran bailando un lento. Vaya, que bien se sentía, pensó Jenk.

—Dudo seriamente de que haya sido el único motivo por el que salía contigo.

—Dicho como un verdadero caballero. —Se veía la diversión bailando en sus ojos cuando se puso de puntillas y lo besó. En la nariz—. Hace más o menos una semana que tenía ganas de hacer esto.

—Gracias —dijo él, como un imbécil. Debería haberle devuelto el beso, un beso de verdad. Al contrario, se quedó ahí parado, sonriéndole, cautivado por ese brillo en sus ojos—. ¿Quieres otra copa —preguntó—, o...?

—Creo que estoy lista para irme —dijo Lindsey—. Y no necesitas llevarme. Estoy bien.

Se separó de él y se dirigió a la barra donde había dejado la chaqueta, y Jenk supo que había llegado la hora de la verdad. Las próximas palabras que salieran de su boca iban a definir exactamente cómo acabaría esa noche. Pero cuando le cogió la mano y tiró de ella, cuando la miró a los ojos, tuvo que sonreír. ¿Lo definiría exactamente? Era probable que no. A pesar de lo que había dicho Izzy, aquella mujer no era una conquista segura. No podía ser jamás tan predecible ni tan fácil.

Así que lo hizo. Lo dijo.

—En ese caso, quizá podrías llevarme tú a mí. —Entrelazó los dedos de ambas manos y ella se las quedó mirando.

—Eso depende —dijo—. ¿Piensas invitarme a subir para ver tu colección de figuras de la *Guerra de las Galaxias*?

—¿Cómo lo sabías? —preguntó él, antes de darse cuenta de que ella no tenía por qué saberlo. En realidad, Lindsey bromeaba.

Su sonrisa era increíble.

—¿De verdad tienes una...?

—No —dijo él, pero ya era demasiado tarde.

—Sí que la tienes. —La risa de Lindsey lo envolvió mientras ella se desprendía de su mano—. Dios mío, eres uno de esos fanáticos de la *Guerra de las Galaxias*.

A veces la franqueza total era la mejor manera de abordar las cosas.

—Sí, lo soy. ¿Representa algún problema para ti?

—Jar Jar Binks —dijo—. ¿Pulgares arriba o abajo?

—Abajo —dijo él, burlón—. Dame un respiro. Aunque tengo un Jar Jar, que todavía está en el paquete original. Está guardado, eso sí. Toda la colección lo está. Excepto quizá... creo que tengo un Darth Vader y un caza X-wing o dos en alguna parte en mi piso, aunque tardaría un rato en encontrarlos.

—Podría ayudarte a buscarlos —dijo ella, lo cual le hizo sentir un ligero vuelco en el estómago.

Sí, lo suyo era sin duda una caída libre.

—Eso me gustaría. Mucho.

La sonrisa de Lindsey fue breve y bella.

—Entonces, sí, me encantaría llevarte a casa.

Y él se quedó ahí parado, sonriéndole como un tonto. Excepto que, joder, la conversación tenía que seguir. Había que seguir diciendo palabras, aunque él no tenía ni idea de cómo abordar el tema. Que Dios no lo dejara decir algo que la hiciera cambiar de opinión. Aunque no ser del todo sincero con ella no estaría bien.

Ella le ganó, y respondió a su pregunta sobre cómo abordar el tema. A bocajarro, al parecer, daba buenos resultados.

—Eso ha sido un código de ligar en los bares, ¿no? —preguntó Lindsey—. ¿Acabo de decir sí a tu pregunta de si quería pasar la noche contigo?

—Sí —dijo Jenk, admirando su franqueza. Madre mía, aquella mujer era asombrosa—. ¿Pensabas que decías sí a eso? Porque no tiene que ser así. Podría ser sólo irme a dejar a casa. Si eso es lo que quieres.

Ella estaba ahí parada, mirándolo, y en sus ojos marrones sin fondo se intuía el calor.

—Me gustas —dijo finalmente.

Vale.

—Sí —dijo él—. Pensé que quizá sí, que te gustaba y... tú me gustas a mí también. Mucho.

—No soy buena en estas cosas —dijo ella—. Tú conoces el juego, así que... Sólo quería confirmar que tu invitación era eh...

—Lo era —dijo él—, pero no tiene que serlo. —Mierda, ¿por qué seguía diciendo eso?

Ella se preguntaba lo mismo. ¿Eso es un código para otra cosa que debería saber?

—No —dijo él—, no lo es.

Lindsey asintió con un gesto de la cabeza.

—Ninguno de los dos está demasiado bien situado para tener una relación. Yo no lo estoy. Desde luego, nunca... —dijo, y con un gesto despachó lo que iba a decir—. Pero ahora mismo, concretamente, no es... Sólo puedo decirte una cosa, Mark, y es que no estoy buscando nada complicado.

—Eso es una buena información —dijo él—. Quiero decir, siempre y cuando estemos en la misma frecuencia, estamos bien, ¿no?

—Sí —dijo ella—. Pensé que tú... bueno, teniendo en cuenta que tienes ese sentimiento por Tracy...

—Sí —dijo Jenk—. No es nada especial en este momento. —Pensando que en ese momento era probable que Tracy estuviera con Lyle.

Lindsey lo miraba con un dejo de simpatía.

Vaya. ¿Acaso era...?

Jenk recogió la chaqueta de Lindsey y se la pasó. Acabó su cerveza y quiso ser franco y directo. ¿Por qué no? Si ella podía serlo, él también.

—¿Así que, esta noche, tú y yo, ya sabes. ¿Esto es... digamos...? —No era tan bueno como ella cuando se trataba de hablar con una franqueza brutal, y antes tuvo que aclararse la garganta. Pero al final lo dijo porque tenía que saber—. ¿Es por compasión?

Lindsey rió, una mezcla de sorpresa y de auténtica diversión.

—Sí —dijo, a todas luces tomándole el pelo—. Porque te miro y pienso, qué lástima, es divertido, es inteligente, es increíblemente estupendo, para morirse de bueno, con unos ojos preciosos y esas pecas adorables que me dan ganas de morderle la nariz. Ah, y, claro, es de las Fuerzas Especiales de la Armada. Me da tanta, tanta lástima.

Vale, ahora Jenk se había sonrojado. ¿De verdad pensaba que...?

Lindsey sacó las llaves del coche de su bolsillo, las cogió en el dedo índice y se las pasó.

—Ya que vamos a tu casa, será mejor que conduzcas tú.

Lugar: desconocido
Fecha: desconocida

Numero Cinco recordaba el último día de su vida con notable claridad.

A menudo lo revivía, a veces incluso soñaba con ese día por la noche, un escape pasajero de la oscuridad y el miedo.

Beth (en aquel entonces era Beth) había dormido hasta tarde, se había despertado a las once y se había quedado en la cama holgazaneando otra media hora, en la pequeña habitación que detestaba desde que su madre se había mudado a esa casa diminuta hacía casi doce años. Cuando ella tenía catorce.

Se compadecía de sí misma porque John había venido al bar la noche anterior con su nueva novia. Beth tuvo que servir a los dos, y eso era una mierda. Ella misma había empezado a darle a los gin-tonic y se había emborrachado tanto que había acabado dejando el coche en el aparcamiento. La había llevado a casa George Henderson, que era simpático pero estaba casado. Él quería irse a la cama con ella, pero ella fue lo bastante sensata para decir que no.

Lo dejó robar unos cuantos besos, y estaba bastante segura que en un momento dado él le metió la mano debajo de la camisa. Pero no se quitó los pantalones.

Al final, dejó la cama para servirse un poco de café con que aliviar el dolor de cabeza. Entró en la cocina sólo vestida con una camiseta y unas bragas, y en zapatillas. Su madre había dejado una nota en la mesa de la cocina. *A ver si puedes ser útil,* y una lista de tareas que había que acabar.

Cortar el césped. Sí. Ni te lo sueñes, Mamá.

Se preparó unas tostadas para acompañar el café y luego salió a ver si había correo en el buzón, esperando encontrar una revista que pudiera hojear.

Había recibido un premio mucho mejor, una carta de Bobby, su hermano, desde Irak. No eran más que unas cuantas líneas garabateadas en un trozo de papel, pero le había mandado un talón de cien dólares. Le decía que se había perdido su cumpleaños. Sabía que se había ido a vivir con Mamá, y que estaba ahorrando para pagar el seguro de su coche, el alquiler y la compra mientras vivía ahí. Ese dinero que le mandaba era para que se comprara algo guapo.

Beth se había duchado y se había vestido de prisa. No tenía que ocuparse de su pelo, que ya estaría seco antes de que llegara al centro comercial, excepto... mierda.

Su coche todavía estaba en el bar Lamplight.

Beth llamó a Jenn, a Lisa e incluso a Carleen, que normalmente sería la última persona a quien pediría que la llevara en coche. Pero no encontró a nadie.

Casi llamó a George, que trabajaba en Meijers. No tenía duda de que George vendría corriendo y la llevaría a donde quisiera ir.

Pero decidió caminar con la intención de hacer autostop cuando llegara a la carretera estatal. Sobre todo porque sabía que su madre acabaría enterándose. Dios, tenía que darle algún motivo para que le soltara el sermón. Además, claro está, de hacerlo por no haber cortado el césped y no vivir como una santa y no conformarse con casarse con el aburrido de Mitch Jeffers y no depilarse las piernas sin dejar el cuarto de baño hecho un asco.

Beth recordaba el calor del sol en los hombros mientras caminaba. Recordaba el cielo azul y despejado, la frescura del aire de finales de la primavera.

Recordaba que el suelo crujía bajo sus pies, el ruido de los coches al pasar, todos en la dirección contraria.

Recordaba el silencio cuando los coches pasaban y se alejaban, el susurro de la brisa en la hierba, el zumbido de las langostas y el canto de los grillos en medio del calor.

Recordaba ese coche que había pasado en dirección contraria. Pero que había ralentizado.

Se giró para mirarlo. Un Impala azul más o menos de los tiempos de los peregrinos. Aún así, no escupía nubes de humo negro como su viejo Escort.

El conductor se detuvo y luego giró tres veces a la derecha en el camino y volvió hacia ella.

Vaya, qué amable.

Supo al mirar a través del parabrisa que el conductor era hombre. Lo cual no era ninguna sorpresa.

Sólo cuando se detuvo a su lado y el conductor bajó la ventanilla y se inclinó en el largo asiento para hablar con ella, vio que no era un hombre normal y corriente. Iba muy bien vestido.

Llevaba traje y corbata, a diferencia de la mayoría de los hombres que vivían y trabajaban en ese país.

Tenía el pelo negro y unas gafas de sol que le ocultaban los ojos, pero su sonrisa era deslumbrante.

—¿Quieres que te lleve?

—Voy a la ciudad. —El coche era viejo pero estaba en perfectas condiciones, como habría dicho Bobby. Era como si hubiera salido de un túnel del tiempo, directo de un concesionario en 1970.

No cabía duda, aquel tipo tenía dinero.

—Sube. —Tenía dinero pero no tenía sortija, lo cual, desde luego, no significaba nada.

Aún así, Beth abrió la puerta y subió. Lo saludó con su mejor sonrisa.

—Gracias.

—¿Vives por aquí? —preguntó él, con un acento nada fuera de lo normal. Un yanki. Y mayor de lo que había pensado al principio, pero muy atractivo.

—Toda mi vida —dijo ella—. ¿De dónde es usted?

—Parece una bonita ciudad. Al menos lo que he visto hasta ahora.

—¿Piensa venir a vivir por aquí? —preguntó ella—. Tengo una amiga que trabaja en una inmobiliaria.

—¿Es tan guapa como tú?

Vaya, vaya con el yanki, un tipo curioso, a su edad todavía intentaba ligar. Beth sonrió.

—En realidad, es un amigo, se llama Fred... y no.

—¿Es tu novio? —dijo él, mirándola de reojo.

—No —dijo ella. No tengo novio por ahora. Me llamo Beth.

—No es verdad —dijo él.

Ella rió.

—Bueno, vale —dijo—, me llamo Elizabeth.

—No —volvió a decir él. Pero sonreía, lo cual suavizaba un poco sus palabras—. Eres Número Cinco.

Ella rió, pero en realidad empezaba a sentirse un poco nerviosa.

—Y entonces, ¿como se llama usted? ¿Número Seis? No, no me lo diga, es cero cero siete.

—Soy Dios —dijo él.

En ese momento, ralentizó y cogió el desvío del viejo camino de la granja Forrester, descuidado por la falta de uso.

—Vale —dijo Beth—. No sé qué estará pensando, pero tengo que advertirle, he estado tres años en el ejército. Soy profesora de defensa personal aquí en el pueblo...

—Los martes por la noche —terminó la frase por ella—. Lo sé. Por eso te he escogido.

Ahora sí estaba nerviosa de verdad. Se había internado en el camino lo suficiente para quedar totalmente oculto por los árboles, y siguió disminuyendo la velocidad.

Beth conocía ese bosque, la vieja granja y toda la zona mejor de lo que podría conocerla cualquier yanki. Se desabrochó el cinturón de seguridad, preparada para salir corriendo. Pero cuando intentó abrir la puerta, vio que estaba bloqueada. O cerrada con doble seguro.

La ventanilla tampoco se podía bajar.

Y ahora no estaba nerviosa sino asustada.

—Mire —dijo, y se giró para mirarlo cuando él detuvo el coche—. No quiero hacerle daño.

—Oh, pero yo sí quiero —dijo él—. Yo quiero hacerte daño.

Ella se giró hasta quedar de espaldas a la puerta y levantó las piernas para descargar una patada. Las piernas eran la mejor arma de una mujer. Los músculos de los muslos eran capaces de golpear con mucha más fuerza que sus brazos. Ella lo sabía, lo enseñaba en sus clases. Apuntó a su cabeza, a su cara, pero él sólo rió y le habló de las cosas horribles que le haría. Ella gritó mientras le lanzaba patadas. Había que poner voz a la propia defensa, era algo que también enseñaba, además de la necesidad de pensar, de buscar una estrategia y formular un plan.

La suya era patearlo en la cabeza hasta dejarlo inconsciente, dejarlo ahí tirado y llevar su coche al sheriff.

Sintió que le rompía la nariz y vio que su sangre salpicaba la ventanilla, pero cuando quiso volver a golpearlo, sintió que la pierna se volvía pesada, como de plomo.

El tipo le había inyectado algo con una jeringa a través de los pantalones vaqueros. La jeringa quedó colgando y ella quiso quitársela, pero ya era demasiado tarde. El tipo la había drogado, y ahora sentía la cabeza y las piernas pesadas, aunque volvió a intentar darle una patada.

Lo intentó y falló.

La cara del tipo se volvió borrosa y se desvaneció, mientras ella lo oía reír.

Y así acabó todo. Así acabó la vida de Beth.

Y el infierno que Número Cinco ahora soportaba acababa de empezar.

Capítulo 8

Jenk tendría que haberla besado en el bar, cuando ella le entregó sus llaves del coche. Ahí estaba ahora, abriendo la puerta de su piso (había que dar gracias a Dios de que no estuviera demasiado hecho un desastre) y se recriminaba no haberla besado todavía.

Entretanto, Lindsey se paseaba mirando y él intentaba mirar su piso a través de sus ojos. De una patada ocultó disimuladamente unas prendas de ropa sucia debajo del sofá.

Era un piso americano estándar posterior a 1985: una caja con un techo de catedral, ya que quedaba en la tercera planta. El salón lindaba con la zona del comedor, que comunicaba con la diminuta cocina a través de una ventanilla. Un amago de pasillo conducía al cuarto de baño y a la única habitación. El lugar estaba decorado como un típico piso de comando soltero de las Fuerzas Especiales. Paredes desnudas, los muebles indispensables, cajas y equipos en los rincones todavía sin abrir.

—Vaya —dijo Lindsey—, da la impresión de que eres un asesino en serie o un monje tibetano.

Jenk rió.

—¿Son las únicas dos alternativas? Quizás acabo de mudarme.

—¿Acabas de mudarte?

En febrero se había cumplido un año, lo cual no se ajustaba a la expresión de «acabar de mudarse».

—No —reconoció Jenk.

Lindsey se quitó la chaqueta y la dejó en el respaldo de una de las dos sillas plegables que, con la caja de la nueva lavadora, servía de mesa en el espacio del comedor.

—De pronto me siento muy nerviosa.

—No soy un asesino en serie. —Ahora que lo pensaba, tampoco podía decirse que la lavadora fuera nueva.

Lindsey echó una mirada por la cocina y reparó en las cajas de cereales que Jenk guardaba en el microondas, un hábito que conservaba de sus tiempos en Florida, cuando tenía hormigas en la cocina.

—No es por eso que me siento nerviosa —dijo ella.

—Ya. —Jenk abrió la nevera, aunque no fuera más que para hacer algo—. ¿Una cerveza?

—Sí, ¿por qué no? Emborrachémonos. A menos que... quieras que me vaya a una cierta hora.

Él destapó las botellas y le pasó una.

—Ésa sí que es una pregunta rara. ¿Quieres que intente averiguar qué has querido decir o debo sencillamente ignorarla?

Ella emitió un ruido como de exasperación haciendo chasquear la lengua contra el velo del paladar.

—No es tan rara. Hay personas que tienen reglas o los propietarios no permiten visitas durante la noche o quizá no les guste la idea de que sus vecinos vean un coche extraño aparcado en la entrada por la mañana...

—Hemos aparcado en el aparcamiento grande —señaló Jenk—. Hay doscientos cuarenta pisos en este complejo. La mayoría de la gente que vive aquí tiene un coche, algunos tienen dos. Si mis vecinos llevan la cuenta de los coches no vistos, es que disfrutan de demasiado tiempo.

—Era sólo un ejemplo —dijo ella.

—No, no tienes que irte a ninguna hora en concreto.

—Bien —dijo ella.

—Bien. —Aquello era tan romántico como devolver fuera de plazo un vídeo alquilado y discutir sobre el precio.

Al parecer, Lindsey pensaba lo mismo.

—Vale, de modo que eso ya está arreglado. ¿Quieres hablar de la postura en que deberíamos hacerlo? ¿O deberíamos resolver la cuestión de cuántos minutos más de conversación rara tenemos que soportar antes de que pueda saltar encima tuyo?

Jenk soltó una risa y se fue hacia ella.

Pero Lindsey retrocedió.

—No, no, no —dijo—. Un primer beso en la cocina es demasiado como el tercer año de universidad. —Ella también reía, mientras retrocedía hacia el salón y abría la pequeña ventana corredera que daba al diminuto balcón.

Él la siguió afuera.

—Aquí —sentenció ella— está mucho mejor. —Sin embargo, volvió a detenerlo estirando el brazo y apoyándole la mano en el pecho—. ¿Qué te parece? Unos cuantos minutos morreándose aquí a la luz de la luna, luego volvemos al interior, nos sentamos en el sofá para unos quince minutos de conversación, con un tema: secretos íntimos. Si nos ceñimos al programa —dijo, mirando su reloj—, podríamos estar en la habitación y desnudos en unos veinte minutos. A todo dar, en media hora.

Jenk seguía riendo cuando la besó.

Ella emitió un gemido suave, una mezcla de rendición y placer cuando él buscó su boca. Sus labios eran suaves y dulces, y Jenk también suspiró, mientras intentaba besarla tiernamente, dando lo mejor de sí para otorgarle a la noche el toque romántico que hasta ese momento no había tenido.

Fue, sin la sombra de una duda, un primer beso para recordar. Los dos seguían sosteniendo las botellas de cerveza y, a pesar de ello, Lindsey se fundió con él, y su cuerpo era una mezcla de suave y más que suave, una manera perfecta de amoldarse, ella hundiéndole los dedos en el pelo, él sintiendo la suavidad de su espalda y sus hombros.

Pero entonces ella se apartó, sólo ligeramente, sólo lo suficiente para que él la dejara ir, aunque Jenk sólo atinaba a pensar en volver a besarla.

Ella sonrió, y mirar en sus ojos fue para él como ver su futuro inmediato. Calor y pasión y risas. Iba a ser una noche espectacular.

Uno de los tirantes de su top de color verde esmeralda se había deslizado por la parte superior de su brazo. Él lo siguió con un dedo, ayudándole a quitárselo, recordando cómo la había visto hacía sólo unas noches, tendida a la luz de la luna con la blusa desabrochada, con ese sujetador que tapaba bien poca cosa.

Debería haberla besado entonces. Lo había deseado.

Y ahora era más que evidente que ella también lo había deseado.

—Quizá —dijo Lindsey—, deberíamos reelaborar el esquema. Sólo un secreto íntimo por persona antes de desnudarse.

Jenk dejó su cerveza, cogió la de ella y también se deshizo de la botella.

Y esta vez ella lo besó a él. Estaba tan viva, tan vibrante que Jenk tuvo ganas de devolverle el beso no sólo con la boca. Respiró su esencia (vino y crema protectora solar e incluso el polvo y la tierra del ejercicio), y la mezcla se le antojó exótica. La acarició, perdiéndose en la calidad sedosa de su pelo y su piel, en la suavidad y fuerza de su cuerpo cuando ella se apretó contra él como si también quisiera que cayeran todas las barreras entre los dos. Lindsey no era, ni mucho menos, la mujer más elocuente que hubiera besado, pero los suaves gemidos de aprobación que emitía eran electrizantes. Entonces saboreó su boca, su cara, sus orejas y su cuello, y toda ella era dulzura y sal.

Y entendió que aunque Lindsey había conseguido que su escape pareciera fácil, esa noche había trabajado a conciencia. Si él estaba cansado y molido, ella tenía que estarlo aún más.

Esta vez fue él quién se apartó.

Lindsey abrió los ojos y le lanzó una mirada de perplejidad.

—¿Quieres ducharte? —le preguntó él.

—¿Huelo mal? —preguntó ella a su vez.

—No. Yo suelo ducharme cuando vuelvo de un ejercicio y de pronto se me ocurrió que quizá también quisieras hacerlo tú. O que quizá quieras que yo...

—Creo que hueles increíblemente sexy —dijo ella.

Era imposible no volver a besarla después de haber dicho eso, esta vez más profundo y con más ganas. El beso que siguió tenía mucho más que ver con el sexo que con lo romántico, pero a ella no pareció importarle. Los dos respiraban aceleradamente cuando se separaron.

—Pero si te duele el hombro... —dijo ella.

—Para ser sincero, ni siquiera había pensado en ello. —Jenk volvió a besarla. Maldita sea, si fuera por él, no pararía de besar a esa mujer.

Ahora se respiraba una urgencia real. Ella ya no se derretía. Ahora se había aferrado a él y ya no era una flor delicada sino una compañera en toda regla, su igual con el mismo objetivo, a saber, besarse hasta quedar sin aliento. Y, esta vez, cuando se separó, Lindsey respiraba como si hubiera subido corriendo las escaleras.

—Una ducha caliente le iría bien a tu hombro —dijo.

—En estos momentos —dijo él—, tú eres lo que mejor le va a mi hombro.

—Pensaba en cómo te sentirías mañana por la mañana.

—Yo no —dijo él.

Lindsey rió.

—Eso se ve. —Volvió a besarlo, pero fue sólo una caricia de sus labios contra los suyos antes de liberarse de su abrazo. Cogió su cerveza, volvió al interior y desapareció por el pasillo rumbo al cuarto de baño. Y claro, cuando él cerró y puso el seguro a la ventana corredera, oyó el agua de la ducha. Se miró en el vidrio y vio que sonreía como un tonto. La vida era agradable, pensó, y cerró las cortinas.

La puerta del cuarto de baño estaba cerrada, así que él aprovechó para mirar en su habitación. Con un par de patadas, escondió más ropa sucia debajo de la cama y quitó las sábanas con un gesto rápido. Tenía sábanas limpias en el armario y tardó menos de un minuto en cambiarlas.

Vale. Tenía un ventilador en el techo y lo puso a velocidad mínima. Ajustó las cortinas. Una farola en la calle proyectaba un dibujo guapo en el techo de la habitación. Abrió el cajón de la mesita de noche en busca de condones y luego pateó más ropa sucia y libros y... vaya, ¿qué encontró? Un par de videojuegos que le había prestado Danny Gillman y que pensaba que había perdido. Vaya uno a saber. Lo metió todo dentro del armario y cerró la puerta.

Y luego se quedó ahí parado escuchando cómo corría el agua.

Era curioso, pero el corazón le latía desbocado. Estaba sudando. ¿Qué era lo que temía? ¿Qué Lindsey se lavaría del cuerpo el deseo que sentía por él?

Sin embargo, el agua finalmente dejó de correr. Y se abrió la puerta del cuarto de baño. Sólo unos centímetros.

—Te toca a ti —dijo Lindsey.

Jenk se detuvo justo frente a la puerta. Hasta era posible que quizá fuera a tener un infarto.

—¿Puedo entrar? —Mierda, su voz sonaba como la de un adolescente. Vaya manera de conservar la calma, Jenkins.

Ella abrió la puerta, envuelta en una de sus toallas azules, con el pelo peinado hacia atrás. Sin maquillaje, todavía era más guapa. Y sí, para cualquiera que no mirara detenidamente, parecía una chica de quince años. Sin embargo, cuando sonreía, como le sonrió en ese momento, aparecían unas ligeras arrugas en torno a los ojos que revelaban años de risas y de sabiduría que le había dado la vida.

—Perdón, ¿has dicho algo? —preguntó Lindsey.

—¿Puedo entrar? —Esta vez su voz parecía más propia de su edad. Tampoco había mucho espacio dentro del diminuto cuarto de baño. Lindsey había colgado su sujetador en la barra de las toallas, y sus pantalones vaqueros habían quedado tirados en el suelo de baldosas blancas. Además de un trozo de seda negra que debían ser sus bragas.

—He tomado una decisión ejecutiva —dijo ella, mientras abría el botiquín y fruncía el ceño al ver su contenido—. Ducha para todos. Y luego un masaje en la espalda. ¿No tienes alguna loción o aceite o...?.— Había un frasco de crema solar y ella lo cogió, entrecerrando los ojos para leer los ingredientes. Y luego miró a Jenk, que seguía esperando en el pasillo—. ¿Quieres que salga de aquí?

—No —dijo él, y pasó rápidamente a la acción. Se desabrochó la camisa del uniforme y la dejó caer en el suelo del pasillo. Fue un poco más difícil quitarse la camiseta con el hombro un poco tocado. Lindsey se le acercó.

—Mantén el codo hacia abajo —dijo, y le ayudó a quitarse la manga mientras él protestaba.

—Estoy bien.

Era un estupidez decir eso porque, ¿qué más daba? ¿De verdad quería que dejara de tocarlo? Las manos y los brazos de Lindsey eran frescos al contacto cuando le ayudó a quitarse la camiseta por encima de la cabeza. Se había enfriado con la ducha y, con el pelo mojado, casi temblaba de frío. Sin esa toalla entre los dos, Lindsey se deslizaría, con su piel fresca y limpia, contra su cuerpo caliente.

Él estiró una mano hacia su toalla (no pudo reprimirse), incapaz de estar tan cerca de ella sin besarla. También su boca era fresca y tenía sabor a su dentífrico, olor a menta y limpio.

Pero cuando la toalla cayó al suelo, ella interrumpió el beso y se fue hacia su habitación dando pasos de baile, una breve visión de una mujer desnuda.

—Dúchate —ordenó al cerrar casi del todo la puerta a sus espaldas.

Jenk dejó caer los pantalones y el cinturón cayó con un tintineo. Se quitó las botas, los calcetines y los bóxers y se metió en la ducha en menos de tres segundos. Se jabonó y se lavó el pelo en tiempo récord, y se dio cuenta de que reía. Estaba ahí parado bajo la ducha, solo y riendo.

Intentó recordar cuándo había sido la última vez que había reído de esa manera al volver con una mujer de un bar. Era probable que la respuesta fuera nunca.

Intentó imaginar a Tracy diciendo algunas de las cosas que Lindsey le había dicho esa noche, y no lo consiguió. No era que no pudiera imaginarse teniendo una relación sexual con Tracy, porque podía hacerlo sin problemas.

Sólo que no sería tan divertido.

Aquel pensamiento lo hizo detenerse mientras se aclaraba el pelo.

Pero la imagen de Lindsey desnuda en su cama volvió a ponerlo en movimiento. ¿*Tracy* quién? Había salido de la ducha y ya se secaba mientras se pasó un peine por el pelo, se cepilló los dientes y se olió las axilas. Se envolvió la toalla de Lindsey alrededor de la cintura, y se la sujetó al salir del cuarto de baño.

Tuvo que detenerse para no abrir la puerta con tanta energía que la hubiera estrellado contra la pared. Y aunque lo más probable es que Lindsey se hubiera reído ante ese gesto de cavernícola, quería darle más que una gratificación inmediata. Quería hacerlo todo bien.

Sin saber demasiado qué quería decir eso. No estaba seguro.

—¿Vienes? —preguntó ella, y él abrió la puerta. Suavemente, con la punta de los dedos.

Lindsey había encendido una lámpara en un rincón, pero la había cubierto con algo azul, una funda de almohada. Era un bonito efecto, suavizaba y difuminaba la luz.

También se había puesto una camisa que había sacado de su armario. Vio que la cubría por entero cuando se arrodilló, esperándolo en la cama. Había recogido las mangas pero, aún así, le llegaba hasta los delgados puños. Se había abrochado sólo unos cuantos botones, dejando una generosa uve delante, donde él tuvo un primer atisbo de sus pechos. Como vestido, no dejaba ver gran cosa, pero era tan sensual que le dejó el corazón alojado en la garganta. Más sensual que cualquier ropa interior osada que hubiera visto antes, tanto en catálogos de moda como en antiguas compañeras osadas.

—Lo sientes muy apretado? —preguntó ella, y él tardó un momento en darse cuenta de que hablaba de su hombro.

Hizo girar el brazo.

—No, está bien —dijo.

—¿Es mentira?

—Un poco —reconoció él.

—Puedo hacer que te sientas mejor —dijo Lindsey, y dio unos golpecitos en la cama a su lado—. Acuéstate. Boca abajo.

—Preferiría tenderme de espaldas.

—Apuesto a que cuando el comandante Koehl te da una orden —dijo ella—, no lo contradices.

—Has ganado la apuesta —dijo él, sonriéndole.

—Entonces, imagina que soy Koehl.

—No gracias —dijo él, pero se tendió boca abajo.

Lindsey se puso a horcajadas sobre él, a la altura del trasero tapado con la toalla. Él intentó volverse para mirarla, pero ella le cogió la cabeza y volvió a enderezársela con gesto firme.

—Relájate. —Jenk la sintió buscar algo y oyó el ruido de una loción que se abría con un sonido parecido a un pedo—. Es tu crema solar —avisó ella. Estaba fría, pero el contacto de sus manos era increíble—. La próxima vez que vayas a una farmacia, compra un frasco de aceite para bebés, aunque antes huélelo y asegurate de que te agrada el olor. No te gustaría que al abrirla para usarla la primera vez, oliera al perfume que usa tu madre. Es como matar la inspiración, ¿sabes?

Fuera lo que fuera que le hacía, era divinamente agradable. Empezó por el cuello y siguió por la espalda con manos fuertes y seguras.

—¿Has aprendido a hacer esto mientras estabas recuperándote del hombro? —le preguntó Jenk.

—No pensarás que porque tengo ancestros japoneses lo he heredado, ¿no? Como si existiera el gen de las geishas.

Jenk rió.

—Eso es como suponer que sé tocar la gaita porque tengo antepasados escoceses.

Ella dejó de masajearlo.

—Sí, así es.

—¿De verdad la gente piensa...?

—Sí —dijo ella—, la gente lo piensa. También creen que sé todo lo que hay que saber sobre la acupuntura. Pero, vaya, se llama medicina china porque es china. Japón y China son dos países muy diferentes.

—Yo detesto las gaitas —dijo él—, y la idea de que me gustan sólo porque unos parientes que ni siquiera he conocido vivían en Escocia también me parece bastante estúpido.

—Sí, lo es. —Lindsey volvió a masajearle los hombros y siguió por el brazo. Tuvo que desplazar su peso para seguir y apretó los muslos a su alrededor, ahora más arriba de la toalla. Estaba desnuda debajo de esa camisa y él la sentía, cálida contra su espalda.

Lo único que atinaba a hacer era seguir hablando, articular palabras coherentes.

—Desde luego, la mayoría de la gente no sabe que soy escocés, en parte, con sólo mirarme. Tú no tienes ese lujo.

Ella guardó silencio y seguía frotándole los tríceps con los nudillos, así que él siguió hablando.

—Ya te entiendo —dijo—. Al menos un poco. Porque soy bajo de estatura. Más bajo. Y porque tengo el aspecto que tengo.

—Joven —dijo ella.

—Sí, la gente supone cosas.

—Eso lo sé de sobras —dijo ella—. ¿Sabes, este cuerpo que tienes aquí? —dijo, dándole una palmada en la espalda—. Es el cuerpo de una persona adulta. Deberías ir por ahí todo el tiempo sin camisa.

—Tú también —dijo él.

—Seguiría pareciendo una japonesa —contestó ella, riendo.

—Sí, pues, yo seguiría siendo bajo.

—Bajo es un concepto relativo —señaló ella—. Para mí, eres alto. Alto, moreno y guapo.

Cada vez que Jenk pensaba que esa noche no podía ser mejor, Lindsey decía o hacía algo que la hacía aún mejor. Una mujer que lo describía como alto, moreno y guapo le estaba dando un masaje en la espalda antes de entregarse a él, y lo hacía con una convicción total.

Sin embargo, era probable que pedirle que fuera la madre de sus hijos no fuera una respuesta acertada.

Al contrario, decidió provocarla.

—¿Ah, sí, qué te parece? Cualquiera es más alto que una chica asiática caliente.

Ella se tragó la indignación y empezó a hacerle cosquillas. Dios, tenía unos dedos muy fuertes. Jenk intentó sustraerse y se retorció bajo su peso para cogerle las manos, pero descubrió que no era nada fácil.

Hasta que finalmente la cogió por ambas muñecas a la vez, una en cada mano. Los dos respiraban con dificultad y ahora Lindsey quedó sentada sobre su vientre desnudo. La toalla se había desprendido y la camisa que ella se había puesto resbaló por un hombro, dejando a la vista un pecho exquisitamente perfecto.

Dios, qué guapa era.

—Sabes que sólo bromeaba, ¿no? —preguntó Jenk. Tenía que asegurarse, aunque lo dijera casi apenas con un susurro de voz.

—¿Precisamente ahora? —preguntó ella.

¿En ese momento? Pero Jenk dijo que sí.

—Sí. —Le soltó las manos (grave error, porque ella se volvió a subir la camisa hasta el hombro. Mierda. Pero enseguida empezó a frotarle el hombro y, al inclinarse hacia delante, le ofreció una interesante perspectiva. Aún así, tenía que quitarle esa camisa, y cuanto antes, mejor.

—De verdad que me molesta cuando la gente hace chistes ninja —dijo Lindsey.

—¿Quieres decir, como *¿Por qué el Ninja cruzó el camino?*

Ella rió... y lo besó. Sí, sí... Jenk encontró los botones de su camisa, aunque enseguida se dio cuenta de que la prenda era muy holgada para ella. Le bastaría deslizar la mano por su vientre de terciopelo y su torso, hasta llegar a sus pechos suaves.

El gemido que ella emitió era todo el estímulo que él necesitaba. Siguió y levantó la camisa hasta quitársela por encima de la cabeza. Y ella se quedó tan desnuda como él.

Jenk se sentó, quería abrazarla mientras la besaba, mientras le acariciaba la piel desnuda y suave, mientras ella también lo tocaba, retirándose hasta que su erección quedó atrapada contra ella, entre sus nalgas.

Le acarició el vello entre las piernas y ella lo hizo descender con la mano. Estaba húmeda y cálida y más suave que los pétalos de una flor (¿de dónde le habría venido esa imagen tan poética?) Lindsey era una mujer, por donde la mirara, no una flor delicada. Y estaba más que preparada para él.

Lo dejó claro cuando se le arrimó, dejando su paquete por delante de ella y (¡oh, sí!) envolviéndolo con toda la mano como si jamás fuera a dejarlo ir.

Jenk se echó hacia atrás y buscó los condones en el cajón junto a la cama. En cuanto tuvo uno en la mano, ella se lo arrancó y abrió el envoltorio de un tirón. Juntos, se lo pusieron y él la habría levantado en vilo y la habría penetrado, pero ella lo detuvo.

—Lo siento —dijo—. ¿Te importaría si esperamos un momento? No tengo relaciones sexuales muy a menudo, y no quisiera correrme enseguida.

¿Hablaba en serio?

—Linds, tendré relaciones contigo cuando tú quieras.

—Dios, que tierno eres —dijo ella—. Pero sé que eso es pedir mucho, así que...

—Joder, ¿me estás tomando el pelo?

—Sí —dijo ella, y rió con él. Y luego se dejó ir hacia abajo y lo dejó penetrarla—. Joder y tomándote el pelo.

El placer lo meció hasta desquiciarlo. Era un momento que tendría que repetir una y otra vez, más tarde, porque su universo se había desplazado y cambiado. La definición del placer había cambiado. El sexo mismo había ido más allá de todos los parámetros que daba por sentado.

Por un lado estaba el sexo y, por otro, estaba el sexo con Lindsey Fontaine.

Ella lo besó, apretándose contra él, sus pechos rozando su torso suavemente, mientras ella procuraba tener más y más de él.

Él intentó darle todo lo que quería. También era lo que él quería. Más. *Y más.*

La besó, la acarició, la abrazó y la meció mientras ella reía y se esforzaba en seguir respirando al colocarse encima de él.

—Vale, esto me parece bien —suspiró ella en su oreja. ¿Cómo podía hablar? Si él abría la boca, no atinaría a hacer otra cosa que emitir sonidos ininteligibles—. ¿A ti te va bien?

—Ajá —alcanzó a decir él, y ella rió.

Reír mientras follaban era peligroso porque lo despojaba a él del control que tenía de sí mismo. Jenk intentó detenerla, mantenerla quieta, pedírselo, pero no podía y luego no quería porque, Dios, ella había empezado a correrse, desarmándose en sus brazos.

—Más —pidió—, oh, dame más.

Y él le dio todo lo que tenía, todo lo que era, todo lo que podía, pero entonces se dio cuenta de que la había interpretado mal.

Ella pronunciaba su nombre. *Mark*. Con un acento peculiar, como si él fuera algo especial, algo que ella añoraba, como si la excitara hasta lo indecible, como si con sólo pensar —además de la sensación— en él, endurecido dentro de ella, la hiciera correrse una y otra vez, una y...

Y había acabado. Él también se corrió, en una descarga caliente, ¡*bam*! Como si se hubiera estrellado contra ella después de haber perdido todo control.

A Lindsey le fascinó.

—Sí —suspiró—, oh, sí. —Lo hizo penetrar aún más profundamente en ella, besándolo, cogiéndolo con la misma fuerza que él la cogía a ella, mientras su risa se desgranaba y lo envolvía por todas partes.

Tracy tenía el anillo con el diamante en el dedo mientras se paseaba por la suite de Lyle en el Hotel del Coronado.

Él volvía a hablar por teléfono, hablaba con alguien en Australia acerca de una moción que tenía que ser presentada al día siguiente. Se ocuparía de ello, prometió, antes de volar a Nueva York temprano por la mañana.

Ella tendría que decirle que no podría volver con él. No podía ir y dejar a los de Troubleshooters Incorporated en la estacada; tenía que avisar y darles tiempo a que la reemplazaran. Desde luego, Tom estaría tan contento al verla partir que la dejaría recoger sus cosas e irse.

La habitación de Lyle era bellísima. Jamás se quedaba en un hotel que no fuera de cinco estrellas. Y, aún así, dejaba la ropa sucia tirada en el suelo. Tampoco se daba el trabajo de deshacer la maleta y la dejaba abierta sobre el soporte del armario para el equipajc.

Tracy estaba admirando su anillo mientras ponía sus calcetines y ropa interior en una bolsa de plástico para ropa sucia y lo metía en un bolsillo de su maleta.

Y fue ahí donde la encontró. Otra caja de joyas. ¿Acaso Lyle ya había escogido las sortijas de la boda?

Todavía le parecía irreal. Un anillo de compromiso, una boda, quizás incluso un bebé antes de que acabara el año siguiente. Una casa en Scarsdale... no, eso no. Con las horas que Lyle dedicaba al trabajo, acabaría quedándose en la ciudad, y ella no se fiaría de él por ningún motivo. Así que tendrían su casa en el Upper West Side.

Lyle seguía hablando por teléfono con esa voz tan importante suya. El acusado aquí, el abogado de la acusación allá.

Tracy no pudo resistir echar una mirada a las sortijas que Lyle había escogido y...

Qué curioso. En lugar del conjunto de dos sortijas de oro, en la caja había otro anillo con un diamante, idéntico al que ella ahora mismo llevaba puesto.

Lyle acabó su conversación y apagó el móvil. Tracy le enseñó el anillo.

—¿Qué es esto? —le preguntó.

Él miró el anillo con el diamante, la miró a ella y sonrió. Pero ella alcanzó a ver una expresión que no era en absoluto de felicidad en esa mirada. Lyle quiso coger la caja.

—Te lo creas o no, compré el anillo en dos tamaños diferentes. Quería estar absolutamente seguro de que te quedaría bien. Éste lo voy a devolver.

Era posible que ella se hubiera imaginado esa mirada poco feliz. Era posible que le estuviera diciendo la verdad.

Lyle era un perfeccionista, y asegurarse de que el anillo le quedaba bien le importaría.

Salvo que ya le había comprado un anillo antes. Su piedra natalicia. Seguro que todavía guardaba la talla del anillo en su Palm Pilot.

Sin embargo, fueron las palabras que Lyle escogió lo que la hizo desconfiar. *Te lo creas o no...*

Heather, Tracy, Tracy, Heather. Heather es una becaria que ha venido a trabajar en el bufete. Te lo creas o no, sólo pasó un momento a... dejar una carpeta.

Dada a elegir entre *te lo creas o no*, Tracy había aprendido, de la manera más dura, a elegir *no*. No le entregó la caja del anillo y la retiró fuera de su alcance.

—Es tan considerado de tu parte —dijo, mintiendo con la misma habilidad que él—. Este anillo me queda un poco ajustado. Puede que éste me vaya mejor —dijo, y se obligó a sonreírle, a respirar.

A Lyle no le quedaba alternativa. Vio cómo Tracy sacaba el segundo anillo de su caja.

Tracy levantó el anillo para mirarlo a la luz y poder leer la inscripción en el interior. *Heather y Lyle para siempre.*

De alguna manera, consiguió reprimir las ganas de vomitar.

—¿Qué ha pasado? ¿Heather te ha dicho que no?

—¿Por qué no tomamos otra copa? Dijo Lyle.

—Sí, eso es una muy buena idea.

—Puedo explicarlo —dijo Lyle.

¿Cuántas veces le había oído decir esa frase? ¿Cuántas veces lo escucharía decirla en el futuro? ¿Todos los días de su miserable vida?

Tracy le lanzó la caja a la cara y corrió hacia la puerta.

—¿Por qué cruzó el camino el ninja? —dijo Jenk, pensando en voz alta.

Lindsey levantó la cabeza.

—Eres muy divertido. —Le mordió el labio inferior, tiró suavemente de él y lo dejó ir. Chac. Repitió la operación.

—¿Te diviertes? —preguntó él.

—Adoro tu boca —dijo ella, y se apeó de encima de él—. Tienes una boca muy sexy.

Lindsey era increíblemente buena para su ego. Jenk la besó, asegurándose de que no fuera demasiado lejos mientras él se limpiaba. Ella no se movió. Se acurrucó junto a él y dejó descansar la cabeza en su hombro. En el hombro bueno. Él sabía que no era por causalidad.

—Lo que quiero decir por chiste Ninja —explicó—, es lo siguiente: *Oye, Lindsey, ¿qué eres, una especie de Ninja o algo? Oye Lindsey, que manera de hacer la Ninja durante el ejercicio*. Seis personas diferentes hicieron un comentario Ninja esta noche en el Ladybug.

Jenk entrelazó los dedos.

—Estoy seguro de que lo han hecho como un cumplido.

—Sí —dijo ella—. Lo sé. Sólo que... me parece mal. Como si la gente le dijera a Lopez que había hecho un Zorro, o decirle a Alyssa que había hecho una asombrosa Harriet Tubman.

Jenk rió.

—Nadie se atrevería a decirle eso.

Lindsey se apoyó en un codo.

—A eso voy. ¿Por qué creen que está bien andarse con ninjas conmigo?

Él le besó la palma de la mano, disfrutando de cómo la luz tamizada le daba a su piel un tinte ligeramente azulado. Aunque Lindsey sería una belleza bajo cualquier luz.

—Quizá porque un Ninja es el no va más. Gran maestro. Todos somos buenos cuando se trata de patear culos, pero un ninja... es algo que todos queremos ser secretamente. Me gustaría mucho que me trataran de Ninja. Pero si quieres, hablaré con los del equipo. Con Tommy también. Nos aseguraremos de que no se repita.

—No —dijo ella—. Gracias, pero ya me ocuparé. Pero me molesta. Es como cuando alguien tiene una pregunta acerca del sushi: todos me miran a mí. Detesto el sushi, y tampoco sé usar los palillos, ni sé cocinar con un wok. No sé ni kung fu ni kárate, pero puedo tumbar a un hombre el doble de grande que yo si tengo que hacerlo... porque, gracias al Departamento de Policía de Los Ángeles, he tenido entrenamiento. Sí, hablo dos lenguas, pero esas lenguas son inglés y español. El español me servía en el trabajo en el este de Los Ángeles.

Era como si el silencio se escuchara en la habitación.

—Lo siento —dijo—. Soy un poco apasionada. Soy tan estadounidense como tú, y apostaría a que a ti no te piden la receta para cocinar sesos de oveja, o lo que sea que comáis los escoceses locos. Así que ése es el mío. ¿Cuál es el tuyo?

Jenk sabía exactamente de qué estaba hablando, o al menos creía saberlo. Pero quiso comprobarlo.

—Hablas de tu secreto íntimo, ¿no?

Lindsey asintió con un gesto de la cabeza, apoyando el mentón en la palma de la mano, mientras lo observaba.

—Hace unos meses —dijo él, jugando con el pelo de ella, apartándoselo detrás de la oreja—. Creí que iba a morir y... aquello me abrió los ojos.

Ella volvió a asentir con un gesto.

—A mí me dispararon hace unos años, así que te entiendo. Una experiencia cercana a la muerte puede producir grandes revelaciones. La mía fue dejar la policía. Pero, lo siento, sigue. Te toca a ti. ¿Qué descubriste?

—Supongo que descubrí que hay muchas cosas que no he hecho y que me gustaría hacer —dijo Jenk, y le tocó a Lindsey la cicatriz en la espalda. Era una cicatriz pequeña, pero había reparado en ella—. Me preguntaba de dónde venía esto. ¿Qué hiciste para que te dispararan por la espalda? ¿Cubriste a alguien?

Ella entornó la mirada.

—No, fue un... error de juicio sobre el carácter de las personas.

—¿Un qué?

—No vale. Te toca a ti.

—Sí, pero eso que has dicho es muy críptico. Un error de juicio sobre el carácter de las personas, ¿eso qué es? ¿Te disparó por la espalda un amigo? —Había acertado, lo vio en su cara—. Dios mío, Lindsey.

Ella intentó restarle importancia, pero era demasiado tarde.

—Creía que era un amigo... el que lo hizo. Era alguien que yo creía conocer pero, al parecer, no lo conocía. Quería suicidarse con ayuda de un policía y yo... no fui capaz de verlo.

Madre mía. Lindsey fingía que no era nada, que incluso hablar de ello no significaba gran cosa. Pero Jenk sabía de qué iba el asunto. Intentó imaginarse teniendo que dispararle a Izzy. O que Izzy le disparara a él.

—¿Así que fue y te disparó? —inquirió Jenk—. Tu supuesto amigo.

Ella asintió con un gesto de la cabeza.

—Quería que le disparara pero yo ni siquiera desenfundé. Estaba demasiado concentrada tratando de convencerlo de que abandonara, ¿sabes? No sabía qué hacer. Así que él descargó su arma para atraer mi atención. Yo me lancé al suelo intentando cubrirme, él siguió disparando, hasta que me dio. Creo que estaba tan sorprendido como yo. Madre mía, hablando de contar secretos. No he hablado de esto con... Bueno, Tom lo sabe, pero nunca habla de ello.

Jenk sentía el corazón en la garganta, pero procuró que su voz saliera tan neutra como la suya.

—¿Tuviste que matarlo?

—No, estaba demasiado ocupada desangrándome. Él se conformó con un suicidio por intervención de los SWAT. Lo mataron para llevarme a mí al hospital. ¿Así que, dime, qúe es lo que no has hecho que todavía quieres hacer?

Durante unos cuatro segundos, Jenk pensó en seguirle el juego. Pensó en dejar que quedaran sólo los titulares de la versión de la historia como dando las cosas por sentado, tanto como ella quería. Pero no podía.

—Si algún día quieres hablar de ello... yo también vivo en ese mundo. Han muerto amigos míos. No de esa manera, pero... se le parece bastante.

Lindsey lo miró, buscando sus ojos. Era probable que fuera la primera vez, desde que Mark la conocía, que esa diversión no acechaba en alguna parte de su rostro, o no afloraba en su constante sonrisa a medias ni asomaba en sus ojos con ese brillo característico. Ahora Lindsey parecía cautelosa y vulnerable, e incluso hasta se diría que tenía un poco de miedo.

Así que él decidió llevarla a donde se sintiera más a gusto.

—Entonces, ¿qué es lo que no he hecho que todavía quisiera hacer? Tengo mi libreta por aquí en algún sitio —dijo, fingiendo que la buscaba—. Echar un impresionante polvo con Lindsey Fontaine estaba en uno de los primeros lugares de la lista. ¿Dónde hay un lápiz? Ésa ya la puedo borrar.

Ella le dio un empellón.

—Yo hablo en serio. Yo acabo de contarte... ¿y tú vas y te pones a bromear? Lindsey fingía estar indignada, pero él vio que estaba más aliviada.

—Yo también hablo en serio —dijo, y le cogió las manos cuando ella comenzó a hacerle cosquillas. Jenk se giró para clavarla poniéndole una pierna encima, aunque sospechaba que si ella no hubiera querido que la clavara, él no lo habría conseguido—. Esta noche ha sido asombrosa.

Y ahí estaba nuevamente, esa mirada que insinuaba miedo. ¿De qué tenía tanto miedo?

—Sí que lo ha sido, ¿no? —murmuró ella.

Él la besó y... Dios ella lo besó a su vez, con tanta ternura que Jenk creyó que se derretía.

Así que él le dijo la verdad.

—Lo que más lamentaba, cuando creía que iba a morir, era que no tenía una familia, ¿sabes? Una familia propia.

—Una familia —repitió ella—. ¿Algo así como dos coma cinco hijos, un perro y un monovolumen?

—Sí —reconoció él—. Era... raro. Intentaba sacarme tierra de encima para liberarme... esperando que me hicieran volar en mil pedazos y pensaba en Charlie. Ya sabes, Charlie Paoletti.

Lindsey se apartó ligeramente de él.

—Es diferente cuando haces de canguro. Porque después vuelves a tu propia casa.

—Lo sé —dijo Jenk—. Lo sé. Sólo que... Tommy es un hombre... satisfecho. Hace años que lo conozco y... sé que las cosas no son perfectas para él. El año pasado, después del ataque de ese francotirador, cuando murió la mujer de Murphy, todo aquello fue una mierda muy dura. Larry Decker era el jefe del equipo de esa misión y todavía tiene el culo fruncido por el miedo. Se lo está comiendo vivo el recuerdo de que ella murió... ¿cómo se llamaba?

—Angelina —dijo Lindsey.

—Eso. Deck sigue muriendo por aquel episodio, sigue cargando con la muerte de Angelina todos los días. Lo he visto cuando ocurre en un equipo, cuando un oficial pierde a sus hombres, cuando los tíos pierden a sus compañeros. Algunos no se perdonan a sí mismos, aunque no sea culpa suya. Y acaba matándolos a ellos también. Cambian, pero no para mejor.

—Pero Tommy —siguió Jenk—, tenía a Kelly a su lado. No fue mucho tiempo después del funeral de Angelina que nació Charlie. Sé que eso también ayudó. No es que Tommy no haya llorado a Angelina ni sufrido la pérdida, o incluso que no se haya sentido responsable de los errores cometidos. Pero lo supo manejar, se lo trabajó, estableció nuevas reglas y mejoró el nivel de vuestro entrenamiento. Estoy seguro de que piensa en ello cada día. Mierda, yo pienso mucho en ella, y ni siquiera la conocía. Pero Tommy encontró la paz y sé que su camino ha sido más fácil porque tenía un asidero en Kelly y en Charlie —dijo, y siguió una pausa—. Eso es lo que quiero. Eso es lo que entendí después de que Izzy me salvó la vida.

No tenía ni idea de lo que pensaba Lindsey. Sólo sabía que se había separado de él y tirado de la manta para cubrirse mientras se enroscaba, con un brazo por debajo de la cabeza, observándolo y escuchándolo mientras hablaba.

—Aunque me arriesgue a joderte el esquema —dijo Lindsey finalmente—, he llegado a conocer a Tom y a Kelly bastante bien y, pues... creo que son la excepción en lugar de la regla. Las relaciones de la mayoría de las personas ni se parecen a la suya. Pienso en mis padres, por ejemplo —dijo, y se estremeció.

—¿Están divorciados? —preguntó él.

—No —dijo ella—, pero no estoy seguro de que alguna vez hayan hablado de verdad —dijo, y siguió una pausa—. Mi madre perdió en su lucha contra el cáncer hace menos de dos años.

—Jo —dijo Jenk—. Debe haber sido horrible.

Lindsey asintió con un gesto de la cabeza.

—Sí, se lo diagnosticaron cuando yo tenía once años. Se resistió y supo luchar, pero era recurrente. Tomó la decisión de tener cuidados hospitalarios en casa una semana antes de que me dispararan. Por eso dejé el departamento de policía. Pasé todo el tiempo en el hospital y ella nunca se movió de mi lado. Y lo único que yo atinaba a pensar era ¿qué pasará si me vuelven a herir mientras ella está confinada a una cama? Así que quise tomarme el tiempo para estar con ella mientras podía. Estuvo... bien. Que lo hiciera. Siempre había pensado en volver al cuerpo, pero entonces me llamó Tom y... —dijo, encogiéndose de hombros—. Aquí estoy.

Habían sido años sumamente difíciles para ella. Jenk jamás lo habría imaginado. Siempre estaba de tan buen ánimo, tan bien dispuesta, con una sonrisa.

A diferencia de Tracy, que se paseaba con su lista de reclamaciones, dispuesta a leerlas todas al menor indicio de invitación.

Era la primera vez que había pensado en Tracy en horas y, casi como si la hubiera conjurado, sonó su teléfono móvil.

Era ella. Jenk le había adjudicado un tono especial a sus llamadas.

Lindsey se sentó en la cama.

—¿De verdad que tu teléfono móvil está tocando *Here comes the Bride*? —le preguntó, y se echó a reír.

Jenk casi tropezó con el edredón en su carrera hacia el pasillo, donde, en el bolsillo de su pantalón, su móvil reproducía el tema con majestuosos compases de órgano. Lo silenció y comprobó el número. Sí, no cabía duda de que era Tracy. Mierda, eran más de las tres de la madrugada.

Fue el único motivo por el que contestó.

—Jenkins.

—¡Gracias a Dios que estás! —Era Tracy, y estaba llorando—. Lo siento mucho, Mark, pero no sabía a quién más llamar. Es que no sabía que hacer, estoy segura de que Lyle está en mi piso y...

—Un momento, un momento —dijo él—. No tan rápido. ¿Dónde estás? ¿Estás segura?

—Estoy en un taxi —dijo, y empezó a llorar más desesperadamente—. Lyle me está buscando. Estaba muy enfadado.

Mierda.

Entretanto, Lindsey había encontrado la toalla que Jenk se había puesto al salir de la ducha. Se envolvió con ella, al parecer sin sentirse tan cómoda como él, que había salido desnudo al pasillo. Cruzó una breve mirada con él antes de pasar a su lado y entrar en el cuarto de baño. Cerró la puerta a sus espaldas.

Lindsey era lista. Sin duda había caído en la cuenta de que era Tracy la que llamaba.

—Tracy —dijo Jenk, hablando por encima de sus ruidosos sollozos—. Nena, no entiendo lo que dices. Tienes que calmarte y respirar, ¿vale? ¿Dónde estás? Dijiste que estabas en un taxi. ¿Dónde está el taxi?

—Afuera, frente a tu edificio —dijo ella, y fue como si el mundo diera un vuelco.

—¿Qué estás dónde?

—Aquí afuera —repitió ella—. Pero no tengo dinero para pagarle al taxista. ¿Puedes... puedes pagar la carrera para que yo pueda subir?

Lindsey abrió la puerta del cuarto de baño. Se había vestido.

—¿Dónde está? —preguntó, en voz baja.

—Abajo —dijo él, y enseguida detestó la sorpresa y luego la composición de lugar que brilló en los ojos de Lindsey.

Te equivocas, quería decirle. *Sea lo que sea que estés pensando, te equivocas.*

Se puso los pantalones y cogió la billetera. Podría arreglarlo rápidamente dándole a Tracy dinero para que se fuera a un hotel. Era evidente que había bebido demasiado. Dormir sería una buena idea. Pero, joder, no tenía tanto dinero en efectivo.

—Bajaré enseguida —avisó a Tracy, y apagó el móvil—. Tengo que ocuparme de esto —dijo a Lindsey. Tendría que acercarse rápidamente al cajero automático más cercano y problema solucionado. O podría acompañar a Tracy a ese motel cerca del Ladybug y usar su tarjeta de crédito.

—Por supuesto —dijo Lindsey, yendo al comedor a buscar su chaqueta a la silla donde la había dejado.

—Sólo voy a asegurarme de que vaya a algún sitio donde esté segura, y volveré. Veinte minutos, no más —dijo, y se puso la camiseta. Vaya, tan mal había olido toda la noche. Se la quitó.

Lindsey ya estaba a punto de salir por la puerta.

—Tengo que irme —dijo.

—Por favor, no te vayas.

Ella no se detuvo.

—Tengo que irme. No te preocupes. No dejaré que me vea.

—Linds... —Al diablo. Volvió a ponerse la camiseta, se calzó las botas con los pies desnudos y salió corriendo por la escalera para seguirla.

Pero ella había hecho otra de sus Ninja.

Ya había desaparecido.

Capítulo 9

San Diego, California
Viernes, 9 de diciembre, 2005

Sophia disparó al blanco de papel. Éste se hizo añicos y explotó como si fuera confeti. La fuerza de la descarga la sacudió hasta la médula.

El casco protector para los oídos que llevaba redujo el nivel de la detonación de insoportable a solamente infernal. No podía imaginarse disparando aquello en un campo de batalla sin el casco. Sería una locura.

Se quedó sin balas (no costaba demasiado vaciar el cargador) y se hizo el silencio a su alrededor.

—Excelente —sentenció Dave cuando ella, siguiendo las estrictas reglas del campo de tiro, dejó el arma en la mesa—. Mucho mejor. ¿Te acuerdas de cómo recargarlo?

Ella se quitó el casco protector y cogió el cargador.

—Creo que sí.

—El MP5 es demasiado grande para ella. —Sophia se giró y vio que Decker estaba allí. ¿Cuánto rato llevaría mirando?

Él se volvió hacia ella, y le sostuvo la mirada.

—Deberías probar el MP4. Es más ligero y más pequeño. Desde luego, no tiene el mismo alcance. Le llaman «escoba para habitaciones» porque sirve para situaciones de interiores. Pero es decididamente el que más te conviene, por tamaño.

No debería haberla sorprendido verlo ahí. Era el campo de tiro más cerca de la sede de Troubleshooters Incorporated. Y Sophia sabía que Deck creía en un régimen de práctica diaria. En una ocasión le había dicho que era una actividad esencial para mantenerse en la cresta de la ola.

—Ésta es el equivalente del arma que usé anoche —dijo ella—. Quería saber cómo era usarla en la realidad.

—Lo has hecho bastante bien —dijo él, y asintió con un gesto de la cabeza—, teniendo en cuenta que es tu primera vez.

—Maté a Tom y te maté a ti —dijo ella—. No considero que eso esté tan bien. —¿Aquello estaba ocurriendo de verdad? ¿Estaban realmente uno frente al otro, teniendo una conversación civilizada? Sophia miró a Dave, que en ese momento parecía muy ocupado con su Palm Pilot.

—Ese truco que le jugasteis a Lopez y... ¿a quién más? —dijo Decker, y se acomodó, apoyándose en la pared. Iba vestido como si viniera de una reunión, con uno de esos trajes suyos que le quedaban tan mal, camisa blanca estándar, también una talla demasiado grande. Se había quitado la chaqueta, aflojado la corbata y arremangado la camisa. Daba la impresión de que había trabajado toda su vida en un despacho dividido en cubículos, un hombre tímido y poca cosa, con esa ropa que le colgaba de su exiguo esqueleto.

La verdad era que lo que había debajo del traje era sólido. Tropezar con Decker era como darse contra un muro de ladrillos, y Sophia lo sabía por experiencia propia. También sabía otras cosas de él por experiencia propia.

—Gillman —dijo ella, esperando que él no se diera cuenta de lo que estaba pensando—. Danny Gillman y Jay Lopez. Son una pareja curiosa, ¿no te parece? Era bastante evidente que caerían con el truco de la dama en apuros. —Era precisamente lo que ella había hecho con Deck hacía un millón de años. Y ahora estaba totalmente cabreada. ¿Acaso había venido para darle la noticia, a decirle que ya había entregado su carta de dimisión a Tom?

—Sé que tuve la suerte de que fueran sólo dos, y que los dos se lo creyeran. Aunque el plan era sólo distraerlos mientras Dave escapaba, y sé que probablemente no habría tenido ese resultado en la vida real, porque uno de los motivos por los que funcionó era que Danny y Jay me conocen. —Estaba hablando por hablar, se escuchó a sí misma y luego vio que Decker ya no se apoyaba en la pared. Parecía a punto de salir corriendo—. Los dos me han mandado flores hoy felicitándome por mi éxito de anoche. —Rió, pero fue una risa falsa, forzada incluso para sus propios oídos—. No está mal, ¿no? Recibir flores de unos hombres que he matado. Pero eran bonitas, las flores...

Dave le tocó el brazo y la interrumpió, devolviéndola a la realidad. Sophia sintió la mano cálida y firme a través de la manga de la blusa.

—Anoche hiciste un trabajo excelente —dijo, y se giró hacia Decker—. ¿No crees?

—Fue un buen trabajo —convino éste, y miró su reloj. Y Sophia intuyó lo que seguía. *Sólo quería decirte que para mí es imposible trabajar contigo. Me tengo que ir.*

—No tenía ni idea de que mandar flores a la persona que te ha matado es el gesto adecuado, una vez acabado el ejercicio —dijo Dave, con voz queda—. ¿Qué crees que le gustaría más a Mark Jenkins? ¿Las rosas o los lirios?

Sophia rió.

Y Deck sonrió.

—Y tú le debes un ramo a Sophia, Deck —siguió Dave—, aunque una invitación a cenar sería una alternativa más aceptable.

Sophia le lanzó una mirada penetrante. ¿Qué hacía? Pero Dave ya volvía a concentrarse en su Palm Pilot.

—Lopez y Gillman eran sólo... Son tan jóvenes y... —balbuceó, y puso los ojos en blanco—. Un poco demasiado entusiastas. Además, a Deck lo maté por error. Es uno de los motivos por los que hoy he venido aquí. Para entender qué errores he cometido.

—Matar a Tom fue tu error —le dijo Decker—. En cuanto a mí... —continuó, y sacudió la cabeza—, no tenías ni idea de que me encontraba en tu campo de tiro. Eso fue culpa mía. Debería haberte dicho que estaba allí.

—Todo ocurrió muy rápido —dijo Sophia—. Aunque eso siempre ocurre así, ¿no?

—Sí —convino Decker—. A la velocidad de la luz. O al menos uno cree que es la velocidad de la luz hasta que te encuentras en medio de un tiroteo. Sólo entonces puedes tener una idea de lo que eso significa. Por otro lado, la adrenalina puede darte la impresión de que todo ocurre a cámara lenta, que el tiempo se estira.

El sólo hecho de estar ahí hablando con ella le exigía un esfuerzo tan grande que empezaba a sudar.

—Creo que no tuve el subidón de adrenalina hasta que todo acabó —reconoció Sophia.

Decker sonrió, aunque eso pareciera raro. No fue tan genuina como su sonrisa por el chiste de Dave sobre las flores, pero no estaba mal.

—Entonces, no se puede decir que sirviera de gran cosa, ¿no?

Sophia también consiguió esbozar una sonrisa.

—Sí. —También consiguió mantener la boca cerrada cuando Decker no dijo palabra durante un rato. No te largues a parlotear, no lo hagas. A Decker no le gustaba cuando hablaba por hablar.

Y ahí estaban, sonriéndose, los dos tan tensos que estaban a punto de romperse como una cuerda tirante. O al menos ella le sonreía a él. Las sonrisas de Decker siempre eran demasiado breves. Sin embargo, la miraba fijo a los ojos, como si quisiera leerle el pensamiento.

Abrió la boca, como si fuera a volver a hablar pero, en un sector del campo de tiro, alguien abrió fuego con un arma automática. Y Sophia se agachó instintivamente. Pero enseguida se contuvo, y el gesto se transformó en una mueca de cautela en lugar de tirarse al suelo para cubrirse.

Los dos hombres, Dave y Decker, dieron un paso hacia ella, los dos con la misma preocupación en la mirada.

—Estoy bien —dijo ella—. He olvidado que me encontraba en un campo de tiro, aunque esto debería habérmelo recordado. —Enseñó el cargador que todavía tenía en la mano.

—¿Quieres volver a probar? —preguntó Dave—. ¿O vamos a comer? —Se volvió hacia Decker—. Vamos al griego ése. ¿Quieres venir?

Decker volvió a mirar su reloj.

Y Sophia fue y lo dijo abiertamente.

—¿O tienes que ir a redactar tu carta de dimisión?

—Al parecer, todavía no has hablado con Tom —dijo él, y Sophia sintió un repentino vacío—. A propósito de ir a New Hampshire.

Sophia sacudió la cabeza y se giró para consultar con Dave. Éste hizo un ademán de no-sé-nada mientras negaba con un gesto de la cabeza.

—¿Voy a New Hampshire? —preguntó.

—Vamos todos —corrigió Decker, mirándola a ella y a Dave—. Con el Equipo Dieciséis. Cuando salía del despacho, me lo ha contado Tom. Todo ha salido más rápido de lo que él creía, pero... Vamos a llevar a cabo otro ejercicio y, además, aprovecharemos para entrenarnos en condiciones de nieve. Tienen el invierno más crudo desde hace unos cincuenta años. He pedido que tú... que los dos forméis parte de mi equipo. Yo no seré el jefe; esta vez nos mezclaremos con el Equipo Dieciséis y serán sus oficiales los que manden. Pero él creía que era una buena idea que siguiéramos... trabajando juntos. Durante un tiempo.

A Sophia le costaba creer lo que escuchaba. Y luego sí se lo creyó, porque se trataba de Decker. Ella le había dicho que le fascinaba su trabajo, y eso era lo único que él necesitaba saber. Decker haría lo que tuviera que hacer para asegurarse de que ella pudiera seguir. El sudor no era nada. Si fuera necesario, sangraría.

Decker miró a Dave.

—Espero que aceptes la misión.

—Invierno en New Hampshire —dijo Dave, con tono neutro—. Vaya, no puede haber nada mejor. Yo sí voy —dijo, y se giró hacia Sophia—. Tú también irás. Puedes ir a Boston durante el día. —Y volvió a mirar a Decker—. Su padre está en el Hospital General de Massachusetts. Sophia tenía la intención de ir a verlo. Es una solución perfecta.

Decker estaba visiblemente sorprendido.

—¿Tu padre está vivo?

Sophia cerró los ojos. *Ay, Dave, ¿acaso las cosas no estaban ya lo bastante complicadas?*

—Sí —dijo—. Resulta que tengo una tía, su hermana, que dio conmigo hace unos meses. Está vivo, pero ha estado enfermo. La semana pasada lo ingresaron, y... tía Maureen ha vuelto a llamarme.

—No estás obligada a ir —dijo Decker. Su convicción era total—. No le debes nada.

—Salvo que es tu padre —señaló Dave—. Y una vez que haya muerto no tendrás otra oportunidad para hablar con él.

—No he decidido lo que voy a hacer —dijo Sophia.

—Si hay algo que pueda hacer para ayudarte —se ofreció Deck.

—Gracias —dijo ella—, ya has ayudado mucho.

Aquella respuesta lo hizo sonreír.

—Sí, de acuerdo. —Volvió a mirar su reloj—. Tengo que irme. Puede que te convenga comer antes de partir. Nos vamos esta noche, a las nueve. Lleva ropa gruesa.

Y tras ese breve consejo, se marchó.

Sophia se quedó ahí parada, oyendo el eco de sus pasos que se alejaban. Sólo cuando la puerta exterior se cerró con un ruido sordo se volvió hacia Dave.

—Te odio —dijo.

Dave asintió con un ligero gesto de cabeza mientras devolvía el arma a su lugar.

—Lo sé.

* * *

Izzy divisó a Mark cerca del aparcamiento.

—Hola, hola, Romeo, ¿qué tal se ven las cosas desde la cima del mundo?

Jenk hablaba por teléfono móvil cuando Izzy se le acercó al trote. La persona a quien llamaba no le contestaba. Tenía la boca apretada, pero tampoco dejó un mensaje. Probablemente porque Izzy lo oiría.

—Vaya —dijo éste—. ¿Ya hay problemas en el paraíso?

Jenkins estaba francamente cabreado.

—Es el peor momento en toda la historia universal para que me tenga que marchar de la ciudad, y vamos a New Hampshire para entrenarnos en un escenario invernal. ¿Has oído eso? ¿New Hampshire? A las nueve de la noche. Esta noche —dijo, y su tono de voz subió unas cinco octavas.

—Sí —dijo Izzy—. Quieren que practiquemos cómo congelarnos los huevos. Yo diría que pidamos quedarnos y hagamos todo el ejercicio en las cámaras de frío de la Carnicería Stu en el Mercado de Carnes. —Siguió a Jenk al aparcamiento, donde la clase número 5.000 (o cualquiera fuera el número) de los aspirantes a especialistas en demolición submarina de las SEAL hacían flexiones sin parar. Todavía estaban en las primeras fases de su entrenamiento, a saber, la fase de hacerlos picadillo y estrujarlos al máximo.

Jenk se mantuvo al margen pero se unió a la clase en las flexiones. Jenk era un maniático. Siempre hacía lo mismo, participaba en cualquier ejercicio que se imponía a los postulantes a las Fuerzas Especiales, y no sólo mantenía el ritmo sino que lo hacía parecer como si no exigiera ningún esfuerzo.

Izzy se sentó en el suelo cerca de él y se tendió apoyándose en los codos.

—Cuenta, ¿qué ocurrió anoche?

Jenk siguió haciendo flexiones con la mirada fija en el suelo.

—Nada.

—No me mientas, Argentina. Te vi salir del Bug con Lindsey.

Ese comentario le valió a Izzy una mirada, pero éste no sabía si la mirada de Jenk era por lo de Lindsey o por lo de Argentina.

—Me llevó a casa —dijo Jenk. Era un mentiroso consumado. Izzy estudiaba sus técnicas cada vez que podía. Jenk había añadido justo la dosis necesaria de *tío, entérate,* con una pizca de *ya me habría gustado que entrara...* De verdad que era brillante.

—¿Y qué tal estaba? —preguntó Izzy—. ¿Caliente o increíblemente caliente?

Su negativa a aceptar la mentira de Jenk no era suficiente para que éste desistiera de mentir.

—En primer lugar, me llevó a casa —dijo, y ni se le notaba en la voz que iba por la flexión número cuarenta y siete. Hablaba como si descansara con los pies sobre la mesa—. En segundo lugar, aunque por algún milagro hubiera tenido relaciones íntimas con ella, no te lo contaría.

—Tío, tío, tío —dijo Izzy—. Será mejor que creas que en este momento ella está hablando de ti con todas sus amigas. ¿O es que no has visto *Sexo en la ciudad*? Dios, en estos momentos esa chica está dando un relato pormenorizado de cada gesto tuyo, con todas las especificaciones, es decir, largo y ancho, de tus atributos físicos.

Jenk siguió, inmutable. Pero echó una mirada de reojo a su teléfono móvil.

Lo había dejado en el suelo junto a él, en modo silencioso para no molestar a los renacuajos, pero lo bastante cerca para ver si se encendía en caso de que alguien llamara.

Alguien importante. Izzy no iba a intentar adivinar. Sabía que era Lindsey.

Izzy alargó la mano y lo cogió, lo cual provocó una reacción inmediata de Marky.

—Devuélvemelo, Zanella.

—No te preocupes, tententieso. Si suena, te lo paso —dijo, y pulsó la tecla de Llamadas realizadas. Lindsey, Lindsey, Lindsey, Lindsey y... Lindsey. Empezando a las nueve treinta de la mañana. No, un momento, a las cuatro treinta—. ¿La has llamado a las cuatro treinta? Ahora entiendo por qué no te ha devuelto la llamada. —O quizá si se la había devuelto. Miró las llamadas recibidas. Qué va. Nada de Lindsey. Salvo que... madre mía—. ¿Tracy te llamó anoche a las 03:14?

Jenk se sentó, se secó el sudor de la cara con la camiseta.

—Dame eso. —Izzy le devolvió el móvil—. Tienes un serio problema con esto de no saber cuándo parar, Zanella.

—Vaya, vaya —dijo Izzy cuando se le iluminó la bombilla, una bombilla de quinientos vatios—. Estabas con Lindsey anoche y te llamó Tracy, rogándote que te lo hicieras con ella.

—Sí, eso. —Ahora Jenk empezó a hacer abdominales con el móvil a salvo en el bolsillo.

—No, espera... —dijo Izzy, pensando en voz alta—. A medianoche, es una llamada de auxilio. A las tres es *ayúdame, me he caído y no me puedo levantar,* o el equivalente. Una rueda pinchada. La abandonó el ex en un motel barato.

Pero si esta vez me había prometido que se casaría conmigo... —dijo, imitando a Tracy—. ¿Caliente?

—No —gruñó Jenk.

Pero Izzy ya había descubierto por qué Jenk decía que era el peor momento (¿cómo lo había dicho, *Es el peor momento en toda la historia universal para que me tenga que marchar de la ciudad?*).

—Te estabas tirando a Lindsey, ¿y era el qué, el segundo polvo? ¿El tercero? Y suena el teléfono. Hola, soy Tracy la loca. *Ven a salvarme.* Y tú fuiste lo bastante estúpido como para ir, lo cual le transmite a Lindsey un mensaje como una casa: *Tú eres mi segunda opción.* Y puede que haya sido tu segunda opción, hasta que te viste cara a cara con Tracy y entonces te diste cuenta. La que se merece una sola noche es ella. Lindsey es una alternativa mucho mejor para ese vacío que de pronto estás tan desesperado por llenar. ¿Por qué estás tan desesperado por llenarlo? No tengo ni idea. Pero, vale, te metes con Tracy y, al final, alrededor de las cuatro treinta, se queda dormida en tu sofá. Intentas llamar a Lindsey, pero ella no responde. Hoy vuelves a intentarlo, pero es evidente que la tía te evita. Tío, qué mal lo debes estar pasando.

Jenk había dejado sus abdominales y se quedó tendido de espaldas, tapándose los ojos con los brazos.

—Zanella, sólo te pido que me des un respiro.

—Vale —dijo Izzy—. ¿Qué te parece este respiro? Un vuelo de transporte sin escalas desde la base aérea hasta New Hampshire. Seis horas ininterrumpidas para soltar tu rollo de cortejo y arrastrarte con todo tu encanto a los pies de tu bella amada.

Jenk se incorporó.

—Dame un respiro al estilo de te quiero como un hermano, tío, pero hoy no puedo seguir soportando tu mierda, así que cállate la puta boca.

—Así que no quieres que te lo diga, quizá con más claridad.

—No.

—Que los Troubleshooters de Tommy, incluyendo a Lindsey, vienen con nosotros a «Nuevo» Hampshire.

Aquello sí captó la atención de Jenk, aunque seguía menos que contento.

—¿Acaso no eres capaz de decir claramente lo que insinúas?

—Lo acabo de hacer —dijo Izzy—. ¿Te parece bien así? —preguntó. Hablaba como un robot, una voz sin inflexiones—. Lindsey y los demás Troubleshooters vienen a New Hampshire. En el avión de transporte de tropas. Con nosotros. A las veintiuna cero cero de esta noche.

Jenk explotó.

—¿Y por qué coño llevas veinte puñeteros minutos sin decírmelo?

Izzy se encogió de hombros.

—Ajá. Te estás tirando a Lindsey, ¿no? Quiero decir, es lo que me has dicho. Supuse que probablemente no te importaba.

Eso. A Marky-Mark no le importaba demasiado, pero estuvo persiguiendo a Izzy unos cinco kilómetros por la playa.

Tracy llegó al despacho después de las once. Todavía se movía a cámara lenta, totalmente resacosa, y acababa de meter su bolso en el último cajón de la mesa de recepción cuando Tom asomó la cabeza por la puerta entreabierta de su despacho.

No la llamó por el interfono, probablemente porque pensó que no sabría cómo contestar.

—Qué bien, ya has llegado —dijo.

—Siento haber llegado tarde.

—Te necesito en mi despacho —dijo Tom, y desapareció. No fue su habitual *Tracy, cuando tengas un momento*, ni *Tracy, puedes tomarte un momento para hablar...*

Ella debería haberse cuadrado de hombros y haber entrado enseguida, dispuesta a enfrentarse al fuego. O, mejor dicho, enfrentarse al despido.

Porque de eso iba el asunto. Había tenido (y perdido) suficientes empleos para reconocer aquella mirada dura que precedía al despido cuando la veía.

Pero como era tan boba, se fue corriendo al lavabo de mujeres. *No llores, no llores, no llores.* Si empezaba a llorar, se le correría el maquillaje y la nariz se le pondría aún más roja de lo que ya la tenía después de haber llorado la noche anterior y también esta mañana.

Se había despertado en el piso de Mark, en su cama y, durante un largo rato, desconcertada, no tuvo ni la menor idea de dónde estaba. Sin embargo, él le había dejado una nota. *Espero que te sientas mejor. Sírvete café y cereales. Cierra la puerta cuando salgas.*

Al leer la nota escrita con esa letra perfecta, le volvieron los recuerdos de la noche anterior. Lyle. Un anillo de diamantes, además de un segundo anillo grabado con el nombre de Heather. *Puedo explicarlo.* Y cómo había salido corriendo en busca de ayuda a casa de Mark.

De algo más que ayuda... ¿había sido muy humillante?

Tracy se miró en el espejo. ¿Cómo era posible que su vida se hubiera ido al traste de esa manera? ¿Por qué, incluso ahora, se estaba pensando seriamente la propuesta de matrimonio de Lyle? *Te necesito*, le había dicho él, cuando se arrodilló ante ella en el pasillo del hotel. Llorando.

Había llorado.

Había insistido en que el anillo de compromiso grabado con el nombre de Heather era sólo para potenciar su seguridad en sí mismo. Tenía tanto miedo de que le dijera que no, de que esta vez la hubiera alejado para siempre y de que ella no volviera a perdonarlo, que había comprado ese otro anillo (un error garrafal) como una manera de fingir que no importaba si ella lo rechazaba. Se había dicho que, en ese caso, se casaría con Heather.

Pero era ella a quien él amaba, a ella a quien necesitaba.

Tracy sabía que era una tontería creerse esa sarta de mentiras sólo porque había llorado.

También lo había entendido. A Lyle le habían dicho que estar casado aumentaría sus posibilidades de que lo nombraran socio en el bufete. Y cuando ella le había arrostrado esa verdad, él no lo había negado.

La noche anterior esa verdad la había destrozado.

Sin embargo, esa mañana se había despertado resignada. Era ella quien necesitaba a Lyle. ¿Y qué más daba si él se casaba con ella por otros motivos? Lo importante era que finalmente quería casarse con ella.

Y, Dios mío, había llorado de verdad.

Como de costumbre, acabará cediendo. Pero no estaba dispuesta a hacerlo inmediatamente. Había llamado, había dejado un mensaje en el teléfono móvil de Lyle para decirle que necesitaba tiempo, todo un mes, para pensar.

Quería que sufriera.

Que sufriera de verdad.

Y que firmara un contrato prenupcial que lo obligara a indemnizarla con una cantidad de dinero que le duraría toda una vida si él volvía a extraviarse. ¿Si volvía? Mejor dicho, *cuando volviera*. Aquello era un triste final para su historia de Cenicienta. Y ella vivió para siempre rica, y nunca tuvo que volver a trabajar.

Sin embargo, ahora necesitaba trabajar, sobre todo si aplazaba su regreso a Nueva York durante todo un mes. Necesitaba un empleo. No necesariamente ese empleo. Pero si la despedían, sería mucho más difícil encontrar otro.

Necesitaba un plan de acción, una estrategia. Entraría en el despacho de su jefe y diría: «Tom, me temo que no estoy haciendo las cosas bien». Antes de que la despidieran, dimitiría.

Eso era. Tenía un plan.

Se lavó las manos en la pila, dejando que el agua le bañara las muñecas. En ese momento, se abrió la puerta.

—Ahí estás. —Era Lindsey Fontaine, tan pequeña y perfectamente bella. Rara vez llevaba maquillaje porque no lo necesitaba, no con esa piel lisa y suave. Tracy había sacado la cuenta, pues ella misma dedicaba más de una hora y media a maquillarse cada día—. Tom te está buscando.

—Oh —dijo Tracy. Cerró el grifo y se secó las manos con una toalla de papel—. Lo sé. Sólo estaba... mirándome el maquillaje. —Se obligó a sonreír—. Puede que me vayan a despedir, pero al menos tendré buen aspecto.

Lindsey entró al oír eso y cerró la puerta a sus espaldas. Llevaba aquellos pantalones vaqueros holgados, pero en lugar de la habitual camisa estilo hawaiana, esta vez vestía una camiseta. Debería haberle dado un aire todavía más informal, pero era una camiseta pequeña, con unas mangas muy cortas, y le quedaba bien. La hacía parecer esbelta y femenina, aunque de una manera atlética que daba a entender que no necesitaba sujetador para correr porque era perfecta.

Tracy podría haber sentido envidia, pero sabía que era muy probable que Lindsey también sintiera envidia de su figura, mucho más exuberante. Así funcionaban las cosas en este mundo. Uno siempre quería lo que no tenía. Las mujeres de Estados Unidos estaban muy mal de la cabeza.

—¿Qué te hace pensar que te van a despedir? —le preguntó Lindsey.

—No sólo he llegado tarde sino que soy un desastre. ¿Crees que no me he dado cuenta de que estamos en el quinto día de *Lecciones de recepcionista para chicas tontas* y que todavía me llevas de la mano a todos lados?

Lindsey sonrió, y Tracy se dio cuenta de que no había entrado sonriendo. Se veía que ella también estaba cansada esa mañana, y que no era la misma Lindsey efusiva de siempre.

—Relájate, no te van a despedir.

—¿No?

—No. Nos vamos a New Hampshire a ayudar al Equipo Dieciséis en otros ejercicios de entrenamiento —dijo Lindsey—. Como lo que hicimos anoche, cuando yo hacía el papel de rehén, ¿sabes?

Tracy asintió con un gesto de la cabeza. Lindsey había hablado de poca cosa más que el ejercicio de entrenamiento durante esa semana.

—¿Qué tal ha ido aquello? —preguntó, sobre todo para tener un detalle elegante con Lindsey. Hacía unos días se había dado cuenta de que sentía cierta envidia. Todos en el despacho se preparaban para jugar al escondite a gran escala, excepto ella.

—Bien —dijo Lindsey, y asintió con un gesto de la cabeza. Se quedó ahí, de brazos cruzados, sin sonreír, como si se limitara a tolerar su presencia aquel día. ¿Qué ocurría? Normalmente, Lindsey era muy cálida. En realidad, era todo lo contrario de ella, extrovertida, segura de sí misma. Había trabajado de agente de policía y tenía esa facilidad para relacionarse con los hombres y mujeres del despacho por igual, para ser una más del equipo. Ella jamás había sido una más del equipo en toda su vida.

—Pero para esta serie de ejercicios —dijo Lindsey—, Tom busca a una rehén con un poco menos de experiencia. Incluso Sophia, que no ha seguido nunca un entrenamiento sobre el terreno está demasiado... familiarizada, supongo que ésa es la palabra, con el asunto. Además, queremos que Sophia esté del lado de los tango de nuevo. Anoche lo hizo asombrosamente bien.

Tango era el código de radio para la letra *te*, que en este caso aludía a los terroristas. Todo en aquel trabajo tenía un mote o un acrónimo o estaba representado por algún código. SPECWAR. OCONUS. LZ, DZ, SEAL.

—Tom quiere saber si estás disponible para venir con nosotros a New Hampshire —dijo Lindsey—. Para que hagas de rehén.

—¿Hablas en serio? —Tracy tuvo que apoyarse contra la pila del lavabo.

—Sí —confirmó Lindsey—. Pero vamos a trabajar todo el fin de semana. No habrá descansos. Nos quedaremos en un motel barato, pero no pasaremos demasiado tiempo ahí. Y hará mucho frío.

—No me importa —dijo Tracy.

Por lo visto, Lindsey no le creía.

—Durante el ejercicio, estaremos en el bosque, y serán unos cuantos días... ¿Has ido alguna vez de cámping?

—No desde que era exploradora. Y, en realidad, no era cámping —reconoció Tracy—. Dormíamos en cabañas, con aseos y todo eso. —En realidad, cuando había llegado al campamento se había decepcionado. Y entonces su grupo salió de excursión y Tracy aprendió el significado de la palabra *letrina.*

—Esto será peor de lo que puedes imaginar —dijo Lindsey, sonriendo, pero seria—. Lo vas a odiar, te lo aseguro. Te recomiendo que te lo pienses bien antes de decir que sí.

—Te agradezco que te preocupes, pero... las cosas no me fueron muy bien con Lyle anoche, y me iría genial un poco de distracción.

Una distracción.

¿Era eso lo que buscaba Tracy a las tres de la madrugada cuando había llamado a Mark Jenkins?

Aunque la verdadera pregunta que se hacía Lindsey era si Jenk la había distraído o no.

Una cosa no se podía negar, y era que estaba celosa. Celosa a reventar, monstruosa y rabiosamente celosa.

Había intentado convencerse de que lo que sentía era sólo decepción. Al fin y al cabo, la decepción era una reacción natural cuando las expectativas no se cumplían.

Además, había esperado una aventura amorosa en toda regla, no una aventura de una sola noche. Lo que se había esperado era una semana o dos junto a un hombre cuya sonrisa le ponía el corazón a mil. La llamada telefónica de Tracy a esas horas de la noche había recortado esas dos semanas y las había reducido a una sola noche.

No era sólo la llamada de Tracy lo que la había recortado tan drásticamente sino, también, la actitud de Jenk, su manera de reaccionar tan apasionadamente a su llorosa demanda.

Aquello, en realidad, no debería haberla sorprendido. Ella ya había aceptado su condición de plan B con plena conciencia. No tenía ningún derecho a sentirse herida ni a enfadarse ni a sentir celos.

Y, sin embargo, era lo que sentía.

Intentaba convencerse de que era preferible que su momento con Mark Jenkins se hubiera acabado. Si así era cómo se sentía después de una sola noche... pues, más valía verse decepcionada un poco ahora que mucho al cabo de un tiempo.

Aún así, la misión que les esperaba era de lo peor que podía ocurrir. Lindsey se vería obligada a trabajar codo con codo con aquel hombre y su amiguita del plan A durante los próximos cinco —sí, cinco— días.

En ese momento, en el lavabo de mujeres, observaba a Tracy que se miraba el maquillaje en el espejo. Tracy, que era la más alta de las dos, llevaba unos pantalones vaqueros, pero no se parecían en nada a los que se había puesto ella. Tracy llevaba los pantalones tal como los luciría Lauren Bacall. Acentuaban su delgada cintura y eran ajustados en las caderas. De una tela suave y cara, le caían por sus largas piernas. Y, por descontado, también llevaba tacones. Y un jersey, si se lo podía llamar así. Tenía mangas y le llegaban hasta un punto intermedio entre los codos y las muñecas, con un escote que no era ni mucho ni muy poco pero que no parecía precisamente abrigarla demasiado. El efecto en su conjunto era elegante.

Ella, en cambio, tenía un aspecto andrógino, como un elfo arrugado. Se podía culpar en parte a su corte de pelo, pero no del todo.

Estaban las dos ahí, reflejadas en el espejo de gran tamaño. El plan A y el plan B de Mark Jenkins.

¿Ya se lo estaban pasando en grande?

De pronto, asomó la cabeza de Alyssa Locke por la puerta.

—¿Va todo bien por aquí?

Era evidente que la había mandado Tom. Necesitaba una respuesta inmediata para confeccionar la lista del personal.

—Sí —dijo Lindsey—. Tracy viene a New Hampshire. Compartirá habitación de hotel con Sophia.

La escapada de Lindsey la noche anterior (en el ejercicio de entrenamiento, no del piso de Jenk) le había valido una muy cotizada habitación a solas. Por suerte. El alojamiento en el Lado-oscuro-de-la-Luna, en New Hampshire, era limitado.

—Oh —dijo Tracy—. ¿Tengo que compartir habitación? —Debió de haberse dado cuenta que su pregunta era muy Paris Hilton porque enseguida añadió—: Está muy bien, desde luego.

—Bien. —Alyssa le lanzó una mirada a Lindsey. Era evidente que se había dado cuenta de la tensión, y pareció disculparse con la mirada—. Tendrías que sentarte un momento con Tracy, decirle lo que tiene que llevar, límite de equipaje y ese tipo de cosas.

Lindsey consiguió esbozar una sonrisa a pesar de una pátina de resentimiento. Quizá disfrutaría viendo la cara de Tracy cuando le informara que sólo podía llevar una bolsa de viaje en el avión. Disfrutaría perversamente, y eso la convertía en una persona mala, muy mala. Pero en ese momento no le importaba.

—Vamos a mi despacho —dijo.

Alyssa ya se iba, pero volvió a abrir la puerta del lavabo.

—En realidad —dijo, y esta vez su expresión era auténticamente de disculpa—, ahora mismo Deck está ahí dentro. ¿Qué te parece la sala de reuniones?

¿Decker se había apropiado de su despacho?

Aunque, vale. La verdad era que el despacho era de Deck, pero ella lo había ocupado debido a sus largas ausencias. Aún así, aquello era un bonito broche de oro para un día que se perfilaba como auténticamente mierdoso.

Tracy siguió a Lindsey por el pasillo.

—Resulta que mi noche fue lo más horrible que podía ser. Lyle estaba... Dios, en realidad, no tengo ganas de hablar de Lyle.

Habría que llamar al *San Diego Union-Tribune.* O llamar a la línea caliente de últimas noticias del canal siete. Tracy Shapiro no quería hablar de Lyle.

—¿Te puedo ofrecer un café? —le preguntó Tracy—. Porque yo todavía no he tomado nada y tengo la cabeza a punto de estallar.

—Sí, claro, tráeme una taza a mí también. —Lindsey abrió el armario del material de oficina, sacó una libreta y se dirigió a la sala de reuniones. Dejó caer la libreta en la enorme mesa y apartó una de las muchas sillas. Quizá, si la suerte le favorecía, Tracy se sentaría en el otro extremo y se atragantaría con el café. La mesa era tan larga que aunque ella corriera para intentar salvarla, llegaría demasiado tarde.

Sí, era una mala persona. En la parte superior de la libreta, escribió en grandes letras mayúsculas: EQUIPAJE LIMITADO A UNA (1) PEQUEÑA BOLSA DE VIAJE. Después de pensarlo dos veces, escribió: PEQUEÑA = SE PUEDE LLEVAR FÁCILMENTE EN UNA EXCURSIÓN DE TREINTA KILÓMETROS. Y luego, entre FÁCILMENTE y EN intercaló TÚ MISMA.

No había ninguna excursión de treinta kilómetros en el programa, pero ya se imaginaba a Tracy apareciendo en la base aérea con un bolso del tamaño de un Mini Cooper. *Dijiste un pequeño bolso. Éste es el más pequeño que tengo. Quiero decir, que me ha costado mucho meterlo todo dentro. Creí que tendría que coger uno del tamaño de una casa. Una casa pequeña, desde luego, porque tú dijiste pequeño. Ya sabes, una casita de dos habitaciones. Ni una gran bañera ni piscina. ¿Te he comentado que a Lyle le fascina nadar?*

Tracy entró en la sala con dos tazas de café y haciendo un gran esfuerzo para parecer optimista.

—No te creerás lo que me pasó anoche —dijo, y dejó el tazón preferido de Lindsey en la mesa—. Leche y una pizca de azúcar, ¿no?

—Gracias —dijo Lindsey.

—Ah, y también he puesto el teléfono para que suene aquí si alguien marca el cero.

Al parecer, lo de que no la despidieran le había sentado bien a Tracy. Se sentó junto a Lindsey. Había que olvidarse de la idea de que se atragantara.

—Conoces a Mark Jenkins, ¿no? —siguió Tracy—. ¿Mi hombre de las Fuerzas Especiales de la Armada? Es ese tan mono, un poquitín bajito, pero con una obsesión gigantesca por mí.

Su hombre de las Fuerzas Especiales de la Armada. Qué bien.

—Sí, claro, lo conozco. —Lindsey calló y no añadió: *De hecho, me acosté con él anoche.* No tenía ganas de escuchar lo que seguía, ni quería fingir que era la mejor amiga de Tracy. Quería acabar lo que tenía pendiente y volver a casa para preparar su bolsa—. Mira, de verdad tenemos que...

—Las cosas fueron de mal en peor con Lyle —dijo Tracy, arrolladora—. Fue realmente horrible, y... En fin, ahí estaba yo, en un taxi, sin dinero y no sabía adónde ir, así que fui a casa de Mark.

La la la. Lindsey se tapó mentalmente los oídos y cantó en voz alta.

—Tenemos que conseguirte botas para la nieve. ¿Qué calzas?

—Un siete —dijo Tracy—. Mark se portó como un ángel, me dejó llorar en su hombro. Tiene unos hombros impresionantes.

Lindsey lo sabía.

—De verdad que tenemos que hablar de esto ahora —dijo, procurando no sonar desesperada—. Tendrás que hacer tu equipaje y...

—Yo estaba muy borracha —confesó Tracy—. En realidad, me atreví con él. Dios mío —dijo, entornando la mirada—. Si vieras cómo besa, es muy bueno.

Sí, sí, Tracy, eso lo sabía.

—También necesito tu talla.

—Vale, así que estábamos en su piso, sentados en el sofá, y yo... —Tracy frunció el ceño—. ¿Para qué la necesitas?

—Te lo creas o no, Tom quiere que te vistas de enfermera —le informó Lindsey.

—Ay —dijo Tracy, con una mueca—. ¿Uno de esos vestidos blancos? ¿Por qué?

—Probablemente será pantalón y blusa, debido al tiempo, pero sí —dijo Lindsey, y añadió—: Hecho con ese tejido de poliéster muy grueso y desagradable. Yo también lo detesto. Nadie se ve muy bien con eso puesto. —La decepción de Tracy sólo hizo que Lindsey se sintiera como una perra, y le explicó—: Ahora mismo, no ha nevado, y si vas vestida con pantalones blancos, será mucho más fácil que el equipo de rescate te detecte.

—Ah —dijo Tracy, forzando una sonrisa—. Siempre y cuando haya un motivo. Quiero decir, claro que sí, lo haría de todos modos. Me hace mucha ilusión poder ayudar. Es como si salvara vidas. De forma indirecta, claro está, pero... —dijo, y desgranó las tallas de su ropa.

Mientras Lindsey las anotaba en un trozo de papel, no se sentía sólo como una perra. Sabía que era una perra. Tracy no tenía ni idea de que Mark Jenkins significaba algo para ella. Era evidente que Jenk no se lo había dicho. Y a pesar de los intentos de Tracy para parecer optimista, era claro que algo le molestaba. Tenía unas ojeras muy marcadas y cuando se olvidaba de sonreír tenía un aspecto muy desconsolado.

—¿Tienes ropa interior gruesa? —le preguntó Lindsey, esperando que la pregunta la distrajera lo suficiente para que no siguiera contando su historia.

—¿Lo preguntas en serio? —inquirió.

—Muy en serio. Hay una tienda de ropa deportiva a unas tres manzanas de aquí —le informó Lindsey—. Tienen un tejido mezcla de seda y lana muy ligera que abriga mucho. Deberías ir a buscar algo en cuanto acabemos aquí.

—Espero que acepten tarjetas de crédito. Tengo que acabar de contarte lo de anoche. Ahora llego a la mejor parte.

Genial.

—Vale, así que estamos en el sofá de Mark —dijo Tracy—, y yo le digo *Hace mucho calor aquí dentro,* y empiezo, ya sabes, a quitarme la ropa, sin nada de sutilezas, y él...

Lindsey dejó su boli en la mesa con un gesto brusco.

—Lo siento, pero ¿te he dado la impresión de que tenía ganas de escuchar los detalles íntimos de...?

—No, espera. A eso voy. No hay detalles íntimos porque ¿sabes lo que me dijo? —Tracy seguía ahí sentada, con una mirada de diversión e incredulidad brillando en sus ojos de número especial de bañadores de *Sports Illustrated,* como si aquella fuera a ser la historia más divertida que Lindsey jamás hubiera oído—. Dijo *Abriré una ventana.* Ahí estoy yo, dándole luz verde, quiero decir, no podía ser más evidente aunque hubiera dicho *Oye, tengo una idea genial, ¿por qué no follamos?* Así que él se levanta y se va a abrir la... bueno, no es exactamente una ventana. Es una puerta de vidrio corredera que da a una pequeña terraza desde su salón. Pues va y la abre y, cuando vuelve, no se sienta en el sofá sino en el otro extremo de la sala. —Tracy rió, pero se veía que la alegría ya no era tanta—. Ahora suena divertido, pero en ese momento no lo fue. Creo que quizá me largué a llorar. Estaba muy avergonzada. Quiero decir, ¿qué hace una chica cuando se lanza encima de un chico y él la rechaza?

Lindsey no pudo evitar repetir la frase.

—Él te rechazó.

Tracy asintió con un movimiento de la cabeza.

—Total y absolutamente. Pero se portó muy bien. Desde su asiento al otro lado del salón —dijo, y volvió a reír—. Como si me fuera a tirar encima de él si se sentaba a mi lado. Probablemente lo habría hecho.

—¿Te rechazó porque estabas demasiado borracha? —¿Por qué quería ella aclarar aquello? ¿Qué importaba?

—No —dijo, él... —Tracy se inclinó más cerca y bajó la voz, aunque estaban solas en la sala—. ¿Sabías que ha empezado a salir con alguien?

Mierda.

—¿Eso te dijo? —le preguntó Lindsey.

—Sí. ¿Te lo puedes creer? —le preguntó Tracy, y rió, asombrada—. Me había besado hace sólo una semana, así que... Escojo muy mal los momentos. En fin, ahí estoy yo, en una bandeja y él me dice: *Es una chica muy especial, es alucinante, Trace. Ha ocurrido muy rápido, pero estoy muy colgado de ella, da un poco de miedo.*

Madre mía. Jenk la había llamado varias veces durante el día y ella había pensado que era para darle el discurso de *Vaya, nos volvimos un poco locos anoche, lo cual ha sido un error porque, en realidad, estamos tan bien como amigos, nada más.* Y si bien no le sorprendió que hubiera rechazado la oferta que le hacía Tracy para follar (en realidad, no parecía el tipo de hombre que se encuentra a gusto acostándose con dos mujeres diferentes, borracho o no, en una sola noche), el hecho de que le hubiera dicho a Tracy, de todas las personas posibles, que se estaba *viendo* con alguien... alguien de quien estaba *bastante colgado*...

Lindsey no encontraba las palabras pero, como siempre que conversaba con Tracy, tenía que dar una respuesta.

—Me gustaría estar con alguien que pensara que soy especial —dijo Tracy, con semblante triste—. Lyle se follaría a su propia abuela en su silla de ruedas; bastaría con que ella respirara en su dirección.

Las dos abuelas de Lindsey habían muerto hacía varios años y *Ella es una chica muy especial... Estoy muy colgado de ella, da un poco de miedo.*

Sí. No sólo un poco de miedo, sino una carretillada de miedo. Entonces sintió el pánico apretándole la garganta y elaboró de prisa una lista de cosas que Tracy tenía que llevar a New Hampshire. Calcetines de lana, al menos diez pares. Ropa interior larga. Le anotó la dirección de la tienda de artículos deportivos. Cuellos de cisne, pijamas de franela. Un gorro grueso. Guantes y mitones.

Tracy finalmente había guardado silencio, pero ahora dijo, como pensando en voz alta.

—¿Crees que miente? ¿Crees que quizá sea gay?

No, pero creía que era posible que Jenk hubiera cambiado el tono de las llamadas de Lindsey a «Here comes the Bride».

—¿Conoces al amigo de Mark, Izzy? —preguntó Tracy.

—Sí —dijo Lindsey, con tono seco, mientras intentaba anotar todo lo que Tracy podía necesitar. Una bufanda gruesa. Anorak. Jerseys de lana para ponérselos uno encima del otro.

—Es un chico muy intenso, ¿no te parece? —Tracy no tenía intención de callar.

Joder. Lindsey le había dicho a Jenk que no quería nada complicado. Maldita sea, ella se había permitido tenerlo porque era evidente que él tampoco buscaba eso. O al menos así lo había creído ella, y se había equivocado.

¿Qué tipo de imbécil podía tener una noche de sexo (y había sido una noche estupenda, pero aún así...)...? ¿Qué tipo de imbécil podía creer que una noche podía ser la base de una relación verdadera? Jenk no estaba *saliendo* con ella. Una noche no era *salir* con nadie.

Arrancó la página de la libreta y se la entregó a Tracy.

—Trae sólo un bolso de viaje y asegúrate de que sea lo bastante ligero como para que puedas llevarlo tú misma.

Tracy rió, una risa alegre y melodiosa, cuando Lindsey echó la silla hacia atrás y fue hacia la puerta. Pero la risa cesó cuando salió al pasillo.

—Dios mío, espero que sea una broma —oyó que Tracy decía, alarmada.

Lindsey se dirigió al despacho de Tom para pedirle —rogarle, si fuera necesario— que la dejara quedarse.

Lugar: desconocido
Fecha: desconocida

Beth se despertó, desorientada, en una cama que se hundía en el medio, en una habitación que no reconocía, una habitación con una ventana, con las venecianas cerradas y las cortinas también.

Sin embargo, la luz se filtraba por los bordes.

Por algún motivo, aquello era importante, pero ella no podía recordar por qué, por mucho que lo intentara.

La puerta de la habitación estaba apenas abierta y había una luz en el pasillo. Vio que las paredes de la habitación eran de un color amarillo deslavado, el techo blanco y lleno de grietas, como un mapa de carreteras de un país donde reinara la locura.

La cabeza le retumbaba y tenía la boca seca, con un regusto amargo, lo cual era raro porque después de vomitar, el dolor de cabeza de su resaca solía disminuir bastante.

Una cosa era clara, y es que debía haber sido una noche endemoniada porque, por mucho que lo intentara, no recordaba ni un maldito detalle. ¿Cómo había llegado ahí? ¿Con quién se había ido a casa? Si había vomitado antes o después de hacérselo con alguien.

A su madre le encantaría... si llegaba a enterarse. Desde luego, su madre estaría lo bastante enfadada por no haber llegado a casa la noche anterior. Y si no recordaba exactamente con quién había pasado la noche, lo más probable es que se hubiera olvidado de llamar a su madre.

Temblaba, a pesar de que las mantas la tapaban hasta el mentón. El colchón era demasiado blando, y la espalda le dolía horrores. Se movió, queriendo apartarse de la depresión del medio y...

Estaba atada. Al marco de hierro forjado de la cama. El tobillo derecho y la muñeca derecha. Intentó sentarse y liberarse de las ataduras. Pero aquello no eran tiras de seda ni cuerdas. Eran cadenas, grilletes.

Estaba vestida con ropa vieja y manchada de sangre que no había sido lavada en años, y en el brazo tenía una herida con una pinta horrible. Dios, cómo dolía.

—¿Te sientes mejor, Número Cinco?

La puerta se abrió y lo vio ahí, en el umbral, con la luz del pasillo a sus espaldas, su cara en la sombra. Y entonces recordó.

Recordó la mayor parte, pero no todo. ¿Cómo había ocurrido aquello? ¿Había luchado contra Número Veintiuno y perdido?

Sintió que el terror se apoderaba de ella, la ahogaba, hasta que vio chispas delante de los ojos.

No importaba cómo había ocurrido. Lo único que importaba era que él la había llevado arriba.

Lo cual significaba que le iba a hacer lo que le había hecho a Número Cuatro.

Capítulo 10

Sobrevolando el territorio de Arizona
9 de diciembre, 2005. Viernes por la noche

—Hola.

—Hola.

—¿Te importa si... me siento?

Vaya, era un comienzo prometedor para empezar una conversación. Dave levantó la mirada de su libro y vio a Mark Jenkins en el pasillo del avión.

Lindsey Fontaine estaba sentada en el asiento de la ventana directamente detrás de Dave.

—No —dijo ella—. Por favor. Esto es, eh... ¿Tienes un momento para... hablar? ¿Unos cuantos minutos?

Jenkins se sentó a su lado.

—Sí, tengo bastante tiempo hasta que lleguemos a New Hampshire. Quiero decir, suponiendo que el comandante no me necesite para nada.

Hablaban en voz baja, pero la acústica creaba una especie de espacio raro que hacía que pareciera que lo estuvieran haciendo directamente al oído de Dave. Era un fenómeno interesante, y normalmente ocurría sólo en los vuelos comerciales, cuando había un bebé que lloraba en el asiento detrás del suyo. Estaba a punto de girarse y comentarlo. *No habléis de cosas demasiado personales, ja, ja, ja...* cuando Lindsey dijo:

—A propósito de anoche...

—Lo siento mucho —dijo Jenkins.

—Fue un error —le soltó Lindsey.

—Estoy de acuerdo... Me equivoqué al... He estado pensando en ello todo el día y debería sencillamente haberle dicho que tú estabas ahí...

Dave empezó a recoger sus cosas... su maletín, su chaqueta, cuando Lindsey interrumpió a Jenkins.

—Quiero decir que fue un error acostarnos. Fue un error creer que podíamos tener relaciones sexuales sin echar a perder nuestra amistad.

Vaya historia. Si se levantaba en ese momento y se iba a sentar en otro sitio, Lindsey sabría que la había oído decir eso. También la había oído antes en el despacho de Tom, pidiéndole que la dejaran al margen de ese ejercicio. No quería ir a New Hampshire.

El motivo que alegaba era que le costaba mucho desenvolverse en condiciones de frío, que necesitaba unos días libres... Al parecer no era del todo verdad.

Jenk rompió el silencio.

—Escucha, Lindsey. Ya sé que lo hice muy mal, pero...

—No es verdad.

—...lo que hicimos anoche no es un error. Eres increíble.

—En la cama —dijo ella—. No me conoces lo suficiente como para saber si soy increíble haciendo otra cosa que masajes y...

Dave se tapó los oídos y se encogió en su asiento. Todo eso era información de la que él no quería saber nada, en absoluto. Pero las voces seguían llegando hasta él.

—Creo que sí te conozco. —Jenk estaba seguro de lo que decía.

—No tienes ni la menor idea de quién soy. —Lindsey también estaba segura.

Era evidente que Jenk no podía ganar esa discusión y que ésta se convertiría rápidamente en un «¡Sí que lo sé!» «Que no.» «Que sí.» Entonces Jenk dijo:

—Entonces, déjame conocerte. Háblame. Quiero saberlo todo.

—¿Ah, sí? —Lindsey estaba cabreada—. ¿O sólo quieres conocer de mí aquello que calza con tus pequeñas fantasías? Para que lo sepas, he leído el *Kama Sutra*. En la universidad seguí una asignatura de sexualidad humana que fue muy enriquecedora... y eso es un punto a favor, ¿no?

Dave intentaba desesperadamente no escuchar, pero era imposible.

—Y me fascina ir de cámping —siguió Lindsey—. Veamos, siempre he querido aprender a hacer rafting... como comando de las SEAL es probable que esas dos aficiones tengan tu aprobación, incluso más que el primer elemento. Así que, toma nota. Pero, espera, también miro mucho la tele. A ti eso no te va. Salvo que tengo TiVo. Y eso lo convierte de un menos en más, porque tendré algo que hacer durante todas esas semanas que tú te pasarás saltando en paracaídas desde un avión.

—Lindsey, sé que estás enfadada. Yo, en tu lugar, también estaría enfadado...

—Ah, espera, hay algo que ya te he contado. Veamos qué pasa cuando te lo vuelva a contar. *No estoy buscando nada complicado ahora mismo*. Vale, veamos. Eso no es un punto a favor ya que tu objetivo son dos coma cinco hijos y un monovolumen. En realidad, es un punto en contra importante, pero ¿sabes una cosa? Ignóralo. Tú, sigue ignorándolo, Mark.

Siguió un silencio y Dave aguantó la respiración. ¿Acaso Jenk iba a darse por enterado o Lindsey tenía que decírselo más claro?

—Te estás librando de mí —dijo finalmente Jenk.

—No —dijo ella, pero esta vez él la interrumpió.

—Sí. Eso es lo que estás haciendo. Y de qué manera.

—Librarme de ti implica... —empezó a decir ella.

—¿De verdad no crees que estábamos bien juntos? Lo siento, pero me cuesta creer que esto no tenga nada que ver con el hecho de haber ido a rescatar a Tracy, como si hubiera fallado tu prueba o como si fuera demasiado humano para satisfacer tus severas exigencias o...

—Librarse de alguien supone una relación —dijo ella, enardecida—. Nosotros hemos compartido una noche lo cual, en mi opinión, es un gran error. Te dije desde el principio que yo no buscaba una relación y tú dijiste excelente, estamos en la misma frecuencia. Pues bien, yo todavía estoy en esa frecuencia. Y tú te has metido en la cabeza un cuento de hadas, un cuento en el que de repente ya no quieres a Tracy, donde has... has puesto mi cara en la foto de una boda en una página nueva que dice *¡Y vivieron para siempre felices y comieron perdices!*

—¿Qué? —Jenk estaba totalmente confundido.

—Ella me contó lo que tú le dijiste —dijo Lindsey, completamente indignada—. Tracy. Me dijo que se te insinuó y que tú *la rechazaste.*

—Vale, un momento —dijo Jenk, con voz de incredulidad—. ¿Estás enfadada conmigo porque no me metí en la cama con Tracy?

—¡Por culpa mía! —acabó Lindsey—. Le dijiste que estabas saliendo con alguien, pero eso no es verdad. Tuvimos una relación sexual, Mark. Y el único motivo por el que me pediste que me fuera a tu casa contigo es porque pensabas que Tracy había vuelto con Lyle.

—Eso no es... —balbuceó él.

—Sí —dijo ella—. Lo es. Y tú lo sabes.

Él guardó silencio un momento.

—¿Y qué? ¿Acaso no tengo derecho a cambiar de opinión?

—No —dijo Lindsey—. Tienes derecho. De la misma manera que yo tengo derecho a no cambiar *mi* opinión.

Siguió otro silencio, roto, al cabo de un momento, por Jenk.

—Creí que quizá tú... —dijo, y dejó escapar un suspiro.

—¿Qué me desmayaría?

Había más de lo que Lindsey decía porque estaba demasiado enfadada con Jenkins por... ¿no acostarse con Tracy? Sí, era evidente que en esa situación había algo más que lo meramente visible. O, mejor dicho, más que lo meramente audible.

—¿Porque de pronto me ves encajando en el pequeño nicho que tienes destinado a tu anónima futura mujer? —siguió Lindsey—. Todo lo que he dicho te debe haber sonado a falsedad, ¿no? Porque todo el mundo sabe que las mujeres en todas partes no hacen más que aguantar la respiración mientras piensan: algún día vendrá mi príncipe azul. Siento romper tu burbuja, pero no quiero casarme contigo, no quiero esa cohabitación, no quiero convertirme en novia. No quiero ni siquiera salir contigo. Quería meterme en la cama contigo. Y ya está. Creí que quizá podríamos ser ese tipo de amigos que se juntan durante un tiempo y se lo pasan bien juntos. Me equivoqué. Fue un error. Un error garrafal.

Silencio.

—Yo no te pedí que te casaras conmigo —dijo Jenkins, finalmente—. Lo que iba a decir era que creía que yo te gustaba a ti tanto como tú a mí. Ahora supongo que tengo mi respuesta.

—Sí que me gustas —dijo ella—. Como amigo.

Esas dos palabras sonaron a toque de difuntos para aquella última brizna de esperanza que seguramente quedaba en el corazón de Jenkins. A Dave casi le pareció oír el sordo silbido de la flama vacilante al apagarse.

—De acuerdo —dijo Jenk—. No es lo que quiero, pero... vale. Me parece... bien.

Los dos guardaron silencio, pero Dave sabía que la conversación no había acabado. Jenk todavía tenía que levantarse e irse. Pero finalmente habló.

—Lo siento si algo que haya dicho o hecho te ha hecho daño.

—Y yo lo siento si te he hecho daño a ti.

Dave oyó el ruido que hizo Jenkins al levantarse. Fingió estar enfrascado en su libro, pero alcanzaba a ver al joven de las SEAL por el rabillo del ojo. Jenk se quedó un rato ahí de pie, como si fuera a decir algo más, pero luego se alejó hacia la parte trasera del avión.

Ay, a Dave le dolió el estómago. Por los dos.

Y luego Lindsey dio una patada al respaldo de su asiento.

—¿Lo has disfrutado? —preguntó. Le hablaba a él. Genial.

Él se giró y se incorporó para mirarla.

—Apostaría a que he disfrutado más que tú.

Nunca la había visto tan hundida. Lindsey siempre estaba de tan buen ánimo, siempre sonriente. Ahora tenía un aspecto horrible, como si acabara de ser arrollada por un autobús. Era posible que tuviera lágrimas en los ojos, pero miraba por la ventana, y eso le impedía saberlo con seguridad.

—Por favor no se lo cuentes a nadie.

—No lo haré —dijo Dave—. No lo haría —dijo, y calló un momento—. ¿Estás segura de que...?

—Sí —dijo Lindsey—. Estoy segura. Estoy muy segura —añadió, asintiendo para enfatizar sus palabras, como si quisiera convencerse a sí misma.

Ella estaba segura y Jenk estaba bien.

Y él, Dave, tenía regularmente relaciones sexuales por teléfono con la reina de Inglaterra.

Darlington, New Hampshire
Sábado, 10 de diciembre, 2005

En New Hampshire hacía un frío horrible, y el sol de la mañana apenas conseguía calentar el aire.

Al llegar a su lugar de alojamiento temporal (una antigua casa de dos pisos llamada Motel-a-Rama) Izzy ayudó al jefe a organizar el equipo mientras Jenkins iba de un lado a otro asegurándose de que todos tuvieran sus respectivas habitaciones.

—Quiero compartir una habitación con Tracy y Sophia —anunció Izzy, lo cual despertó las quejas de Lopez y Gillman:

Ten un poco de respeto, Zanella. Joder, Zanella, pareces un chico de quince años en un viaje de fin de curso. Madura ya.

—Uno tiene el derecho de soñar, ¿no? —dijo Izzy, a nadie en particular, mientras arrastraba una caja de comida preparada hacia el vestíbulo del motel.

Vaya, bienvenidos a 1976.

La mayor parte del tejido de la moqueta color verde aguacate se había desgastado hasta desaparecer de la zona más transitada, pero permanecía intacta, tenaz, bajo varias sillas que parecían directamente traídas de una venta de objetos usados de Graceland. El techo era de color amarillo, con las vigas expuestas que, treinta años antes, habían lucido un naranja brillante. Todo lo demás estaba recubierto de chapas baratas.

La mujer de la mesa de recepción vestía una chaqueta Harley, además de unas quince capas de jerseys, y una nube de humo de cigarrillos flotaba por encima de su cabeza. Tenía un pelo color rojo chillón, o quizá sólo parecía chillón en contraste con las orejeras que llevaba puestas.

—Tenéis todo el restaurante para vosotros durante vuestra estadía, cariño —anunció a Izzy, con una voz ronca que delataba su consumo de cinco paquetes de cigarrillos al día, señalando una puerta a sus espaldas—. El camino más rápido a la cocina es por ahí atrás.

La mujer sonaba como si tuviera unos quinientos años aunque, a juzgar por la sombra azul de los ojos, no podía tener más de sesenta. Aún así, tenía una sonrisa cálida, y las enormes orejeras que llevaba eran para morirse de la risa.

—Gracias, nena —dijo Izzy mientras empujaba las cajas, lo cual le granjeó un guiño y muchos puntos a favor.

Era una buena idea establecer buenas relaciones con los locales, teniendo en cuenta que estaban en medio de aquel lugar muy, pero que muy perdido del mundo, Darlington, New Hampshire. O, como Lindsey lo había definido, el lado oscuro de la luna.

Habían salido del aeropuerto y puesto rumbo al norte. Y luego habían seguido hacia el norte. Y luego dejaron la autopista y siguieron hacia el norte por las carreteras comarcales. Después, habían dejado las carreteras comarcales y se habían internado aún más lejos en aquellas montañas heladas e inhóspitas.

—Me llamo Stella —dijo la pelirroja cuando Izzy volvía a la furgoneta.

—Qué bien —contestó éste, y se detuvo ante la gran mesa de la recepción—. Tienes que casarte conmigo. Yo me llamo Zanella, y Stella Zanella queda demasiado bien como para dejar pasar la oportunidad.

Ella le sonrió al tiempo que le enseñaba su alianza, detalle en el que Izzy ya había reparado.

—Ya estoy comprometida. Pero tienes toda la libertad para retar a duelo a Robert, mi marido.

—Sólo por curiosidad, Stell —dijo él—. ¿A quién se le ocurre poner un motel en Marte? —También había reparado en un cartel que colgaba de la pared, un gatito prendido de una barra para hacer flexiones. Alguien había tachado la leyenda «Aguantando» y había escrito «Que te jodan. Gracias». Izzy no entendió qué tenía que ver el nuevo rótulo con el gatito (probablemente un chiste particular), pero barruntó que aquella palabra formaba parte de su vocabulario. También estaba claro que el Robert que Stella había mencionado había sido militar. En una pequeña vitrina se conservaban sus medallas, otorgadas durante la guerra de Vietnam. Sí, Stella ya había oído esa palabra unas cuantas veces.

Entonces ella no pudo reprimir la risa.

—No nos va mal. Cazadores, aficionados a las motos de nieve, algún esquiador perdido de vez en cuando... El verano a veces es largo, pero no importa. Tenemos más tiempo para trabajar en el jardín.

—Venga, Zanella, muévete. —Jenk no estaba contento, y se le notaba desde que se había sentado con Lindsey durante el vuelo. Izzy no estaba seguro del motivo, pero no pintaba bien, ya que era evidente que Marky-Mark estaba hecho un guiñapo.

Izzy lo ignoró.

—Stell, si me quieres como segundo marido —avisó—, tendrás que dejar de fumar. Te estás matando, y eso no está bien. ¿Pensarás en dejarlo por mí, muñeca?

No oyó su respuesta, porque Jenk lo cogió del brazo y lo arrastró al exterior a empujones.

—Deja de perder el tiempo.

—¿Y a ti cuándo te han nombrado jefe? —preguntó Izzy, soltándose con un gesto seco, quizá con más rudeza de lo necesario. Sin duda con más rudeza de lo necesario porque sabía que el cabreo no iba con él.

Jenk lo empujó a un lado.

—Estoy harto de tener que hacer tu trabajo además del mío, gilipollas.

El cabreo iba con Lindsey.

—Te ha dado calabazas, ¿eh? ¿En el avión? —preguntó Izzy—. Lo siento, Mark.

Lo mejor habría sido simplemente devolverle el empujón, porque Jenkins no sabía qué hacer con la simpatía de Izzy. Sacudió la cabeza.

—Tú, limítate a hacer lo que tienes que hacer, joder —dijo, y se alejó.

Iban a compartir habitación durante los próximos cinco días.

Que maravillosa perspectiva.

Jenk conducía el SUV y Lopez iba de copiloto.

Estaba cansado y de mal humor, molesto y, además, demasiado consciente de que Lindsey iba sentada detrás, apretada entre Izzy y Gillman. Si miraba por el retrovisor, ahí estaba ella, mirando en cualquier dirección excepto hacia él.

Él mantenía la mirada fija en el estrecho camino.

—Aquí a la izquierda —dijo Lopez, y Jenk ralentizó para doblar por el camino de tierra—. Y luego, sigue recto hasta donde puedas llegar.

Aquello podría haber sido mucho peor. Podría haber estado sólo en el vehículo, con Lindsey detrás mirando el mapa.

—¡Jenkins! —Tommy Paoletti lo había llamado mientras ayudaba a descargar las provisiones.

Jenk fue hacia Tommy a toda prisa, que lo esperaba en el restaurante del motel. Sonrió porque había respondido a la llamada instintivamente, y por un momento se había transportado en el tiempo unos cuantos años, cuando Paoletti era el oficial al mando del Equipo Dieciséis. Joder, cómo añoraba a aquel tío. Era probable que su oficial actual, Lew Koehl, no hubiera gritado en toda su vida.

Jenk detuvo su carrera y su sonrisa se desvaneció al ver que Lindsey estaba junto a Tom. Pero, bueno. Tenía cinco días por delante de lo mismo. Se encontraría muchas veces cara a cara con ella, eso era indudable. Y le daba igual que la primera vez fuera en ese momento y en ese lugar.

Como de costumbre, Tommy no esperó a que él dijera *sí, señor* o, en su defecto, *hola*. Le habló sin esperar. Sabía que Jenk lo aguantaría.

—Hace más frío de lo que habíamos pensado —dijo Tom—, y tenemos un frente de mal tiempo que se acerca. Estoy pensando en levantar el campamento justo en los lindes de la zona donde llevaremos a cabo el ejercicio de entrenamiento mañana por la noche. Nos han dado permiso para usar una vieja cabaña de cazadores, es decir, al menos la propiedad. La cabaña se quemó hace años, pero todavía quedan otras estructuras en el lugar. No tengo ni idea de cómo están las instalaciones. Quiero que vayáis a echarle una mirada.

La orden era en plural, también se refería a Lindsey, que tenía un mapa en las manos. Se lo pasó a Jenk sin decir palabra, y él fingió mirarlo a la tenue luz de mediodía que penetraba por las ventanas del restaurante, sin dejar de pensar *mierda*.

—El lugar ideal sería cerca de lo alto de un cerro —explicó Tom—. Tendremos que instalar un faro de orientación que cubra un área lo más amplia posible en caso de que tengamos problemas con la visibilidad.

—Espera —dijo Lindsey. Aunque se encontraban en el interior y los radiadores estaban encendidos al máximo, hacía bastante frío como para que ella llevara puesto el gorro y se diera calor con ambos brazos para conservar la temperatura del cuerpo—. Me he perdido, jefe. ¿Visibilidad? ¿Eso quiere decir que tendremos niebla?

No había que olvidar que Lindsey era una chica de California.

—Nieve. Las condiciones de una tormenta pueden causar un bloqueo total —explicó Jenk—. El faro nos permitirá encontrar el campamento base si tenemos algún problema durante el ejercicio. Es una precaución de seguridad —dijo, y se volvió hacia Tom—. Señor, deberíamos comprobar con su equipo y ver si hay alguien más que no tenga una experiencia sólida en prácticas de superviviencia en la nieve, y asegurarse de que vayan con alguien que sí tenga experiencia.

—Buena idea —dijo Tom—. Le pediré a Tracy que se ponga a ello.

Jenk no pudo dar libre curso a la segunda sugerencia, a saber, que Lindsey se quedara en la retaguardia, donde el frío no fuera un factor clave, ocupándose de organizar aquello.

—Antes había un camino que llegaba hasta el refugio —dijo Tom—. Quiero un informe sobre el estado actual. Quiero saber dónde se vuelve intransitable, según nos ha advertido el dueño de la propiedad, y saber cuán intransitable es en realidad. Quiero recomendaciones acerca de la mejor manera de llevar un generador y provisiones hasta allí. Y supongo que también tendremos que montar una antena de comunicaciones. Aún así, aprovechad para comprobar la señal de los teléfonos móviles cuando estéis allí.

—Perdón, señor —dijo Johnny O., que acababa de entrar—. Si tiene un momento, el comandante Koehl quiere hablar con usted. Está en la cocina.

—Ahora voy —dijo Tommy, aunque todavía no había acabado de dar órdenes a Jenk y Lindsey—. Coged uno de los vehículos de alquiler. Y aseguraos de llevar comida. No hay McDonalds allá arriba.

—¿Quiere decir en el infierno? —se atrevió a decir Jenk en voz alta. Pero Lindsey no pareció ofenderse. Ella tampoco parecía muy contenta ante la perspectiva de aquel viaje en coche—. De acuerdo —dijo Jenk—. Yo cogeré las provisiones, tú abrígate más, porque vamos a tener que subir.

Ella asintió con un gesto de la cabeza.

—Gracias por intentarlo. Quiero decir, que yo me quede aquí abajo, donde está un poco menos helado.

—No era únicamente por ti —reconoció Jenk—. Nos encontraremos junto a los coches.

Lindsey se había presentado con Dave y Sophia, y estos dos parecían dispuestos a dedicar su precioso tiempo allá arriba a hacer de carabinas. Jenk había intentado hacer algo similar: convencer a Izzy, Lopez y Gillman de que lo acompañaran. Ellos se habían resistido a su iniciativa (al fin y al cabo, se suponía que aquello sería uno de sus pocos descansos) hasta que supieron que Sophia también iría. A partir de ese momento le habían rogado que les guardara un sitio en el SUV.

Debería haberles cobrado cincuenta pavos a cada uno.

—¿Esto es un camino de verdad? —preguntó Dave en ese momento. Él y Sophia iban sentados mirando hacia atrás, pero él se había girado para mirar hacia delante.

—Lo era, cuando el refugio conoció mejores tiempos —dijo Jenk. Se había detenido a recoger toda la información posible de Stella, la novia casada de Izzy, después de preparar un suculento paquete de provisiones. Aquellas eran sus palabras, *en mejores tiempos*—. Antes no era más que un sendero, una ruta para los tramperos desde Canadá hasta Boston. Al parecer, también fue utilizada durante la guerra francesa e india.

—Marky-Mark, eres mejor que una guía de viaje Fodor —dijo Izzy—. ¿Cómo estás enterado de toda esa mierda? Veamos si puedes contestar a ésta. Por veinte mil puntos: ¿Cómo se quemó el refugio? Y... redoble de tambores, ¡por favor! ¿Es un lugar encantado?

—Fallo del generador, además de un verano y un otoño muy secos. Y no, no está habitado por fantasmas.

—Tara-la, tara-la, la la. —Izzy entonó los primeros compases del tema de los *Cazafantasmas*. Yo no tengo miedo a los fantasmas. Vale, para aquellos que no se hayan dado cuenta, Jenk no cree para nada en lo sobrenatural. Por lo tanto, los fantasmas no existen, por lo tanto, no puede ser un lugar encantado. Sólo por curiosidad, Mark, ¿qué dicen, exactamente, los rumores?

—La típica historia del hombre del saco —dijo Jenk, mientras el coche daba un salto y luego unos bandazos en el camino maltrecho. Ralentizó aún más cuando los arbustos rozaron el lado del vehículo como cientos de dedos huesudos.

—¿Como, por ejemplo? —preguntó Gillman, inclinándose hacia delante.

—La historia del jardinero que es detenido injustamente y que luego vuelve para vengarse —dijo Jenk.

—*¡Devolvedme mi pierna!* —exclamó Izzy, con voz temblorosa—. Me fascina esa mierda.

—Sí —dijo Lopez—. Quiero oír esta historia.

—Venga tío Jenk, cuéntanos a los chicos esa historia que nos da miedo.

Dios, no debería haber traído a Izzy, pensó Jenk, mientras miraba por el retrovisor (mierda, ¿por qué seguía haciendo eso?) y vio que Lindsey sonreía. Joder, eso era peor que cuando iba ahí sentada deseando estar en cualquier otro lugar del planeta. Porque le sonreía a Izzy.

—No sé si deberías contarla —dijo—. Puede que Izzy tenga pesadillas.

Vale, no bastaba con que fuera sentada a su lado. También tenía que flirtear con él. Desde luego, sus palabras se podrían interpretar como sólo una broma de amigos. Aún así, él se había enfadado.

Sin embargo, decirles a todos que se callaran la puta boca haría que más de uno frunciera el ceño. Además de hacerle saber a Lindsey cuánto daño le había hecho.

Apretaba el volante con tanta fuerza que los nudillos se le habían puesto blancos.

—Yo comparto habitación con Jenk —dijo Izzy a Lindsey—. Si me da miedo, no tengo más que meterme en la cama con él. He oído que es muy bueno en la cama. Delicado, pero fuerte. ¿Alguien aquí me lo puede confirmar?

Vale, ahora Lindsey había vuelto a poner esa cara de que prefería estar luchando con los cocodrilos.

Pero Izzy, desde luego, no había acabado.

—Fishboy, tú has compartido habitación con Markster. ¿Es tan talentoso como dicen?

—Las bromas homófobas son muy divertidas —dijo Dave, desde atrás, con su voz tranquila—. Eh, un momento, no son para nada divertidas.

—Dave, ¿por qué siempre consigues sentarte junto a Sophia? —Izzy había vuelto su atención a la parte de atrás, y luego agregó—: Sin ánimo de ofender, Lindsey, tú también estás buena.

—Jenkins, por favor, cuenta la maldita historia del fantasma —imploró Dave.

—De acuerdo —dijo Jenk—. Vale, joder. —El camino era tan estrecho que apenas avanzaban más rápido de lo que habrían ido caminando deprisa. A ese ritmo, no volverían hasta que hubiera oscurecido. A esas alturas del año y en esas latitudes, eso sería probablemente a las tres de la tarde—. Todo empieza en los años cuarenta, justo después de la Segunda Guerra Mundial. El jardinero es un chico de la localidad que ha vuelto a casa después de haber combatido en Francia. Trabaja en el refugio, y tiene una bonita novia.

Siempre hay una novia bonita —dijo Lopez—. Ella también trabaja en el refugio, ¿no?

—Trabaja de criada —confirmó Jenk—. La vida es agradable. Hasta que un día llega al refugio una familia de ricos. Vienen con su hijo que sirvió en el ejército trabajando en un bonito despacho en Washington DC durante la guerra. El chico señala lo que quiere, y se lo dan. Pero esta vez señala a la criada y no se la dan. Y está cabreado, porque la ha visto con el jardinero.

—Haciéndoselo con el héroe de guerra, en la pérgola, *au naturel* —intervino Izzy—. Ella es una chica de belleza exótica. Él es fuerte, aunque delicado...

—En un refugio de caza, no hay pérgolas —se mofó Gillman, lo cual le ahorraba a Jenk la necesidad de estrellarse contra un árbol para cerrarle el pico a Izzy.

Tampoco Gillman logró cambiar de tema de conversación, pero era suficiente.

—Ah, sí, pues en las películas siempre se lo hacen en una pérgola. O en el cenador. Seguro que había un cenador —decidió Izzy.

—Es un refugio de caza —insistió Gillman, como si eso lo explicara todo. El *estúpido* quedó flotando en el aire sin necesidad de pronunciarlo.

—Ah, sí, lo que pasa es que yo no me llamo Daniel Pollapedo Gillman el Tercero —dijo Izzy—. Mami y Papi nunca me llevaron a un refugio de caza.

—Yo tampoco he estado en un refugio de caza —dijo Gillman—, pero sí leo libros.

—¿Ah, sí? —preguntó Izzy, fingiendo incredulidad, y Lindsey volvió a reír—. Marky-Mark, ¿sabías que Fishboy sabe leer? Quizá nos enseñe al resto de los chicos algún día.

—Deja que Jenk acabe el cuento —pidió Lindsey.

Jenk. Volvía a ser Jenk. Al parecer, sólo lo llamaba Mark cuando estaban en la cama. Algo que nunca volvería a ocurrir.

—¿Había un establo, oh gran experto en refugios de caza? —preguntó Izzy, inclinándose por encima de Lindsey hacia Gillman.

Jenk pasó por encima de una rama caída demasiado rápido, lo cual hizo dar un salto a todos y devolvió a Izzy a su asiento.

—Puede que haya habido un establo —concedió Gillman, aunque a regañadientes.

—A mí, el establo me parece bien —dijo Izzy—. Vale, ya me lo imagino. Seré un chico bueno. Él la ve con el jardinero en el establo. Sigue, Mark.

Jenk suspiró.

—¿Todavía no nos hemos cansado de este tema?

—No —respondió un coro de voces.

—Vale. Una joya, un collar, desaparece de la suite de la familia rica, y acusan al jardinero de haberlo robado. Él jura que es inocente, que el hijo le ha hecho una encerrona, pero nadie le cree y lo detienen y se lo llevan.

—Tiempo —pidió Izzy—. ¿No podemos ponerles un nombre a estas personas? La familia rica son Horacio y Prudence Pollapedo y su hijo Dick. Ningún parentesco con Gillman, supongo. Veamos, Daniel, di: *¡Recáspita! Aquel bandido le ha robado el collar a mami.*

Lindsey volvió a reír y Jenk miró por el retrovisor para ver a Gillman tapándole los ojos a ella mientras pronunciaba un mudo repertorio de palabrotas a Zanella, muy diferente de la frase que éste le pedía.

—¿No vas a decirlo? —preguntó Izzy—. Se entiende. No quieres incriminarte. Pero todavía necesitamos un nombre para el jardinero. ¿Qué os parece Bill Jones, el chico americano, ex soldado, sobrino del tío Sam? Y su novia, Lydia McDoomed. Uno pensaría que se quiere cambiar el apellido. Vale, así que Bill va a la cárcel por haber robado el collar de la mami de Dick, lo cual pone muy ansiosa a la bella Lydia. Sigue tú Marky-Mark.

Jenk entornó la mirada.

—Dick va a ver a Lydia, y le promete que «buscará» el collar si ella se acuesta con él. Así que ella accede. ¿Por qué? ¿Quién sabe? Ha sido una idiota al confiar en él.

—Es una McDoomed —señala Izzy—. En la familia es una costumbre elegir mal.

—Desde luego, cuando el jardinero —Bill— va a juicio, Dick nunca se presenta a declarar a su favor. Bill está a punto de ser sentenciado a veinte años de cárcel así que Lydia viaja hasta Boston a ver a ese hijo de puta, que no hace más que reírsele en la cara. Ha buscado el collar, dice, pero no lo ha encontrado. ¿Qué puede hacer?

—Varios meses más tarde, Lydia muere, embarazada y sola en la nieve.

—Tío, detesto cuando ocurren esas cosas —dijo Izzy.

—Nadie vuelve a saber nada del jardinero —siguió Jenk—, salvo que, veinte años después, la misma familia...

—Los Pollapedo —acotó Izzy.

—Eso. Vuelven al refugio...

—Excepto que Horace no vuelve, porque ha muerto de un infarto hace años —señala Izzy.

Jenk no detuvo el SUV, ni sacó a Izzy del coche para tirarlo a la nieve y golpearlo hasta dejarlo inconsciente. Al contrario, preguntó con voz muy calmada:

—¿Quieres que cuente la historia o quieres contarla tú?

—A mí me gustaría contarla, pero no me la sé. Me asombra cómo siempre lo sabes todo —dijo Izzy—. ¿No te parece que Mark es asombroso, Linds?

Jenk se concentró en el camino, obligándose a no mirar por el retrovisor y ver su malestar.

—Dick ahora tiene su propia familia, la tira de hijas —dijo, en voz alta, para neutralizar cualquier comienzo de frase de Lindsey—. Creo que Stella dijo que eran cinco.

—¿Mi Stella? —Izzy estaba feliz, sin tener ni la menor idea de que aunque sobreviviera a ese día, iba a ser asesinado mientras dormía. Y no sería el fantasma del refugio de caza.

—Sus hijos solían acampar aquí arriba.

—Es probable que hayan venido para responder a un desafío —dijo Gillman—. Nosotros, mis hermanos y yo, solíamos hacer eso. Ir a Bloody Creek. Nos llevábamos un susto de muerte. Y mi madre siempre diciendo cosas como *Son las dos de la madrugada. ¿Qué hacéis de vuelta en casa? ¿Está lloviendo?* Y nosotros, *Sí, mamá, eh, sí, estaba lloviendo, eso.*

—En una ocasión, mis hermanos mayores me abandonaron en un cementerio —dijo Izzy para contribuir a la conversación—. Yo fui el que rió el último. Cuando volvieron a buscarme, fingí que me había convertido en zombie, y les di un susto que se cagaron. Desde luego, se vengaron dándome una mano de hostias; me rompieron la clavícula y dos costillas.

Siguió un breve silencio, que rompió Lindsey.

—De pronto ser hija única no parece tan malo.

Lopez se giró para mirarla.

—Tú también, ¿eh?

Y ahora le había dado por intimar con el tontón de Lopez, sonriéndole a los ojos. Jenk dio un tirón al mapa.

—Tienes que mirar este mapa.

Lopez se giró.

—Lo siento, estoy en ello. Avanzamos muy despacio —dijo. Debió de haberse dado cuenta del humo que salía de la oreja de Jenk y bajó la voz—. ¿Te encuentras bien?

Pero Jenk no tuvo que contestar porque Gillman alzó la voz.

—Dick y sus hijas están en el refugio. Venga, Jenkins, no nos dejes colgados.

—No sólo sus hijas. También han venido su mujer y su madre —siguió Jenk—. Los hombres han salido a cazar y es el primer día de la temporada que hace frío, así que las mujeres se quedan en el refugio. Están todas dentro cuando estalla el generador. Todo está tan seco que el lugar arde como si fuera paja.

—La familia de Dick queda atrapada en el interior y todas mueren en el incendio. Salvo que, misteriosamente, nunca encuentran los cuerpos. Ni huesos, ni dientes, ni alianzas de boda, ninguna joya, excepto..., sólo el collar que había desaparecido hacía tantos años es encontrado entre los escombros. Estaba oculto debajo de una tabla del suelo en la habitación donde había dormido Dick, hacía veinte años.

»Enloquecido por el dolor, Dick desaparece en la montaña —siguió Jenk—. O al menos eso es lo que todos piensan. Lo que de verdad ocurre —sí, claro— es que el jardinero, Bill, vino y raptó a toda la familia, sirviéndose del fuego como distracción. Después, atrae a Dick al bosque con una nota, y le promete liberar a su mujer e hijas. Pero, desde luego, rompe la promesa hecha, de la misma manera que Dick había roto la suya a Lydia, años antes.

»Así que Bill, el jardinero loco, mantiene prisionero a Dick, encerrado, y lo tortura durante el mismo número de años que él ha pasado en la cárcel. Mata a la madre de Dick, a su mujer y a sus hijas lentamente delante de él, mutilándolas antes de finalmente cortarlas en pedazos y hacerlas picadillo, todo como venganza por la muerte de Lydia. Cuando llega el momento de soltarlo, Dick se ha vuelto completamente loco. Y sigue rondando por esta zona por la noche. Ya sabéis, comiéndose a los pequeños que no se lavan los dientes antes de irse a la cama.

—Eres un desastre contando historias de fantasmas —se quejó Izzy—. ¿No podrías incluir una parte, por ejemplo, justo antes del incendio, cuando todas las mujeres del refugio oyen una voz siniestra que dice *Devolvedme mi pierna*?

Jenk lanzó una mirada a Izzy por el retrovisor. Desde luego, eso significaba que también miraba a Lindsey. Ella volvía a reír.

—¿Qué pierna y qué tiene que ver eso con nada? —preguntó Lindsey.

—No lo sé —dijo Iz—. Sólo que da miedo. Como si la pierna estuviera en algún sitio en el refugio.

—¿Y anda por ahí saltando sola? —preguntó Lindsey. Cruzó una mirada con Jenk por el retrovisor, con una gran sonrisa, pero enseguida desvió la mirada y la sonrisa se desvaneció.

—Otra escéptica —dijo Izzy, y se giró hacia atrás—. ¿A ti qué te parece, Sophia? Historias de fantasmas, ¿pulgares arriba o abajo?

—Abajo —dijo Sophia—. No me gustan las historias que hablan de mutilaciones y de cortar y hacer picadillo a las personas.

—Pero no son inocentes —alegó Izzy—. Son Pollapedos.

—¿Qué dices? —preguntó Lopez—. ¿Qué los niños son responsables de los pecados de los padres? Ya nadie piensa de esa manera.

—Mi padre sí —dijo Lindsey, mientras Jenk se concentraba en el camino. Parecía bloqueado.

—¿Ah, sí? —Una vez más, Lopez parecía más fascinado por Lindsey que por su mapa.

Y estaba bloqueado. Jenk encendió las luces e iluminó un árbol caído en el camino. Cuando frenó para detenerse, el árbol quedó iluminado por los faros en la penumbra de la tarde.

Antes de que Jenk pusiera el freno de mano, Izzy ya había saltado del vehículo y examinaba el obstáculo.

—No vamos a poder mover esto —dijo—. Quiero decir, arrastrándolo. Es enorme.

—Quizá si traemos unas motosierras —dijo Jenk, que ahora estaba junto a él en el frío gélido de la tarde. El aire era increíblemente frío. Frío para congelar la nariz y el pelo.

—Quizá si traemos una niveladora. —Dave también había abandonado la comodidad del coche—. No está en nuestro presupuesto, ¿eh? —añadió, cuando Jenk e Izzy lo miraron sin decir nada.

Había otro árbol tumbado en el camino, un poco más lejos. Era incluso más grande que el primero.

Lopez y Gillman bajaron del vehículo siguiendo a Lindsey y Sophia. Los dos hombres de las SEAL eran toda una pareja. Gillman llevaba el anorak desabrochado, sin gorro y sin guantes. Lopez, al contrario, llevaba ropa gruesa que le daba cierto aspecto de astronauta. Con la capucha por encima de las gafas de esquí, se parecía a Kenny, de *South Park*.

—¿Qué? —preguntó, cuando Izzy se rió de él—. No me gusta el frío. ¿Te parece bien?

Tenía el mapa en la mano, pero nadie sabía cómo lograba leerlo. Lindsey se lo cogió con un gesto tranquilo.

—¿Dónde estamos?

—Él se lo señaló con un dedo engrosado por el guante.

—Más o menos a un kilómetro y medio del refugio.

Lindsey miró a Jenk.

—No tenemos que ir todos.

Él asintió.

—Buena idea. Izzy y yo...

—Tom me pidió que fuera a echar una mirada al lugar —lo interrumpió Lindsey.

—Pero tardaremos menos si... —intentó explicar él.

—¿Tú quieres quedarte atrás? —preguntó ella.

—Yo no quiero quedarme atrás —dijo Gillman—. Venir hasta aquí y luego quedarse sin ver, ya sabes, la escena del crimen.

Jenk se giró para mirarlo.

—No hubo ningún crimen. Es un cuento, un mito, una leyenda urbana.

—¿Urbana? —preguntó Izzy, mirando hacia el bosque.

—Un kilómetro y medio no es demasiado —dijo Sophia—. A mí me gustaría ir.

—A mí también —se sumó Dave.

—Tú podrías quedarte en el coche —dijo Jenk, mirando a Lopez.

—Solo —señaló Izzy, y añadió, con voz temblorosa—. *¡Devolvedme mi pierna!*

—Ahora que estoy aquí fuera, no hace tanto frío —dijo Lopez, y se apresuró a alcanzar a los demás, que ya habían pasado por encima del árbol caído.

—Vaya —dijo Izzy—. O es un cobardica o cree que tiene alguna posibilidad con Sophia. O con Lindsey. En realidad, tiene más posibilidades con Linds. —Se dio cuenta de lo que estaba diciendo y a quién se lo decía—. Lo siento, tío.

Jenk apagó el motor del coche, cogió la bolsa con las provisiones y la bolsa que pertenecía al SUV y que contenía una linterna, un cuchillo de caza y otras cosas esenciales, como un *kit* de primeros auxilios y una cuerda. Cerró el coche y se guardó las llaves en el bolsillo.

—Acabaremos en unas tres horas —dijo Izzy, cogiendo la mochila de sus manos y cargando con ella—. Máximo. —Pretendía ser a todas luces un comentario positivo, pero enseguida lo estropeó al mofarse—. Tres horas. Eso siempre me hace pensar en un *tour* de tres horas. —Cantó el tema de *Gilligan's Island* y luego imitó el ruido del trueno—. Seríamos unos excelentes náufragos. Tú podrías ser el jefe, que también era bajito. Sophia y Lindsey se parecen un poco a Mary Ann y a Ginger. Y Dave es, evidentemente, el profesor. Gillman tiene algo del idiota e incluso tiene el mote de Gilligan, quiero decir, además de Fishboy y Cabeza de culo y...

—A mí no me incluyas —dijo Jenk, cuando pasaban por encima del segundo árbol.

—¿Ni siquiera si piensas en Lopez disfrazado e interpretando a la señora Howell? —sugirió Izzy.

—Estaría bien callarse un rato.

Caminaron un rato y sólo se oía el ruido de las pisadas aplastando hojas, ramas caídas y barro congelado. El cielo tenía un color blanco uniforme y los árboles desnudos se perfilaban, oscuros, negros. Incluso los helechos parecían grises. Era un paisaje bello, aunque lúgubre, como si el mundo se hubiera convertido en una película de arte y ensayo en blanco y negro, lleno de angustia y desesperanza.

Pero de pronto les llegó el ruido de una risa desde más adelante en el camino y cuando Jenk dio vuelta en una curva, vio el gorro rojo de Lindsey y su anorak azul.

Izzy corrió hasta reunirse con los demás, dejando a Jenk en medio de más silencio y lodo congelado de lo que habría querido ver en toda una vida.

Capítulo 11

La vista desde las ruinas del refugio de caza era increíble.

Sophia bajó por un terreno que años atrás había sido un ancho jardín de césped hacia los edificios de las dependencias. En ese momento, Danny Gillman salía del más pequeño de los dos.

—Creo que esto tiene que haber sido una especie de ahumadero —dijo—. Y, ven, mira esto. Estoy seguro de que aquí es donde los dueños del refugio tenían la cocina de verano. Las mesas para los huéspedes se ponían aquí.

Se había acercado a un trozo de terreno relativamente plano. Y, de hecho, se veían los restos de lo que debía haber sido un fogón al aire libre, construido con piedras y ladrillos. A Sophia le recordó a los que usaban los refugiados en Kazbekistán, en *sus* cocinas de verano, que también solían ser sus cocinas de invierno, teniendo en cuenta que sus casas eran tiendas.

—Estoy casi seguro de que podemos modificar el ahumadero para que el humo salga. —Danny fue hacia el segundo edificio—. Éste de aquí parece demasiado grande para ser una despensa fría —dijo—, aunque tiene sentido que la hayan construido más hacia el interior del bosque, en la sombra.

Sophia vaciló antes de seguirlo, no sin antes lanzar una mirada hacia las ruinas del refugio. Izzy y Jay Lopez se habían largado cerro arriba en una carrera para llegar a lo alto, donde Tom Paoletti sin duda quería montar su antena de comunicaciones, si decidía que quería montar una antena. Vio a Dave cerca de los muros de la casa principal, quemada. En ese momento hablaba con Jenk y Lindsey. Dave había respetado la promesa hecha a Lindsey antes de salir del motel. *Por favor, por favor, por favor, no me dejes sola con Mark Jenkins.*

Algo había ocurrido entre Jenk y Lindsey en el curso de los últimos días, algo que los había enemistado, lo cual era una lástima. Sophia creía que la chispa que había notado cuando estaban juntos era mutua, a pesar de que el hombre de las SEAL se había encaprichado de Tracy Shapiro. Se había alegrado por Lindsey, que pasaba demasiado tiempo en casa mirando la televisión y fingiendo que su vida era perfecta tal y como estaba, gracias.

Pero la entendía.

Y al verla con Jenk hasta sentía algo de envidia.

Sin embargo, ahora, por primera vez, se daba cuenta de ese rasgo excluyente de los SEAL, con sus equipos sólo de hombres. No habría ningún tipo de enredo romántico desafortunado en este caso.

Al menos no un enredo que alguien fuera a reconocer.

—Aún así, el ahumadero es un poco pequeño —dijo Danny—. Ahora mismo, si éste está en las mismas condiciones... Desde luego, siempre podríamos usar las tiendas, pero... —Se dio cuenta de que Sophia no iba justo por detrás así que esperó a que llegara.

—Una despensa fría no tendría chimenea —dijo ella, señalando la chimenea. Seguro que aquel techo había conocido mejores días. De entre las grietas brotaban arbolillos, como si fuera una especie de cabaña viva de un cuento mágico.

Danny rió.

—Sí, parece toda una contradicción, ¿no? Quizá fuera la vivienda de los criados. O puede que el jardinero viviera aquí. Puede que su ánima todavía ronde el lugar —dijo, y miró a Sophia con una expresión tan marcada por el placer y la expectación de un niño pequeño que ella no pudo reprimir la risa.

El candado viejo y oxidado no lo detuvo. Gillman tenía una ganzúa que utilizó con destreza y al cabo de un momento empujó la puerta, que se abrió con un chirrido de bisagras oxidadas como en una película de terror de serie B. Y Sophia volvió a reír. En lugar de entrar, Danny se giró para mirarla.

—Oye, sólo quería decirte que Zanella se equivoca completamente conmigo —dijo, serio—. Sí, soy el tercer Dan Gillman, pero no hay ni fondo de inversiones ni... quiero decir, he oído que tu ex marido era una especie de millonario así que...

Al parecer, esperaba una respuesta, una confirmación, o quizás algún tipo de estímulo. Pero Sophia no sabía bien por dónde empezar, con respecto a los hechos (su marido Dimitri había muerto, no era su ex marido, y sólo había jugado a hacerse el millonario) o algún tipo de declaración sobre su misión personal para frenar aquello, que a todas luces iba hacia donde ella no quería ir. Un lugar donde las palabras siguientes serían *¿Qué te parece si cenamos juntos cuando volvamos a California? Conozco un restaurante tailándes excelente...*

No salgo con hombres que pertenecen a las Fuerzas Especiales, diría ella.

Salvo que sí saldría con uno —un ex SEAL— si Decker se lo pidiera. No quería mentir.

No salgo con niños. Aunque Jay Lopez era mayor, más cercano a su edad. Tendría que inventarse otra excusa cuando *él* la invitara a salir. Y la invitaría, eso no lo dudaba.

Además, concretamente, ¿qué tenía que ver la referencia a Dimitri con que Danny tuviera o no un fondo de inversiones? ¿Acaso tenía que llegar a la conclusión de que esperaba algo más que una cita a cenar? ¿Acaso insinuaba que tenía interés en rellenar un formulario para postular al puesto de segundo marido de Sophia?

El tercer marido, en realidad. Aunque era probable que su falso matrimonio con Padsha Bashir, el señor de la guerra que había matado a Dimitri y la había encerrado en su palacio, no tuviera validez legal en Estados Unidos, Sophia pensaba en esos meses de su vida como algo imposible de olvidar.

Por mucho que lo intentara.

—Sólo quería hablarte con franqueza —siguió Danny cuando ella se lo quedó mirando, sin saber qué responderle—. La franqueza es muy importante para mí. Me gusta ver las cartas sobre la mesa, nada de secretos, nada de suposiciones. Quiero decir, me gustas. Mucho. ¿Por qué no habría de ser sincero en ese aspecto?

Era como un héroe de una película de Disney. Dibujado con líneas bien definidas, claras, honorable, honrado y sincero.

Sophia no quería herir sus sentimientos, así que empezó diciendo:

—Danny, tú también me caes bien.

Él no la dejó seguir hasta el *pero*.

—Estupendo. Salgamos a cenar. ¿Qué te parece esta noche? ¿Para qué esperar a...?

Y ella lo aclaró diciendo:

—Me caes bien como amigo.

Él ni siquiera pestañeó.

—Eso es incluso mejor. La amistad es un excelente punto de partida. Tú también me caes bien como amiga.

—De verdad, hay demasiados motivos por los que no puedo...

Él la interrumpió.

—Yo te puedo dar el mismo número de motivos, y más, por los que puedes y debes —dijo, y sonrió—. Es la manera que se estila en las Fuerzas Especiales. No nos rendimos fácilmente.

—Prefiero a los hombres más maduros —dijo ella, escogiendo sus palabras cuidadosamente—. Lo siento, pero no eres mi tipo.

Él siguió, impasible:

—Soy muy maduro.

—Quise decir mayor, y tú lo sabes.

Él miró su reloj y frunció ligeramente el ceño. Y cuando ella quiso hablar, él alzó un dedo.

—Espera... Vale, ahora ya soy mayor. —La sonrisa con que la miró era tan traviesa que Sophia rió, lo cual era un error. Porque él lo interpretó claramente como si le diera ánimos. Sophia se obligó a mirarlo con una expresión más seria.

—Quise decir mayor que yo. No es más que una preferencia mía, no te lo tomes como algo personal.

—No, no lo haré. Ya entiendo. Pero es un motivo más para salir a cenar conmigo... y ver si te equivocas.

—No me equivoco.

—Se sabe que las personas pueden cambiar de opinión. Mantengo mi argumento.

—Tengo una historia que pesa una tonelada —intentó ella.

—Soy fuerte —contraatacó él—. Cargaré con ella un tiempo, si quieres.

Dios mío. Lo decía en serio.

—No hablaré jamás de nada que tenga que ver con ello, ni de dónde he estado ni lo que... he vivido, y tú acabas de decir que detestas los secretos.

Danny sacudió la cabeza.

—No me has entendido bien. No los detesto. Sólo que a mí no me gusta tenerlos. ¿Quieres saber algo acerca de mí? Te lo diré. Cualquier cosa. Y seré sincero, te lo prometo. Y si tú quieres esconderte de mí, ningún problema. Preferiría que no lo hicieras, y me gustaría pensar que no lo harás. —Estiró la mano para tocarla, una suave caricia en la cara con el pulgar. No llevaba guantes y, sin embargo, sus manos eran cálidas—. Soy un buen tipo —dijo—. Quizás ha llegado el momento de que los tipos buenos sean tu tipo.

Ella dio un paso atrás.

—Estoy enamorada de otra persona —balbuceó.

Eso finalmente lo detuvo. No tenía una réplica a mano. De hecho, se la quedó mirando unos largos segundos.

—Lo siento —empezó a decir Sophia, pero él la interrumpió.

—Vale, soy un imbécil redomado por lo que voy a decir, pero, ¿se lo has dicho? Porque no me puedo imaginar a nadie que no se ponga a dar volteretas ante esa noticia. Quiero decir, a menos que sea un hombre casado.

—No es un hombre casado —dijo ella—. Sólo es... un idiota.

—Así que lo sabe. Y, entonces... ¿es gay?

—No, al menos no lo creo. —¿En qué momento se había salido de madre esa conversación?

—No es que importe demasiado —señaló Danny—. Porque no cambia lo que tú sientes. Pero, vale. Vale. ¿Qué vas a hacer? ¿Te vas a quedar sentada en casa el resto de tu vida? No, ¿verdad? Dilo. No.

—No —repitió ella, entornando los ojos.

—Muy bien. —Su sonrisa era contagiosa—. Ése es el primer paso. El segundo paso es igual de fácil. Dame una noche. Sólo una. Y te haré olvidar incluso que lo has conocido. —La mirada en sus ojos de chocolate derretido ahora no tenía ni una pizca de Disney.

Sophia rió, aún cuando sintió que el alma se le derrumbaba. Él había dicho que era el estilo de los SEAL de la Armada. Ella ya había visto el estilo de los SEAL de la Armada muchas veces, con Tom Paoletti, con Mark Jenkins durante el último ejercicio, y con todos los otros SEAL que habían trabajado en Troubleshooters Incorporated. Eran incansables cuando se trataba de conseguir su objetivo.

La patética verdad era que si Decker hubiera querido de verdad superar los obstáculos entre ellos, si de verdad hubiera querido establecer una relación con ella, seguro que a esas alturas habría encontrado una manera de hacerlo.

—¡Soph! ¡Sophia!

Era la voz de Dave. No podía verla y quería asegurarse de que se encontraba bien.

—Aquí viene tu perro guardián —dijo Danny. La cogió por la mano y tiró de ella hacia el interior de la cabaña.

—No seas irrespetuoso —dijo ella, y se soltó—. Y no subestimes a Dave. —Vaya, el techo de aquella cabaña sin duda había conocido mejores tiempos. Sophia alcanzaba a ver el cielo nublado a través de un agujero.

Había una sola habitación, y sus rincones quedaban sumidos en la oscuridad. Las paredes eran de troncos, algunos todavía con la corteza, y los espacios entre ellos estaban tapados con barro y musgo, si bien la mayor parte se había secado y desprendido. No había ventanas, sólo la puerta y una enorme chimenea de piedra. No había un techo de verdad, sólo las vigas visibles que sostenían lo que quedaba del techo.

—¿Es Dave? —preguntó Danny—. Ya sabes, ¿tu idiota? Podríamos conseguir que se ponga celoso. Podría encontrarnos aquí, besándonos —dijo, y la atrajo hacia sí y la abrazó, los ojos chispeantes.

El suelo era de madera, tablas anchas y bastas, cubiertas de hojas y desechos, y crujieron bajo el peso de los dos.

—Con cuidado —dijo Sophia. Lo dijo en voz más alta que un susurro—. No estoy... no...

—Te tengo —dijo él, optando por interpretar su advertencia como un comentario sobre el suelo. Años de lluvias se habían colado por ese agujero en el techo. La madera bajo sus pies ya era antigua y seguramente estaba podrida—. No te preocupes. Seguro que en un lugar como éste no hay sótano. A lo más, habrá un espacio de unos treinta centímetros entre la tierra y este suelo.

Danny olía bien. Incluso su aliento. Quizá se habría tragado una pastilla de menta al abrir el candado de la puerta. Era muy diferente del último hombre que le había puesto las manos encima. También era diferente de Dimitri, que era más o menos igual de alto pero no tan fornido.

Sophia no se movió. No podía moverse. No quería moverse. Porque la idiota era ella, no Decker. La verdad era que nunca le había dicho lo que sentía. No lo había llamado ni había dejado un mensaje en su buzón de voz. *Hola, soy Sophia, ¿cómo estás? Yo estoy bien. En realidad, estoy mucho mejor estos días. He empezado a reconstruir mi vida, pero me he dado cuenta de que falta algo, y estoy bastante segura de que eres tú. Estoy enamorada de ti, así que... llámame, ¿vale?*

Porque, ¿qué pasaría si él le devolviera la llamada? O, incluso mejor, ¿qué pasaría si se presentara en su piso? ¿Y qué pasaría si en el momento álgido y romántico, cuando él la cogiera en sus brazos y le declarara su amor apasionado... qué pasaría si ella se volviera fría?

¿Qué pasaría si los traumas de su pasado la hacían empezar a temblar y a sudar y le entraban las ganas de rechazarlo?

Normalmente, Sophia detestaba que la tocaran. Una mano en el hombro bastaba para arrancarle una mueca de disgusto. Y, sin embargo, ahí estaba Danny Gillman, inclinándose para tener ese beso, sin duda porque ella se había quedado inmóvil, mirándolo, como si quisiera que la besara.

Por primera vez en una eternidad imaginó que si Gillman fuera Decker, ella cerraría los ojos y le ofrecería su boca...

Él la besó con ternura, y su boca era suave y cálida. Pero cuando abrió los ojos cayó en la cuenta de que era Danny el que la había besado.

Se apartó de su abrazo, no porque estuviera a punto de entrarle el pánico sino porque la mirada en los ojos de él era como si acabara de descubrir el paraíso. ¿Qué diablos hacía?

Dio un salto atrás, y el suelo cedió, como si hubiera pisado una esponja, y enseguida un pie pasó a través de él y se hundió hasta la pierna.

—¡Danny!

—¡Te tengo! —Su error fue dar un paso adelante para cogerla.

Sophia sintió que todo el suelo cedía.

No eran treinta centímetros de diferencia. Era mucho más, y ella caía. Se oyó a sí misma gritar, llamando no a Danny, que caía con ella, sino a Dave.

Sophia chocó contra algo (¿vidrio?) que se rompió con el impacto —¡hielo!— y se hundió en el agua con un ruido de chapoteo. Aguas profundas, aguas *gélidas*. El impacto la dejó sin aire, y boqueó, pero estaba sumergida y sintió que se ahogaba.

¿Hacía donde estaba la salida? Tenía los ojos abiertos, pero todo estaba a oscuras.

Intentó nadar hasta la superficie, pero sintió una mano en el anorak que tiraba de ella. ¿Por qué Danny tiraba de ella hacia abajo? Se resistió, pero él no la soltó, y entonces se dio cuenta de que, de alguna manera, él había quedado enganchado a su capucha.

Era un peso muerto, no se movía, y Sophia tuvo la horrible certeza de que se había golpeado en la cabeza.

No podía soltarlo. Si lo hacía, Danny moriría.

—Y si no lo soltaba, era probable que ella también muriera.

Lo cogió por debajo de los brazos, con los pulmones a punto de estallar por la necesidad de aire, y pataleó en busca de lo que imploraba fuera la superficie.

* * *

Al oír el grito de Sophia, Dave corrió a toda prisa hacia la cabaña, con Jenk y Lindsey siguiéndole los pasos.

La puerta estaba abierta y adentro estaba oscuro, pero Dave vio lo suficiente para saber qué había ocurrido.

—¡No entréis! —El suelo había cedido—. ¡Sophia!

Nada. Silencio, salvo un ruido muy extraño, como el agua agitada contra una superficie.

—¿Qué hay ahí abajo? —preguntó Lindsey—. ¿Una especie de piscina? Pero ¿por qué no está congelada?

—No lo sé. —Dave se quitó el anorak y se lo pasó, junto con el gorro y la bufanda. Al parecer, había unas escaleras que bajaban hacia la oscuridad del extremo opuesto. ¿Cómo podía llegar hasta allí sin pasar a través del suelo de madera?—. Pero voy a averiguarlo.

—Es una fuente de verano. —Jenk siempre tenía la información a mano. Él también se había quitado el chaleco y el jersey—. Hay varias fuentes por estos parajes. —Con un gesto, detuvo a Dave—. Yo iré primero, peso menos que tú.

—¿Tenemos una cuerda? —preguntó Lindsey.

—Izzy tiene el material —dijo Jenk, dando un paso hacia el borde de la única habitación de la cabaña—. Ahí hay una cuerda.

—Lo que necesitamos es una luz —dijo Dave, al tiempo que Lindsey empezó a gritar.

—¡Zanella!

De pronto, era como si la voz flotara por encima de sus cabezas.

—¡*Zanella!* —Ya viene, avisó a Dave y Jenk—. También viene Lopez.

—¿Qué haces? ¡Ten cuidado! —Jenk había alzado la mirada hacia el techo, pero no dejó que aquello lo detuviera. Casi había llegado a la escalera cuando resbaló y el trozo de suelo que lo sostenía cedió. De alguna manera, consiguió aferrarse a la pared—. ¡No vayas a caer tú también!

—Yo estoy bien —dijo Lindsey, y de pronto penetró más luz en la cabaña.

Lindsey había arrancado parte del techo y agrandado uno de los agujeros a golpes.

Y entonces Dave lo oyó, desde abajo. El ruido de chapoteo y una tos, alguien que respiraba desesperadamente.

—¡Sophia! —gritó. Con aquella luz adicional, aunque fuera de finales de la tarde, vio a través del suelo roto, toda una planta más abajo donde sí, había agua. Era una especie de piscina cavada por el hombre, sin duda construida a partir de la fuente natural, con la estructura de la cabaña erguida a su alrededor. Alcanzó a ver el pelo rubio de Sophia aplastado contra su cara, ahora muy pálido cuando ella alzó la mirada, buscándolo.

—Dave. —No alcanzaba a ser una palabra sino un grito ahogado. Sophia sujetaba a Dan Gillman, que tenía la cabeza floja a un lado y sangre en la cara.

Dave se agarró a las paredes de tronco con la punta de los dedos.

—¡Ya vamos! ¡Aguanta! —dijo, y siguió hablándole. No tenía una cuerda que lanzarle pero podía servirse de su voz como si fuera un salvavidas—. Jenk está casi en la escalera, vamos todo lo rápido que podemos. Ya vamos, Sophia, aguanta. Jenk ya casi ha llegado.

—Aquí es sólido —dijo Jenk—. Deberías poder saltar.

Sí, quizá pudiera saltar si fuera Spiderman o un comando de las SEAL.

Pero Dave no tenía tiempo para una mutación radioactiva ni para entrenarse en cursos de demolición submarina, así que se lanzó. Dio un salto hacia adelante y aterrizó milagrosamente sin hacerse daño. Oyó a Lindsey gritando órdenes a Izzy y Lopez.

—Encended un fuego. ¡No aquí, en la otra cabaña, venga, venga!

Sí, había una cuerda que podían usar para sacar a Sophia y Gillman, pero tendrían que agrandar el agujero del suelo y deshacerse de la madera podrida. No, el techo no era lo bastante sólido para aguantar el peso de una persona, y mucho menos de dos. El tiempo era crucial. Era indispensable abrigar y dar calor a Sophia y Dave lo antes posible.

—¡Necesito a Lopez! —gritó Jenk, desde abajo. De todos los que había allí, Lopez era el que tenía una formación médica más sólida—. ¡Ahora! ¡Gillman no respira!

Los peldaños de la escalera eran más gruesos que las tablas del suelo. Dave dejó de tantearlos antes de bajar. Y luego vio que el suelo era de cemento y corrió hacia donde Jenkins estaba sacando a Gillman del agua.

De alguna manera, Sophia había conseguido sacarlo a medias del pozo, y ahora ella misma se aferraba a la pared con unos dedos que se habían vuelto blancos.

—¡Lopez! —volvió a gritar Jenk—. Coge a Sophia —dijo a Dave, que ya estaba ocupado precisamente en eso.

—No... no... no. —Sophia intentaba hablar, pero desistió de su intento y se tocó la boca y la nariz, sacudiendo la cabeza, cuando Dave la cogió.

—Gillman no respira —interpretó sus signos, al tiempo que la sacaba del agua con un gran tirón—. Jenk lo sabe. Ya se está ocupando de él.

Sophia estaba a punto de morir congelada. Literalmente. Tenía los labios azules.

—Estoy ayudando a Izzy con la cuerda —gritó Lopez hacia Jenkins—. Compruébale el pulso, tío. Ya sabes lo que tienes que hacer.

—Venga, venga, Danny —murmuró Jenk, que ya le había empezado a buscar el pulso a Gillman en el cuello, por debajo del anorak y la bufanda—. Tiene pulso, gracias a Dios. Voy a hacerle un boca a boca.

—Lindsey, ¿qué tal va ese fuego? —gritó Dave hacia el techo, mientras intentaba quitarle a Sophia la ropa mojada.

Pero Sophia lo apartó de un empujón. Se arrastró hasta Jenk, que seguía inclinado soplando aire en la boca de su compañero, todavía inconsciente. Gillman debía de haberse golpeado al caer a través del suelo, y tenía una herida profunda en la frente.

—Venga, venga, venga —murmuró Jenk entre dos bocanadas.

—¡Cuidado con las cabezas! —gritó Izzy mientras, sirviéndose de una cuerda anclada fuera de la cabaña, utilizó su propio cuerpo como bola de demolición para derribar el resto de las tablas podridas del suelo.

Jenk protegió a Gillman inclinándose sobre él, mientras Dave intentaba hacer lo mismo con Sophia. Los trozos de madera cayeron al agua y rompieron la delgada capa de hielo que ya se había formado. Cayó sobre ellos una lluvia de astillas y hojarasca.

Cuando Dave alzó la mirada, vio a Lopez, que lo observaba desde la entrada.

—El fuego ya está encendido —informó éste, mientras Dave le quitaba a Sophia las hojas de la cabeza—. Lindsey lo está alimentando. Jenk, sigue, no pares. Sophia, ¿me oyes?

Sophia no levantó la cabeza, concentrada como estaba en Gillman.

—Está relativamente bien —dijo Dave a Lopez. Tuvo que luchar con ella para quitarle la ropa mojada y congelada—. Venga, Sophia, no puedes ayudar a Jenkins pero me puedes ayudar a mí.

Sin embargo, Lopez lo detuvo.

—Espera, Dave, si lleva alguna prenda de lana, será mejor que se la deje puesta, aunque esté empapada.

Sophia no paraba de temblar.

—Tiene unos pantalones vaqueros forrados de franela y un anorak ligero, además de un par de jerseys —informó Dave, al comando de las SEAL. Le tocó el jersey empapado y palpó por debajo hasta encontrar una camisa de cuello alto. La piel por debajo estaba helada.

—No, seguro que no es lana, quizás algodón.

—Quítaselo —ordenó Lopez—. ¿Por qué no lleva un jersey de lana?

Sophia oyó lo que decía, lo cual era buena señal.

—Soy alér... alér... —Seguía sin poder articular para decir la palabra *alérgica.* A duras penas conseguía mantener los ojos abiertos mientras Dave intentaba quitarle el anorak empapado.

—¡Sí! —exclamó Jenk, con voz triunfal. Y así ocurrió, porque Danny Gillman tosió y escupió lo que parecían litros de agua. Jenk lo tendió de lado.

Aleluya. Quizás ahora Sophia se concentraría en salvar su propia vida. Puede que estuviera fuera del agua, pero aún no estaban fuera de peligro. Ninguno de los dos, no con ese frío. Todavía no.

—Venga, Sophia, ayúdame —insistió Dave, intentado quitarle los pantalones. Tuvo que tirar de una pierna y luego de la otra. No era fácil porque se le quedaban pegados a la piel mojada—. Gillman está bien. Jenk lo ha hecho respirar. Ocupémonos de ti, ahora. ¿Puedes ayudarme?

Pero Sophia temblaba tan violentamente que ni siquiera podía tener la cabeza derecha.

De pronto apareció Lopez, dejándose caer como Tarzán por la cuerda y a través del agujero abierto en el suelo por Izzy. Tenía los anoraks de Jenk y Dave. Pero Dave ya se le había adelantado. Se había quitado su propio jersey de lana, aunque Sophia sintiera el picor de la alergia, y estaba a punto de quitarse los pantalones.

Lopez masculló una palabrota en español al verla, pero no se detuvo.

—Mark, ayuda a Dave —ordenó, y entonces fue Jenkins el que miró boquiabierto el cuerpo desnudo de Sophia.

—Mierda, ¿qué es eso?, ¿son cicatrices? —preguntó pero, al igual que Lopez, no se detuvo. Ayudó a Dave a meter los brazos fláccidos de Sophia en las mangas del jersey de lana.

—Sí —dijo Dave, seco.

—¿Qué le ocurrió? —preguntó Jenk—. ¿Se estrelló contra una vidriera o algo así?

—No. —Dave llevaba calzoncillos largos y se deshizo de las botas para quitárselos. Le pasó los calcetines a Jenk para que le abrigara los pies a Sophia, que estaban blancos.

En lo que tardó en volver a ponerse el pantalón y las botas, ahora sintiendo el frío en las piernas y los pies, Jenk le había puesto a Sophia los calzoncillos largos. La envolvió en el anorak de Dave, se la cargó al hombro al estilo de los bomberos y la subió con ayuda de la cuerda.

Lopez había hecho una operación algo diferente con Gillman, porque éste llevaba prendas de lana, y los dos ya habían salido.

—De prisa —urgió Izzy, a la luz del crepúsculo que se iba desvaneciendo en los bordes del agujero.

En cuanto Dave se cogió de la cuerda, Izzy tiró de ella con una fuerza brutal y lo subió en vilo. Dave rebotó en el suelo como un pescado recién atrapado y, por un momento, le faltó el aire. Al recuperar el aliento, olió la madera que se estaba quemando.

El frío era muy intenso, con unas capas menos de ropa. Sólo podía imaginar cómo debía de haberse sentido Sophia.

—Vamos —dijo Izzy, enrollando la cuerda mientras iba de prisa hacia la otra cabaña.

Dave lo siguió.

Lugar: desconocido
Fecha: desconocida

Lo primero que le haría sería cortarle los párpados.

Ya se lo había contado hacía tiempo, cuando la tuvo atrapada dentro de su coche.

Sentía los ojos irritados y calientes, pero eso se debía sólo a la fiebre. Todavía podía parpadear o cerrarlos. No la había cortado.

Todavía no.

Sin embargo, ahora venía hacia ella, y la luz por detrás le impedía verle la cara en la penumbra de la habitación. Tampoco podía ver lo que tenía en la mano.

—Quítame las cadenas, hijo de puta —dijo Beth, con voz ronca, tirando con todas sus fuerzas de la cama de hierro a la que estaba atada. Dios, qué débil estaba.

Sabía dónde él guardaba la llave para soltarla. Colgaba de un gancho en la cocina, junto a la puerta que daba al sótano. Él le decía dónde estaba cada vez que salía de la casa, y se reía porque sabía lo frustrante que era para ella saber que había una llave que nunca podría usar, a la que nunca podría llegar.

La cadena que tenía ahora era demasiado corta para enrollársela al cuello.

Aunque tuviera una mano libre. Un brazo y una pierna.

Beth no se movió. Era preferible que él pensara que estaba indefensa. Dejar que se acercara.

—En realidad, no quieres que te quite las cadenas, ¿no, Número Cinco? —preguntó—. ¿Que te lleve a mi cocina? ¿No preferirías quedarte y luchar?

No tenía el cuchillo de trinchar. Tenía un vaso con una pajita. Le había traído algo de beber. Se lo tendió y le puso la pajita en los labios resecos y partidos.

¿Era para drogarla? Posiblemente. A veces la comida y el agua que le daba la sumía en un sueño profundo. Y se despertaba para descubrir que volvía a estar encadenada. A veces la desnudaba y la dejaba en posiciones indecentes. Ella se despertaba muerta de frío, con el cuello o la espalda tiesos de dolor. Sin embargo, no creía que hubiera abusado sexualmente de ella, no lo creía capaz.

Sospechaba que él tenía miedo de contagiarse con algún mal. O quizá disfrutaba lo suficiente con sólo tenerla en su poder, además de las prácticas que consumaba con su mano.

—Nunca mejorarás si no bebes algo —le dijo, incitándola, y ella bebió un trago.

El vaso quizá tuviera cualquier cosa. Sangre. Orina. Sus propios vómitos. Pero no, era agua fría y fresca.

Bebió otro poco.

—Así me gusta —dijo él, y estiró una mano para acariciarle el pelo. El pelo asqueroso, sucio y enmarañado. Sus manos eran delicadas, manos que cortaban y mutilaban, pero no mataban.

Las manos que mataban eran las de ella.

Le sonrió con una mirada dulce, una sonrisa tierna, como si ella fuera una niña o su mascota preferida.

Se podría haber dicho que era atractivo, si no fuera por los ojos. Tenía unos ojos fríos. Vacíos. Muertos.

Y muy azules.

Darlington New Hampshire
Sábado, 10 de diciembre

—Lo has hecho muy bien allá en el refugio.

Jenk miró a Lindsey.

—No tenemos que hablar.

—Sí, lo sé —dijo ella, que lo seguía sin dificultades por el estrecho camino lleno de baches que los llevaba de vuelta al SUV. Con su lenguaje corporal y su paso rápido, Jenk había dejado muy claro que no quería sostener una conversación.

Les habían encomendado la tarea relativamente sencilla de ir a coger mantas y ropa seca para Sophia y Danny. Era una cuestión de altura y peso. Al ser los dos miembros más pequeños del grupo, no servían demasiado para dar calor corporal o prestar su ropa. Aunque Jenk había entregado su anorak por la causa. Ahora ya estaba oscuro y había salido sólo con un jersey.

—Sólo quería decir que... creo que lo has hecho muy bien —dijo Lindsey.

—Gracias —dijo él. No parecía tener frío, pero su voz no era demasiado cálida—. Tú también.

De todos los cumplidos que Lindsey había recibido en su vida, ése sonaba como el menos sincero.

—Fue un buen trabajo de equipo —dijo ella—. Dave ha estado impresionante, ¿no te parece? E Izzy y Lopez asombrosos, con aquella cuerda.

—Sí, ¿me harás un favor? —preguntó Jenk—. Si estás pensando en follártelos a ellos también, te agradecería que no lo hagas en los próximos cinco días. Ya sabes, no hasta que nos hayamos marchado de New Hampshire.

Si sus groseras palabras no la hubieran detenido, lo habrían hecho la rabia y el dolor que captó en su voz.

Ese dolor de Jenk le llegó más hondo que cualquier expresión de rabia o de rudeza. La idea de que *ella* lo había herido a *él*... ¿Cómo lo había herido? Él era el que había salido corriendo a salvar a Tracy, cuando su cama todavía estaba caliente del cuerpo de ella.

Sin embargo, ella lo había herido a él. ¿Por qué? Porque no quería convertirse en su novia. ¿Porque aunque ella costara menos de mantener que Tracy y fuera bastante buena en la cama, no estaba dispuesta a dejar que él se entregara a una ficción de una vida sin dolores de cabeza, perfecta y planificada?

¿Porque él deseaba tener un monovolumen y creía que Lindsey se vería muy bien al volante?

Se dio prisa para alcanzarlo.

—Eso que has dicho ha sido totalmente gratuito.

—¿Ah, sí? Cómo tú misma has dicho, en realidad, no te conozco. Puede que ésa sea tu manera de divertirte. ¿Historias de una noche, un tío diferente cada noche?

Sí, eso. Era más bien como un tío diferente cada cierto número de años, con largos y áridos periodos entre medio. Porque solía ocurrir que cuando tenía una relación íntima con algún tonto, tardaba meses en recuperarse, y luego muchos meses más antes de estar dispuesta a volver a correr ese riesgo.

Aún así, aunque Jenk distara mucho de tener razón, su insinuación de que él era mejor que ella la cabreó.

—¿Y qué pasa si así es? —respondió—. Mírame a los ojos y dime que nunca has tenido una relación sexual con alguien y decidido ahí mismo que con eso bastaba.

Él se detuvo en seco.

—¿Con que eso es lo que ocurrió? ¿Decidiste que ya tenías suficiente? ¿A pesar del increíble polvo, yo qué soy? ¿Demasiado engorroso?

Dios mío.

—No —dijo Lindsey.

—O quizá me he equivocado por completo y sólo estabas fingiendo...

Los hombres eran tan predecibles.

—Sí. —Lindsey dejó que su voz se tiñera de sarcasmo—. No eres lo bastante hombre para mí. Venga, Jenkins, ¿a qué viene esta inseguridad infantil? Te conté lo que había ocurrido, es decir, no ocurrió nada. Sólo que en este momento no busco una relación complicada, y punto. Y se acabó. No tiene nada que ver con... con... el tamaño del pene ni con cuánto duras, ni con falta de originalidad en la cama. Y no, no tienes un problema en ninguno de esos aspectos. ¡Por Dios! Tampoco tiene que ver con mi insaciable apetito de hombres. Cualquier mirada de deseo que le haya lanzado a Izzy, o a Lopez, o al rarillo de Dave Malkoff es producto de tu imaginación. Para que lo sepas, no estoy dispuesta a volver a tener relaciones sexuales hasta 2008, aunque después de este fracaso, ¡puede que no sea hasta 2010!

Jenk estaba ahí parado, con las mejillas rosadas y temblando de frío. Había caminado a paso rápido para conservar el calor.

No había verdadera prisa para que fueran a buscar mantas y ropa seca. Después de que Izzy y Dave hubieran hecho una especie de bocadillo con Sophia para compartir el calor corporal, piel con piel, la temperatura que había llegado a ser peligrosamente baja, empezó a subir. Sophia se pondría bien.

—Venga —le dijo Lindsey—. Te estás congelando.

Pero él no se movió.

—No te creo —dijo.

Ella entornó los ojos.

—Por supuesto que no. Vale. ¿Quieres que te dé una explicación de troglodita de por qué no quiero estar contigo? Eres demasiado bajito para mí. ¿Contento, o quieres más? Tú eres demasiado bajito y yo soy una puta, nunca me sentiré satisfecha con un solo hombre. ¿Eso es lo que quieres que te diga? ¿Eso calza mejor con tu estrecha visión del mundo?

—Creo que te he asustado —dijo Jenk.

Lindsey empezó a trotar camino abajo.

—Cree lo que quieras. Pero... hay que seguir moviéndose.

Él la alcanzó fácilmente.

—Tengo razón, ¿no es cierto?

—Escucha —dijo Lindsey—. Sé que estás decepcionado. Sé que es una idea que te cuesta entender, es decir, la idea de que yo no espero secretamente que aparezca mi príncipe azul en un caballo blanco y me transporte a una vida de cacerolas, con reuniones de la Asociación de Padres, teniendo que mamarme los atascos mientras voy a buscar la ropa a la lavandería. Puede que no encaje con tu idea anticuada de cómo deberían portarse las mujeres. Supongo que tu problema se debe a que, de hecho, he conseguido tener relaciones sexuales como los hombres. Como tú, en realidad. Tú no me invitaste a tu casa porque pensaras que yo era una chica estupenda...

—En realidad, sí.

Ella lo dijo de otra manera.

—Pero no fue porque pensaras que sería una gran compañera para toda la vida. Querías tener relaciones sexuales, y creíste que podría ser divertido haciéndolo conmigo. Mírame a los ojos y dime que si yo me hubiera convertido en una especie de pesadilla, por ejemplo, en una borracha llorona o en una perfeccionista muy exigente, tú no te habrías esfumado la noche siguiente y no habrías vuelto a llamarme.

—Sí que te habría llamado —insistió él—. Teniendo en cuenta que trabajamos juntos...

—Sí, pero en ese momento tú no sabías que volveríamos a trabajar juntos tan pronto —señaló ella—. Pero no es eso lo que importa. Tú sigues centrado en las cuestiones tangentes. Lo importante es que cuando nos enrollamos, tú querías exactamente lo mismo que yo. No puedes acusarme de ser una puta a menos que tú reconozcas ser un puto.

—Nunca he dicho que seas una puta —alegó él—. Eso lo has dicho tú.

—Ahí tienes, lo vuelves a hacer —dijo Lindsey—. Te lo diré con palabras más sencillas. La noche que nos acostamos, ¿tenías o no tenías el tono de llamada de Tracy como *Here Comes the Bride*?

—Volvemos a hablar de lo mismo —dijo él—. Es evidente que te importa mucho.

—Oye, te he hecho una pregunta sencilla. ¿Sí o no?

—Sí, pero...

Lindsey alzó la voz por encima de él.

—Y entonces, ¿qué hacías conmigo si querías casarte con Tracy?

Jenk sacudió la cabeza.

—Eso no era más que una estúpida fantasía.

—¿Ah, sí? Te vi sentado con ella en el avión. No daba la impresión de que pensaras en ello como una fantasía, incluso en ese momento.

Genial. Ahora la conversación ya había descarrilado completamente.

Y él la miraba como si ella estuviera loca.

—Sólo me senté con ella porque tú me mandaste a paseo.

—Lo que importa, joder, es que tú estabas supuestamente enamorado de ella, *mientras* estabas en la cama conmigo. ¿Qué dice eso de ti, exactamente?

—Sentías celos de que yo estuviera sentado con Tracy a pesar de que me habías mandado a paseo —dijo Jenk, como si empezara a entender—. Eso es una locura, a menos que... me hayas mandado a paseo porque me tenías miedo. Y te doy miedo porque... te gusto demasiado.

—Sí, eso —se burló Lindsey—. Te mandé a paseo porque me gustas. ¿Qué te crees que soy? ¿Un caso patológico? Y, escucha una cosa, yo ni siquiera te mandé a paseo. Nadie te puede mandar a paseo después de sólo una noche. Nada de eso. Tuvimos una historia, y se acabó. Un poco temprano, pero estaba destinada a acabar de todos modos.

—Te gusto demasiado —repitió Jenk—. Tienes miedo de que yo vaya a estropear tu vida perfectamente planificada, a solas con tu TiVo, haciendo penitencia por la culpa que sientes por la muerte de tu madre y tu compañero muerto. Era tu compañero, ¿no? ¿Cuándo estabas en el Departamento de Policía de Los Ángeles? El amigo que casi te mató. Para no hablar de las otras personas que han muerto en tu pasado y de las que no me hablaste.

¿Cómo se atrevía a...? Lindsey se detuvo y él volvió trotando hasta donde estaba ella, y siguió moviéndose en círculos a su alrededor para conservar el calor.

—¿Qué tal he estado? Cerca, ¿no?

Lindsey no podía hablar. Era como si Jenk le hubiera dado con un canto en los dientes.

—Tú has entendido lo que te mereces —dijo Jenk, sacudiendo un dedo—, debido a alguna chorrada que te hiciste creer a ti misma, y ya que crees que no te mereces ser feliz, me mandaste a paseo.

Lindsey se abstuvo de decir las frases que tantas ganas tenía de decir. Una era una orden anatómicamente imposible de cumplir, y la otra, una demanda menos obscena para que Jenk se fuera a residir para siempre al submundo. Tenía ganas de ordenarle que cogiera su ego sobredimensionado y nunca volviera a oscurecer el marco de su puerta.

¿Y por qué diablos le había contado nada acerca del suicidio de su compañero, Dale, y los disparos? Él debería avergonzarse por haberlo usado como arma arrojadiza. Ella le había contado cosas que nunca le había contado a nadie, y eso era lo que él hacía con ello. Eso le enseñaría a ser más cauta. Dios, tenía ganas de echarse a llorar.

Al contrario, se obligó a reír.

—Tú, cree lo que te dé la gana, si así puedes lidiar con ello.

—Hablábamos de ti, nena. Aunque jamás te habría tildado de cobarde.

Eran palabras de guerra, pero ella sabía que su talante frío y su indiferencia lo cabreaba más que cualquier gesto de indignación.

—Como quieras.

—¿Sabes una cosa, Lindsey? Resulta que tienes razón. No me mereces —dijo, y siguió corriendo por delante de ella—. No mereces que te dé más de mi tiempo.

Ella tuvo que doblarse en dos, fingiendo que recuperaba el aliento, intentando recuperar el equilibrio. *¡Que se pudra en el infierno!*

Casi habían llegado al SUV, y aquella pesadilla estaba a punto de acabar. De vuelta en el motel, iría a ver a Tom. Le diría que tenía una urgencia familiar y cogería un autobús a Boston. De ahí volaría a California.

Acababa de comprar la primera temporada de *Rescue Me* en DVD. Se pondría a mirarla. Diez horas seguidas de Dennis Leary, palomitas y helado la harían sentirse mejor. Y entonces iría a visitar a su padre para que el pretexto de la urgencia familiar no fuera una mentira total.

Se enderezó y se obligó a seguir a Jenk camino abajo. Fue cogiendo velocidad mientras el frío le entumecía la cara.

Ahí estaba el SUV. Los últimos rayos de luz rebotaban en el parabrisas.

Jenkins no le dijo nada cuando quitó el seguro a las puertas, mientras subieron y él encendía el motor. No podía dar media vuelta por lo estrecho del camino, así que puso la marcha atrás y retrocedió hasta que tuvo espacio suficiente para girar.

El coche tardó un buen rato en calentarse, y Lindsey encendió la calefacción a todo dar.

Sin embargo, era posible que estuviera demasiado entumecida para volver a sentir el calor jamás.

Capítulo 12

Aquello era muy pero que muy raro.

Era como si Izzy jamás hubiera ayudado a una compañera a calentarse después de una hipotermia.

Era como abrazar un cubo de hielo.

Ya que no había una bañera con agua caliente, el contacto de piel con piel era la única manera de recuperar la temperatura corporal de Sophia.

Su cercanía al fuego no había servido, así que Izzy y Dave se habían desnudado hasta quedarse en calzoncillos y se habían acurrucado debajo de un montón de chaquetas y ropa con Sophia en el medio.

Quizá lo que lo hacía tan raro era que sus compañeros de las Fuerzas Especiales que habían sufrido hipotermia en el pasado no tenían pechos.

O quizá fueran las letras en árabe talladas en la parte baja de la espalda de Sophia lo que lo había espantado.

Sophia tenía una media docena de delgadas cicatrices en el tronco que lo habían asustado porque al principio pensó que eran cortes que se había infligido a sí misma.

En una ocasión, Izzy había recogido a una chica gótica en una feria. Resultó que la chica tenía algunos problemas gordos que había intentado solucionar cogiendo una navaja y haciéndose cortes en los brazos y el vientre. Al ver aquello de sopetón, Izzy se había enfriado enseguida. Había dado un pretexto cualquiera —empezaba a tener la gripe— y bajó de su coche destartalado. Después se había recriminado su actitud cobarde, por no haber sido sincero y haberle dicho que él tenía un problema, por así decirlo, con su manera de enfrentarse a sus problemas. Había vuelto varios días después para decirle que tenía que buscar ayuda, pero la feria se había marchado y sólo encontró un campo vacío y pisoteado.

Ahí en el antiguo ahumadero, Izzy había visto que ninguno de los cortes de Sophia era reciente. Pero cuando se acercó, vio que eran más de seis, aunque la mayoría estaban muy desdibujados. Con el tiempo, se volverían prácticamente invisibles. Sin embargo, había uno que la acompañaría hasta la tumba.

El árabe de Izzy se limitaba a poca cosa más que las frases estándar en los manuales con algunas otras básicas que había encontrado en un campamento de marines en Irak. *Dejad las armas y nadie saldrá herido. ¿Quieres un poco de chocolate para tu hijo?* Aún así, sabía lo suficiente para reconocer que Sophia no sólo tenía unos caracteres grabados en la piel, sino que se encontraban en un sitio que difícilmente podía alcanzar por sí misma. Aunque fuera una contorsionista sumamente flexible.

Y no estaba seguro, pero casi tenía la certeza de que decía *esclava*.

Por fin Sophia había dejado de temblar. Ya no parecía un cubo de hielo (con pechos), sino más bien un trozo de carne.

Con pechos.

Dave Malkoff frunció el ceño por encima de la cabeza de Sophia, como si pudiera leerle el pensamiento a Izzy.

¿Qué creía? ¿Qué iba a manosearla? Vale, ya lo había hecho, pero había sido sin querer. No había mucho espacio para moverse, entre la pared de piedra y el fuego, apretado junto a Sophia y Dave y bajo un montón de ropa y anoraks.

Para que quedara constancia, también le había tocado el culo a Dave en las últimas horas. Y eso había sido claramente involuntario.

Pero enseguida se dio cuenta de que la dura mirada de Dave era para advertirle de que Sophia se estaba despertando. Se había dormido, pero ahora se desperezó.

—Estás bien, estás a salvo —murmuró Dave—. Estamos así contigo para darte calor. Sé que te debe parecer incorrecto pero te aseguro que es la única manera de conseguir que recuperes el calor.

Ella se puso tensa, como si aquel contacto estrecho fuera más de lo que ella podía soportar.

Izzy intentaba imaginar cómo era posible que alguien tuviera la palabra *esclava* grabada en la parte baja de la espalda como si fuera un mero chiste. Pero no podía. Quien quiera que hubiera escrito eso lo había hecho sin el consentimiento de Sophia. Era indudable que aquellos recuerdos no podían ser buenos.

—No pasa nada —repetía Dave, una y otra vez, con voz queda, queriendo tranquilizarla—. Estás a salvo.

Y empezó a relajarse lentamente mientras Izzy fingía que era un ladrillo caliente, no amenazante y puramente funcional.

Lopez se acercó. Llevaba puesta sólo la ropa interior. El resto de su ropa estaba por debajo o por encima de ellos. Intentó disimular que temblaba de frío, a pesar de la cercanía del fuego.

—¿Cómo te sientes, Sophia? ¿Quieres intentar tomar algo caliente?

Izzy se estaba portando bien, de modo que sólo cerró los ojos. Pero, ay, cuántos comentarios podría haber hecho. Guardó silencio y dejó que Lopez siguiera.

—Tengo algo de comida calentándose. También he purificado un poco de agua de esa fuente que tú y Danny habéis encontrado. Estoy haciendo té.

—¿Danny se encuentra bien? —preguntó Sophia.

Danny-Danny-Bo-Banny estaba al otro lado de la fogata, soltando humo como una cagada de yak mientras se secaba su ropa. Izzy ya había pasado por esa experiencia un par de veces. Ponerse un jersey de lana mojado no era una de sus maneras preferidas de pasar la noche. Los olores, al menos el olor de sus jerseys, era decididamente parecido al de un establo. Aún así, Izzy habría apostado a que, gracias a sus múltiples capas, Dan Gillman tenía menos frío que Lopez.

—Estoy bien —avisó Gillman. Se incorporó y se acercó a ellos para echarles una mirada. Lopez le había limpiado la herida en la frente, pero ahora se estaba convirtiendo en un chichón en toda regla. Y alrededor del ojo empezaba a asomar un hematoma multicolor—. Sophia, lo siento mucho. Ha sido todo culpa mía. He actuado de manera inapropiada.

Lopez le estaba sirviendo a Sophia un poco de ese té, que virtió en un envase de comida preparada, a falta de tazas.

—No es ni el momento ni el lugar para recriminaciones ni...

—¿A qué te refieres? —preguntó Dave, que a todas luces

no participaba del talante tranquilo de Lopez. En realidad, estaba más cerca de un talante de irritación máxima, a pesar de su voz engañosamente calmada.

Izzy estaba lo bastante cerca para oír a Dave haciendo rechinar los dientes.

—Ni acusaciones —dijo Lopez, seguro de que era el único que se prestaba atención sí mismo. Suspiró ruidosamente.

—Fui demasiado insistente. No me di cuenta... —Gillman no se percató de la irritación de Dave. Estaba envuelto en su propia bola de culpa, sin duda arrepentido de haber tratado a Sophia como una mujer normal, cuando todos habían entendido claramente, después de ver las extrañas cicatrices, que no lo era.

—No es culpa tuya —dijo Sophia, intentando tranquilizarlo.

Dave no estaba convencido. Aún así, habló con voz serena. Calmada. Engañosamente serena.

—¿Y qué estabas haciendo? ¿Metiéndole mano? ¿Ella intenta apartarse, tú la quieres coger y caéis los dos al agua a través del suelo? —Dave se había incorporado de debajo del montón de ropa.

—Más o menos —reconoció Gillman—. Aunque eso de meterle mano es un poco exagerado.

Vestido con sólo los calzoncillos, Dave no tenía un aspecto demasiado amenazante. Era uno de esos tíos que conseguían ser a la vez delgado y gordo, e Izzy estaba convencido de que, hasta hacía poco, había sido muy delgado. Era probable que hubiera cruzado esa línea invisible de la edad en que su metabolismo cambiaba y, para su sorpresa, de pronto tenía michelines. Aquello tenía que ser horrible.

—Dave —dijo Sophia—. No fue...

—Y casi matas a Sophia y te matas a ti mismo —aclaró Dave, acercándose a Gillman.

Sophia se giró hacia Izzy.

—Déjame un poco de espacio. Por favor.

Izzy no respondió. No era más que un objeto inanimado, un ladrillo caliente que sólo podía ser movido por Lopez. Pero Lopez estaba más allá, preparado para intervenir en caso de que Dave empezara a hablar con golpes en lugar de palabras.

—Tíos —dijo Lopez, cuando Dave se acercó al espacio personal de Gillman.

Y siguió.

Luchar en un espacio limitado donde también ardía un fuego era darwinismo en toda regla. Si a uno se le chamuscaban los huevos, era muy poco probable que pudiera tener descendencia. Desde luego, también había un elemento del darwinismo que daba a entender que los sobrevivientes más aptos no alternaban con trogloditas imbéciles que luchaban en un espacio reducido donde ardía una fogata.

En lugar de apartarse de Sophia, Izzy se volvió hacia ella, alejándose del fuego.

—¿Qué quieres? ¿Golpearme? —preguntó Gillman a Dave, sin ánimo beligerante. En realidad, daba la impresión de que lo deseaba—. Venga, adelante.

—¿Qué os parece discutir esto afuera? —sugirió Izzy. Ahora era un ladrillo caliente parlante.

Pero, al parecer, Dave no era de los que pegaban. Era de los que amenazaban.

—Si vuelves a tocarla una sola vez —dijo a Gillman, a centímetros de su cara—, te mataré.

Izzy no podía ver la mirada de Dave desde su posición en el suelo, pero veía perfectamente a Gillman. El comando de las SEAL se habría quedado quieto y aceptado el golpe sin responder, pero palabras como ésas no podían ignorarse. Así que reaccionó enfurecido. Y se encaró con Dave pronunciando una de las réplicas más famosas de la historia de la humanidad.

—¿Ah, sí?

Sophia se removió junto a Izzy, lo cual era la manera más eficaz de distraer su atención que él hubiera experimentado jamás, aparte de la idea de que alguien pudiera chamuscarle los huevos.

Ajá, con que Sophia se estaba vistiendo. Había sentido que se movía de un lado y del otro, al parecer buscando algo, cualquier cosa que pudiera ponerse, y ahora estaba haciendo precisamente eso.

—¡Zanella, quítame las manos de encima!

En cualquier caso, Izzy no tenía las manos cerca de ella. Era Sophia que, al removerse, había entrado en contacto con él, y casi le había dado un rodillazo en la entrepierna. Él había realizado una maniobra evasiva, y punto, nada más.

Desde luego, Dave y Gillman unieron su indgnación y se giraron para dirigirla contra Izzy, salvo que esta vez se había convertido en repugnancia.

—Zanella... —Incluso Lopez se unió al familiar coro, añadiendo de su propia cosecha un «Venga, Izzy, tío».

Entretanto, Sophia se había levantado. Tenía puesto uno de los jerseys de Izzy y lo que parecían unos pantalones de Dave, que sujetaba con una mano. Pero enseguida se tambaleó, como si se hubiera incorporado demasiado rápido, y todos, incluido Izzy, se apresuraron a sostenerla y la ayudaron a sentarse en el montón de ropa que había quedado en el suelo.

Lopez cogió su lata de té a toda prisa y le ayudó a tomar un poco.

—No está demasiado caliente —le dijo—. No lo he calentado demasiado o no habría podido vaciarlo en esto. Pero debería estar lo bastante caliente.

—Gracias —dijo Sophia. Cruzó una mirada con Izzy, y éste supo que las piernas no le habían fallado más que a él. Su objetivo (muy bien logrado) había sido distraerlos y hacer que se centraran en otra cosa, empezando por mencionar sus manos supuestamente incontrolables. Había sido un golpe de efecto magistral, y se veía que Sophia sabía interpretar a la perfección el papel de pobre rubia desamparada.

Y él había quedado como el rey de los sinvergüenzas.

—Vaya manera más divertida de pasar la tarde —dijo—. Aunque, sin ánimo de ofender, Dave, hubiera preferido que la tercera persona en nuestro equipo de lucha contra la hipotermia fuera Lindsey.

Como era de esperar, Zanella fue objeto de otra ronda de recriminaciones.

Dave y Gillman ahora se habían unido para censurarlo. No del todo, pero ya no parecían tan dispuestos a sacar sus agendas para programar su inminente duelo a muerte.

—¿Dónde está Lindsey? —preguntó Sophia, frunciendo el ceño.

Dave miró su reloj.

—Es probable que esté volviendo a tomar contacto por radio... en este momento.

• • •

Tracy acababa de salir de la ducha cuando alguien llamó sonoramente a la puerta del cuarto de baño.

No había ventilador en la estancia, probablemente porque aún no se había inventado en los tiempos antiguos en que se construyó el motel, y el espejo estaba totalmente empañado. Así que Tracy abrió la puerta para que saliera el vapor y para saludar a su compañera de habitación, que ya habría vuelto de su excursión.

—Saldré en un momento, Sophia —dijo, sólo para encontrarse cara a cara con Lawrence Decker. Se sorprendió tanto al verlo que se lo quedó mirando, boquiabierta, sin moverse.

—Siento molestarte —dijo éste—, pero necesito ayuda.

Tracy se había envuelto con una toalla, pero las delgadas toallas del motel no eran demasiado generosas. Desde luego, no tan generosas como su trasero. Tracy retrocedió hasta quedar detrás de la puerta y lo miró.

¿Sophia le había dado a Decker una llave de su habitación? Entre esos dos había algo, o lo había habido en el pasado. Sin embargo, Tracy creía que la fase de su relación en que compartían llave ya había pasado. Pero quizá no. Quizá fueran tan complicados como ella y Lyle.

Genial. Sería un tema de conversación con Sophia esa noche. Dios, odiaba tener que compartir la habitación, y hubiera deseado que su compañera fuera Lindsey. Al menos a ella le caía bien. En cambio, Sophia era distante, reservada y misteriosa, además de ser rubia natural.

Pero la verdad era que de todas las personas que había conocido en Troubleshooters Incorporated, Lawrence Decker era el más misterioso de todos. Por lo que Tracy había oído de boca de casi todos en el despacho, era una especie de mítico dios de la guerra. Y por la manera en que todos hablaban de él, con admiración y respeto, Tracy había imaginado a alguien parecido a Sam Starrett, aunque más alto y más grande, y diez veces más guapo y carismático.

Al contrario, Decker era uno de esos hombres horriblemente olvidables que se fundían con el decorado en las fiestas o en los bares. Era el tipo de hombre cuyo nombre olvidaría diez minutos después de haber sido presentados. Tenía unos ojos marrones anodinos, pelo castaño corto y anodino, y una talla anodina. No era ni guapo ni no guapo. Sólo... era.

—Sophia no está —dijo Tracy.

—Sí, lo sé —dijo él, con su voz anodina—. Por eso necesito tu ayuda. Ha habido un accidente en el refugio de caza.

—Ay, Dios mío —dijo Tracy—. Lindsey había subido a aquel refugio. Mark e Izzy también. —¿Hay alguien herido?

—Están todos bien —dijo él—. Pero Sophia y uno de los hombres de las SEAL han caído al agua. Allá arriba hace mucho frío, y las temperaturas están bajando.

—Vaya —dijo Tracy—. ¿Quién es el SEAL?

—Dan Gillman. Necesitan ropa seca lo más rápido posible. ¿Cuáles son los cajones de Sophia?

No había venido a acosar a Sophia sino a coger alguna prenda de ropa. Aunque quizás hubiera venido a coger su ropa y a acosarla. Los acosadores tenían esos recursos inteligentes.

—Son los cajones de la izquierda —dijo Tracy—. No, de la derecha —se corrigió. Cerró los ojos para intentar situar el mueble.

—Enséñamelos —dijo él.

Tracy no había traído su albornoz, sobre todo porque, de haberlo hecho, no habría quedado espacio para lo demás. Pero ahora, en lugar de darse un momento para ponerse algo, señaló la puerta del baño, donde su abrigo colgaba de un gancho en el armario abierto.

—¿Me puedes pasar eso? —pidió.

Él le obedeció y ella se lo puso a la carrera, dejando que la toalla cayera al suelo al cerrárselo. Durante la tarde había perdido uno de los botones y todavía no había encontrado un costurero para remendarlo. Pero no tendría problemas, siempre y cuando no se inclinara demasiado hacia adelante.

Salió del cuarto de baño y abrió los cajones del tocador. Había acertado la primera vez, porque las cosas de Sophia estaban en los de la izquierda.

—¿Qué necesita, exactamente?

—De todo —dijo él, que ya había echado mano de dos jerseys, una camiseta de manga larga y un pantalón vaquero. Decker no vaciló hasta que llegó al cajón de la ropa interior pero fue una vacilación muy breve. Eligió el blanco, calzas y sujetador, pero lo hizo todo con un gesto muy ejecutivo. Tracy sabía que, en realidad, Decker quería mirar las opciones más coloridas, quizá darse un momento para recordar cómo era Sophia cuando llevaba otras prendas. O cuando se las quitaba.

—¿Cuándo habéis roto vosotros dos? —le preguntó Tracy, y él la miró. Era curioso. Bajo esa luz, los ojos de Decker parecían más verdes que marrones. Y la intensidad de su mirada era llamativa. Y para nada olvidable.

—¿Qué te hace pensar que estuvimos juntos? —preguntó él.

—Vaya, por favor —dijo Tracy, con una mueca—. Es bastante evidente. Quiero decir, después de esa historia con Dave. Además, nadie en el despacho quiere hablar de vosotros dos. Se habla mucho de otras cosas, pero de vosotros está como prohibido. De modo que sea lo que sea que ocurrió, tiene que haber sido feo.

—O quizá no es asunto de nadie —dijo él, y cogió otro par de calcetines.

—¿Crees que eso haría que la gente dejara de hablar? —preguntó ella, mientras él volvía a revisar los cajones, como buscando algo—. O quizá todos te tienen un poco de miedo.

Eso le valió una segunda mirada, esta vez una mezcla de diversión e incredulidad.

—¿Qué buscas? —le preguntó Tracy.

—Ropa interior larga —dijo él.

—Está debajo de la ropa interior normal —dijo ella, dejando que abriera el primer cajón y revolviera otro poco.

—Eres amigo de Tess Bailey y Jim Nash, ¿no?

—Sí. —Decker añadió un par de calzas largas de Sophia al montón—. ¿Botas?

—¿Sabías que están teniendo ciertos problemas? Es probable que no lo sepas porque nadie habla de ellos tampoco. Pero sus planes para casarse y luego no casarse no tienen que ver sólo con cuestiones de fechas —dijo Tracy, y le pasó un par de botas—. Pensé que quizá quisieras saberlo.

—Gracias —dijo él, y ahora sus ojos eran casi azules. ¿Era posible que pudiera cambiarlos de color a voluntad?—. Aunque eso tampoco es asunto tuyo. —Decker fue hacia la puerta—. Siento haberte molestado.

—Espera. —Tracy tenía una pequeña mochila y la vació en una de las camas. Vaya, ahí era donde había puesto el otro libro. Y su DVD de ejercicios de Tae Bo, como si fuera a utilizarlo allá arriba, en la tierra de la no tecnología. Y su iPod y sus auriculares. Ah, y la crema para las hemorroides, y el *spray* contra los hongos de los pies que había necesitado después de tomar antibióticos para aquella desagradable infección de la vejiga, sus mitones de color rosa, una variedad de productos femeninos, entre ellos la funda de sus chancletas, y su... ejem, su vibrador personal, que ella llamaba George, y el pequeño neceser donde guardaba los condones de emergencia.

El neceser parecía relucir, brillante bajo la luz fluorescente. Sin embargo, no llamaba tanto la atención como su vibrador que, al vaciar la mochila, de alguna manera se había encendido y ahora temblaba y zumbaba en su gloria fálica con una luz de neón verde.

Tracy se sentó encima, intentando ocultarlo, porque quizá Decker no lo había visto todavía (sí, claro). De hecho, había abierto los ojos desmesuradamente al verlo. Entonces le pasó la mochila con una sonrisa forzada.

—No querrás dejar caer la ropa interior de Sophia en una charca, ¿no?

—Hace demasiado frío para que haya charcas. —Decker intentaba no sonreír, pero enseguida frunció el ceño. Sacudió ligeramente la mochila—. Hay algo más aquí dentro. Quizá deberías... —dijo, y se lo pasó, a todas luces temeroso de lo que pudiera encontrar.

Tracy abrió la cremallera del bolsillo delantero. Pastillas de menta, pastillas de cafeína y... un tubo de gel lubricante K-Y. Genial. Tracy se lo guardó en el bolsillo de su abrigo y, ya que estaba, aprovechó la oportunidad para apagar a George.

—Bien visto —dijo, y le entregó la mochila que por fin estaba vacía.

Decker rió, y en ese momento Tracy entendió por qué Sophia todavía le entregaba la llave de su habitación. Aquel hombre tenía una sonrisa increíble.

Mientras ella observaba, Decker puso las botas al fondo y el resto de la ropa encima. Seguía sonriendo cuando cerró la cremallera y cruzó una mirada con ella.

—Gracias por tu ayuda —dijo.

—Antes de que te vayas... —insistió ella.

—No te preocupes —la interrumpió él—. Yo también sé ocuparme de mis propios asuntos.

Tracy tardó un momento en entender que Decker hablaba de George, y entornó los ojos.

—No... gracias, pero... —dijo, y tendió la mano—. Preferiría que no tuvieras una llave de mi habitación.

—No tengo llave.

—No tienes llave. ¿Acabas de entrar sin una llave?

Decker volvió a reír.

—Cariño, piensa, para quien trabajamos.

Tom Paoletti. Era probable que él tampoco necesitara una llave.

—Creo que no estoy hecha para este trabajo —reconoció Tracy.

—Uno tarda en acostumbrarse —dijo él—. Es un mundo diferente.

—Ya lo creo que sí.

—Es un trabajo importante —añadió él—. Hacer lo que haces.

Dijo el guerrero a la recepcionista inútil.

—No es fácil ayudar a que funcione un despacho como Troubleshooters Incorporated —siguió él—. Hay cosas que no puedes escuchar ni ver, aunque las escuches o las veas. Tienes que pasar tus días sumergido en ese mundo diferente, y nadie te promete que encajarás. Siempre mirando desde fuera.

Hablaba como si supiera exactamente cómo era aquello.

—¿Es por eso por lo que te pasas la mayor parte de tu tiempo en misiones fuera? —le preguntó Tracy—. ¿Porque no encajas en ese mundo donde la gente todavía usa llaves?

Decker miró su reloj y, cuando habló, ella esperaba una excusa. Tenía que irse. Pero él respondió.

—Hace mucho tiempo que no vivo en tu mundo.

—Así es —dijo Tracy—. Me han dicho que ni siquiera te tomas vacaciones. Aunque... shh, no le digas a nadie que te lo he dicho yo; alguien hablaba de obligarte a tomártelas.

—Gracias por la información —dijo él—. Vaya, eso sería divertido.

—Puede que sí lo sea —dijo ella—. Ya sabes, si dejas que lo sea. Podrías llevar a Sophia a Cancún.

—A Cancún —repitió él.

—O a algún lugar más exótico —sugirió ella—. Atenas, o Roma. —Ella siempre había querido visitar Roma.

Aquello lo confundió aún más.

—No conoces a Sophia demasiado bien, me parece.

—En realidad, no —reconoció ella.

—Creció en el extranjero —dijo Decker—. Es probable que prefiera un viaje al Grand Canyon.

—Pues, ahí tienes tu respuesta —dijo Tracy—. Llévala al Grand Canyon.

Durante una fracción de segundo, Decker la miró, entre pensativo y triste. Pero enseguida sacudió la cabeza.

—No voy a llevarla a ninguna parte —dijo, sopesando la mochila—. Le llevaré ropa seca. Gracias, de nuevo. Lo siento si te he asustado.

Abrió la puerta y ya casi había salido cuando ella le preguntó:

—¿Era sólo tu mundo ese mundo donde vivías? Porque, para ser sincera, me dio la impresión de que se convertía en el mío. Quiero decir, teniendo en cuenta dónde estoy sentada yo, estoy bastante segura, al final, de que sí *era* el mío.

Él se giró para mirarla con ojos que volvían a ser simplemente marrones. ¿Cómo lo hacía?

—Y creo que encajas bastante bien —dijo Tracy.

Decker le sonrió una última vez y cerró la puerta al salir.

Las luces que venían hacia ellos sólo podían significar una cosa.

El infierno en que se encontraba sumido Jenk estaba a punto de acabar.

Lindsey no había hablado desde que habían subido al todoterreno, pero ahora se aclaró la garganta.

—¿Por casualidad hablas árabe?

Jenk se giró para mirarla. Ella lo miraba en la penumbra, con sólo la luz del salpicadero, y sus ojos parecían poco más que una chispa en la oscuridad.

—Algo —dijo.

—¿Suficiente para saber si aquello era...?

—Sí —dijo él. Lindsey hablaba de la cicatriz más grande de Sophia—. Lo era.

—Dios mío —dijo ella, con un suspiro de voz y una sincera emoción.

—Sí —dijo él.

—No tengo nada de que quejarme —dijo ella—. Quiero decir, comparado con Sophia.

Él habría dicho que había cicatrices que no eran tan visibles, pero eso habría sonado como si hubiera empezado a perdonarla, así que decidió guardar silencio.

—¿Has podido leer lo que decía? —preguntó ella, cuando el silencio se hizo demasiado largo.

—No era demasiado agradable. —Jenk estaba bastante seguro de que la palabra que él había atisbado grabada en la parte baja de la espalda de Sophia estaba escrita en un dialecto de Kazbekistán. Parecía un término popular para decir esclava, una palabra que solía sugerir que la mujer era usada para las relaciones sexuales.

—¿Qué? —preguntó ella, que había entendido—. ¿Una especie de letra escarlata?

—Sí. Aunque supongo que las transgresiones que se le imputaban no eran voluntarias. Kazbekistán es un país duro.

—¿Has estado ahí? —preguntó ella.

Jenk aminoró la marcha, pero el vehículo que venía en dirección contraria no hizo lo mismo. Mierda, era una especie de furgoneta de reparto, no el equipo de socorro del motel. Pasó zumbando a su lado, probablemente camino a Maine.

—¿O quizá debería preguntar cuántas veces has estado allí? —dijo Lindsey.

—Sabes que no te puedo decir eso.

—Algún día me gustaría ir —dijo ella—. Las fotos que he visto son...

—No te gustaría —interrumpió él—. Créeme. Por algo lo llaman «el Pozo». —Kazbekistan era una pesadilla, y el gobierno central había sido reemplazado por el gobierno de los señores de la guerra, que se dedicaban la mayor parte del tiempo a combatir unos contra otros. Los delincuentes campeaban por sus fueros, aterrorizando a la población. Aquel caos había convertido ese pequeño país en un lugar aún más popular que en el pasado para los campos de entrenamiento de Al Qaeda. Aunque siempre habían gozado de popularidad—. No es lugar para una mujer, sobre todo para una mujer de Estados Unidos.

—A Tess Bailey la mandaron allí. Al parecer, a Sophia también.

—Y mira las huellas que ha dejado en ella.

—Sí —convino Lindsey—. Tiene que haber sido una mierda. Aún así, la información que adquirieron resultó vital.

Jenk sabía muy bien a qué operación se refería Lindsey. No había parado de pensar en ello desde el momento en que vio las cicatrices de Sophia. Él había estado relacionado con aquella operación, como parte de un equipo de las Fuerzas Especiales enviado en helicóptero a rescatar a unos agentes de Troubleshooters Incorporated del palacio de un señor de la guerra. Sophia era uno de ellos. Y sí, Tess Bailey, la chica pecosa, especialista en informática, también estaba.

Decker era el jefe del operativo de Troubleshooters, y lo habían enviado al Pozo a buscar el ordenador portátil de un terrorista y cualquier información secreta guardada en el disco duro.

Habían tenido éxito. Pero ¿a qué precio?

Desde hacía algún tiempo, habían corrido rumores sobre los agentes de operaciones especiales, según los cuales había entre ellos una especie de moderna Mata Hari, una agente estadounidense que había conseguido convertirse en la concubina de un poderoso señor de la guerra de Kazbekistán. La gente decía que había contribuido a proporcionar información vital a Estados Unidos sobre Al Qaeda.

Jenk empezaba a pensar que la agente en cuestión era Sophia, y que la información que había proporcionado estaba en ese portátil.

Al parecer, Lindsey también había oído los rumores, y ahora pensaba exactamente en los mismos términos que Jenk.

—¿Es posible que Sophia sea esa M-2000 de la que habla todo el mundo?

Él le lanzó una mirada.

—¿Es así como la llaman de verdad?

—Sí. Técnicamente debería ser M-2004. Creo que es cuando apareció por primera vez. Pero creo que también se supone que es una referencia de Terminator. Aunque vaga.

—M-2000 —repitió Jenk—. Suena como si fuera una especie de robot.

—No podría ser Sophia, ¿no? Quiero decir, no tiene sentido. Ella no es una agente. Ya la viste en aquel ejercicio. Prácticamente no ha tenido entrenamiento en cuestión de armas. Ninguna agencia de Estados Unidos enviaría a alguien en una misión tan peligrosa sin haberla entrenado.

Jenk no estaba tan seguro de eso.

—Era bastante buena cuando se trataba de engañar —señaló él—. Y tiene agallas. También le salvó la vida a Gillman.

—Además, es una mujer muy correcta —dijo Lindsey. Se giró para mirarlo y apoyó el brazo en el respaldo del asiento—. Se viste como una especie de... no digamos una monja, pero quizás una abogado. Una de verdad. Más parecida a Harriet Miers que a Ally McBeal. Vestidos hasta las rodillas, blusas con pañuelos, nada que tenga escote. Tacos de cinco centímetros, como máximo. No me la imagino trabajando voluntariamente como agente secreto y haciendo de prostituta.

—Puede que no sea algo que haya hecho voluntariamente.

Pero Lindsey no estaba convencida, y su intensidad la hizo inclinarse más hacia él.

—Es todo muy disparatado. Todo me huele mucho a leyenda urbana —rió—. Y tú ya sabes cuánta verdad hay en una leyenda urbana, hombre del camuflaje.

Si Jenk hubiera escuchado aquello unos días antes, habría reído también. Si hubiera sucedido hace dos noches, se habría reído y la habría besado. Maldita sea.

Esta vez, apretó los dientes y rogó que las luces que divisó a lo lejos al girar en una curva fueran las de Decker.

El silencio que reinaba ahora en la cabina era de un gélido total, y Lindsey se dio cuenta de cómo estaba sentada. Retiró el brazo y estiró las piernas, de modo que quedó nuevamente mirando al frente. Se ajustó el gorro rojo hasta que le cubrió por completo las orejas.

Jenk redujo la marcha cuando el coche que venía hacia ellos hizo lo mismo.

Y Lindsey habló.

—He hecho justo lo que no quería hacer. Te he perdido como amigo. No te puedo ni decir cuánto lo lamento.

Sí, era Decker que se acercaba en el segundo vehículo. Jenk hizo una maniobra y se detuvo a un lado del camino, justo detrás de él.

—Ya, pero cuando uno es cobarde, pierde cosas.

—A veces —dijo ella—, las pierdes aunque no lo seas.

Lindsey bajó del coche y se acercó al otro vehículo. Jenk bajó la ventanilla y Decker hizo lo mismo.

—Jenk irá por delante —dijo Lindsey al ex jefe de los SEAL. El camino está despejado hasta más o menos un kilómetro y medio antes del refugio.

—Vamos —dijo Decker, siempre un hombre de acción.

—¿Tienes sitio aquí dentro? —preguntó ella—. Jenk está un poco cansado de mí.

Jenk estaba cansado de ella. Genial.

—Qué manera de hacerme quedar como un gilipollas —dijo, desde el coche.

Era posible que ella no lo hubiera oído. Estaba demasiado ocupada subiendo al asiento de atrás y ya reía con quien fuera que iba ahí dentro.

Decker le hizo señas para que pasara adelante y Jenk partió por el camino de montaña quemando neumáticos.

Decker llegó para salvar el día.

Dave estaba sentado junto a Sophia, compartiendo el té que había preparado Lopez, cuando Deck llegó. No entró a toda prisa ni pateando la puerta como un héroe de acción. Avisó cuando todavía estaba a cierta distancia. Y luego llamó a la pequeña puerta.

Gillman estaba esperando, y la abrió.

Deck tuvo que agacharse para entrar, pero su mirada buscó directamente a Sophia, y su alivio fue muy visible.

Dave casi podía ver la lista de cosas que Decker comprobaba mentalmente. Sophia estaba consciente, sentada, vestida con el anorak de Jenk, con el jersey de Dave alrededor de la cabeza como una capucha y el jersey de Lopez abrigándole los pies. Tenía buen color y el pelo seco, aunque bastante enmarañado. En una mano sostenía el envase de comida lleno de té y su mirada era brillante y alerta.

—¿Todos bien? —preguntó Decker, justo cuando Lindsey y dos hombres de las SEAL, un teniente y un suboficial, entraban detrás de ella, agachándose.

Respondió un coro de voces diciendo afirmativo, entre ellas Sophia. Decker fue directamente hacia ella. Se quitó los guantes mientras se agachaba y estiraba la mano hacia su capucha-jersey para tocarla, comprobando si tenía fiebre tocándole el cuello.

Ella lo vio venir y se puso tensa, lo cual a él no le pasó inadvertido. ¿Cómo no notarlo? Y en lugar de abrazarla y saludarla como era debido con un fuerte beso, la soltó.

Desde luego, quizá no era su intención darle un fuerte beso. Sin embargo, era lo que habría hecho Dave de estar en su lugar.

O al menos habría dicho algo como «Gracias a Dios que te encuentras bien. Estaba muy preocupado».

Deck se quitó de los hombros la mochila que llevaba y se la entregó a Sophia.

—Aquí hay ropa seca y botas —dijo, y luego se enderezó para ir a ver al gilipollas de Gillman.

El oficial de las SEAL, un teniente robusto llamado MacInnough, traía un saco.

—Abrigos, mantas y muchas linternas —anunció. Sonrió a Sophia—. Me alegro de ver que ya está mejor, señorita.

Decker y el suboficial hablaban con Lopez, mirando a Gillman con el mismo cuidado con que Deck había mirado a Sophia.

—¿Dónde está Jenk? —preguntó Sophia a Lindsey.

—Su anorak estaba aquí así que se ha quedado con los vehículos.

—¿Se ha quedado solo? —preguntó Izzy—. Tío, ése no se asusta fácilmente, ¿no?

—Ha sido una orden directa del teniente —dijo Lindsey—. No se ha quedado por elección propia.

—Vale —dijo Izzy—. Esto es demasiado bueno para perdérselo. El primero que llegue tiene que apagar su linterna, acercarse a Marky-Mark por la espalda y decir *¡Devuélveme mi pierna!*

Sophia rió, pero Dave vio que estaba distraída por la presencia de Decker. Estaba del todo seguro que ella también había esperado que Deck hiciera algo más con su boca que pronunciar las palabras «Ropa seca y botas» cuando se agachó a su lado.

Pero decir esperar era una palabra demasiado fuerte. Tal vez sólo se le pasó por la cabeza.

Porque aunque Decker no hubiera dicho «Gracias a Dios que estás bien», se había visto en sus ojos, claro como el día.

—Pongámonos la ropa seca y las botas para que Sophia tenga privacidad para vestirse —ordenó Decker—. Lindsey, quédate y échale una mano.

Fue el primero en salir al aire frío de la noche. Dave lo siguió, más lento, después de haberse puesto el jersey que Sophia le devolvió. Tenía el olor de su pelo, y aspiró profundamente cuando se lo puso.

Al ponerse el anorak pensó que su actitud había sido igual a la de Decker, así que volvió a entrar en el refugio.

—¿Te he dicho lo agradecido que me siento porque estés bien? —preguntó a Sophia—. Aprecio más tu amistad de lo que nunca sabrás. Y me siento muy orgulloso de ti. Tu fuerza y tu valentía me asombran día a día, pero hoy... Has estado increíble. Tú *eres* increíble. No tengo la menor duda de que le has salvado la vida a Dan.

—Gracias, Dave —murmuró Sophia. La sonrisa con que lo miró era tan triste que le rompió el corazón. No sólo era una chica valiente y fuerte, también era lista. Sabía que Dave intentaba compensarla por lo que no había hecho Decker.

Era probable que sólo empeorara las cosas.

Capítulo 13

La cena estaba destinada a ser un mal trago.

Ya que todos habían cenado más temprano y alguien se había dado cuenta de que hacía bastante más calor en la cocina del restaurante, trasladaron unas cuantas mesas para el grupo que había ido hasta el refugio. En teoría, era una buena noticia, sobre todo porque Lindsey aún no había acabado de entrar en calor.

Sin embargo, el precio que había que pagar por el calor era que el espacio de la cocina era limitado. Tuvieron que juntar las mesas, de modo que los Troubleshooters y los SEAL se sentaron a la misma mesa en un solo grupo grande. Como una feliz familia numerosa.

Lindsey se sentó en un extremo. Si estaba de suerte, Jenk llegaría mientras quedaban varios asientos libres. Esperaba que se sentara lo más lejos posible de ella.

Sus duras palabras resonaban en su cabeza como con vida propia. No tenía por qué mirarlo y ver el reflejo de una acusación en sus ojos.

Una de sus palabras se le había alojado en las entrañas como una flecha.

Penitencia. Utilizada en la misma frase que *tu madre muerta.*

Sólo pensar en ello todavía le dolía demasiado. Le dolía tanto que empezó a pensar que quizá Mark Jenkins tuviera de alguna manera razón.

Dave se instaló en la silla junto a ella. Lopez eligió la del otro lado y ella quedó a salvo. Lo único que necesitaba ahora era que el que se sentara directamente al frente no fuera Jenk. Entonces quizá superaría el trance de la cena sin sentir una horrible acidez.

El cabrón de Izzy no fue su salvación, porque se sentó junto a Lopez.

En ese momento vio a Jenk, que todavía se estaba sirviendo espaguetis con salsa de carne, que se mantenían calientes en unos grandes recipientes al otro lado de la cocina. Estaba con Tom Paoletti y los dos parecían enfrascados en su conversación.

Era evidente que lo mejor que podía hacer era comer rápido y salir de ahí.

Inclinó la cabeza, comió un bocado y... vaya. En el mejor de los casos, había esperado una ración de comida estilo rancho militar o comida de cafetería escolar, pero aquella salsa estaba deliciosa. La vinagreta de la ensalada también era excelente. No se había dado cuenta de lo hambrienta que se sentía.

—Stella me dijo que su marido, Rob, ha preparado la cena —anunció Izzy—. Empiezo a entender por qué no lo ha dejado para irse conmigo. Esta cosa mola.

Decker se sentó frente a Lopez. Dos de los SEAL que Lindsey no conocía demasiado bien —Stan y Mac— se sentaron junto a Izzy y comenzaron enseguida a hablar de los argumentos a favor y en contra de instalar ese punto de operaciones en el refugio. Al parecer, la tormenta que esperaban había perdido fuerza a la altura de Chicago, y Tom todavía no había decidido si la precaución era necesaria.

Sólo quedaban tres sillas vacías en la mesa, y Lindsey tenía la certeza de que Jenk se sentaría frente a ella. Aquello estaría en consonancia con el día.

—Hace ya días que quería preguntarte —dijo Lopez, y cuando Lindsey alzó la mirada vio que le hablaba a ella—. Allá en el Bug brindaste por tu abuelo, Henry. ¿Era el padre de tu padre?

Lindsey asintió con un gesto de la cabeza. Tenía la boca llena.

—Tío —se interrumpió Lopez a sí mismo—. Esto está buenísimo.

Ella volvió a asentir.

—Stella me ha dicho que Rob ha vuelto a tener dolor de espalda—informó Izzy—. Se ha levantado de la cama para cocinar. Ese tío se merece una medalla.

Desde el otro lado de la mesa, Dave preguntó a Decker:

—¿Sophia está cenando en su habitación?

—Sí —dijo Deck—. Creímos que era conveniente que se diera un baño caliente. Tracy vino y le ha llevado algo de comer.

Dave rió.

—Tracy —dijo. Abrió la boca como si fuera a agregar algo, pero sacudió la cabeza, a todas luces molesto.

Hay una característica del personal militar, y es que son increíblemente rápidos para comer. Incluso más rápidos que los policías.

Lopez se volvió nuevamente hacia ella mientras limpiaba lo que quedaba de salsa en su plato con un trozo de pan.

—¿Tu abuelo no sería, por casualidad, el mismo Henry Fontaine que combatió con la guerrilla en Filipinas durante la Segunda Guerra Mundial? —le preguntó.

De pronto, la atención de toda la mesa se había centrado en Lindsey. Incluyendo a Jenk, que se acercaba haciendo malabarismos con su cena, una ensalada y una taza de café. Tom lo seguía a unos pasos.

Lindsey pensó en mentir, pero Tom sabía la verdad. O al menos la versión de la verdad que ella había decidido compartir con él.

Intentó dar una versión ligera.

—Sí, aunque no era mi abuelo biológico. Se casó con mi abuela cuando ella ya estaba embarazada de mi padre, así que...

—Vale, pero lo conociste. —Dan Gillman ocupó una de las sillas que quedaban. Tenía una venda justo por encima del nacimiento del pelo y empezaba a aflorar un hematoma junto al ojo. Debía de haberse dado un buen golpe en la cabeza y, sin embargo, ahí estaba, cenando con todos los demás—. No está nada de mal.

—Todos los que han tenido entrenamiento en demolición submarina han estudiado las técnicas de guerrilla en la selva de Henry Fontaine —dijo Dave—. Era un tipo asombroso. ¿Qué edad tenía cuando los japoneses invadieron Filipinas? ¿Diecinueve años?

—No hablaba demasiado de la guerra —reconoció Lindsey—. Se había enterado de la heroica participación de su abuelo en la Segunda Guerra Mundial a través de los libros, el año después de su muerte.

—Mi tío abuelo perteneció a la OSS, en Francia. —Tom se sentó y le dejó a Jenk, claro está, la silla frente a Lindsey—.

Ganó una medalla de honor. Era imposible conseguir que hablara de ello.

—*Hicimos lo que teníamos que hacer* —dijo Gillman—. Es lo que decía mi abuela justo antes de cambiar de tema. Trabajó de enfermera en el ejército, en el norte de África. Una mujer increíble.

—¿Y cómo era? —preguntó Lopez, volviendo a centrar la atención de todos en Lindsey.

—Era un hombre callado —dijo ella—. Nunca tenía demasiado que decir. —Y cuando su abuelo hablaba, no desperdiciaba ni una sola palabra—. Era un hombre... alto. Robusto. Tenía una melena blanca y espesa.

Y esos ojos azules que eran tan diferentes de los suyos. Tenía una cara curtida por años pasados a la intemperie. Unas manos grandes y delicadas, cálidas y firmes, que dejaba descansar brevemente sobre su cabeza (todavía podía sentirlo si cerraba los ojos, infundiéndole su paz y su serenidad). Olía a canela, a pimentón picante. Aunque, pensándolo bien, también le gustaba el chocolate. Solía ofrecerle a Lindsey un trozo de una barra de Hershey's, tibia, que se sacaba del bolsillo, mientras se sentaban a ver crecer su huerto de verduras en las apacibles tardes de verano.

Ella había pasado todo un verano con él cuando a su madre le diagnosticaron el cáncer por primera vez, y la quimio ni siquiera le permitía dejar la cama. El abuelo la había llevado a hacer cámping. También la había llevado a visitar a su madre cada vez que ella quería, luchando contra el tráfico en la autopista en su viejo camión, como si el trayecto de cinco horas de ida y vuelta no fuera nada para un hombre de más de sesenta años.

Desde luego, cinco horas en un coche no era nada comparado con lo que el abuelo había sufrido durante la guerra. Era uno de un puñado de hombres que habían conseguido escapar durante la marcha mortal de Bataan, el traslado que llevaron a cabo los japoneses de setenta mil prisioneros de guerra estadounidenses y filipinos a lo largo de cien kilómetros bajo el sol tropical. Habían muerto dieciséis mil hombres, no sólo por el calor abrasador y la falta de agua, sino también por la brutalidad de los soldados y oficiales japoneses.

Uno de los cuales había sido su abuelo biológico.

—Comía cereales Wheaties para desayunar —dijo Lindsey, porque era evidente que querían escuchar más—. Todas las mañanas, o al menos cuando yo estaba de visita. Tenía unos antebrazos como los de Popeye, puro músculo. Leía mucho, y adoraba hacer rompecabezas y jugar al Monopoly. Y, además, jugaba a ganar. Nada de «deja que la niña compre Boardwalk». Era un hombre tranquilo y amable y... no sé qué más decir.

Henry Fontaine mantenía su casa inmaculadamente limpia. Y guardaba una foto de su mujer japonesa en su mesilla de noche, junto a la cama. Ella, siempre con veintidós años, sonreía sin inmutarse con el paso del tiempo, y su peinado y su vestido eran los de una típica ama de casa estadounidense de los años cincuenta. Era la abuela que Lindsey nunca había conocido, y era también el motivo por el que Henry nunca había vuelto a su pequeño pueblo natal en Iowa después de la guerra.

Uno de los motivos. El otro motivo era su padre, que sólo tenía cinco años cuando su madre murió.

En una ocasión, Lindsey le había preguntado a su abuelo por qué no había vuelto al pueblo cuando su hijo era mayor. Él le había contestado después de pensárselo sesudamente, como siempre, porque nunca le hablaba como si ella fuera una niña pequeña.

—California es mi casa ahora. —Horas después, cuando estaban sentados en el porche viendo cómo se iba la tarde, el abuelo decía—. Todavía veo las manos de Keiko trabajando en este jardín.

—Murió cuando yo tenía catorce años —dijo Lindsey—. Una mañana sencillamente no se despertó.

Fue entonces, cuando hubo que poner orden en los papeles del abuelo, que su propio padre descubrió la dura verdad de su paternidad. Henry le había dicho que era hijo de un humilde teniente del ejército japonés, antiguo alumno universitario en Tokio, que sirvió a su país con el sentido del deber, un hombre, sin embargo, que prefería una tarde leyendo tranquilo al arte de la guerra. La verdad, descubrió su padre, era que la sangre que corría por sus venas era la de un oficial de alta graduación. Su verdadero padre había sido un oficial de carrera, y uno de los sangrientos brazos ejecutores del comandante japonés que había pasado a la historia conocido como «el Carnicero de Bataan».

El padre de Lindsey se había llevado una gran impresión. En silencio, desde luego, porque nunca se manifestaba ruidosamente. Pero ella lo había oído hablando con su madre. *Tendría que habérmelo dicho*, refiriéndose a Henry padre. *Si lo hubiera sabido, habría...*

¿Qué habrías hecho?, le preguntó su madre.

Nunca habría tenido una hija. Eran palabras que podían dejar muy mal a una adolescente de catorce años. *Es un insulto... todos esos hombres que murieron, hombres que él mató. Miles de hombres. La mayoría nunca tuvieron familias. Nun-*

ca tuvieron la oportunidad. Sin embargo, se ha permitido que el linaje de ese monstruo perviva.

Lindsey era la descendiente de un monstruo. No era la noticia más alegre que se podía recibir, sobre todo porque en su inocencia e ingenuidad ella ni siquiera se había dado cuenta de que su padre, Henry Fontaine Junior, no era el hijo biológico de su abuelo.

Además de su dolor y confusión, se sintió consumida por la inquietud y el miedo. Ni siquiera se había enterado de que su abuelo estaba enfermo. Si él podía ir y morirse de repente, ¿qué impediría que a su madre, que seguía luchando contra el cáncer, no le ocurriera lo mismo?

Lindsey empezó a sentarse junto a la puerta de la habitación de sus padres por la noche, después de que ellos se durmieran. Ponía la oreja contra la puerta, escuchando el leve ruido de la respiración de su madre al dormir. Si paraba de respirar, ella la oiría, entraría a toda prisa y la haría revivir.

Al menos, ése era su plan.

Tuvieron que pasar años antes de que entendiera de verdad. Su abuelo había tenido un infarto fulminante. Aunque ella hubiera estado junto a él en ese momento, no podría haber evitado su muerte.

Más o menos de la misma manera que no había podido evitar la muerte de su madre.

Alrededor de la mesa, los hombres guardaban silencio y la miraban, expectantes. Querían saber más acerca del hombre que se había convertido en leyenda en el estamento militar.

Jenk, por su lado, la miraba con una especie de tierna comprensión, como si hubiera visto en su mente y la hubiera seguido con precisión en sus pensamientos.

Ella se obligó a sonreír, a mirar hacia cualquier lado menos hacia él. Le sonrió muy cálidamente a Izzy... ¿Qué diablos le ocurría? Aquello era totalmente infantil. ¿Acaso intentaba cabrear a Jenk?

—¿Qué más puedo decir? Era... muy bueno jugando al escondite —dijo, lo cual, por supuesto, arrancó las risas que ella esperaba.

Risas de todos, excepto de Jenkins. Él se limitó a observarla, sin tocar la comida.

Su manera de mirarla la hacía sentirse más expuesta de lo que se había sentido con él estando desnuda.

Así que echó la silla hacia atrás y se levantó.

—Escucho una ducha caliente que me espera. Os veré más tarde, chicos. O mañana. Lo que venga primero. —Ni siquiera era divertido, pero ella rió, y ellos también.

Excepto, claro está, Jenk.

Llevó su plato hasta la pila, sintiendo su mirada pensativa siguiéndola hasta que salió por la puerta.

Tracy había olvidado traer sus píldoras para dormir.

Y su petaca llena de tequila.

¿Quién iba a sospechar que su destino estaría más allá de las fronteras de la civilización, y que en su rústico motel no habría un vestíbulo lleno de tiendas para comprar alcohol?

Ella no se lo había imaginado.

Fingiendo que se le venía encima un resfriado, cogió su bolso y le dijo a Sophia que iba a ver si podía conseguir NyQuil, un medicamento que tenía a la vez alcohol y ayudaba a dormir.

Con sólo las zapatillas, su pijama de franela y una sudadera con capucha, Tracy salió a vérselas con el frío polar. Se metió las manos en los bolsillos de la sudadera y salió a toda prisa por el pasillo exterior y bajó las escaleras hacia el vestíbulo del motel. Tenía el pelo recogido en una coleta y hacía rato que se había quitado el maquillaje. No estaba vestida como para detenerse a hablar con nadie, pero estaba de suerte porque Stella todavía estaba en la mesa de recepción.

Y tenía un poco de NyQuil; convidó a Tracy sin cobrarle.

Hurgó en un cajón hasta que encontró una tira de plástico y papel de aluminio y se lo pasó a Tracy.

Ésta se lo quedó mirando. Dos comprimidos verdes y brillantes de gel la miraban como los ojos imperturbables de un extraterrestre.

—Oh —dijo ella—. No, yo me esperaba una botella, ya sabe, del tipo que viene en líquido.

—Es lo único que tenemos —dijo Stella.

—¿Está segura? —preguntó Tracy—. A veces uno lo tiene en el fondo del botiquín y ni siquiera lo sabe.

—Estoy segura —dijo Stella—. Cariño, estamos en zona seca. Aquí no tenemos alcohol. Pero nos reunimos cuando sale el sol. Si quieres reunirte esta noche, tendrás que ir hasta Happy Hills. A las nueve celebran una reunión en la Iglesia Congregacional. Rob tendría que haber ido, pero le duele demasiado la espalda.

—¿Una reunión? —dijo Tracy como un eco, a pesar de que había entendido. Una reunión de Alcohólicos Anónimos. Rió y dijo: No, es que siento que me viene una gripe.

—Esas píldoras son muy buenas —dijo Stella—. Y no tienen alcohol.

—Genial —dijo Tracy, retrocediendo—. Gracias. ¿No hay una tienda, por casualidad?

—La tienda más cercana también está en Happy Hills —dijo Stella—. Aunque lo único abierto a estas horas es el Criminal, junto a la gasolinera. Pero cierra a las nueve. Hay una farmacia abierta las veinticuatro horas, pero queda más allá de Happy Hills.

—¿Qué es un Criminal?

—Una tienda pequeña. —La mujer se inclinó en la mesa y apoyó el mentón en la mano. Con su pelo despeinado, parecía un personaje de una serie surrealista—. ¿Sabes una cosa? Una va y coge una de esas cajas medianas de galletas Lorna Doone, y es tan caro que te dan ganas de dejarlo. Pero una va y las compra igual, porque tiene hambre y no hay nada más abierto. Pero mientras pagas, piensas *Esto es un atraco a mano armada. Es criminal.*

—Genial. ¿A qué distancia está Happy Hills? —Parecía el nombre de un cementerio para cocker spaniels. Pero si en Happy Hills había una tienda y estaba abierta hasta las nueve...

—Es una tirada y media —dijo Stella.

—Venga, ahora sí que no me quiere responder directamente —la acusó Tracy.

—No, no quiero —dijo Stella, enderezándose—. Porque tiene esa misma mirada que Robert tenía antes, cuando...

—Disculpe, pero soy una clienta aquí, y pago mi factura —dijo Tracy. Qué tía más pesada—. Y lo que no he pedido es un juego de adivinanzas con una aficionada maleducada, además de sus toallas tercermundistas, las sábanas deshilachadas las mantas con quemaduras de cigarrillos, y esa araña del tamaño de Staten Island que he encontrado en el cuarto de baño.

—¿Qué ocurre? —Una corriente de aire frío desde el exterior llegó hasta Tracy y, al girarse, vio a Izzy que acababa de entrar. Dio un par de patadas en el suelo y se frotó las manos para calentarse—. Vuelvo de la gasolinera y me encuentro con las dos candidatas a convertirse en la mujer de Irving Zanella a punto de sacar sus navajas y cortarse el cuello una a otra.

—Jo, ¿acabas de venir de la gasolinera? —Tracy no podía creer su mala suerte—. ¿En Happy Hills?

—Jo —dijo él—. Sí. Pero tengo que volver. Tengo que poner gasolina en los todoterrenos con que subimos al refugio. ¿Por qué? ¿Necesitas unos chicharrones? ¿O uno de esos ositos de peluche que tienen una bandera en la mano que dice: *Vive libre o muere*?

—La princesa necesita una copa —dijo Stella por encima del hombro, porque ya volvía al cuarto de atrás.

Izzy se giró para mirar a Tracy. Esa noche había un brillo caliente en su mirada; del mismo tipo que ella había creído ver la primera vez que lo vio entrar en la oficina de Troubleshooters Incorporated, la primera vez que lo vio. Un caliente que había vuelto a ver unas cuantas veces desde entonces, y que él intentaba disimular.

En ese momento no intentaba disimularlo.

Era como si estuviera cara a cara con un hombre completamente diferente al que le había rechazado esa invitación en el aparcamiento del Ladybug Lounge.

—Necesito un remedio para el resfriado —dijo Tracy, que de repente sentía la boca seca. Cuanto más repetía la mentira, más le dolía la garganta, como si de verdad tuviera la nariz congestionada—. Y, sí, es verdad, me sentaría bien una copa

—dijo, alzando la voz para que llegara hasta el cuarto de atrás—. ¡Lo cual no significa que necesite ir a una reunión!

—Hmmm —dijo Izzy, que ahora paseaba la mirada por su holgada sudadera y sus pantalones de pijama—. ¿Quieres venir conmigo, preciosa? Ir y volver es un mínimo de cincuenta minutos. Será más si nos detenemos a un lado del camino para morrearnos.

Si le hubiera dicho eso hace unos días, ella le habría respondido con un *Ni te lo sueñes*. El Izzy Zanella que había conocido entonces hablaba mucho, pero no era más que eso, palabras.

Pero ese hombre de ahora la miraba como si fuera un trozo de tarta de queso que tenía ganas de devorar.

Su sonrisa le aceleró el corazón, y cuando habló parecía que estaba sin aliento.

—No estoy precisamente vestida para salir —dijo. No quería sonar demasiado ansiosa—. Y mañana hay que levantarse temprano...

—Y tardaremos todavía más si nos detenemos a tomar una cerveza en Hooters. Quiero decir, yo tomaré una coca-cola. En la Armada tienen estas reglas tan curiosas sobre lo de beber cuando conduces.

—¿En Happy Hills hay un Hooters?

—Estoy casi seguro de que ha sido un prerrequisito para registrar el nombre del pueblo, quiero decir, Happy Hills. ¿Cómo era posible que *no* hubiera un Hooters? —preguntó, sonriéndole.

—Debería ir a buscar mi anorak.

—Yo te puedo prestar uno —dijo Izzy—. Lo tengo en el todoterreno. ¿Vamos? —preguntó, y le sostuvo la puerta abierta. Tras una muy breve vacilación, Tracy salió.

—Joder —dijo Izzy—. ¿Cómo lo haces? ¿Cómo consigues que un pantalón a cuadros parezca sexy?

Lyle la habría regañado por mostrarse en público con esa pinta. Habría insistido en que volviera a la habitación a vestirse. Dios, cómo lo odiaba, pensó Tracy. Y se odiaba a sí misma por ser tan estúpida como para quererlo a pesar de todo.

El aire frío le dio en toda la cara y le picó en los pulmones. En medio de la aguda claridad de aquella noche de invierno, supo que dejaría que Lyle volviera. Siempre lo había dejado y siempre lo dejaría. También iba a decirle que sí a su propuesta de matrimonio. Porque a pesar de lo mucho que lo odiaba en ese momento, odiaba aún más la idea de estar sola. Era una estupidez. Ella era estúpida.

Porque lo peor era que tenía de verdad la esperanza de que su certificado de matrimonio establecería una diferencia. Se atrevía a creer que al legalizar su relación, Lyle se volvería fiel y dejaría de mentir.

Pero antes de llamarlo para decirle que se convertiría en su mujer, es decir, su garantía de que lo nombrarían socio en el bufete, iba a pagarle con la misma moneda.

Seguiría sus mismas reglas.

Izzy le abrió la puerta del pasajero del todoterreno y la sostuvo así mientras ella subía. Era como subir a una nevera con ruedas.

—El anorak está en el asiento de atrás —dijo él—. Aunque, si quieres, te puedes acurrucar conmigo. Soy muy bueno compartiendo el calor de mi cuerpo.

Alto y robusto, con su rostro delgado, su sonrisa carismática y sus ojos negros inescrutables, Izzy Zanella (ese Izzy

Zanella nuevo y atrevido) era, finalmente, la posibilidad de Tracy para igualar el marcador.

Lugar: desconocido
Fecha: desconocida

Sólo porque el agua sabía a fresca no significaba que no tuviera alguna droga.

Beth bebió otro poco, chupando el líquido fresco con la pajita, esperando que la letargia habitual se adueñara de ella. El peso de las extremidades y la cabeza. La sensación de que se alteraba el tiempo y el espacio, que flotaba, que abandonaba su cuerpo...

Sin embargo, el dolor del brazo era una pulsación que iba a la par con los latidos del corazón.

Desde luego, a veces él le daba drogas que no surtían efecto enseguida.

Todavía le acariciaba el pelo enmarañado, mientras no paraba de susurrarle frases dulces y sin sentido.

—Ésa es mi nena. —Ella sabía que no era ni una nena ni que era suya. Al menos en teoría. En la práctica, estaba encadenada a esa cama. Él tenía el poder, lo cual la convertía en lo que él quisiera.

Si él lo deseara, ella estaría limpia y saludable.

No había ninguna duda de que el brazo que había recibido el navajazo en la lucha contra Número Veinte estaba infectado.

Él tenía cuidado, y sujetaba firmemente el vaso que contenía el agua, aunque ella lo sostuviera por la base, como para mantenerlo fijo. Era grueso y pesado, pero no había manera de arrancárselo a él de las manos. No en ese estado de debilidad.

Aún así, tenía un plan. Quitarle el vaso y romperlo contra el armazón de hierro forjado de la cama. Pasar la pierna que tenía libre por encima de él, manteniéndolo sujeto, y luego enterrarle el trozo de vidrio en la arteria carótida.

Hundir y cortar.

Él sonrió.

—¿Querrías matarme, no, Cinco?

Beth sintió un retortijón en el estómago y soltó instintivamente la pajita. No más, o tendría náuseas. Pero entonces supo qué hacer.

Chupó con más fuerza de la paja hasta que el fondo empezó a borbotear cuando vació el vaso.

Sintió el peso en el estómago y se le nubló la vista, pero ella siguió concentrada en el vaso. No sueltes el vaso.

—¡Puta! —gritó él cuando ella vació sus intestinos sobre él. Sin embargo, sus palabrotas y su rabia eran ruidos apenas audibles para ella. Su mundo se redujo únicamente al vaso, el vaso, el vaso.

Tiró hacia atrás con toda sus fuerzas, sintió que se rompía. Ahora era un cuchillo sin mango y también la cortaba a ella, pero no lo sentía, no podía sentirlo.

Tenía las piernas inmovilizadas por la manta, así que no pudo clavarlo, pero le lanzó un golpe, con la sangre corriéndole por el brazo. Era su única posibilidad, y no podía fallar, aunque ya se daba cuenta de que había fallado.

Lo oyó reír, y supo que todo había acabado. Lo había intentado y había fallado. Era probablemente su última vez.

Y, desde luego, aunque lo había tocado, era un golpe oblicuo. Apenas suficiente para cortarlo, y mucho menos matarlo.

Aún así, él paró de reír y lanzó una imprecación. La golpeó (un golpe con la intención de provocarle dolor) en el brazo herido.

Fue un dolor increíble. Se oyó a sí misma gritar, y él volvió a pegarle.

Gracias a Dios, el mundo se apagó.

Darlington, New Hampshire
10 de diciembre, 2005, sábado por la noche

Al deslizarse los dos en los asientos a ambos lados de la mesa, Tracy se miró en el espejo de la pared. Había alcanzado a ponerse maquillaje en el todoterreno mientras Izzy conducía en medio de la noche gélida y le contaba detalles acerca de los percances de la jornada.

En ese momento, captó la mirada del camarero.

—Tráiganos dos tequilas. Lo más rápido posible, ¿vale?

Tracy se inclinó más cerca del espejo para mirarse los ojos.

—Sí —dijo Izzy—. Tu capa invisible sigue sin funcionar.

Tracy se quitó un grumo de rímmel y siguió con un examen de sus labios. Los frotó uno con otro y luego los frunció, detectó las imperfecciones, giró la cabeza a uno y otro lado.

—¿Alguna vez has intentado maquillarte en la oscuridad?

—Normalmente, no me pongo demasiado maquillaje, salvo cuando voy a una fiesta —dijo él.

Ella frunció el ceño al mirarse y se soltó la coleta. Sacudió la cabeza para distribuir la masa de pelo sobre los hombros.

Pero eso también requería una confirmación visual más detallada.

Se movió el pelo aquí y allá, se lo ajustó y se lo ahuecó. Izzy no veía la diferencia. Sin embargo, hiciera lo que hiciera, Tracy parecía satisfecha al constatar que, en ese momento, era total y absolutamente follable. La sonrisa con que lo miró confirmó esto último. Había puesto su capacidad de coqueteo en modo matar y acentuó el contacto visual.

Aquello prometía ser interesante, porque a pesar de esa sonrisa, su lenguaje corporal era, una vez más, una mezcla de señales. Los hombros apretados y a la defensiva. Las manos juntas y recogidas.

Desde luego, era posible que fuera el frío.

Pero era probable que no. Izzy la había observado durante el vuelo a New Hampshire y creyó haber reconocido un patrón. Cuando estaba en un grupo grande, Tracy flirteaba descaradamente y sin vacilar.

Pero cuando estaba cara a cara con una sola persona, sus señales empezaban a parecer extrañas.

Sin embargo, él estaba dispuesto a seguirle el juego. Sobre todo porque el encuentro íntimo que Jenkie había tenido con Lindsey lo obligaba a renunciar a cualquier derecho que tuviera sobre Tracy. Las reglas de Izzy sobre el compromiso habían cambiado.

—Personalmente, creo que la coleta era muy mona —le dijo a Tracy, sosteniéndole deliberadamente la mirada—. Y encuentro que lo de ir sin maquillaje es muy sexy. Es muy *la amiga de la novia que acaba de salir de la ducha.* Me excita mucho y me pone nervioso.

Ella desvió la mirada, fingiendo estar fascinada con un cartel de publicidad mugriento de cerveza Sam Adams Winter frente a la mesa. ¿Aquello era auténtica timidez o sólo quería fingirla y manipularlo como a un violín barato? Con la loca de Tracy, era difícil saberlo.

Al otro lado de la sala, el camarero dejó en la barra la botella de tequila y dos vasos pequeños. Al parecer, aquello era un bar *self-service.*

—Creí que íbamos a un Hooters —dijo Tracy, cuando Izzy se deslizó en el asiento para salir—. Ninguna mujer que se respete entraría en un Hooters sin maquillaje.

Habían encontrado aquel bar junto al camino saliendo del pueblo. Quedaba quince minutos más cerca que la gasolinera, así que se detuvieron. Izzy aparcó al borde de la zona iluminada, junto a dos furgonetas y a un Toyota Corolla quemado que parecía haber sobrevivido al Apocalipsis. Suponiendo que el Apocalipsis hubiera ocurrido sin que él se percatara.

Cogió la botella y uno de los vasos de la barra.

—Si prefieres, podemos ir al Hooters —dijo cuando volvió a sentarse, sabiendo perfectamente cuál sería su respuesta, porque Tracy miraba la botella de tequila como si fuera la Segunda Visita del Mesías. En Hooters sólo servían cerveza y vino—. Es una lástima que te hayas tomado todo ese trabajo para nada.

Ella le cogió la botella y se sirvió un trago en el vaso. Se lo bebió como una profesional. Volvió a servirse y... ¡vaya!, otra vez. Parecía una mujer con una misión.

—¿Estás nerviosa por lo de mañana? —preguntó Izzy—. Porque no deberías estarlo. Nadie espera nada de ti. Lo único que tienes que hacer es estar presente.

Ella no parecía convencida, así que él siguió:

—Yo estaré contigo todo el tiempo. Formo parte de la Célula Roja, los terroristas que te tendrán como rehén.

—De modo que, en otras palabras, no debería confiar en ti ni creer ni una palabra de lo que dices —dijo Tracy, y se sirvió otra copa. Sacudió la botella ante él—. ¿Seguro que no quieres un poco?

—Sí, quiero, pero no puedo —dijo él.

—¿Quizá sólo un trago, para quitarse el estrés de encima? —dijo ella, deslizando el vaso hacia él—. Yo no contaré nada. —Tracy ya empezaba a sentir el efecto de las dos primeras dosis. Su nivel de tensión había caído de diez a nueve coma cinco. Seguía estando muy tensa, pero a Izzy había dejado de importarle que la cara se le agrietara.

Rechazó el vaso.

—Así no es como funciona —dijo.

Ella se encogió de hombros y vació la copa. Volvió a servirse.

Joder, quizá Stella tuviera razón al decir que tenía un problema con la bebida.

—¿Éste es tu régimen habitual antes de ir a dormir?

Ella rió y alzó el vaso para un brindis.

—Es valentía líquida.

—Ya te lo he dicho —insistió Izzy—. Mañana será divertido. No tienes que tener miedo.

—¿Qué es lo más difícil que jamás has hecho?

Izzy no tuvo que pensárselo demasiado.

—No hacer nada —dijo.

Tracy no lo entendió. Estaba abocada a quemarse las neuronas en toda regla, pero aunque hubiera estado sobria, es probable que tampoco hubiera entendido la idea.

—¿Nunca has tenido que hacer nada difícil? —preguntó, frunciendo el ceño.

Había un tiempo y un lugar para los chistes de pollas, pero ese pobre chiringuito al borde del camino con Tracy Shapiro y sus curiosas y contradictorias señales no era el lugar más indicado.

—Lo que he querido decir —explicó—, es que lo más difícil que he hecho jamás es no hacer nada. Por ejemplo, separarme de ti la otra noche cuando me invitaste a seguirte hasta tu casa.

Quién sabe qué habría visto Tracy en sus ojos, pero lo que vio la hizo alzar el vaso y mandarse un trago más de tequila entre pecho y espalda.

Como esa noche en que había vuelto al Ladybug para buscar su chaqueta, que supuestamente había perdido, el lenguaje corporal de Tracy era una curiosa mezcla de miedo y esperanza. Y de bravuconería.

—¿Eso es lo más difícil que has hecho jamás? —dijo, su voz teñida por la incredulidad—. ¿No seguirme a casa?

Izzy sonrió.

—No, pero la idea es la misma. Hay algo que quieres desesperadamente, pero sabes que si lo haces, te encontrarás en una situación aún peor. De la sartén a las brasas, ¿me entiendes? En una ocasión, estuve metido en una situación fea que no puedo contar con detalles. Se trataba de una misión de reconocimiento, o sea, sólo estar en un sitio para mirar y escuchar. No te enfrentas al enemigo. Normalmente, estás en inferioridad numérica, que era precisamente el caso, así que... me di de bruces con una escena muy chunga. Acababan de asesinar a una docena de rehenes en medio de un campo y habían dejado los cadáveres pudriéndose al sol... Al menos eso fue lo que pensé. Debería haberme quedado en mi escondite, pero no lo hice. Quería identificarlos y ver si entre ellos había dos médicos mujeres estadounidenses secuestradas. —Las dos estaban entre los muertos—. Yo estaba tomando fotos cuando el enemigo volvió.

Eran fotos más muestras de ADN, para lo cual Izzy había utilizado sus pantalones como discos de Petri. Pero ella no tenía por qué saberlo.

—No había donde esconderse —siguió Izzy—, así que tuve que meterme debajo de los cuerpos y hacerme el muerto. Es lo más difícil que jamás he hecho, quedarme ahí tendido sin moverme. Escuchar cómo se felicitaban por haber matado a esos dos médicos que se habían dedicado a salvar vidas, y que no habrían vacilado en curarlos a ellos si hubieran estado heridos.

Y ahí se había quedado. Con los cuerpos de las doctoras Mary Ullright y Charlotte Weston que ya empezaban a descomponerse encima de él. Tener arcadas ante aquel olor no estaba entre las opciones. Había tenido mucha suerte de que ninguno de los enemigos hubiera mirado más de cerca o hubiera hecho un recuento de los cadáveres.

—Otra de las cosas que me salvaron fue la escasez de municiones del enemigo —dijo Izzy. Tracy estaba a la vez asqueada e impresionada—. Si hubieran tenido suficientes balas, algún fanático probablemente habría repasado los cuerpos una vez más, incluyéndome a mí. Una de las cosas que he aprendido a lo largo de los años es que la suerte juega un papel muy importante en la supervivencia.

—¿Cuántos...? —dijo Tracy, y calló, tomándose el tiempo para morderse su exuberante labio inferior. Replanteó su pregunta—. ¿Llevas una cuenta de las cosas, como, por ejemplo, del número de vidas que has salvado, o que te has... cobrado?

—Por supuesto —dijo él—. Tengo un cinturón de la muerte. En realidad, tengo tres. Hago una marca por... Mírate... te lo crees. ¿Y tú, llevas la cuenta?

—Yo nunca he matado a nadie —dijo ella—. ¿Y qué posibilidades tendría de algún día salvarle la vida a alguien? Soy la teniente Uhura de Troubleshooters Incorporated. Puede que si de verdad me pongo a ello, salvaré a alguien de que no se corte con una tijera.

—¿Llevas la cuenta de los tíos con que te has acostado? —preguntó Izzy—. ¿De los corazones que has roto?

Izzy lo preguntó para que ella se enfadara y se pusiera a la defensiva, pero Tracy se lo tomó con calma.

—¿Acaso no llevan todas algún tipo de cuenta? —preguntó ella a su vez, y se sirvió otra copa de tequila—. Es la naturaleza humana. ¿No crees? Llevar una cuenta también. ¿Ha sido para bostezar o ha sido sexo por todo lo alto?

—¿Qué dices? ¿Tienes un cinturón con marcas? ¿Con códigos de color? Gris para los de bostezo, rojo para...

—Si lo tuviera, no sería un cinturón demasiado colorido —reconoció Tracy—. Ni sería largo. Sólo dos marcas, una de ellas gris.

¿Hablaba en serio? Si le estaba tomando el pelo, lo estaba consiguiendo a la perfección. Tracy ya no lo miraba a los ojos, y se tomó esa copa como si la necesitara desesperadamente.

—En realidad, eso... es... admirable —dijo Izzy—. Quiero decir, en un mundo donde la gente trata el sexo tan a la ligera, es... me has impresionado.

Ella lo miró. Y, una vez más, si lo de la timidez era fingido, Tracy se merecía un Óscar. Dios, tenía unos ojos preciosos.

—¿En serio?

—Sí —confirmó él.

—¿No crees que es patético? Teniendo en cuenta que Lyle probablemente tendría un cinturón que le daría tres vueltas —dijo, entornando la mirada al mencionar a su ex—. Dios, soy una perdedora sin remedio.

Estaba a punto de pasar al modo autocompasión, así que Izzy le cantó. *Well, I lay my head on the railroad track waiting on the Double-E.*

Ella lo miró con su cara de *¿qué coño...?*

—¿Por qué haces eso? Ponerte a cantar cualquier cosa de repente.

—Porque cada una de las miles de personas que he matado tenían una canción favorita, y ya que una parte de ellas vive en mí...

—A veces pienso que estás completamente loco —dijo Tracy—. Nunca sé cuándo hablas en serio y cuándo hablas en broma.

—Normalmente, empiezo a bromear cuando la gente se pone seria. Demasiada seriedad me irrita. ¿Te puedo dar un consejo?

Tracy se sirvió otro chupito, y parte del tequila se derramó sobre la mesa.

—¿Quién soy yo para impedirlo?

Izzy rió y tomó posesión de la botella.

—No tendrías ni la más mínima posibilidad. Aquí va. Pedir estadísticas sobre las personas que el otro se ha cargado es algo muy chungo. Implica una cierta fascinación morbosa con la muerte violenta. A algunos tíos les quita todas las ganas.

—Venga, ¿acaso no está todo el mundo fascinado con la muerte violenta? —preguntó ella, tomando sólo un sorbo de la copa. Al parecer, los tragos al seco habían acabado por esa noche. Lo cual estaba bien. Tal como iban las cosas, lo más probable era que tuviera que cargar con ella para salir—. Quiero decir, ¿por qué, si no, tienen tanto éxito las películas de terror?

—¿Qué dices? —preguntó Izzy—. ¿Qué yo te caería mejor si supieras que he matado a gente? Y si te digo cuántos, ¿que no resistirás la tentación de sacarme del coche, arrancarme la ropa y cantar conmigo en coro «She'll Be Coming Round the Mountain»?

—Claro que no. —Tracy no había captado el chiste. O quizá sí lo había captado y lo ignoraba. Además, Izzy se había equivocado creyendo que los tragos al seco se habían acabado, porque ella echó atrás la cabeza y se tragó de un golpe el contenido de la copa. La verdad era que tenía una garganta y un cuello bellísimos. En realidad, tenía todo bellísimo.

Izzy no podía dejar de preguntarse si la encontraría igual de encantadora cuando tuviera que pararla y ella le empezara a gritar obscenidades.

Pero esta vez, cuando dejó la copa en la mesa, la puso boca abajo, parándose a sí misma.

—Vale, éste es el trato —dijo Tracy—. No parecía ni sonaba borracha, pero tenía que estarlo. Nadie podía beber tanto y no sentir el efecto. —Voy a casarme con Lyle.

—No creo que éste sea el momento indicado para tomar este tipo de decisiones —empezó a decir Izzy, pero ella lo detuvo con un gesto de la mano.

—No es por el tequila que lo digo. Es... una manera de enfrentarse a los hechos. Voy a casarme con Vyle —dijo, y rió—. Vyle Lyle, el gran follador.

Izzy se incorporó para llevar la botella hasta la barra y pagar la cuenta, pero ella lo cogió por el brazo.

—Espera, por favor.

Él esperó.

—Tengo que pedirte un favor —dijo Tracy, y cerró los ojos—. ¿Puedes volver a sentarte para que no tenga que anunciarlo en voz alta?

—No me lo digas —dijo él—. Quieres que sea la niña que lleve el *bouquet* en la boda.

Tracy rió.

—Eres más divertido cuando estoy borracha.

—Es lo que me dicen todas las chicas.

Ella se inclinó hacia delante y lo invitó a hacer lo mismo con un gesto de la mano. Mirándola tan de cerca, sus ojos eran bellísimos. Sin embargo, al día siguiente estarían inyectados en sangre.

—Lo diré sin más —dijo ella—. ¿Vale?

—Buena decisión —convino él.

Tracy lo miraba a los ojos como si buscara algo. Pero luego se echó hacia atrás y dio un golpe seco con la cabeza en el respaldo del asiento.

—No puedo hacerlo —dijo. Pero enseguida volvió a inclinarse hacia él—. ¿Tienes un papel? Tal vez pueda escribirlo.

Por lo visto, Tracy había encontrado un boli en el bolsillo de la chaqueta que él le había prestado, porque lo dejó sobre la mesa.

—Siempre hay papel en un bar —dijo él—. Vuelvo enseguida.

Esta vez, ella lo dejó levantarse. Izzy se llevó la botella y la dejó en la barra con un billete de veinte dólares. Y, claro está, había un pequeño montón de servilletas. Volvió a la mesa con unas cuantas.

—Aquí tienes.

Tracy se tapó con la mano para que él no pudiera ver lo que escribía, como una alumna de instituto en un examen. Él se reclinó en su asiento y miró su reloj. Aquello había sido divertido cuando empezó, pero empezaba a durar demasiado.

Iba a casarse con Lyle, de manera que sus probabilidades de echarse un polvo esa noche se habían reducido a cero. Tampoco había tenido grandes posibilidades. Aún así,...

Tracy finalmente acabó de escribir y dobló la servilleta por la mitad una vez, dos veces. Él la detuvo antes de que convirtiera el papel en un cisne de papiroflexia y se lo quitó de las manos.

—Ay, Dios mío —dijo ella, y se echó hacia atrás, apoyando un brazo en la mesa y tapándose los ojos con la mano libre, como si estuviera demasiado avergonzada para mirarlo.

Izzy desplegó el papel y... ¡vaya!

¿Quieres follar conmigo?

Los tragos de tequila y lo poroso del papel no le favorecían la letra, pero eran las palabras que había escrito. Y, sí, todavía estaban ahí cuando volvió a leerlas.

¿Lo decía en serio?

—Ay, Dios mío —repitió ella, mirándolo a través de la mano—. Eres gay, ¿no? Porque soy tan mala para estas cosas que justo se lo he pedido a alguien que....

—No soy gay —dijo él—. Sólo que... —balbuceó, y luego se echó a reír porque, ¿qué más daba? Lo había tomado totalmente por sorpresa—. ¿Quieres decir, ahora mismo?

—No aquí —aseguró ella, como si de verdad pensara que Izzy la tendería encima de la mesa.

—Sí, no —explicó Izzy—. Quiero decir, ¿esta noche?

Ella cruzó una breve mirada con él, y ahí estaba otra vez, esa mezcla de miedo y esperanza.

—Si no quieres...

—Espera —dijo él—. Yo no he dicho eso. Sólo intento aclararme. Y ver cómo lo hacemos. Tengo un compañero de habitación en el motel. Tú también.

—Tenemos el todoterreno —dijo ella, con un dejo de timidez.

Era verdad. Y no tenía que ir demasiado lejos para imaginarlos, aparcados en algún sitio, oscuro y privado, llenando las ventanas de vaho mientras se quitaban la ropa necesaria para que ella se montara encima.

Tracy le sostuvo la mirada un rato más largo. Sin embargo, era posible que se hubiera sonrojado.

Joder, era un día muy raro el que estaba teniendo.

—Tracy, ¿estás segura de que...?

—Sí. —*Éste es el trato. Voy a casarme con Lyle.*

—¿De qué se trata? —preguntó Izzy—. ¿Es un polvo por despecho?

Tracy hizo una mueca.

—Eso suena tan horrible. Pero... —dijo, y respiró hondo y luego soltó el aire—. Sí, eso es. ¿Te parece bien?

—Oye, no te estoy juzgando —alegó él.

Pero ella se sintió obligada a dar una explicación.

—Lo sorprendí con su ayudante becaria. Prácticamente en nuestra cama. ¿Cómo puedo volver a estar con él si antes al menos...?

—Tampoco quiero convencerte de lo contrario —agregó él.

—Quiero que se pregunte en qué estoy pensando cuando me sorprenda recordándolo. —Esta vez Tracy lo miró fijo a los ojos.

¿Aquello estaba ocurriendo de verdad?

Sí.

—No me entiendas mal —siguió Izzy—. Pero he estado aquí sentado viendo cómo te tomas unos cuantos tequilas. Recuerdo haber hecho algo parecido en una ocasión, y pensé que era una idea genial resolver un problema que tenía con un vecino gilipollas que nunca limpiaba la mierda de su perro. Pero, créeme, acercarme a él en un bar lleno de gente, él rodeado de los capullos de sus amigos, para insultarlo a él y a su madre no fue la idea más brillante. Si me hubiera retenido y esperado hasta el día siguiente...

—No lo entiendes —dijo ella—. Esto no es... Yo no... El tequila era para tener el coraje de decirlo. Ya sabes, directamente... —Señaló la servilleta—. Quería ser más sutil... más sutil —dijo, demorándose con la palabra, asegurándose de que lo dijera todo—, pero tú no me entendías, así que... Y estaba tan desesperada que lo intenté con Mark, pero resulta que él de pronto está enamorado de alguien... Dios, pasé mucha vergüenza.

Su ego había encajado un golpe. Tracy estaba tan desesperada que intentó pedírselo a Mark, que le había dicho que no. Así que ahora había vuelto a él. ¿A quién se lo pediría si él decía que no? ¿A Lopez? O quizás a Gillman. Al parecer, para ella eran todos intercambiables.

—Me entiendes, ¿no? —le preguntó, con el descaro de la mujer ebria—. Se trata sólo de sexo. Soy yo, que piensa que eres atractivo y quiere enrollarse contigo sin que a ti te dé miedo herir los sentimientos de alguien.

—Excepto de Lyle —señaló Izzy.

Ella rió.

—Dios, espero que sí.

Aquello era más descabellado que cualquiera de sus fantasías. Tenía que ser sincero consigo mismo. Ya se había imaginado enrollándose con Tracy para que ella pudiera exorcisar la figura de Lyle y borrarlo de su vida. Se había imaginado que ella lo usaba como signo de exclamación al final de una relación que había muerto. Pero también se había imaginado que ella lo escogía a él porque se sentía atraída, porque lo encontraba irresistible. No sólo porque fuera *un poco* atractivo y estuviera convenientemente disponible.

Pero, vale. Y ahora ¿qué? ¿Acaso el loco era él? ¿Acaso se iba a quedar ahí sentado haciendo mohines porque ella quisiera utilizarlo para castigar a Lyle?

Una mujer despampanante y sexy quería tener una relación sexual con él, sin compromisos y sin culpa. Esa noche. En cuanto salieran y calentaran un poco el interior del SUV.

Izzy se inclinó hacia ella y le cogió el boli de las manos. Sin dejar de mirarla, le quitó la tapa. Sólo entonces bajó la mirada, y sólo un momento, mientras estiraba la servilleta sobre la mesa para poder escribir encima.

Tres breves palabras.

Giró la servilleta para que ella pudiera leerla.

Será un placer.

Capítulo 14

Lindsey fue la primera en llegar.

Con una manta que le tapaba los hombros, Sophia abrió la puerta y vio su cara sonriente.

—¿Cómo estás? —le preguntó. Se deslizó en el interior y cerró la puerta a sus espaldas—. No me quedaré mucho rato. Sólo quería saber si necesitabas algo.

—Estoy bien. —La ráfaga de aire frío que la acompañó al entrar hizo que Sophia se sentara directamente en el radiador de la pared—. Pero gracias.

Y ahí era donde tendría que ocurrir. Si Lindsey iba a decir algo, tendría que ser en ese momento, mientras estaban solas.

A menos que, desde luego, no supiera que estaban solas.

Para averiguarlo, Lindsey se inclinó ligeramente hacia el cuarto de baño para ver si la puerta estaba cerrada.

No lo estaba. El cuarto de baño estaba a oscuras y la luz apagada.

—¿Dónde está Tracy?

Sophia no lo sabía.

—Creo que ha salido a buscar un remedio para el resfriado.

—¿Está enferma?

—A mí no me lo pareció —dijo Sophia—. Hace ya un rato que se ha ido, así que...

Habría sido típico de Lindsey hacer un chiste a propósito del supuesto mal de Tracy, diciendo que no era nada que no pudiera curar una buena inyección de SEAL de la marina, pero guardó silencio. Su sonrisa se había desvanecido.

—Seguro que anda por ahí haciendo inventario de los botiquines de todo el mundo —dijo Sophia, que en un destello de lucidez se dio cuenta de que Lindsey se imaginaba que Tracy había salido quién sabe adónde con Mark Jenkins—. O que ha salido por ahí con Danny Gillman y Jay Lopez. O con Izzy. ¿No te parece que Izzy es para troncharse?

—Izzy ha salido a poner gasolina —le informó Lindsey.

—Lo cual significaba que Jenk estaba solo en la habitación que compartía con él. O quizá no estaba sólo, y era ahí donde había ido Tracy.

—Mierda —dijo Lindsey—. Mierda. ¿Crees que soy una cobarde?

—Claro que no —dijo Sophia, pero antes de que pudiera preguntarle por qué había dicho eso, alguien llamó a la puerta.

Los pocos segundos de privacidad habían llegado a su fin. Lindsey demostró a Sophia que tenía razón.

—He visto tus cicatrices —dijo, sin miedo—. No era mi intención, pero...

—Lo sé —dijo Sophia. Todos los que habían ido hasta el refugio con el equipo de reconocimiento de Jenk y Lindsey las habían visto. Sus recuerdos de su antigua vida de pesadilla—. Cuesta no verlas.

—Si alguna vez quieres hablar... estoy aquí. Pero no quiero presionarte. No es que necesite saberlo. Quiero decir, supuse que ya sabías que tienes a todo un equipo de personas que te quieren y te respetan, y con las que puedes hablar de cualquier cosa. Así que lo que quiero decirte, en realidad, es que no *tienes* que hablar conmigo. Sea lo que sea lo que me cuentes o no me cuentes no cambiará nuestra amistad. Yo no pensaré que no confías en mí, o nada por el estilo. Pero no quería que te sintieras rara conmigo, como si yo estuviera siempre preguntándome qué te ha ocurrido. Porque eso no ocurrirá. Esas cicatrices son parte de ti, claro, pero tú no eres sólo eso. ¿Tiene sentido lo que digo?

Sophia asintió con un gesto de la cabeza, incapaz de hablar. Su amago de amistad con Tess Bailey se había prácticamente acabado porque la preocupación de Tess por ella había sido muy evidente. Y Sophia sabía que su propia incapacidad para hablar acerca de su pasado había sido frustrante para Tess. Con el tiempo, había llegado a ser más fácil inventarse excusas que mostrarse sincera con los demás.

—Soph, ¿estás bien? —Era Dave el que había llamado. Volvió a hacerlo, esta vez más enérgicamente.

—Un momento —dijo Lindsey, y bajó aún más la voz—. También te quería decir... Por favor, no te lo tomes mal, pero... tengo ahorrado un dinero. Sé que has estado trabajando para pagar un préstamo, pero... Puedes tomarte tu tiempo para devolvérmelo, hasta que hayas pagado eso y... te hablo de un préstamo sin intereses. Conozco a un médico estupendo, un especialista en cirugía estética.

Y pensar que Lindsey se consideraba a sí misma una cobarde. Nadie, ni siquiera Dave, se había atrevido jamás a sugerirle algo así.

—Ya sé que no es asunto mío —dijo Lindsey—, pero...

—No —dijo Sophia—. No pasa nada. Supongo que esperaba que algún día desaparecieran. Quiero decir, en gran parte ya han desaparecido. —¿Estaba en lo cierto?

Por la mirada de Lindsey, era evidente que no estaba de acuerdo.

—Intento no prestarle atención —reconoció Sophia—. Supongo que me he acostumbrado. No me había dado cuenta de que es tan perturbador.

—No lo es —dijo Lindsey, pero decidió ser sincera—. Sólo que... tener ese recordatorio constantemente... Se me ocurrió que quizás era sólo cuestión de dinero para ti y, si así es, te puedo ayudar. Nada más.

—Gracias —dijo Sophia. Y puso fin a la conversación al abrir la puerta—. Lo siento, Dave.

—Hace un frío que pela. —Entró en la habitación y miró a Sophia y luego a Lindsey, y vuelta a Sophia, sin duda preguntándose de qué estaban hablando—. No me puedo quedar. Sólo quería saber cómo estabas. ¿Has comido a gusto?

—Estoy bien —dijo Sophia, volviendo a acercarse al radiador. ¿Volvería algún día a recuperar el calor?—. Gracias.

—¿Qué tal van las cosas con la compañera de habitación? —preguntó, cuando vio que Tracy no estaba—. ¿Algún otro problema de límites?

—Tracy deshizo mi equipaje —dijo Sophia. Estaba bastante segura de que lo había hecho sólo porque quería ver sus cosas. Sophia tampoco tenía nada que esconder. Por lo menos en cuanto a su ropa—. Aparte de eso, todo ha ido bien. Estaba mirando la tele, pero ella trajo un libro y ha estado leyendo.

Alguien llamó a la puerta.

—¿Dónde está? —preguntó Dave, mientras abría. Eran Jay Lopez y Danny Gillman, encogidos de frío por el viento.

—¿Dónde está quién? —preguntó Danny.

—Tracy. Si vais a entrar, adelante —dijo Dave—. No hace un tiempo como para quedarse conversando en la puerta.

Entraron. Era evidente que habían venido juntos a ver a Sophia para cerciorarse de que se encontraba bien, pero que se sentían demasiado incómodos para acudir solos. Ella se preguntó si habían hablado de aquello, de ella. Eran amigos, ¿por qué no habrían de hablar?

—¿Cómo está tu cabeza? —preguntó a Danny.

—Yo estoy bien —dijo él—. ¿Y tú? He oído que Tommy te ha dado de baja.

—Sólo unos días —aseguró ella. El jefe le había dado personalmente la orden de tomárselo con calma—. Aunque se pueda pensar que soy una debilucha, la decisión me parece bien.

—Nadie piensa que seas una debilucha. —Como de costumbre, Dave estaba dispuesto a defenderla. Incluso a defenderla de sí misma.

Y ahí estaban todos, mirándose. Apiñados al lado de la puerta. Nadie se sentó, probablemente porque la habitación era tan pequeña que no había dónde sentarse excepto en las camas.

Había cierta tensión en el ambiente. Dave ignoraba con actitud cauta a Danny, a quién consideraba claramente culpable del accidente en el refugio. Éste y Lopez se sentían obligados a hacer aquella visita, pero a todas luces habrían querido encontrarse en otro sitio. Y Lindsey...

Para Sophia era indudable que su amiga no podía seguir fingiendo que creía que Tracy estaba divirtiéndose con los dos hombres de las SEAL. Ya que Izzy había salido, parecía cada vez más probable que Tracy estuviera con su viejo amigo Jenk.

O quizá sólo se habían juntado a rememorar tiempos del instituto. O a jugar al Monopoly.

—¿Podemos traerte algo? —preguntó Lopez.

Sophia miró a Lindsey.

—En realidad, sí —dijo—. ¿Habéis visto a Mark Jenkins? Tengo que hablar con él.

Lindsey la miró como preguntando *¡Qué!*

Sophia respondió encogiéndose de hombros. *¿Por qué no?* Era una manera fácil y rápida de saber dónde estaba Jenk, y si Tracy estaba con él o no.

—Como no participaré en el ejercicio de mañana, Tom me pidió que le ayudara con la programación —dijo, sacándoselo de la manga—. Tengo que preguntarle unas cuantas cosas.

Lindsey la interrumpió.

—No tienes por qué hablar con él. Yo puedo ayudarte con lo que sea que necesites —dijo, sacudiendo la cabeza al mirarla.

—¿Estás segura? —preguntó Sophia.

—Sí —afirmó ella—. Estoy segura. Muy segura —dijo, y fue hacia la puerta—. Tengo mis notas en la habitación. Te... llamaré más tarde.

—Haznos saber si necesitas cualquier cosa —dijo Danny, y él y Lopez aprovecharon para salir con Lindsey.

Sólo quedó Dave. La miró y se rascó una oreja.

—¿Me quieres decir a qué venía eso?

—No —dijo Sophia, sacudiendo la cabeza—. ¿Crees que debería ver a un especialista en cirugía plástica?

La pregunta lo sorprendió. Dave intentó disimularlo, pero sin conseguirlo. Se sentó en su cama.

—Vaya —dijo, mirándola como si quisiera leerle el pensamiento—. ¿Quieres consultar a un cirujano? Porque si quieres, yo...

—No —dijo ella—. En realidad, no. Ya he pasado por suficiente dolor. La idea de sufrir todavía más...

—Entonces, olvídalo. —Dave no vaciló—. No deberías consultar. No hay motivo para...

—¿No lo hay? —Sophia dejó su taza de té en la mesilla junto a la cama y se quitó la manta de los hombros. Se puso de espaldas a él y se levantó la camiseta y se bajó los pantalones de yoga, ya bastante caídos.

Lo oyó lanzar un suspiro de sorpresa, lo cual debería haber bastado como respuesta.

Pero él intentó mentir.

—¿Y qué? Hay gente que se hace tatuar para ocultar alguna cicatriz, y las mujeres suelen hacerse tatuajes en esa parte del cuerpo. Aunque sintieras la necesidad de ocultarlo, cosa que no creo que debas hacer...

—Imagínate que eres Decker —dijo ella.

Él guardó silencio.

—Ya ves —dijo ella, y volvió a taparse. Recogió la manta, se la envolvió en torno a los hombros—. Eso es lo que pensé. Ni siquiera me puede mirar a la cara. No hay manera...

—Es un cretino —murmuró Dave—. ¿Alguna vez has pensado en la posibilidad de que no sea bastante bueno para ti?

Sophia se sentó a su lado.

—Digamos que estoy enamorada de él.

—Lo sé —dijo él, con un suspiro—. Pero empiezo a pensar seriamente que él no está enamorado de ti. Podría estarlo, pero no se lo permite.

—Siempre sabes exactamente qué decir para subirme el ánimo —dijo ella.

Él rió, pero su sonrisa se desdibujó cuando la miró a los ojos. —Basta de sufrir —dijo—. Prométemelo, Sophia.

—Te lo prometo —convino ella—. Que hablaré contigo antes.

—Me parece justo —dijo él, asintiendo con la cabeza.

—Ya que hablamos de que basta de sufrimiento —dijo ella—, me ha vuelto a llamar mi tía. A mi padre lo han llevado a una casa de reposo. Está mucho mejor, y... he decidido no ir a visitarlo. No esta vez. Sencillamente no puedo. Sé que dirás que no lo apruebas, pero... —dijo, y sacudió la cabeza.

—No es verdad —afirmó él—. Apoyaré cualquier decisión que tomes, la apoyaré totalmente. Sólo que no me gustaría que te arrepintieras de haber perdido la oportunidad —dijo, y se levantó—. Pareces agotada —añadió, y la besó en la frente—. Llámame si necesitas cualquier cosa. —Abrió la puerta—. Venga, intenta dormir un poco, anda.

—Hola. —Era Decker, que estaba a punto de llamar a la puerta. Había venido a verla, aunque costara creerlo.

—Entra —dijo Dave.

—No —dijo él—. Si se va a dormir...

—Todavía no se ha acostado —le explicó Dave.

—Sólo he venido para asegurarme de que está bien —dijo Decker. Se inclinó hacia adentro y la saludó con un gesto de la mano—. Hola, sólo quería cerciorarme.

—Estoy bien —dijo Sophia, envolviéndose con la manta cuando un soplo de aire frío penetró en la habitación.

—Entra —le invitó Dave—. Por favor. Sólo porque me iba no significa que...

—Está bien que duerma —dijo Decker—. Ya pasaré a verla más tarde. No dejes la puerta abierta.

Dave miró a Sophia con un dejo de exasperación cuando Decker lo cogió para que saliera de la habitación y cerró la puerta.

Para Sophia fue una mezcla de frustración y alivio. Era curioso que se sintiera tan aliviada de que Decker no hubiera entrado. Si lo hubiera hecho, habría sido la ocasión perfecta para mostrarse sincera con él. *Todavía tengo un poco de frío y creo que me he hecho daño en un músculo al intentar sacar a Danny del agua y, a pesar de los meses de separación, no dejo de pensar en ti y estoy bastante segura de que estoy enamorada de ti.*

En sus fantasías, Decker la habría mirado tal como la había mirado esa tarde en la cabaña del ahumadero, y le diría que él también la amaba. Ella se lanzaría a sus brazos y...

Después de haber besado a Danny, ya no temía tanto que la intimidad física la hiciera huir, o sudar y temblar, o esconderse en el cuarto de baño.

No, ahora se imaginaba que era Decker quién se postraría ante la taza del váter, sintiendo náuseas al ver sus cicatrices.

Entonces se metió en la cama, se abrigó con las mantas y apagó la luz. Pero en cuanto hubo apagado, sonó el teléfono.

Se dio media vuelta y lo cogió.

—¿Hola?

—Dios mío. —Era Dave—. Sólo eso —dijo—. Sólo... Dios mío.

Ella rió.

—Lo siento mucho —dijo él.

—No pasa nada. De veras.

—Pensé que te agradaría saber que he resistido a la tentación de lanzarlo escalera abajo de una patada, aunque fuera una tentación irreprimible.

Sophia volvió a reír.

—Te quiero mucho, ¿sabes?

—Sí —dijo Dave—. Lo sé.

—¿Y cuál es tu gran fantasía? —preguntó Izzy.

Era una pregunta fácil.

—Pues, te acabo de decir que de pequeña mi peli favorita era *La sirenita* —dijo Tracy—. Así que...

—O sea... ¿Qué te rapte una enorme bruja del mar y te robe la voz te pone cachonda?

Ella rió.

—Que un príncipe guapo me coja en sus brazos, muchas gracias.

Tracy estaba algo nerviosa al salir del bar. Sintió la calidez de la mano de Izzy en su espalda cuando la ayudó a sortear los baches y accidentes del pavimento en el aparcamiento. Había empezado a sentir con fuerza los efectos del alcohol.

Pero cuando subieron al todoterreno y él le entregó el paquete de condones que había comprado en la máquina del lavabo de hombres del bar, Izzy sugirió que primero pusieran gasolina.

Al principio, esa espera la puso más nerviosa, y sintió que el estómago se le retorcía de ansiedad y demasiado tequila.

Pero a medida que conducían por el camino oscuro, Izzy no había dejado de encontrar temas de conversación: lecturas preferidas, películas preferidas, zonas de Manhattam preferidas. Al final, Tracy comenzó a relajarse. Tenían muchas cosas en común, entre las cuales el amor por los perros no era la menos importante. De hecho, los dos habían tenido labradores durante la infancia. El de Izzy se llamaba *Dino-mita* y el de ella *Nathaniel.*

Lyle era alérgico a los perros.

—Ah —dijo Izzy—. Algún día vendrá mi príncipe azul y será amor a primera vista, ¿me equivoco? Eres una mujer tradicional, crees en los romances... y quizá también en el drama.

Ella no entendió.

—*Casablanca* —dijo él—. ¿Sí o no?

—Nunca la he visto —confesó ella—. Nunca la he visto hasta el final.

—Vaya. Vale. ¿Qué te parece *Moulin Rouge*? —preguntó él—. ¿*Shakespeare enamorado*? ¿*El último mohicano*? —Izzy volvió a mirarla—. *Mantente viva, hagas lo que hagas...*

Tracy asintió con un gesto de la cabeza. Su imitación de Daniel Day Lewis era bastante buena, hasta en la intensidad de la mirada.

—Son mi grandes favoritas, las tres.

—Vale —dijo él—. Espera, dame un segundo, puedo hacerlo... —Guardó silencio un momento y luego dijo—: ¿Sabes? Me recuerdas a ella. A Ariel. —La miró y, a la luz del salpicadero, ella vio que su sonrisa era cálida y encantadoramente torcida.

—Son tus ojos —dijo.

—¿De verdad?

Cuando Izzy sonreía, su rostro dejaba de ser sólo peligrosamente atractivo, con sus aristas y durezas, y se volvía sumamente atractivo. Los ojos se le arrugaban en los lados y bailaban con esa diversión endiablada que ponía en todo lo que hacía o decía.

—Absolutamente —dijo él—. Grandes y azules y... —Volvió a mirarla y esta vez fue la ternura que Tracy vio en su rostro lo que le quitó el aliento—. Sólo un poco triste. —Volvió a fijar la mirada en el camino y apretó la mandíbula—. Dios, podría enamorarme de ti con mucha facilidad.

Tracy se enderezó y sintió el corazón en la garganta.

—¿Ah, sí?

Ahora él la miró con una sonrisa forzada.

—No sé si puedo hacer esto, Trace. —Cuando él puso el freno de mano ella se dio cuenta de que se habían detenido en una especie de área de descanso. Era algo más que un trozo de tierra despejado junto a la carretera estatal, tan desierto como todo lo que había por esos parajes. Ella alcanzó a ver unas mesas de picnic vacías antes de que él apagara las luces de los faros y encendiera la de la cabina.

Era una luz muy intensa, como si Izzy no confiara en sí mismo para sentarse con ella en la oscuridad.

—Temo —dijo él, con mirada atormentada, cuando se giró hacia ella—, que si hacemos el amor... mi destino estará sellado. —Sin embargo, la tocó y su mano era cálida en su mejilla—. Pero si no me besas ahora mismo, puede que no sobreviva.

Era irreal, como si de pronto hubiera cambiado y se hubiera convertido en otra persona. Alguien galante y romántico y... perfecto.

Tracy lo besó. ¿Cómo no besarlo?

Fue como un beso de película entre dos amantes desafortunados, hambrientos de ganas de sentir el contacto del otro. Fue increíble, a Tracy nunca la habían besado tan apasionadamente. Ni Lyle ni nadie.

Ella no había imaginado que sería así, que de verdad desearía estar con otro hombre. Cada vez que había pensado en pagarle a Lyle con la misma moneda, se imaginaba que sería rápido. Que ella cerraría los ojos y giraría la cabeza.

Y que fingiría.

Pero cuando Izzy se separó, a ella se le había acelerado la respiración y el corazón le golpeaba en el pecho.

Él tenía las dos manos puestas en el volante.

—Esto me matará —susurró—. Tenerte así, y luego tener que dejar que te vayas.

—Quizá deberíamos parar aquí. —Lo último que ella quería era hacerle daño pero, Dios mío, en el fondo imploraba que él no la dejara llegar hasta el final.

—No —dijo él. Por suerte. Su voz era ronca y su mirada era la de un hombre poseído. Lyle la había mirado de esa manera en una ocasión. Como si ella fuera todo, y más—. Te deseo demasiado. Te necesito... Dios, te necesito tanto, Tracy. Tendré que vivir toda mi vida con el recuerdo de esta noche. Sólo una noche, en un coche de mierda. —Volvió a besarla—. Me gustaría hacerte el amor en una cama, no, en una cama cubierta de pétalos de rosa. Me gustaría verte así, tendida, la mujer más bella del mundo, toda mía, aunque sólo fuera por una breve noche.

Izzy le había bajado la cremallera de la sudadera y ella le ayudó a sacar los brazos y luego a quitarse la camiseta que llevaba puesta como parte superior del pijama.

—Ay —suspiró él, porque estaba desnuda—. Hola, mamaíta buena... quiero decir, ay, mi bella, eres tan bella que me dejas sin aliento.

Izzy la miraba con una mezcla de adoración y calentura. Pero no hizo ademán de tocarla. Se quedó sentado mirándola, quizás imaginándola en esa cama de pétalos de rosa.

Salvo que ella tenía un pantalón de pijama a cuadros. Se quitó las zapatillas de una patada y se bajó los pantalones. Y ahí estaba, completamente desnuda, aunque el coche estuviera iluminado como una pecera en la oscuridad.

—Ya sé que no es lo mismo que estar en una cama —dijo ella.

—No me importa nada —respondió él, y se le acercó.

Para sorpresa de Tracy, Izzy era delicado, casi insoportablemente delicado. Cuando le acarició la piel desnuda, ella tuvo que cerrar los ojos. Y luego, sí, empezó a besarla, lamiéndola, tocando y saboreándola, con labios y boca suaves, lo cual contrastaba con la aspereza de su barbilla en su cuello, sus pechos, y más abajo... Pero no había suficiente espacio, a pesar de que él se las había ingeniado para meter la mano en algún sitio y reclinar totalmente el asiento. Sonó el claxon del coche, con un ruido agudo, cuando él la presionó, y levantó la cabeza, riendo.

—Lo siento.

Él todavía tenía casi toda la ropa puesta. Sólo había conseguido quitarse el anorak, y ella le tocó la hebilla del cinturón. Pero él se echó hacia atrás, fuera de su alcance.

—¿Qué pasa? —preguntó—. ¿No te gustan las sorpresas?

Tracy rió al mirarlo.

—¿Qué quieres, que te lo ruegue?

—Sí, en realidad, me iría bien —dijo él, mientras su mano exploraba entre las piernas de ella y descubría que estaban calientes y húmedas de deseo—. Ah, Tracy...

Se estaba portando magníficamente, sonriendo y riendo, a pesar de que, en realidad, se le estaba partiendo el corazón. Ella lo besó, un beso largo y profundo. ¿Cómo no besarlo?

—Por favor —susurró Tracy, entre dos besos—. Te lo ruego, por favor, cariño. Te necesito dentro de mí. Ahora.

De alguna manera, mientras Tracy lo besaba, él había conseguido ponerse debajo de ella. De alguna manera se había desabrochado el cinturón y soltado el pantalón, y luego se había puesto un condón que ella había dejado sobre el posavasos.

Izzy la levantó en vilo, por las caderas y ella lo sintió, duro y grande, presionándola.

—Ay, Dios mío —dijo Tracy, cuando él empezó a llenarla, pero enseguida Izzy se detuvo a medio camino. Ella quiso moverse más adentro, pero él la cogió y se lo impidió. Tracy abrió los ojos y lo vio riendo.

—Ooooh, el contacto visual no está mal, pero yo quiero algo más —dijo él.

—Por favor —pidió ella—. Por favor, cariño...

—¿Por favor *qué*? preguntó él.

—Izzy —dijo ella, y sonrió.

—Mucho mejor —asintió él, sin dejar de mirarla, mientras la penetraba por completo.

—Izzy —volvió a decir ella, dejándose ir hasta lo más profundo, cuando finalmente la dejó moverse sobre él—. Oh, Izzy...

—Oh, sí —dijo él, con la voz enronquecida—. Joder, eres tan increíblemente sexy... Quiero decir, sé que sólo te puedo poseer esta única noche, amada mía. Pero si los deseos pudieran hacerse realidad... Recordaré esta noche... Te recordaré para siempre, entregándote a mí como lo haces.

—Izzy...

Él empezó a moverse con ella, cogiéndola por las caderas para impedir que cabalgara demasiado rápido, acercándola para apoderarse de su boca mientras murmuraba:

—Oh, sí, esto es asombroso.

Y lo era. Ella estaba encima y tendría que haber tenido el control, pero no lo tenía. Él dictaba el lento roce de los cuerpos, la lentitud del movimiento, hasta dónde ella podía ir, reteniéndola, a menos que Tracy susurrara su nombre.

Él todavía tenía puesto el jersey y la bufanda, pero cuando ella tiró de las dos prendas, intentando que los dos quedaran desnudos, él le apartó delicadamente las manos.

—No, no, no —dijo—. Eso es parte de mi fantasía.

Tracy no entendía. ¿Su fantasía? Pero dejó de preguntárselo cuando él empujó y llegó hasta el fondo de ella, y entonces dejó escapar un grito y él rió mirándola desde abajo.

Por fin la dejaba moverse sin limitaciones, y eso hizo ella mientras él la miraba, con los ojos semicerrados y el placer pintado en el rostro.

—Joder, qué bella eres. Te juro que recordaré esta noche para siempre. Esa parte va en serio, no es joda.

¿Joda?

Pero él la miraba con ojos hambrientos.

—Bésame.

Se encontró con él a medio camino y, casi como si lo hubieran planificado, los dos vacilaron. Fue sólo un par de segundos, con los labios a un susurro de distancia. Pero Tracy abrió los suyos y vio que él también los tenía abiertos.

Él sonrió. Quizás ella le sonriera de vuelta. Pero entonces él la besó, y ella a él y el mundo explotó en un cúmulo de sensaciones. Él la sujetó por la espalda desnuda con los brazos todavía enfundados en el jersey, con la barbilla frotándole la piel, con la lengua en su boca y los dedos enredados en su pelo. Tracy tenía la rodilla aplastada contra el plástico duro del cierre del cinturón de seguridad y la luz del techo era tan intensa que las ventanas sólo dejaban ver oscuridad, mientras los cuerpos procuraban acercarse cada vez más.

Izzy dejó escapar un sonido ronco y ella lo sintió endurecerse bajo ella a través de los poderosos espasmos de su propio clímax.

¿Cómo era posible que aquello fuera una sensación tan agradable, tan justa, tan...

Perfecta.

Y él seguía besándola.

Pero ahora con ternura, como si se estuviera despidiendo de ella.

Y Tracy empezó a llorar.

Jenk apagó el televisor, frustrado con Izzy, a quien, al parecer, se lo había tragado la tierra.

También se sentía frustrado consigo mismo y su imaginación demasiado creativa. Esa imaginación le decía que al volver de poner gasolina en los todoterrenos que habían usado ese día, Izzy se había acercado a la habitación de Lindsey. Sólo para decir hola.

Sí, decir hola.

Jenk se puso el anorak diciéndose que ya que no podía dormir, saldría a ver quién estaba despierto y permanecía en el restaurante junto a esa cafetera que nunca acababa de vaciarse.

Ésa era su intención, claro. Por eso acabó frente a la puerta de la habitación de Lindsey, con los hombros hundidos para protegerse del puto viento del norte.

Había luz en el interior, lo veía a través de las cortinas de la ventana. No era una luz demasiado intensa, y recordó cómo Lindsey había tapado la lámpara de su mesilla de noche con una funda de almohada, con lo cual creaba un fulgor suave y romántico. Oía el murmullo de su voz, la musicalidad de su risa.

Joder. Llamó a la puerta y se metió la mano en el bolsillo mientras esperaba que abrieran la puerta.

Que fue lo que sucedió, casi de inmediato.

Lindsey se había cambiado la ropa con la que se había presentado a cenar. Se había puesto algo para hacer ejercicio, un pantalón de chándal y uno de esos *tops* ceñidos que dejaban al descubierto los brazos y buena parte de los hombros.

Y ahí estaban los dos, parados uno frente al otro, mirándose. Por un momento, fue como si se hubieran esfumado todas las palabras duras, el dolor y la decepción de los últimos días. Ella lo miraba de una manera muy parecida a como lo había hecho cuando él la llevó a su piso aquella primera vez.

—Estoy buscando a Izzy —dijo Jenk, porque ahora ya no estaban en su piso. Estaban allí. En la Tierra de los Cojones.

—Joder, Izzy —exclamó ella, con una voz que podría haber llegado hasta el diminuto cuarto de baño—. Jenk nos ha descubierto. —Será mejor que te pongas la ropa, semental.

Se volvió hacia Jenk, abriendo la puerta de par en par—. No, no está aquí, pero, por favor, entra y echa una mirada.

—No hay por qué ponerse hostil —dijo Jenk, que empezaba a retroceder. Pero ella lo cogió por el brazo, tiró de él para que entrara en la habitación y cerró de un portazo—. Lo estaba buscando y pensé que...

—Lindsey es una puta, puede que esté en su habitación —dijo ella, levantando el edredón de la cama para que él mirara debajo.

—No te quieres demasiado a ti misma, ¿no? —dijo él.

Lindsey tenía su portátil sobre la cama, junto al teléfono de la habitación. Había estado llamando al equipo de Troubleshooters Incorporated para asegurarse de que todos estuvieran enterados de la hora del comienzo de los ejercicios al día siguiente. Jenk había recibido la misma llamada de parte del suboficial de las SEAL.

En lugar de contestar, Lindsey fue hasta el cuarto de baño, encendió la luz y abrió la cortina de la ducha con un chirrido.

—Desde luego, Izzy pertenece a las SEAL. Por lo tanto, puede que esté escondido en la mochila del váter. Izzy, ¿estás ahí dentro?

—Escucha, Izzy salió hace mucho —intentó explicarle Jenk—. Ha sido agradable un rato, porque he tenido un poco de privacidad...

—Sí, dime, ¿cómo está Tracy? —preguntó Lindsey al salir del cuarto de baño—. ¿Qué habéis hecho toda la noche? ¿Habéis mirado documentales de animales?

—¿Qué? —Jenk no se creía lo que oía. De verdad Lindsey creía que...—. He dicho privacidad, como quien dice a solas.

Maldita sea, ¿de verdad crees...? —Aquello no serviría de nada. Jenk respiró hondo—. ¿Podemos parar y convenir un cese del fuego un momento? —Los celos de los que ambos eran culpables era seguramente una demostración de que la relación que tenían iba más allá de la pura amistad o el sexo rápido. ¿Por qué Lindsey no se daba cuenta de ello?

Pero ella seguía aferrada a los detalles.

—¿Tracy no estaba contigo? —aclaró—. ¿A partir de las ocho?

—No.

—¿En ningún momento?

Dios.

—No.

Los celos que Lindsey pudiera haber sentido se convirtieron enseguida en inquietud.

—Porque acabo de hablar con Sophia y Tracy no ha vuelto a la habitación que comparten.

—Venga, Tracy. Te prometo que todo irá bien —dijo Izzy. La parte perversa y placentera de la noche se convirtió sin más en la parte más húmeda de arrepentimientos y recriminaciones. Él intento darse ánimos pensando que podría haber sido mucho peor. Por lo menos no eran los dos los que lloraban y estaban borrachos perdidos.

Había que reconocer que Tracy intentaba restañar el flujo de lágrimas mientras buscaba su ropa y luego se trasladaba a gatas al asiento de atrás para vestirse.

—Lo siento —no paraba de decir mientras Izzy se subía la cremallera de los pantalones.

Izzy había visto un contenedor de basura cerca de una mesa de picnic cuando se había salido del camino, y subió la calefacción y el radiador del parabrisas antes de abrir la puerta del coche y salir al aire frío. Mierda, qué frío hacía. Fue corriendo hasta el contenedor, tiró el condón que habían utilizado y...

Algo lo hizo detenerse. ¿Había de verdad alguien por ahí en el bosque?

Se quedó escuchando un momento, pero la noche estaba en silencio. No era más que su imaginación demasiado activa. *Devolvedme mi pierna*. Sí, eso. Si él y Tracy iban a perecer a manos de un alma perversa, habría ocurrido mucho antes de que llegaran al orgasmo.

Izzy volvió rápidamente al coche y se puso al volante. Pero cerró las puertas con seguro. ¿Por qué no?

Las zapatillas de Tracy todavía estaban en el asiento delantero así que las cogió. Cuando se las pasó, ella consiguió mirarlo con una sonrisa nerviosa.

—Estaba pensando —dijo Tracy—, en eso que decías de una sola noche...

Ding, ding, ding. Era evidente que la muesca de Izzy en el cinturón de Tracy era de color rojo. Gracias. Muchísimas gracias. Y se había equivocado a propósito de una noche que pronto se olvidaría. Quizás estaba a punto de convertirse en una noche de la lista de «las Mejores», como quien dice el mejor polvo inesperado de su vida.

Tracy Shapiro quería un bis. O quizá cuatro. O diecinueve. Vaya, vaya, la de lugares adonde podían ir.

Izzy decidió tomárselo con calma y asintió con un gesto de la cabeza en lugar de sonreírle como un idiota.

—Para mí tiene sentido —dijo. Al fin y al cabo, la venganza podía ser una historia complicada. Puede que tardara en llegar a su destino. En asentarse. Además, Tracy había dicho que Lyle la había engañado en más de una ocasión—. Quiero decir, ¿por qué no habrías de divertirte tú también?

Tracy lo miraba con el ceño fruncido en su preciosa frente.

—¿Divertirme?

—O, si quieres, no tiene por qué ser divertido —dijo él, dando marcha atrás rápidamente—. Podría ser muy, muy difícil. Un programa intenso a mí me va bien. Tres, cuatro veces al día. Dos veces por noche. Estoy preparado, soy capaz y estoy sumamente dispuesto.

Ahora ella lo miraba como si fuera un hipnotizador o como si estuviera hablando en japonés.

—Soy un trabajador muy concienzudo —siguió Izzy, resistiendo al impulso de chasquear los dedos en su cara, a ver si eso la hacía pestañear. Era evidente que Tracy no estaba de ánimo para bromas, o quizás el tequila le nublaba la cabeza, así que optó por hablar claro—. Tú dime cuándo y dónde, y yo estaré ahí. —Decidió cantarlo para darle más énfasis: *Don't you know, baby, yeah, yeah, I'll be there...*

Era la decisión más acertada porque ella acabó por sonreír.

—A veces no entiendo tus bromas para nada —dijo Tracy.

No me digas.

Izzy dio unos golpecitos en el asiento delantero.

—Venga, Sherlock, volvamos al motel, donde yo me meteré en mi solitario catre y soñaré contigo.

Llevaba una racha de decir las cosas acertadas porque después de pasar al asiento delantero, Tracy lo besó. Era el tipo de beso que lo hizo mirar su reloj y calcular cuánto tardarían en volver al motel si se volvían más locos y sacaban otro condón para ver qué tal iba el asunto.

Pero todos sus cálculos quedaron enseguida en cero, como si Tracy hubiera pulsado su botón de recalibración al murmurar:

—Creo que yo también me he quedado totalmente colgada de ti.

¿Perdón?

Vale, seguramente quería decir que *follar contigo me pone a cien, así que follemos como conejos hasta que yo vuelva a Nueva York a casarme con Lyle.*

Pero Izzy se dio cuenta de que ahora miraba los ojos color azul Walt Disney de Tracy cuando ella alzó la cabeza con gesto tímido y le sonrió.

—Creo que he estado dispuesta a conformarme con Lyle —dijo—, porque, bueno, ya conoces el dicho... más vale diablo conocido que...

Izzy asintió con un gesto de la cabeza.

—Lyle es mi diablo conocido —aclaró Tracy—. Pero, Dios, ahora no puedo creer que te haya conocido a ti.

Ya.

—No puedo creer lo perfectos que somos juntos. Ha sido como... mágico.

Izzy había puesto el motor en marcha y metido la primera, pero tuvo que parar y girarse apenas para mirarla.

—Quieres decir, el sexo.

Tracy dijo que sí con la cabeza. Algunas personas se volvían muy intensas cuando estaban bebidas, y era evidente que ella pertenecía a ese subconjunto.

—El sexo sin duda es una parte, pero yo me refiero a todo. Lo que tú sientes por mí.

—Lo que yo siento...

Ella volvió a besarlo, le enredó los dedos en el pelo, lo cual era muy agradable, a pesar de su desasosiego. Y luego Tracy dijo:

—Tu destino está sellado.

Él le había dicho que si hacían el amor su destino estaría sellado, y... ella le había creído.

Joder. Izzy le cogió las manos.

—Tracy, para un momento. Pido tiempo muerto. Cuando dije eso, quería ajustarme a tu fantasía personal, explotando el lado del romance de cuento de hadas con un poquito de tragedia, ¿me entiendes? ¿Recuerda que hablamos de ellos? *Moulin Rouge* y *Mantente viva, hagas lo que...* Intentó frenéticamente recordar todo lo que le había dicho. *Dios, podría enamorarme de ti con mucha facilidad. Esto me matará... tener que dejar que te vayas.* Joder, joder—. Nena, nada de eso era real. Era sólo un juego.

Era evidente que ella no entendía.

—¿Un juego?

—Estábamos actuando. —Por lo menos él actuaba—. El Príncipe Azul y la Princesa Tracy. Ya sabes. ¿Nuca has jugado a eso antes? ¿La mujer divorciada y el chico de la piscina? ¿O la reina del baile y el vaquero? ¿Un poco de juego de rol para hacer la cosa más excitante?

—Más excitante —repitió ella, mirándolo como si acabara de matar a su perrito.

—Estabas muy tensa —dijo él, aunque sabía que la había jodido totalmente—. Supongo que intentaba hacerte salir de tus pensamientos. Quiero decir, joder, yo estaba dispuesto a cualquier cosa, pero pensé que sería mejor para los dos si Lyle no estaba ahí, sentado sobre tu hombro. —No había nada que Izzy pudiera decir para que ella no pensara en él como el villano más despreciable. Desde su perspectiva, él le había mentido. Varias veces—. Tracy, hablando en serio, creí que entendías. Creí que...

¿Cómo no haberse dado cuenta de que ella se lo tomaba en serio? Excepto que, ¿cómo podría haberse dado cuenta? Las cosas que ella le había respondido eran tan cursis que Izzy estaba seguro de que le seguía alegremente el juego.

—Y una mierda —dijo ella, que ahora tenía los ojos llenos de lágrimas, aunque intentaba reprimirlas—. A eso te referías cuando decías que no era sólo un cuento... que recordarías esta noche toda tu vida. A diferencia de todas las otras cosas que me dijiste, que sí eran un cuento. Ay, Dios mío.

—Tracy, lo siento muy, pero que muy mucho.

—¿Cuál era tu fantasía? —preguntó ella—. Dijiste algo... Algo de que no te quitara el jersey. Sospecho que tiene que ver con que no querías que viera tu horrible sarpullido.

Era evidente que su risa no era bienvenida.

—O tu polla de mondadientes de cinco centímetros.

Él le lanzó una mirada dura.

—Oye, no te pases...

Tracy no quería mirarlo, concentrada como estaba en atarse los cordones de las zapatillas, con movimientos bruscos de rabia. Pero la rabia hacía bien. Era mejor que esos grandes ojazos azules llenos de lágrimas y dolor.

—Dios, qué imbécil soy. De verdad que creía que había hecho algo bien, para variar, que había encontrado a alguien especial. Pero tú no eres especial. Eres igual que Lyle. Sólo que con mucho menos dinero. —Volvió a mirarlo con rabia—. Si te atreves a decir una sola palabra a alguien de lo que ha ocurrido aquí, te...

—No diré nada —dijo él—. Te lo prometo.

Tracy respondió con un bufido. Era claro que sus promesas ya no significaban nada para ella.

—Y si crees que algún día volverás a tocarme —advirtió—, es que estás completamente chalado. —Dicho eso, se ajustó el cinturón de seguridad—. Ahora tengo que volver a mi habitación.

Buena idea. Izzy volvió a poner el coche en marcha.

—Tenemos que despertar a Tom —dijo Lindsey, mientras seguía a Jenk hacia el aparcamiento del motel.

—Era por aquí —dijo éste, sosteniendo el teléfono móvil en alto y abierto, como el doctor Spock con su tricorder, en *Star Trek*, explorando el planeta de clase M, Nocellzonius—. Esta mañana conseguí tener señal. Cuando acabábamos de llegar.

Después de comprobar que Tracy había desaparecido, Lindsey fue a la habitación que la recepcionista compartía con Sophia, mientras Jenk llamaba a las puertas de algunos sospechosos habituales del Equipo Dieciséis de las SEAL.

Revisar las pertenencias personales de Tracy había sido... interesante. Pero ni ella ni Sophia habían encontrado nada que les diera una pista sobre su paradero, como una entrada en el diario que dijera *Ya no lo soporto más. Me vuelvo a Nueva York* subrayado y con cuatro signos de exclamación.

Tracy no tenía un diario.

Pero, al parecer, sí un leve problema de hongos. Además de unos gustos musicales cuestionables, y un ingenio de brillantes colores y resistente al agua para consolarse.

Y, aun así, había ido a buscar diversión en otra parte. Al parecer, con Izzy Zanella, que también estaba curiosamente desaparecido.

Aquella conclusión sacada directamente del manual 101, a saber, si dos personas desaparecen tarde por la noche de un motel barato en New Hampshire, había muchas probabilidades de que estuvieran juntas, había cabreado mucho a Jenk.

Se había puesto celoso al pensar en Lindsey con Izzy, pero estaba más que hiper-mega celoso con la idea de Izzy y Tracy.

Cada vez que abría la boca era Tracy esto, Tracy lo otro, Tracy, Tracy, Tracy.

—Ahora entiendo por qué nos entrenamos en lugares donde no hay cobertura de móviles ni señales de radio, pero ¿por qué tenemos que ir hasta el jodido lado oscuro de la luna? —Jenk había dado curso libre a su frustración ya que su teléfono móvil seguía sin funcionar—. ¿No sería más sencillo entregar nuestras radios y móviles y prometer que no los usaremos? Quiero decir, cuando se trata del equipo, vale. Pero cuando se trata de personal civil...

—A mí me preocupa que Izzy haya tenido problemas por el camino —dijo Lindsey. Tracy había salido sin su anorak, vestida con poca cosa más que su sudadera encima del pijama—. Si Tracy está con él y han tenido una avería...

—Si Tracy está con él —masculló Jenk—, lo voy a matar, joder.

Al parecer, ya no censuraba sus palabras cuando ella estaba presente.

—¿Sabes? —dijo Lindsey, cuyo humor también empezaba a agriarse—, nada dice *te amo* con tanta franqueza como *lo voy a matar, joder*. No entiendo por qué te has molestado en venir a llamar a mi puerta hace un rato, rezumando celos. A menos que el objeto de tus obsesiones sea Izzy...

Jenk rió.

—Eso, Lindsey, soy gay. Ése es nuestro gran problema.

—*Nuestro* problema —dijo ella—, probablemente se resolvería si cogemos las llaves de uno de los todoterrenos y...

—*Nuestro* problema —dijo él, cerrando de golpe su móvil—, es que tú sientes algo por mí. Te he visto cómo haces rechinar los dientes cada vez que menciono el nombre de Tracy. Lo he estado haciendo a posta, ¿sabes? Sólo para ver cómo te retuerces. Eres *tú* la que tiene celos.

—Sí, claro —dijo ella—, como si tú estuvieras tan tranquilo con la idea de que Tracy está con Izzy.

—No, tienes razón, no estoy tranquilo —contratacó él—. ¿Has hablado con Tracy? Porque piensa volver con Lyle, y no es cuestión de *si* vuelve o no, sino de cuándo. Izzy se porta como si fuera un jugador más, pero no creo que lo sea, la verdad. Quiero decir, finge ser un gilipollas, pero he visto cómo mira a Tracy. Si se enrolla con ella, le hará a él lo mismo que tú me has hecho a mí, y acabará con el corazón roto.

—Yo no te he roto el corazón —alegó Lindsey, y en cuanto pronunció esas palabras se dio cuenta de lo ridícula que sonaba.

—Ah, qué bien —dijo Jenk—. Pensaba que quizá sí. Me alegro de tener una versión más acertada de lo que *yo* siento, de parte de alguien que está demasiado aterrada para sentir ni lo más mínimo.

—Oye, yo no soy la única que tiene problemas con la intimidad —replicó Lindsey, enardecida—. Si te he roto el corazón, vale, eso quiere decir que es culpa tuya por haberlo entregado demasiado rápido. ¿Qué pasa contigo? Actúas como si tuvieras catorce años. *Querida cajera del Burger King, ya sé que sólo hemos hablado una vez, pero cuando me dijiste son cuatro dólares con sesenta y ocho centavos, por favor, supe que sentías lo mismo que yo... que había un vínculo que nos unía para siempre. Un amor que duraría toda una vida.*

—Genial, Lindsey. Lo único que faltaba eran tus chistes. Eso sí que es signo de madurez.

Y ahí estaba. La salvación en unas luces que aparecieron en el camino.

—Lamento haberte roto el corazón —dijo ella, cuando un vehículo que parecía un todoterreno con sus compañeros desaparecidos entró en el aparcamiento del motel—. Lamento que una noche increíble de sexo formidable no haya sido suficiente para ti.

—Y yo lamento que para ti *sí* haya sido suficiente.

La luz de la luna menguante no alcanzaba a iluminarle la cara, pero la luz de neón del rótulo de Motel-A-Rama sí. Jenk estaba ahí parado, bajo el fulgor verde y rosado, con sus bonitos ojos llenos de frustración y arrepentimiento. Era probable que también hubiera lástima y desprecio en esa mirada, pero Lindsey decidió no reparar en ello. Al contrario, se dio media vuelta y se dirigió a la hilera de coches y furgonetas aparcadas.

Donde Izzy y Tracy acababan de apearse del todoterreno.

Izzy dio la vuelta para ir a ayudar a Tracy, y se le oyó farfullar algo a pesar de que no hablaba en voz demasiado alta.

—Cuidado, está resbaladizo.

Ella le respondió algo que Lindsey no escuchó, pero le pareció ver que Tracy daba un tirón con el brazo para rechazar la ayuda. El resultado fue que los dos cayeron juntos.

Estaban ocultos detrás de la parte delantera, pero cuando Lindsey fue a echar una mano volvió a oír a Izzy.

—Vaya, eso si que está bien.

Lindsey llegó al final de la hilera de coches y vio que... oh, Dios. Tracy había vomitado justo en las rodillas de Izzy.

—Dios, lo siento —farfulló, echándose el pelo hacia atrás cuando ya era demasiado tarde.

—¿Se ha golpeado en la cabeza? —Jenk se acercó detrás de Lindsey. Pero de pronto a él también le llegó el tufo inconfundible y muy desagradable del alcohol—. Zanella, ¿qué diablos...?

Tracy estaba frita por los dos lados, como solía decir el abuelo Henry.

—Venga, Trace, ¿te puedes levantar? —Con ayuda de Jenk, Izzy le ayudó a ponerse de pie—. Sé lo que estás pensando —le dijo a Jenk—, pero ella sólo quería una copa.

—O veinte. Joder, Izzy, ¿en qué estabas pensando *tú*?

—Yo pensaba... dale lo que quiere.

Con el pelo apelmazado y el mentón baboso, no era el momento más feliz de Tracy. Por lo visto, no estaba demasiado borracha como para no darse cuenta, porque empezó a llorar.

Lindsey suspiró. Ella se ocuparía a partir de ese momento.

—Ayudadme a llevarla a su habitación. —De todos modos, tendría que ocuparse ella. Lindsey no dejaría sencillamente que Jenk o Izzy llevaran a Tracy a su habitación, dejarla dentro y luego despedirse. Sophia no estaba en condiciones de atender a una compañera de habitación borracha.

—Sólo quiero decirlo para que lo sepas —anunció Tracy, cuando empezaron a cruzar el aparcamiento—, que no lo he hecho a propósito.

—Sí, ya lo sé —dijo Izzy—. Y oye, te agradezco haber esperado hasta bajar del coche. De verdad que lo agradezco.

Las escaleras era otro cuento, pero finalmente lograron llegar a la primera planta.

—Tengo que ducharme —anunció Tracy.

—Yo me encargaré a partir de aquí —dijo Lindsey a los dos hombres, y ninguno de ellos vaciló en dar un paso atrás. Muchas gracias, valientes hombres de las Fuerzas Especiales de la Armada.

Sin embargo, Izzy alcanzó a decir algo.

—Tracy, yo también lo siento. Linds, deja su ropa afuera. La pondré en la lavadora y, ya sabes, también sus cosas con las mías.

—¿Qué has hecho, gilipollas? —Lindsey oyó que Jenk reñía a Izzy mientras ella ayudaba a Tracy a entrar en la habitación—. ¿Qué es lo que sientes tanto?

—Nada, tentetieso, te lo juro. Quiero decir, venga, tío, ¿Con Tracy Shapiro? Sólo en mis sueños.

Tracy lloró con más ganas.

En la habitación del motel, Sophia ya se había arropado con las mantas, puesto un pasamontañas y ahora estaba leyendo un libro. Abrió los ojos, sorprendida, al ver a Tracy en ese estado, pero tuvo el tacto de no poner cara de horrorizada.

—Huelo que apesto —sollozó Tracy—. Lo siento.

Era la frase de la noche.

Tracy lo sentía. Izzy lo sentía. Jenk lo sentía y Lindsey lo sentía. Todo el mundo lo sentía. Estaba segura de que Sophia, aunque todavía no había dicho nada, también lo sentía.

Lindsey cerró la puerta a sus espaldas y se puso manos a la obra.

Capítulo 15

Darlington, New Hampshire
Domingo 11 de diciembre, 2005

A la mañana siguiente, Jenk encontró a Lindsey en el aparcamiento, en los alrededores del lugar donde su teléfono móvil había funcionado al llegar el día anterior. Por lo visto, había conseguido obtener una señal porque en ese momento hablaba por teléfono. Jenk se acercó a paso lento porque no quería molestar.

Pero sólo disponía de unos minutos y tenía que darle las gracias.

Sophia le había dicho que Lindsey había cambiado la habitación con ella la noche anterior. Ella se había mudado a la de Lindsey para dormir y Lindsey se había quedado con Tracy para ocuparse de ella y cuidarla.

—No —dijo Lindsey—. No, Papá, no pasa nada. De verdad.

Hablaba con su padre. Jenk estaba a punto de carraspear para captar su atención cuando Lindsey rió. Era una risa forzada.

—Navidad sólo es un día más para un escritor que debe entregar un texto, ¿no? —dijo—. No te preocupes, tengo muchos amigos, sacaré un nombre de un sombrero. —Volvió a reír, pero a Jenk le pareció una risa superficial—. Sí, eso, y... ¿Ah, sí? Oh, de acuerdo, entonces hablaremos la próxima semana, si no... Sí, estoy muy bien, sí... Vale, yo también te quiero.

Apagó el teléfono móvil pero no se movió. Se quedó ahí parada, respirando sonoramente, de espaldas a él y al hotel.

—¿Va todo bien? —se decidió a preguntar Jenk.

Lindsey dio un salto y miró a sus espaldas, pero luego volvió a girarse y a secarse los ojos.

—Sí. —No era la respiración lo que había escuchado Jenk sino su esfuerzo por no llorar.

Vaya lío. Jenk dio un paso hacia ella.

—A mí no me ha sonado tan bien —dijo él—. Quiero decir, por lo que he escuchado.

Cuando Lindsey volvió a girarse, había conseguido sonreír.

—Era sólo mi llamada semanal a mi padre.

—Y él ha cancelado vuestros planes para Navidad —adivinó Jenk.

Ella se encogió de hombros, un gesto exagerado de actriz de teleserie, junto con esa expresión de *qué le vamos a hacer.*

—No podría decir que no me lo había esperado —mintió ella.

—Eso es una mentira, y tú lo sabes —dijo él—. Es la segunda Navidad desde que tu madre murió, ¿no?

Su sonrisa no se desdibujó.

—Vaya, sí que prestas atención cuando uno te cuenta cosas, ¿no?

Lindsey le había contado que era sólo una niña cuando su madre enfermó por primera vez.

—¿Cuántos años llevas haciendo eso? —preguntó él—. Sonreír por el bien de tu madre—. Poner buena cara a una situación difícil, siempre de buen ánimo y optimista, tiene que haberse convertido en tu manera de ser por defecto.

Ella saludó el comentario con una risa.

—Lindsey, no tienes por qué seguir haciéndolo —dijo Jenk—. Tu madre ya no está. Tienes derecho a sentirte triste cuando alguien te pregunta por su muerte.

—Vaya, doctor Mark, ¿no cree que es demasiado temprano para un psicoanálisis?

Lindsey dio media vuelta para alejarse, pero Jenk se enardeció. Lindsey seguía sonriendo, maldita sea, y él no podía dejarlo pasar sin más, ni dejarla a ella.

Se le cruzó por delante.

—Oculta lo que sientes, o, incluso mejor, no reconozcas que sientes, nada. Es mucho más fácil así, ¿no?

Ella lo miró y dejó escapar un suspiro exagerado.

—He tenido una larga noche. ¿No te importaría dejarme sencillamente... en paz?

—Las navidades pasadas debieron de haber sido un desastre, ¿no? —dijo Jenk—. Tus primeras navidades sin tu madre. Y ahora tu padre se esconde, probablemente porque no soporta estar contigo y con tu actitud de *todo va bien, podemos fingir que Mamá se ha ido de vacaciones a las Bermudas*. Jenk hizo chasquear los dedos ante su cara. —Venga, Linds, veamos cómo haces un chiste. ¿Dónde está la respuesta rápida? Que sea buena, no me decepciones.

Su sonrisa había acabado por desvanecerse.

—Ha sido horrible lo que has dicho —murmuró ella.

Había empujado con demasiado ahínco y había ido demasiado lejos. Era evidente que Lindsey creía que quizá fuera verdad que su padre no soportaba estar con ella, y la rabia de Jenk se evaporó enseguida.

—Escucha, sólo intentaba dar en el clavo, lo cual, por lo visto, he hecho —dijo él—. Estoy seguro de que no va contigo, lo de cancelar sus planes. Quiero decir, no sólo era tu madre, también era su mujer y su amante y para él también debe de ser increíblemente duro. —La mirada de Lindsey le dolió hasta las entrañas y no pudo evitar hacer un movimiento hacia ella—. Lo que quiero decir es que tienes el derecho de sentirte triste. Cuando tu madre muere, tienes el derecho de...

Lindsey se apartó un paso.

—De verdad, debes odiarme —dijo, y se dirigió a paso rápido hacia el motel.

—No te odio —dijo él, siguiéndola—. Espera un momento. Venga, no vayas tan rápido.

—Aléjate de mí, es lo único que te pido.

Él la cogió por el brazo.

—Lindsey...

Ella se giró y le lanzó una dura mirada.

—¡Aléjate de mí!

Genial. Ahí estaba el comandante Koehl, junto a un todoterreno, poniéndose los guantes. Era evidente que el grito de Lindsey había captado la atención del oficial al mando de la operación.

Lindsey corrió hacia el motel y esta vez, mientras Koehl observaba, Jenk no se movió.

—Tienes derecho a que te duela —volvió a decir desde donde estaba—, y tienes derecho a manifestarlo.

Lindsey no miró atrás. Subió corriendo las escaleras y abrió la puerta de su habitación.

—Sí, vale —dijo Jenk, con una voz que ella no podría haber oído, sobre todo después de haber dado ese portazo—. Y gracias por haber ayudado a Tracy anoche.

Se suponía que aquello tenía que ser divertido.

Abrirse paso a través del bosque, interpretar al terrorista, que venía a ser el lobo malo del cuento, secuestrar a su propia Florence Nightingale y plantear todo un desafío al equipo de rescate, todo eso se suponía que tenía que ser divertido.

Sin embargo, Dave nunca había visto a Izzy Zanella tan callado y retraído como esa noche. Durante el trayecto hasta la cabaña, una parte de la cual había sido antaño un famoso campamento de exploradoras, a unos veinte kilómetros del tétrico refugio de caza, Izzy había guardado un adusto silencio.

Habían surgido ciertos problemas en Afganistán. El comandante del Equipo Dieciséis había recibido una llamada de alerta temprano aquel día, advirtiéndole de la alta probabilidad de que tuvieran que entrar en acción las Fuerzas Especiales. Era posible que esas noticias hubieran contribuido a la actitud manifiestamente sombría de Izzy.

El ejercicio se había aplazado a la espera de la instalación de varias antenas de comunicación provisionales. A pesar del hecho de que se habían desplazado a ese remoto rincón de Nueva Inglaterra para entrenarse sin instrumentos de comunicación, esa noche todos habían acudido con sus radios o —en el caso de los civiles— con sus teléfonos móviles en el bolsillo. La alternativa era cancelar el ejercicio, esperar en el motel y aguardar a que sonara el teléfono y que los hombres de las SEAL se desplegaran.

Aún así, Dave imaginaba que el estado de ánimo de Izzy distaba mucho de su efervescencia habitual por otros motivos.

—¿Te puedo traer algo? —preguntó Izzy a Tracy en ese momento. Ella estaba sentada en una silla de respaldo recto cerca del rugiente fuego del hogar, con unos mitones rosados y los brazos cruzados.

Ahora le respondió sacudiendo la cabeza mientras seguía con la mirada fija en sus zapatos blancos de enfermera. Aquello formaba parte de su atuendo y debía supuestamente hacer más difícil su huída a través de la oscuridad del bosque.

—No, gracias —contestó.

Izzy se quedó un momento largo ahí parado, mirando hacia donde Dave escuchaba a los hombres de su falsa célula terrorista, Decker, Gillman y Lopez, intentado adivinar cuándo, dónde y cómo se produciría el intento de rescate.

Entonces bajó la voz, pero Dave tenía buen oído.

—Escucha, no tendremos la ocasión de hablar cuando...

—Gracias a Dios —dijo Tracy.

—Sólo te quería decir que lo siento de verdad...

—*No* digas nada, ¿vale?

Izzy se giró, pero enseguida se volvió hacia ella, esta vez con voz más cortante.

—Te diré una cosa, y es que yo sólo intenté hacer lo que tú querías de la mejor manera posible, exactamente lo que me pedías. Lo siento si ha sido demasiado bueno para ti.

Tracy soltó un bufido insultante y es probable que hubiera dicho mucho más si Dave no hubiera intervenido.

—¡Prisionera! A callar.

Tracy cerró la boca y miró a Izzy como si quisiera incinerarlo, pero éste ya estaba saliendo dando un portazo.

—Voy a comprobar el perímetro —dijo antes de marcharse.

Decker miró a Lopez.

—Ve con él.

Lopez lo siguió.

No habría un momento mejor que ése, así que...

Dave se acercó a Tracy.

—¿Estás lo bastante abrigada? —inquirió, mientras Decker lanzaba una mirada en su dirección.

Era bastante visible que Tracy todavía estaba echando humo por lo que fuera que había discutido con Izzy.

—Tengo frío en los pies —dijo, seca, y él dejó su arma a un lado para tirar otro tronco al fuego.

Pero Gillman lo detuvo.

—¿Quieres hacer el favor de acercarla a ella un poco al fuego? Tío, me estoy muriendo de calor.

Llevaban unos chalecos de camuflaje adaptados para el frío iguales a los que habían portado durante el último ejercicio en California. Los chalecos iban equipados con esos sensores que registrarían su condición de vivos o muertos, y debían llevarlos puestos en todo momento y, además, cerrados. Aquello era un verdadero problema para Dan Gillman, por cuyo organismo probablemente corría sangre de los sherpas del Himalaya, o quizá de esquimales. Gillman nunca tenía frío.

—Cambia de posición con Lopez —ordenó Decker, al tiempo que Dave le ordenaba a Tracy que se pusiera de pie.

Mientras Gillman salía ruidosamente por la puerta hacia lo que para él debía ser la refrescante temperatura bajo cero esa noche, Dave se inclinó hacia Tracy.

—La puerta a la izquierda del hogar no está cerrada con llave. Cuando te dé la señal, ve hasta la parte de atrás de la cabaña, hacia el camino. —Allí se encontraría con un equipo de rescate, pero no había manera de decirle aquello ya que el ruido de fondo de los pasos de Gillman se había desvanecido.

Y Dave sabía que Decker también tenía muy buen oído.

Tracy abrió desmesuradamente los ojos cuando Dave acercó su silla al fuego.

—Siéntate —ordenó, y ella obedeció.

Un pelotón de las Fuerzas Especiales, a las órdenes del teniente Jacquette, se preparaba para aproximarse a la cabaña donde mantenían cautiva a Tracy, la rehén.

El equipo de Lindsey, bajo el mando del comandante Koehl en persona, estaba a punto de apostarse en otra posición, en la parte de atrás de la cabaña.

Todos se habían escondido en la espesura del bosque hacía unos minutos, al ver que Izzy, y luego Lopez y Gillman, salían a dar un paseo nocturno. Tanto los hombres de las SEAL como el grupo Koehl, estaban fuera de alcance pero, aún así, escondieron las cabezas.

Sin embargo, no pasó mucho rato antes de que los tres «terroristas» volvieran a entrar y las puertas de la cabaña volvieran a cerrarse.

—Lindsey, ¿tienes un momento?

Era Mark Jenkins, desde luego. Ella lo había evitado con éxito durante todo el día desde su intento de adoptar el papel de psicólogo de supermercado en el aparcamiento del motel.

—No —dijo ella—, y tú tampoco.

Estaban a punto de entrar en acción, y Jenk miró por encima del hombro hacia el teniente Jacquette, que sostenía una última conversación con Tom y Koehl.

—Escucha —dijo Jenk—, sólo quería...

—Tienes que irte —dijo Lindsey.

—...saber si quieres venir a casa conmigo en Navidad —acabó él, y enseguida fue a reunirse con su pelotón.

Lindsey se quedó mirando mientras él se alejaba. ¿Qué diablos...?

—Linds.

Alzó la vista y vio a Alyssa Locke que le hacía señas. Genial, la había cogido distraída la lugarteniente de Tom Paoletti.

Ya empezaban a moverse, así que Lindsey se colgó el fusil al hombro y siguió, concentrando todo su poder mental y su energía en la tarea que tenían entre manos.

No debía pensar en Mark Jenkins ni en su invitación para ir con él a casa en Navidad. Decidió coger el pensamiento y aparcarlo. Era el entrenamiento que se había dado a sí misma, a saber, apartar de su mente las ideas y sentimientos no deseados y concentrarse únicamente en el problema que debía afrontar.

Si había algo en que Lindsey destacaba, era en apartar los pensamientos no deseados.

Así pues, una vez puestas a buen resguardo las distracciones, se convirtió en parte de la noche, respirando con ella y moviéndose silenciosamente.

Se oyeron unos disparos. Dos descargas diferentes de un arma automática.

Lindsey se aplastó contra el suelo, al igual que el resto de su equipo, un gesto que probablemente no era necesario, teniendo en cuenta que el ruido de los disparos había venido del interior de la cabaña.

Dave Malkoff se había vuelto loco.

Se giró con el fusil en la mano y se cargó a Decker, el jefe de la célula terrorista. Un sencillo *rat-tat-tat.*

—He oído a Decker hablando con Tracy —gritó Dave al disparar—. Es un topo, ¡y trabaja para el enemigo!

Tracy emitió unos chillidos agudos y se cubrió las orejas con las manos enguantadas. Era probable que nunca antes hubiera oído las descargas de un arma disparada a tan corta distancia, y vio que Izzy sólo atinaba a quedarse parado como un estúpido frente a ella. Como si fuera a protegerla de las balas falsas, o algo parecido.

Aún así, era probable que aunque le salvara la vida, ella se enfadara con él por acercarse demasiado para protegerla.

—¿Qué miras? —gritó Dave a Gillman, con un gesto de auténtico psicópata—. ¿Trabajas con él?

—No —dijo el pobre soldado, pero, joder, Dave sencillamente disparó, *¡bam!* Y también se lo cargó.

Izzy miró a Lopez, que a su vez lo miraba a él. Los dos habían cogido las armas y apuntaban a la espalda de Dave. Tampoco a Dave parecía importarle demasiado, pero levantó los brazos, sosteniendo flojamente el fusil en una mano.

Izzy sabía exactamente lo que Lopez estaba pensando. Acababan de perder dos de sus cinco hombres. Ellos podían apretar el gatillo y ya serían tres de cinco.

Entretanto, Danny hacía unos ruidos como preguntando «¿qué coño...?», a pesar de que estaba muerto.

—Sí —dijo Dave, ahora mucho más calmado. Sabía que no trabajabas con Decker. Lo que pasa es que no me caías bien, Dan.

Decker ya se había sentado, con la espalda apoyada en la pared y los ojos cerrados. Gillman fue a imitarlo y, con grandes aspavientos, se desabrochó el chaleco, se lo quitó y lo tiró al suelo, a los pies de Tracy.

—Al menos ya no tengo que preocuparme de coger una insolación —dijo, mientras Tracy, agradecida, se la ponía alrededor de los tobillos.

—Chicos, ¿ya habéis decidido si me vais a disparar o no? —preguntó Dave a Izzy y a Lopez—, ¿o queréis escuchar mi plan para salir vencedores esta noche?

—No entiendo qué está ocurriendo —dijo Tracy.

—Silencio —ordenó Dave, girándose para mirarla, pero cuidándose de no hacerlo demasiado.

Izzy sacudió la cabeza. Aquello era patético.

—Tío, ¿sabes lo que no va a ocurrir? Que ganemos nosotros. ¿Qué harás, llevarte a Tracy a rastras hasta Canadá o alguna estupidez por el estilo? Hace un frío que te pelas ahí afuera. Estamos en franca minoría numérica y ella no tiene ninguna experiencia...

—Ahora, señores —dijo Dave, mientras hacía precisamente eso, alejándose de ellos—, me moveré hacia mi mochila junto a la puerta de entrada.

Izzy volvió a cruzar una mirada con Lopez. ¿Acaso Dave intentaba hablar como un malo de las películas de James Bond a propósito, o de verdad había perdido la chaveta? Los dos se movieron en un reflejo automático, manteniéndolo en su campo de tiro.

Aunque, conociendo a Tom Paoletti, era probable que aquél fuera uno más de sus juegos de inventiva. Proporcionar al pelotón de rescate información sobre los cinco enemigos que habían raptado al rehén y luego asegurarse de que los enemigos causaran bajas en sus propias filas, introduciendo la confusión y dándoles a los buenos la oportunidad de matar al rehén por accidente.

—Voy a dejar mi arma —dijo Dave, que volvía a comunicar sus pasos—, para poder buscar en mi mochila y mostraros...

Sonó el teléfono móvil de alguien.

Era el de Decker. Enseguida sonó un segundo móvil, probablemente el de Dave. Y luego, simultáneamente, chirriaron las radios de Izzy, Lopez y Gillman.

Y, sin más, el juego se había terminado. No cabía duda de que se había dado luz verde al Equipo Dieciséis de las SEAL para embarcar rumbo a alguna parte.

Se encendieron las luces. Se reunió el material del ejercicio en el suelo. Los comandos de las SEAL, que hacía unos momentos iban a tomar por asalto la cabaña, ahora se acercaron tranquilamente a la entrada como vendedores de puerta en puerta.

No se dijo ni una palabra sobre el destino del Equipo Dieciséis. Si les daban información, sería en el avión. Aún así, a juzgar por el ceño fruncido que Izzy le había visto al comandante Koehl aquella mañana, era probable que fuera Afganistán o Irak.

Izzy se giró hacia Tracy para decirle... ¿qué? *Sólo quería que supieras que si algo me ocurre allí, moriré con una sonrisa en los labios, gracias a ti.* Qué va, no era la mejor elección. Además, estaría protegido por su chaleco antibalas, de modo que la muerte no era una opción. Sencillamente debería decir *De verdad que lo siento, y espero que tu vida salga adelante tal como quieres.* Y luego cabalgaría hacia el crepúsculo.

Por así decirlo, porque el sol ya se había puesto hacía varias horas.

Todos los que no tenían que salir corriendo hacia el aeropuerto en Manchester, es decir, los integrantes del equipo de Tommy, se estaban reuniendo en la cabaña.

Se trataba de que los SEAL se pusieran en marcha lo más rápido posible. Ni siquiera tenían que recoger sus cosas del motel, ya lo habían planeado con antelación y habían cargado sus bolsas de viaje y los equipos en uno de los camiones.

Sin embargo, Jenk se arriesgó a despertar la ira de su oficial al salir en busca de Lindsey después de haber dejado su fusil de entrenamiento y su chaleco en el montón del suelo de la cabaña.

Ella estaba junto a la chimenea hablando con Dave.

—Perdón —dijo Jenk—. ¿Puedo hablar un momento con Lindsey?

Ésta ni siquiera esperó a que Dave se apartara.

—Tú me odias —dijo, abordando la conversación a bocajarro. Era lo que le habría dicho antes si Jenk no se hubiera marchado—. Entonces, ¿por qué me has pedido que te acompañe en Navidad a tu casa si me odias?

Dave lo miró como diciendo *¿ah, sí?* y se alejó discretamente para no escuchar.

—No te odio —dijo Jenk—. Estoy molesto contigo. Enfadado. Muy enfadado, sí, pero no te odio.

—¿Y entonces se te ocurrió que me llevarías a casa para Festivus? —preguntó ella.

—No sé qué es eso —dijo él, sacudiendo la cabeza.

—Por supuesto que no —replicó ella—. Tú no miras demasiado la tele —dijo, como si eso fuera un defecto.

—Es que no quiero que estés sola en Navidad —intervino él.

Lindsey sólo lo miró. Sin decir palabra. Sin sonreír. Él no tenía ni idea de lo que pensaba, de lo que sentía. Jenk se tomó como una buena señal que ella no le dijera una tontería cualquiera ni intentara hacer un chiste.

—No te creas que es una especie de truco —se sintió obligado a agregar—. Como si estuviera secretamente enamorado de ti o algo así, y te invitara a casa a conocer a mis padres, con la esperanza de lavarte el cerebro y... —Jenk entornó los ojos—. He pensado que para cuando llegue la Navidad la rabia que ahora siento será sólo un enfado sin más y seré capaz de hacerme a la idea de volver a ser tu amigo. He estado pensando en lo que dijiste ayer y, para resumir, yo tampoco quiero perderte.

—Detesto que seas tan buena persona —dijo ella, finalmente—. ¿Acaso no puedes ser más... desagradable?

—¿Qué, y nunca volver a hablarte? Lo he pensado, pero... me gustas. Creo que estás muy confundida, pero me gustas igual.

—Te gusto tal como soy, ¿eh? —dijo ella—. Eso es del *Diario de Bridget Jones*.

—Sí, lo sé —dijo Jenk—. En realidad, ésa sí la vi. Y no. No me gustas tal como eres. Creo que necesitas, no sé, una puesta a punto mental, o poner los pies en la tierra o algo. Sé que no te proponías hacerme daño deliberadamente, pero quisiera que abrieras los ojos y que vieras cómo te saboteas a ti misma. Pero, bueno, ¿qué le voy a hacer?

—Jenkins —gritó alguien desde afuera.

—Mierda —dijo él—. Tengo que irme. —Le tendió la mano, porque eso es lo que hacen los amigos cuando se despiden.

Lindsey se la tomó. Tenía los dedos fríos.

—Mark, yo...

—Jenkins, ¿has visto a Tracy? —Izzy casi se precipitó sobre ellos. Era el momento menos indicado, porque a todas luces Lindsey estaba a punto de decir algo muy emotivo, para variar, y quizás aceptar su invitación de Navidad.

—No —dijo Jenk, justo cuando, mierda, Lindsey retiraba la mano.

—¿Y tú, Linds? —preguntó Izzy.

—Yo tampoco la he visto. Lo siento.

—Vale —dijo Izzy—, esto está empezando a ponerme nervioso. Ha desaparecido. No está aquí dentro, no está ahí fuera, no está junto a los vehículos. A menos que se esté escondiendo de mí por lo de anoche; quizá sienta un poco de vergüenza. —Miró a Jenk—. Sabes, por haber vomitado encima mío. Tío, hazme un favor y echa una mirada por ahí, ¿vale?

A Jenk le quedaban sólo unos minutos para dejar que Lindsey le dijera lo que iba a decirle, y ahora le pedían que fuera a buscar a Tracy. La ironía de aquello no le pasó inadvertida.

—Lleva encima el teléfono móvil —dijo Lindsey—. La llamaré. Sacó su móvil y marcó el número.

—Venga, cógelo —murmuró Izzy.

Lindsey sacudió la cabeza.

—Pasa directamente al buzón de voz. Tracy, soy Lindsey, seguro que tu móvil está en modo silencio. Cuando escuches este mensaje, llámame. Enseguida —dijo, y colgó.

—Mierda —dijo Izzy.

En ese momento, al otro lado de la sala, sonó el aviso de un mensaje de voz en un teléfono móvil.

Aquello probablemente no era una buena señal.

Izzy se acercó a grandes zancadas, dio una patada a la mochila de Dave y otros equipos. Se agachó y lo cogió. Era un teléfono móvil de color rosado brillante. Y por si había alguna duda de que era el de Tracy, lo abrió, pulsó unas cuantas teclas y sonó el móvil de Lindsey.

—He pulsado devolver la llamada —dijo él cuando ella contestó—. Supongo que no se ha llevado el móvil.

—Supongo que no —dijo Lindsey, y colgó—. Pero eso significa que no puede estar demasiado lejos. —Miró a Jenk mientras en un rincón de la sala Izzy le hacía señales a Dave Malkoff—. ¿Por qué no vas a echar una mirada adonde están los camiones? Y llévate a Izzy, porque si lo que quiere Tracy es evitarlo, seguro que volverá aquí cuando él se vaya. Por razones evidentes —dijo, y señaló hacia la chimenea.

Jenk vaciló y ella lo interpretó mal.

—Antes de que te pongas celoso —agregó—, no creo que se esconda de Izzy por ningún otro motivo aparte del incidente del vómito. He pasado toda la noche con ella, y aunque dijo cosas malas de todos los hombres en general, y de Lyle en particular, no mencionó ni una sola vez el nombre de Izzy.

—No estoy celoso —dijo él.

—¿Qué te pasa, estás loco? —exclamó Izzy desde el otro lado de la sala—. ¡Maldita sea, Dave!

—Lindsey —llamó Dave, pasando por encima de los montones de chalecos—, tú estabas en el equipo del comandante Koehl, ¿no?

—Sí —dijo ella, asintiendo con un gesto de la cabeza.

—¡Joder! —Izzy siguió a Dave desde el otro lado de la sala, visiblemente irritado.

—Así que viste a Tracy en el bosque cuando estaba detrás de la cabaña —dijo Dave—. ¿No?

Ay, ay. Jenk miró a Lindsey. Aquello no pintaba bien.

Lindsey le sostuvo la mirada, y luego miró de Izzy a Dave.

—Era uno de los planes posibles, sí, pero... No, ni siquiera llegamos a situarnos en la posición debida.

—¡Mierda! —exclamó Izzy—. ¡Mierda, joder!

—Cuando dispararon —dijo Lindsey—, nosotros nos agachamos, con la intención de investigar después, pero antes de que pudiéramos hacerlo nos notificaron que el ejercicio se había acabado, momento en que volvimos enseguida al pelotón de Jacquette. Ellos estaban en la parte delantera de la cabaña.

—¿Cuál era uno de los planes posibles? —le preguntó Jenk—. ¿Que Tracy partiera hacia el bosque?

—Dave, aquí, trabajaba para los buenos de la película —dijo Izzy—. Le dijo a Tracy que saliera por la puerta de atrás mientras él los distraía.

—Entonces, Tracy salió por la puerta de atrás —repitió Jenk. En realidad, mierda, joder—. Pero allí no había nadie para recibirla.

—Tiene que haber salido justo cuando recibimos la llamada —dijo Dave—. O quizás incluso durante la llamada. Yo fui a coger el teléfono móvil, y no la vi.

Lindsey fue hasta la puerta en cuestión.

—¿Ésta es la puerta por donde tenía que salir? —preguntó, mientras la abría y miraba hacia el exterior.

—Tíos, tenemos que irnos. —Gillman había aparecido como el ángel del Día del Juicio Final.

—Aquí hay unas pisadas muy claras —anunció Lindsey—. Van hacia el norte, de vuelta a la carretera estatal.

—Hace frío por allá —dijo Dave, siempre la voz de la razón—. ¿Cuánto andaría antes de darse cuenta de que algo va mal y se decidiera a volver?

—Sí, pero esta chica no está acostumbrada a ir por el bosque —dijo Izzy.

—Incluso alguien con experiencia podría dar media vuelta, girar a izquierda o derecha unos cuantos grados y errar la cabaña por más de un kilómetro —señaló Jenk. No podía creerlo—. ¿Cómo ha podido ocurrir esto? ¿Después de la lección que supuestamente nos había dado Lindsey?

—Tíos —insistió Gillman, dando golpecitos en su reloj.

Izzy se le encaró.

—¿Es qué no entiendes que Tracy ha desaparecido? —preguntó, y enseguida cambió de actitud—. Espera, tú estabas en la cabaña con nosotros. ¿La viste salir?

—No la vi —reconoció Gillman—. Pero ¿tú no estabas justo al lado suyo?

—Yo estaba frente a ella —dijo Izzy—. Estaba mirando al loco de Dave.

—Es bueno saber que se me guarda tanto respeto —dijo éste, ofendido.

Lindsey golpeó en la puerta para captar su atención.

—Dave, por favor, ve y busca a Tom. Y también a Decker. Y todas las linternas que puedas encontrar. —Miró a Izzy y a Jenk—. Iros. La encontraremos, os lo prometo. Os llamaré cuando la encontremos. Seguro que será antes de que lleguéis a la base aérea.

—Voy a asegurarme de que Koehl esté enterado de esto —dijo Izzy, y salió a toda prisa.

—Venga —dijo Gillman.

Pero Jenk vaciló.

Lindsey alzó la mano derecha.

—Juro que no me acostaré esta noche hasta estar segura de que Tracy está sana y salva. Tú, ve a salvar al mundo.

Jenk asintió con un gesto de la cabeza.

—Llámame.

—Mejor aún, le diré a Tracy que te llame —le dijo Lindsey, y luego se giró hacia Tom, que en ese momento entraba en la cabaña—. Señor, tenemos un pequeño problema.

—No conozco a Tracy demasiado bien —dijo Gillman, mientras él y Jenk iban a trote ligero hacia los camiones que esperaban—. Pero, hablando en serio, ¿hasta dónde puede haber llegado?

Tracy finalmente llegó al camino.

No había nadie esperándola, y ese poquitín de susto que la acompañaba desde que había dejado la cabaña se convirtió en miedo en toda regla.

Intentó darse ánimos recordando las palabras insultantes de Izzy. *No tiene ninguna experiencia*. Desde luego, lo había dicho refiriéndose a la lucha contra el terrorismo, pero también era claramente una cuestión personal, y se refería sin duda al fracaso total de la noche anterior.

Dios, todavía sentía mucha vergüenza. Se moría de vergüenza. Sí, había bebido mucho tequila, pero ¿cómo podría haber sido tan estúpida e ingenua para creerse todas esas cosas que había dicho Izzy?

Le había creído porque quería creer. Porque nunca antes había tenido relaciones sexuales con alguien que no amaba. Porque la habían cegado pasajeramente las hormonas que corrían por su torrente sanguíneo.

Y, después, la realidad había asomado su horrible cara. No era sólo su propia estupidez la que la miraba. Esa mañana se había dado cuenta de que estaba dispuesta a casarse con Lyle sencillamente para no estar más sola. Había pensado que era su dinero lo que deseaba, la seguridad económica. Pero, al parecer, no era así, porque de otro modo no se explicaba que hubiera estado dispuesta a renunciar a ella por un simple marinero que le había dicho cosas que ella quería escuchar.

Izzy le había dicho cosas que ella se moría por escuchar.

Dios, seguro que Izzy pensaría que era una imbécil.

Y, aún así, había conseguido salir de esa cabaña, bajo sus narices tan poco atractivas. Era probable que en ese mismo momento se lo estuvieran haciendo pagar.

Lo cual era una idea bastante agradable, aunque no tan agradable como la idea de estar sentada ante una chimenea con una taza de chocolate caliente.

Hacía un frío de los mil demonios, y Tracy se apretó el anorak y se cubrió las orejas con las manos enguantadas. No tenía ni idea de hacia dónde caminar, ya que el camino estaba desierto y no había luces en ninguna dirección y...

Un momento. ¿Qué era eso?

Entrecerró los ojos y...

Sí, eran unas luces que venían hacia ella. Estaba a punto de ser rescatada, de eso no cabía duda.

Volvería al motel, y les sacaría una ventaja de horas. Ellos llegarían a toda prisa, aterrados con la idea de que ella todavía seguía en la montaña, muerta de frío y les diría cosas como: «Ah, pensabais que no tenía ninguna experiencia. ¿De verdad? ¿Queréis un poco de la sopa de pollo que he hecho mientras os esperaba...?

Empezó a dar saltos y a agitar los brazos en alto y, como era de esperar, el coche se detuvo. Era un coche parecido a los que había visto por ahí, en esos parajes salvajes de New Hampshire, antiguo, pero con pinta de funcionar todavía. Tampoco le importaba, siempre y cuando funcionara la calefacción.

Al bajarse la ventanilla, vio a un hombre solo al volante.

—¿Qué haces por aquí? —preguntó, con ese acento raro y gangoso que identificaba a los habitantes de Maine. Aunque no a todos. Su compañera de habitación en la universidad, Mindy, había sido de Bangor y hablaba como una persona normal. Pero su padre sonaba como si alguien hubiera intentado clonar a un Kennedy y el experimento hubiera salido muy, pero que muy mal.

—He salido a caminar —dijo Tracy, lo cual no era del todo una mentira—, y me aparté de mi grupo de amigos. Estamos hospedados en el Motel-A-Rama, en Darlington. ¿Usted va por ahí cerca, por casualidad?

—Hay una parada de autobús que no queda lejos de mi camino —dijo el hombre del coche—. Sube.

El ruido de alguien llamando a la puerta despertó a Sophia de un sueño agitado.

—¡Sophia! ¡Abre! —Era Dave.

El reloj de la radio decía que eran sólo las diez. Ella tenía la sensación de que eran las tres de la madrugada.

Echó hacia atrás las mantas, con lo cual tiró al suelo un montón de libros, y se acercó a la puerta tambaleándose. Dentro de la habitación hacía un calor cercano a los mil grados, y el radiador seguía funcionando.

Abrió la puerta. Por primera vez desde que se había empapado en el refugio de caza, agradeció la ráfaga de aire frío.

Dave pasó a su lado.

—¿Está Tracy aquí?

—No —dijo ella, abanicándose con la puerta mientras se volvía para mirarlo. Dave había entrado con paso decidido al cuarto de baño—. No lo creo. Bueno, yo estaba dormida.

—Mierda —dijo Dave—. Mierda.

Al parecer, Tracy ha vuelto a ausentarse sin permiso.

—¿Has probado a mirar en el bar que está en el camino a Happy Hills? No estoy segura de dónde, exactamente, pero es probable que Izzy lo sepa. —Al cerrar la puerta, alcanzó a verse en el espejo. Tenía el pelo al estilo de la novia de Frankenstein e intentó alisárselo, recogiéndoselo y buscando una pinza en el tocador.

—¿Es posible que haya vuelto mientras tú dormías? —preguntó Dave. Quizás haya entrado en silencio y...

—Ni la más mínima posibilidad —dijo ella, porque en el tocador estaban las dos llaves de la habitación, la suya y la de Tracy. Se las enseñó a Dave.

—Genial —dijo él, y fue hacia la puerta.

Sophia lo detuvo, y con una mano siguió sujetándose el pelo.

—Espera —dijo—. ¿Qué ocurre?

—Tracy ha desaparecido —dijo él—. Salió de la cabaña y Lindsey siguió sus huellas hasta el camino. Pero hasta ahí hemos llegado. Fin de las huellas.

—¿Estás segura de que no se trata de uno más de los juegos de Tom?

—En absoluto —aseveró él—. Han llamado a los SEAL, que ya se han marchado. Y si nosotros nos moviéramos, podríamos coger un vuelo a California antes de que llegue el frente de mal tiempo.

Sophia se había pasado una parte de la noche mirando el canal del tiempo. Una tormenta de grandes dimensiones se dirigía hacia ellos. Se esperaba que llegara a la costa y se quedara ahí, estacionaria. Los aeropuertos empezarían a cerrar, y probablemente lo harían a primera hora de la mañana. Si los Troubleshooters se demoraban, quedarían atrapados por la nieve. Posiblemente durante varios días.

Una cosa era quedar atrapados por la nieve si estaban entrenándose, y otra, muy diferente, era quedarse atrapados en una habitación de un motel barato sin nada que hacer.

Tom no quería estar allí sin nada que hacer. Para él era una prioridad volver a casa con su mujer y su hijo.

—Es probable que alguien la haya recogido en coche —aventuró Sophia—. Alguien se habrá detenido para llevarla.

—Eso espero. —Dave no parecía demasiado convencido—. Lindsey y Decker han ido caminando, buscando huellas en cualquiera de las dos direcciones. En noventa minutos no pasó ni un solo coche. Tememos que haya vuelto al bosque intentando rehacer el camino hasta la cabaña. —La apartó delicadamente y abrió la puerta—. Tengo que hablar con Stella y Rob, y preguntarles si la han visto. Puede que haya vuelto y no haya querido molestarte.

—Dave, espera...

Pero él ya había cerrado la puerta.

Sophia se vistió rápidamente y se calzó las botas, que por fin se habían secado. Su anorak también estaba seco, pero no logró dar con el pasamontañas, así que cogió uno de los de Tracy y se metió la llave en el bolsillo.

La noche era gélida. Si Tracy estaba el bosque y se había perdido... Sophia se dio prisa y bajó al restaurante, pero Dave ya volvía a salir.

—Es una pesadilla —dijo—. Yo le dije a Tracy que saliera de la cabaña, pero no tuve tiempo de darle todas las instrucciones, de decirle que buscara al equipo de Koehl.

Dave le había dicho que Tom le había dado otro papel que debía interpretar, el de un agente secreto infiltrado en la célula terrorista.

—Intentaba dármelas de gran agente secreto —reconoció—. Sacar a la rehén, ponerla a salvo y cepillarme yo solo a la célula terrorista. Y lo único que he conseguido es poner en peligro a Tracy. Si deja de moverse... con este frío... Si llega a caerse o si se hace daño... —dijo, y se notaba la angustia en su mirada—, se congelará antes de que amanezca.

—Iré contigo —dijo Sophia—. Encontraremos ese bar. Te apuesto lo que quieras que la encontraremos allí.

Pero antes de que llegaran al vehículo de Dave, el resto del equipo y los todoterrenos entraron en el aparcamiento, aplastando la grava con las gruesas ruedas. Todos conducían un poco acelerados.

Tom y Decker saltaron de sus respectivos vehículos antes de que éstos se detuvieran del todo. Tess Bailey, la especialista informática de Troubleshooters Incorporated, los seguía de cerca.

—Tengo mi ordenador instalado en mi habitación —les avisó—. ¿Queréis que lo baje al restaurante?

—¿La habéis encontrado? —preguntó Sophia.

—Tardaremos menos en subir nosotros —dijo Tom—. Si a ti no te importa.

—Claro que no —contestó Tess, que ya subía corriendo las escaleras hacia la primera planta—. Sólo deja que me asegure de que Jimmy está vestido.

Fue Decker el que contestó a la pregunta de Sophia.

—Todavía no la hemos encontrado —dijo—. Pero no tardaremos.

—Desde luego —dijo Dave, y se dio una palmada en la frente—. Los sensores del chaleco. Tracy llevaba uno de esos chalecos, así que...

Sophia entendió. Los sensores que identificaban a alguien como vivo o muerto formaban parte de un programa informático. Al parecer, podían utilizar ese mismo programa como una especie de rastreador para situar a Tracy.

O al menos su chaleco.

—Gracias a Dios que hay al menos uno que piensa con claridad. —Dave estaba tan ilusionado que dio unos pasos de baile. Cogió a Sophia y la hizo girar.

Cuando Sophia rió ante su exuberancia, se guardó sus pensamientos para sí misma. No quería hacerle perder la esperanza, pero había estado presente mientras Tess organizaba el equipo para instalar las antenas de comunicación por satélite antes, durante el día, y aún contando con las antenas adicionales, seguía habiendo grandes extensiones de lo que ella llamaba «zonas muertas».

—¿Qué haces tú aquí? —preguntó Decker a Sophia—. Dave, ¿qué diablos...? —Entra enseguida con ella. Ahora mismo —dijo, y siguió a Tom escalera arriba.

Dave la soltó, pero siguió bailando en círculos a su alrededor.

En la primera planta, Tess había abierto la puerta de su habitación.

—Genial —dijo, con un tono que daba a entender todo lo contrario—. Jimmy ni siquiera está. Vale, por favor, entrad. No hagáis caso de la ropa sucia.

Abajo, en el aparcamiento, Alyssa Locke había abierto la puerta trasera de la furgoneta, donde se apilaba el equipo de campo.

—Necesito que alguien me ayude a bajar todo esto —dijo, haciéndoles señas para que acudieran. Puso un montón de chalecos igual al que llevaba Tracy en los brazos de Sophia—. Esto debería ir al cuarto trastero junto a la cocina. Lo organizaremos y lo empaquetaremos más tarde. —Puso otro montón en los brazos de Dave, cuyo alivio todavía lo hacía sonreír.

—Hay quienes dicen que te amo —susurró a Sophia cuando fueron hacia el interior—. Otros dicen *Dave, ¿qué diablos...?*

Sophia entornó los ojos.

—Por favor, no empieces.

—Sólo lo comento —dijo Dave, sosteniendo la puerta abierta—. Sólo tomando nota de lo que sentí como... no lo sé... ¿celos? Quizá deberíamos bailar más a menudo.

—Ah —dijo ella—. ¿Era eso lo que hacíamos? ¿Bailar?

Dave rió.

—Qué mala eres. Sé bailar bien. Todas esas exóticas fiestas en las embajadas. Todas esas exóticas mujeres de embajadores. Decker debería estar preocupado. Quizá quieras mencionarle al pasar que, en realidad, sé bailar tango. O quizá si empiezas a suspirar —dijo, con un suspiro—, cada vez que digas mi nombre.

—¿Cuánto café has tomado esta noche? —le preguntó ella, y fue la primera en pasar hacia la cocina.

—Demasiado —reconoció él, cuando Sophia encendió la luz del cuarto trastero. Esperó mientras ella dejaba el montón de chalecos en el suelo, y luego dejó su cargamento encima—. Sólo que me alegro mucho de que vayamos a encontrarla. A Tracy.

¿Qué pasará si no la encontramos?

Sophia no tuvo corazón de hacerle esa pregunta mientras subían a la habitación de Tess para mirar cómo funcionaba ese milagro del sistema de rastreo por ordenador.

—Se lo agradezco mucho —dijo Tracy, cuando el coche se detuvo en el aparcamiento de la tienda.

—El que le conviene coger es el autobús a Concord —le recordó el hombre—. Ni Lewiston ni Burlington.

—De acuerdo —asintió ella. Había un teléfono de pago en la parte exterior, gracias a Dios. Haber vuelto a la civilización (si así se podía llamar a aquella pequeña tienda, apenas iluminada y destartalada en el culo del mundo), había tardado mucho más de lo que había esperado.

Desde luego, con el Mensajero de Dios al volante, era un milagro haber llegado. Aquel hombre había ido entregando bolsas de comida a los que llamaba «vecinos necesitados», tocando el timbre y luego huyendo, riendo nerviosamente como un adolescente travieso, antes de que lo vieran a él o a su coche. Habían parado veinte veces desde el momento en que la recogió. Sin embargo, no fue eso lo que hizo del viaje un trayecto interminable. No, lo que más tardaba eran las oraciones que pronunciaba después de dejar cada bolsa.

La sugerencia de Tracy de que dijeran una gran oración una vez que hubieran entregado todas las bolsas no fue bien recibida.

Ahora miró hacia la tienda con el ceño fruncido. De acuerdo con los carteles, también era una sucursal de Federal Express, una tienda de Dunkin Donuts y una farmacia abierta las veinticuatro horas.

—Se diría que la tienda está a punto de cerrar —dijo el hombre—. Me pregunto si Stephen vuelve a tener problemas con la fosa séptica. La última vez, tuvo que cerrar varios días.

Había otro coche en el aparcamiento, y Tracy vio al menos a una persona mirando por la ventana de la tienda.

—Estoy segura de que está abierta. Estos lugares siempre están abiertos —dijo Tracy. Era el momento de bajar, antes de que el hombre decidiera rezar por ella. Intentó abrir la puerta del coche, pero estaba cerrada—. Quizás hay un...

Él pulsó un botón, y la puerta no se abrió.

—Vaya, siempre le doy al que no es —dijo, con un risilla.

Una fracción de segundo antes de que sintiera pánico, se oyó un *clic* y Tracy pudo abrir la puerta. Intentando no parecer demasiado asustada, bajó de un salto.

—Gracias, una vez más.

El hombre hizo sonar el claxon y siguió alegremente su camino.

Ella se giró para ir hacia el teléfono y casi se dio de bruces con el hombre que había visto a través de la ventana de la tienda.

—¡Dios mío! —exclamó.

Lo primero que pensó al estar tan cerca de él fue que se trataba de Izzy, que, de alguna manera, la había seguido hasta allí. Pero no lo era. Era un hombre alto, delgado y atractivo, con unos ojos color azul eléctrico.

La decepción que sintió se debía a que detestaba la idea de tener que coger un autobús. Si nunca volvía a ver a Izzy Zanella, no le importaría en lo más mínimo.

—¿Eres enfermera? —le preguntó el tipo que no era Izzy. En su caso, el acento sin erres de los de Maine era casi simpático. Tenía dos bolsas de plástico de la compra en cada mano.

—¿Qué? Oh. —Tracy se miró los pantalones y los zapatos—. Sí —dijo, porque había algo un poco raro en la mirada de aquel hombre. Pensó que el tipo había venido, ¿cómo lo había llamado Stella?, al *Criminal*, porque tenía el típico hambre del fumeta. Le habría exigido demasiada actividad sináptica entender que sólo interpretaba el papel de enfermera en un ejercicio de entrenamiento para las Fuerzas Especiales de la Armada.

En ese paisaje, el hábitat natural del Mensajero de Dios y del Tío Fumeta, hasta a ella misma le costaría entender esa idea.

Tracy retrocedió unos pasos, aunque temiera darle la espalda al tipo. Pero él finalmente hizo un gesto con la cabeza y fue hacia el coche.

Entonces cogió el teléfono y tecleó el número de la tarjeta telefónica de Lyle, que él le había hecho memorizar después del 11/S, cuando sus teléfonos móviles no habían funcionado por sobrecarga del sistema.

—Ingrese el número del teléfono al que desea llamar —le pidió una voz. Era la parte difícil. Quería llamar a Lindsey pero no estaba segura de recordar bien el número. Normalmente, tenía buena memoria, y había visto el número en la lista del personal de Troubleshooters que tenía pegada en su mesa en San Diego. Lo había mirado durante horas mientras contestaba el teléfono. El código de área era seiscientos diecinueve. Tenía que marcar. Si se equivocaba, volvería a intentarlo. No tenía importancia.

Al otro lado del aparcamiento, el drogota se había metido en el coche. Lo puso en marcha y se quedó ahí sentado, observándola, lo cual era un poco raro.

El teléfono sonó dos veces y luego contestó un buzón de voz.

—Hola, soy Lindsey, no puedo ponerme en este momento. Si es una emergencia, llámame a mi teléfono móvil...

Tracy buscó algo con qué escribir. Había recordado el número de Lindsey, pero era el de su casa, no el de su móvil. Tenía un boli en el bolsillo de su chaleco, así que le quitó la tapa y escribió el número en un aviso de un perro perdido pegado junto al aparato. Llevaba sólo unos minutos ahí pero ya tenía las orejas congeladas. Y, al parecer, había perdido uno de sus mitones.

—...o deja un mensaje después de la señal —acabó de decir la voz.

—Sí, hola, soy yo, Tracy. —No quería colgar, no con el drogota mirándola tan raro. Era preferible que pensara que estaba hablando con alguien. Por ejemplo, con su novio, un patrullero de la policía y ex infante de marina, como daba a entender su chaleco—. Estoy llamando desde un teléfono de pago en el Polo Norte. Acabo de anotar el número de tu móvil, así que volveré a llamarte en un segundo. Escucha, hay aquí un tipo que está como drogado, pero como si no... imagínate a Ralph Fiennes después de haber aspirado cola, y está... diablos, está bajando del coche. Pienso que debería darte el número de la matrícula, por si desaparezco de la faz de la Tierra. Salvo que está muy oscuro y... creo que hay un nueve... no puedo ver más. Está manchado de barro o mierda de cerdo, o del animal que sea que tienen por aquí. Tiene una matrícula de New Hampshire. Vale, sólo se ha bajado a poner líquido del limpiaparabrisas. Qué tonta soy. Te vuelvo a llamar al móvil.

Colgó, lo cual era una estupidez, porque podría haber pulsado un número (¿era el ocho?) y marcado el teléfono móvil de Lindsey. Ahora tenía que volver a marcar la larga serie de números de la tarjeta.

El drogota cerró el capó del coche. El sonido la hizo mirar en su dirección, lo cual fue un error, porque él lo interpretó como una invitación para comunicarse con él.

—Quiero que cuelgues ahora —dijo, acercándose a ella.

Vale, probablemente era hora de entrar en la tienda, pero sólo le quedaban por marcar unos pocos números.

—Lo siento, no me había dado cuenta de que tenía que usar el teléfono —dijo ella, forzando una sonrisa—. No tardaré. Sólo tengo que acabar de contarle a mi novio lo de mi último brote de herpes.

Él estiró la mano y presionó el botón para interrumpir la llamada, le quitó el teléfono de las manos y lo colgó.

—Sube al coche.

—No necesito que me lleve, pero gracias de todas maneras. —Aquel tipo tenía algo decididamente de loco, y ahora ella estaba sintiendo auténtico miedo, aunque sabía que no debía mostrarlo—. Lo que sí necesito es un café. Disculpe.

Él se le plantó delante de ella para no dejarla pasar.

—No me importa lo que necesites. Sube al coche.

Dios mío, el tipo tenía una pistola de verdad.

Tracy alzó la vista del cañón a sus ojos. Y supo con una certeza aterradora que si subía al coche de ese hombre, sería lo último que haría en su vida.

No fue valentía lo que le hizo huir, a pesar de que la muerte podía salir en cualquier momento de aquel pequeño agujero. Huir era la única opción. Echó a correr hacia la entrada de la tienda y, como era de esperar, él no le disparó.

Pero sí que la persiguió.

Tracy abrió la puerta de un tirón.

—¡Llamad al 911! ¡Llamad al 911! —gritó.

Pero no había nadie en el mostrador. Entonces corrió hacia la parte de atrás, esperando encontrar a alguien, a quien fuera.

Y encontró al tendero frente a la puerta del lavabo. Estaba tendido boca abajo en un charco de sangre, con los ojos abiertos, mirando hacia el vacío, y con la nuca destrozada.

No había nada que coger para defenderse, para luchar. Intentó abrir la puerta del lavabo de señoras. El drogota se le acercó y la golpeó con fuerza.

Sintió el dolor además de la incredulidad. Aquello no podía ser real. Esas cosas no ocurrían en la realidad. A ella, no. Por favor, Dios.

Pero se desplomó y se golpeó en el mentón, y fue como si la luz del techo echara chispas. Él tipo volvió a golpearla y el mundo se desvaneció.

Capítulo 16

—Así que... si conseguimos que este programa funcione —dijo Lindsey—, ¿qué pasará? ¿Veremos un pequeño punto en el mapa que nos indicará la posición de Tracy?

—Así es —dijo Tess, mientras sus dedos bailaban sobre el teclado. Tenía unas manos que parecían las de una pianista, o una cirujana, de dedos largos y elegantes. Al menos comparados con los de Lindsey.

Dios, ojalá que funcione...

—¿La hemos encontrado? —preguntó Dave cuando él y Sophia se unieron al grupo en la pequeña habitación del motel.

—Todavía no —dijo Decker. Fue el único, aparte de Lindsey, que levantó la mirada del ordenador. Todos los demás, incluido el novio de Tess, Jim Nash, que había llegado oliendo un poco a destilería, como Tracy la noche anterior, estaban concentrados en la pantalla.

En ella se veía un mensaje: *Buscando la señal,* junto a *descargando mapa del sector 817.*

Empezó a desplegarse lentamente un mapa, empezando por arriba, hasta llegar abajo. Era la mayor parte del territorio de New Hampshire.

Todos se inclinaron más.

—Venga, Tracy —murmuró Dave—. Que te encuentres en Manchester, en un hotel de cuatro estrellas.

—¿Hemos llamado a su ex novio? —preguntó Decker—. Lyle... ¿cómo se llama, Anderson?

—Andrews —corrigió Lindsey—. Y sí, lo hemos llamado.

—No ha sabido nada de ella, y no parece especialmente preocupado —informó Tom.

El mapa estaba casi completamente descargado.

—Yo no veo ningún punto —dijo Lindsey—. ¿No tendría que haber un punto?

—Sí, tendría que haber uno —dijo Tom. Pero no lo había.

—¿Hay algún problema con el ordenador? —preguntó Dave, con voz tensa. Lindsey lo miró. Sophia le puso una mano en el hombro.

—Al parecer, el programa funciona —dijo Tess. Sus manos volvieron a volar sobre el teclado y en la pantalla apareció una información—. Sí, los códigos son correctos, lo siento. —Se giró y miró a Tom—. No hay señales del chaleco.

Lindsey soltó una imprecación.

—Joder, tenía la esperanza de que esto funcionara. —La decepción era como un retortijón en el vientre.

—Dave también parecía estar a punto de perder los nervios.

—¿Es posible que haya salido del sector? —preguntó Tom.

Tess volvió al teclado. Esta vez, en lugar de un mapa, en la pantalla apareció un código de programa.

—No hay señal en ningún punto del hemisferio. ¿Está en China? Podría acceder a otros satélites para mirar. Pero nos arriesgaríamos a que se diera cuenta alguien en el Pentágono. Si ellos están alerta, puede que también vean que el Equipo Dieciséis ha partido rumbo a Alemania, y entonces nos cortarán la conexión. Estamos, por así decirlo, tomando prestados sus códigos de acceso.

—Estupendo —dijo Tom—. Me encanta oír ese tipo de cosas.

—¿Qué impediría que el satélite recoja la señal del chaleco? —preguntó Lindsey—. Algo así como meterla en una caja de plomo, o... ¿qué?

—Es mucho más probable que Tracy se encuentre en una zona muerta. —Tess no sólo parecía una maestra de primaria, simpática y animosa, sino también tenía la tendencia a aleccionar a las personas. No podía evitarlo—. ¿Sabes lo imposible que es hablar por móvil en un trozo del camino cerca del Krispy Kreme en San Diego, si vas hacia el este, después de la sede de Troubleshooters Incorporated? Es una zona rara, donde no hay señal, probablemente debido a que las antenas de repetición no están lo bastante cerca unas de otras. Este sistema de rastreo que utilizamos también depende de las torres de repetición, como el teléfono. La señal va desde el chaleco hasta la antena más cercana, de ahí al satélite y del satélite al ordenador. Si el chaleco se encuentra en una zona muerta, no lo veremos reflejado aquí en el mapa.

—Entonces lo que tenemos que hacer —dijo Lindsey—, es definir las zonas muertas y concentrar la búsqueda en esas zonas.

—O instalar más antenas de repetición —dijo Tess.

—O mover las que ya tenemos instaladas —sugirió Dave.

Tess asintió con un gesto de la cabeza.

—En caso de que podamos suponer que Tracy está en un solo lugar y que no se moverá. Si nosotros movemos las torres, y ella se mueve a su vez... dijo, encogiéndose de hombros.

—Haré unas llamadas —dijo Tom.

—¿Hay alguna manera de tener acceso a los movimientos del chaleco? —preguntó Lindsey, que deseaba tener alguna noticia positiva, al igual que Dave, que se frotaba la frente como si tuviera dolor de cabeza—. Quiero decir, Tracy se puso el chaleco hace horas, aquí en el motel. ¿Hay algún historial que nos permita seguir sus movimientos desde la cabaña y más allá? Aunque no podamos ver dónde se encuentra ahora mismo, ¿no podemos al menos ver dónde estaba, digamos, hasta que entró en una de esas zonas muertas donde está ahora?

—Buena idea —dijo Dave—. Eso nos permitirá definir mejor el área de búsqueda.

Tess respiró hondo y luego dejó escapar una bocanada de aire.

—La respuesta corta es sí. La respuesta larga... no sé cuánto tardaré en encontrar esa información. Ya que tendré que meterme en el sistema por la puerta de atrás.

—Tú hazlo lo mejor que puedas —dijo Decker—. No tenemos gran cosa, aparte de eso.

Ella lo miró.

—Sí. Entretanto, dejaré el programa activado. Puede que tengamos suerte y que Tracy vuelva a salir de la zona muerta en que se encuentra.

—¿Qué probabilidades hay de que todavía lleve puesto el chaleco? No es precisamente una prenda de alta costura —dijo Dave, que veía desvanecerse su pequeño brote de esperanza—. Eso, esperando que no esté tirada en alguna parte, en una zona muerta, literalmente muerta.

—Gracias, Dave. Siempre podemos contar con tu eterno optimismo. —Lindsey volvió a ponerse el gorro y los guantes—. Voy a volver a la cabaña —avisó. Quizás encuentre algo allí en lo que nadie ha reparado—. Por favor, llamadme en cuanto alguien sepa algo.

Aquello era ridículo.

Jenk se paseaba por la moqueta raída de la terminal del aeropuerto mientras esperaba que el suboficial mayor acabara de hablar con el comandante Koehl.

Se había sabido que el vuelo del transporte de tropas C-5 que debía llevarlos hasta Alemania había vuelto a ser aplazado.

Al parecer, estaba nevando con fuerza en Illinois.

Para colmo de males, el pequeño viaje transatlántico del Equipo Dieciséis era sólo un ejercicio. Era una prueba de su capacidad para estar disponibles, de inmediato, al otro lado del planeta. Jenk también sospechaba que se trataba de demostrar la capacidad de Estados Unidos de enseñar un «gran garrote» en la escena internacional en la base aérea de Ramstein. Alguien estaba mandando un mensaje a cualquiera que hiciera un seguimiento de las tropas de Estados Unidos de que el Equipo Dieciséis andaba por ahí.

Aquellos tíos enajenados en lo alto de la cadena de mando tendrían que mandarlos en misiones para las que habían sido entrenados en lugar de encomendar las tareas importantes, como capturar a Bin Laden, a subcontratistas, gente cuya lealtad se vendía al mejor postor.

Y Jenk deseando lo imposible: que sonara su teléfono. Quería desesperadamente que Lindsey lo llamara para decirle que habían encontrado a Tracy sana y salva.

Tommy Paoletti había mantenido informado al comandante Koehl a lo largo de la noche. La noticia de que Lindsey y Decker habían seguido las huellas de Tracy hasta la carretera pero sin dar con ella había sido como una patada en los huevos.

El Equipo Dieciséis debería haberse presentado para colaborar, estableciendo modos de búsqueda a partir de la cabaña y del punto en el camino donde Lindsey le había perdido la pista a Tracy.

El suboficial mayor le había dicho una y otra vez a Jenk que ellos no podían hacer nada que Tommy no estuviera haciendo ya, excepto poner los hombres necesarios. Más ojos para buscar. Más botas en el terreno.

Izzy estaba sentado en el suelo, con la espalda apoyada en la pared y la cabeza entre las manos.

—¿Dónde esta el suboficial mayor? —preguntó, poniéndose de pie.

—Por fin está hablando con Koehl —le informó Jenk.

—Ah, qué bien —dijo Izzy—. Así tendré la oportunidad de decirle a Lew lo que pienso de los comandantes que se preocupan tanto de su propio ascenso que le vuelven la espalda a una mujer desaparecida.

—Joder, Izzy...

Pero Izzy ya había salido disparado como un mísil guiado por el calor en una trayectoria de destrucción mutua asegurada, aunque en este caso las dos partes fueran él mismo y Jenk.

—Zanella, no lo hagas... Ya he hablado con el suboficial... —Jenk cogió por el brazo a su compañero, más grande, pero éste, obcecado, se lo sacudió de un tirón.

Entonces tuvo que lanzarse a por él con todo el cuerpo y clavarlo contra la pared para detenerlo, e incluso así sólo obtuvo un retraso pasajero.

También aumentó la posibilidad de que todo se estropeara porque la maniobra había captado la atención de Koehl y del suboficial mayor.

—¡Suéltame, Jenkins! —Izzy podría haber cogido a Jenk por delante para no caer, pero pasó rápidamente de una actitud defensiva a una ofensiva porque lanzó violentamente a Jenk a un lado.

O, más bien, lo intentó.

Jenk lo tenía bien cogido, y no lo soltó. Lo cual dio como resultado que Izzy perdiera el equilibrio.

Entonces lo cogió entre las piernas al caer al suelo, lo cual fuc una lástima, pero también necesario. Necesario porque no quería hacerle daño a Izzy, y la diferencia de tamaño y peso no le dejaba muchas alternativas. Una lástima porque, a ojos del resto del mundo, parecía que estaban enzarzados en una actividad muy privada.

Al parecer, Izzy no sentía la necesidad de hacerle daño a Jenk mientras intentaba quitárselo de encima y aplastarlo entre él y la pared.

—El suboficial mayor está intentando obtener permiso para que nosotros dos podamos volver para ayudar a Tommy —le dijo Jenk al oído, con voz ronca—. Le he dicho que me dolía el hombro y que tú tenías que ir urgentemente al dentista.

—¿Qué coño estáis haciendo, par de idiotas?

Jenk se giró y vio las botas del suboficial mayor a escasos centímetros de su cara.

—Ooh —dijo Izzy—, es la boca. Dios mío, ¿qué ha ocurrido? Mark, ¿eres tú? ¿Cómo he llegado aquí? Debo estar loco de dolor por las caries.

Allí arriba, por encima de ellos, el suboficial sacudía la cabeza, cabreado.

—A mí me parece que ese hombro tuyo está en forma, Jenkins.

Genial.

—Le aseguro que no, señor —contestó él, mientras se desenredaba de Izzy con una mueca que no era fingida—. Izzy me estaba ayudando a ver cómo podía extender el...

—Ahórrate las palabras, tú te vas —dijo el suboficial, y con una mano en alto impidió que Izzy hablara—. Tú no, tenemos dentistas en Ramstein.

No era lo que Izzy quería oír.

—Joder —dijo—. Venga, señor. ¿Cuándo he pedido yo favores?

—Siempre —dijo el suboficial, cruzándose de brazos.

—¡Dios! Sabe perfectamente que si ese hijo de puta fuera la mitad del oficial que es Tommy, ya estaríamos de vuelta allí ayudando a buscar a Tracy.

El suboficial miró a Jenk, ya que era bastante evidente que aquella era la razón por la que habían acabado luchando en el suelo. Se giró y le lanzó a Izzy una mirada letal.

—Voy a fingir que no he oído ese comentario. ¿Por qué no intentas hacerte muy invisible y quedarte muy callado durante un tiempo muy largo?

—Lo siento —dijo Jenk a Izzy, cuando el suboficial se alejó.

—Tío, lo has intentado —le contestó éste, forzando una sonrisa tensa—. Encuéntrala, ¿vale? Y no, la otra noche no pasó nada. Tracy es una buena chica. Una chica estúpida, pero buena. No quiero que le pase nada chungo, nada más.

Cuanto más protestaba Izzy, menos le creía Jenk. Aún así, lo dejó correr.

—Te llamaré.

—Eso. Y, ya que estás, aprovecha para echar otro polvo con Lindsey.

Jenk sacudió la cabeza mientras se dirigía al mostrador de alquiler de coches. Sintió que los hombros se le tensaban al alejarse pues sabía que Izzy aún no estaba dispuesto a callar o a volverse invisible.

Había recorrido la mitad del camino cuando Izzy le gritó:

—¡Jenkins! ¡Quisiera no volver a verte jamás!

Desde luego. La obligada referencia a *Brokeback Mountain*. Sin girarse, Jenk alzó las dos manos para transmitir un gesto muy obsceno.

El frío le dio a Tracy en toda la cara y le quitó el aire, provocándole una arcada y luego un acceso de tos. Se despertó escupiendo, con el pelo empapado y el agua chorreándole por la cara y los ojos. Levantó la cabeza y el movimiento la hizo sentir como si se estuviera partiendo en dos. Dios, era otra de sus resacas.

Pero no estaba en su cama. Tampoco estaba en el suelo de su cuarto de baño.

Este suelo estaba cubierto por una moqueta con dibujos de tonos verdes. Al entreabrir los ojos a la luz, cayó en la cuenta de que estaba mojada y tenía toda la ropa puesta.

Hasta que volvió a sentir el chorro de agua, directamente en la cara, y volvió a escupir y a ahogarse, momento en que se giró para ver...

—Ayúdala. —Quien quiera que la hubiera despertado con esos cubos de agua era un hombre alto y...

Todo le volvió de golpe. Aquel hombre que ella pensó que estaba drogado porque su mirada era tan plana y apagada. El tendero en un charco de sangre. *Sube al coche.*

Tracy empezó a llorar.

—Por favor, no me haga daño.

—Si no levantas tu asqueroso culo y la ayudas, te mataré ahora mismo.

¿Su asqueroso culo? Ella no tenía un culo asqueroso.

Era un detalle sorprendentemente banal en que pensar teniendo en cuenta que él acababa de amenazar con matarla, pero su arranque de indignación era mucho mejor que el miedo que le paralizaba el pensamiento. Se podía quedar ahí tendida sollozando y sucumbir o levantar su *asqueroso culo* y sobrevivir.

Se secó los ojos. Ya tendría tiempo de sobras para llorar cuando estuviera muerta.

—¿Ayudar a quién? —Al sentarse, vio que lo de la moqueta no eran dibujos, sino suciedad y manchas viejas. También vio una cama. Había una mujer tendida, y tenía al menos un brazo atado a la cabecera de hierro forjado.

El olor era repugnante. La mujer estaba tendida de lado porque había intentado —sin conseguirlo— no vomitar sobre sí misma. Tenía un corte muy feo en un brazo, como si alguien la hubiera atacado con un cuchillo.

Tracy no sabía qué hacer para no añadir otro vómito a lo que había en la cama y el suelo. Con la cabeza martilleándole y el estómago revuelto, estaba en seria desventaja, y eso lo empeoraba el hecho de que, al pasarse la mano por el pelo, vio sus dedos ensangrentados. Aún así, tenía experiencia en tratar con el dolor y las náuseas de las resacas. Ya había tenido que ocuparse de sus porquerías sintiendo el repiqueteo en la cabeza en varias ocasiones. Aunque era más fácil cuando el vómito era el propio.

—¿Cuál de estos servirá? —preguntó su propio y personal asesino en serie, después de dejar caer dos bolsas de medicamentos al suelo. Unos estaban en frascos como los de las farmacias y otros en bolsitas, con el correspondiente prospecto y posología pegados con una grapa.

¿Y yo qué voy a saber? No soy médico fue lo primero que le vino a la cabeza, pero alcanzó a reprimir sus palabras.

¿Eres enfermera?

Tracy le había dicho que sí. Y ahí estaba, viviendo una pesadilla porque le había dicho que sí, que era enfermera. Aunque, desde luego, si le hubiera dicho que no, era probable que la hubiera matado al instante.

Siempre y cuando él creyera que era enfermera, y que podía salvar a su... amiga, o quien fuera aquella mujer de aspecto monstruoso que tenía encadenada a la cama, ella seguiría viva.

¿Cuál de éstos servirá? —repitió él, alzando la voz.

—Antes tendré que examinarla —advirtió Tracy, procurando sonar lo más enfermera profesional posible. Severa. Censuradora. Tal como se había portado con ella la enfermera de la sala de urgencias aquella vez que se había emborrachado en la playa y se había hecho un corte en el pie con una botella rota. Le habían dado algo después de ponerle unos puntos de sutura, algo para impedir las infecciones. Un antibiótico. ¿Cómo se llamaba? Zitro algo. No, eso era lo que había tomado para la sinusitis del año pasado.

—Necesitaré sábanas limpias, toallas limpias y ropa limpia con que vestirla —dijo, mientras se quitaba el chaleco sucio y se arremangaba la blusa—. Agua limpia y tibia. Mucha agua.

¿Era sangre aquello que la mujer enferma tenía pegado a los botones de su blusa? Se la veía demacrada, a todas luces mal nutrida, y los huesos de la cara le sobresalían en un agudo relieve. Tracy se obligó a tocarla. Una enfermera no debería mostrarse aprensiva.

Estaba caliente. De hecho, le ardía la piel.

—También necesita algo de beber —añadió, ya que todavía no la había matado por mostrarse abiertamente exigente—. Está claro que está deshidratada. Ginger ale. —Se giró hacia él con toda la impaciencia que podía expresar, teniendo en cuenta que el hombre llevaba un arma y no temía hacer uso de ella—. ¿A qué espera? Si quiere que la ayude, usted tiene que ayudarme a mí.

Por un momento, él se quedó ahí parado, mirándola, y Tracy enseguida pensó, aterrada, que había ido demasiado lejos, que el hombre decidiría que era demasiado exigente y le dispararía ahí mismo.

Pero él se giró enseguida y salió de la habitación.

No fue demasiado lejos. Se alejó por el pasillo hasta llegar a un lavabo. Dejó la puerta abierta, de modo que quedó descartada la opción de salir a hurtadillas hacia la puerta principal. Aún así, tuvo el coraje de ir hasta el otro lado de la cama y acercarse a una ventana. *Dios, te lo ruego, que pueda mirar a través de esa cortina mugrienta y ver otras casas en la cercanía, algún sitio a donde huir y pedir ayuda.*

Pero sólo vio oscuridad.

En la cama, ya despierta, la mujer dejó escapar un gemido. Tracy se le acercó. Eran tantas las preguntas que tenía en mente que no sabía por dónde empezar.

—¿Dónde estamos?

La mujer cogió a Tracy por la blusa con la mano que tenía libre y la atrajo hacia sí con una fuerza inimaginable en una persona tan delgada y enferma.

—Acaba conmigo —pidió, con un hilo de voz, a través de sus labios partidos y secos—. Mátame. Por favor. ¡No dejes que me lleve arriba mientras siga viva!

Madre de Dios...

—Prométemelo —imploró la mujer. Sus ojos eran de un color marrón casi dorado. Hacía mucho tiempo, había sido muy bella.

—¿Quién eres? —le preguntó Tracy—. ¿Por qué estás encadenada? ¿Y quién es este tipo que...?

Pero la mujer cerró los ojos, la cabeza cayó hacia un lado y aflojó su asidero en la blusa.

—Se llama Cinco.

Tracy se giró y vio que su secuestrador había vuelto a la habitación con un montón de toallas inmundas.

—Tú te llamas Veintiuna —siguió—. ¿Y yo? Yo soy tu amo y señor. Si te vuelvo a sorprender hablando con ella, te mataré. Lentamente. Empezaré por cortarte los párpados...

—Lo he entendido —convino Tracy. Dios mío, Dios mío... Nada de hablar. Sólo salvarle la vida—. Pero de todas maneras necesito agua. Y algo para beber.

Él volvió a salir y Tracy empezó a temblar. Temblaba tan descontroladamente que tuvo que sentarse.

Jenk acababa de echar marcha atrás para salir del aparcamiento de los coches de alquiler cuando alguien golpeó en el techo.

De pronto, en medio de la oscuridad, apareció la cara de Izzy. Intentó abrir la puerta del pasajero, pero estaba cerrada.

—Abre, Eminem. Déjame subir.

Jenk abrió el seguro.

—¡Zanella! ¿Qué coño...?

—Buen chico —dijo Izzy, con un severo gesto de indignación al lanzar su bolsa de viaje en el asiento de atrás y subir—. ¿Crees que voy a ir desarmado? Gracias por el voto de confianza, hermano.

—¿Qué dices? —preguntó Jenk—. ¿Que has hablado con el suboficial mayor, que tienes una autorización por escrito?

—Piensa en esto como en una variante del «no preguntes, no sabes, no te metas en líos» —sentenció Izzy—. Pero ya podemos irnos.

—Iz, piensa en lo que estás haciendo.

—¿Crees que no me lo he pensado? —Zanella acabó por renunciar a sus mentiras—. No me puedo quedar sentado sin hacer nada. —Miró a Jenk con una mezcla de rabia y desazón—. Y, sí, te he mentido cuando te dije que Tracy y yo no nos hemos enrollado. Sobre todo porque me hizo jurar que no se lo contaría a nadie. Pero en parte porque a ti siempre te ha gustado, y porque me siento como un capullo.

Jenk metió la marcha con un gesto demasiado violento, y puso el coche en marcha.

—¿Eso ocurrió anoche? —inquirió. ¿Era anoche que Tracy había llegado borracha al motel? Parecía que había sido más bien el año pasado.

—Sí —reconoció Izzy—. Hace sólo veinticuatro horas. Fue una estupidez, y si pudiera volver a hacerlo, sin duda repetiría, pero... lo haría de otra manera.

—Tío, eres un gilipollas como no los hay.

—No quiero decir en una posición diferente, como en el *Manual de Cosmo para Exploradoras*, página doce. Quiero decir, lo haría de tal manera que ella después no acabara enfadada conmigo. —Izzy suspiró y reclinó la cabeza contra el respaldo—. Yo soy el culpable de que se largara. ¿Sabes por qué salió corriendo de la cabaña de esa manera? Porque no quería hablar conmigo.

—Tal como he dicho, eres un gilipollas.

—Fue ella la que vino y me dijo *Voy a casarme con Lyle, pero se lo quiero hacer pagar*. ¿Qué tenía que decir yo? ¿Que no?

—Yo dije que no —señaló Jenk.

—Ya, vale, pero yo no soy Jesús ni estoy enamorado de Lindsey —dijo Izzy.

Aquel comentario estaba hecho para distraerlo del tema en cuestión. Izzy esperaba que Jenk lo negara. *No estoy enamorado de Lindsey.*

Y él contestaría. *Ya he visto cómo la miras, tío. Incluso ahora que te ha hecho morder el polvo.*

Lo digo en serio, sólo somos amigos.

Sí, eso es lo que ella quiere, ¿no? Tío, ella no conseguirá que no lo sientas si está ahí. Y yo creo que está ahí. Quiero decir, acabo de decirte que he perpetrado el acto con Tracy, y tú ni siquiera has pestañeado. Creo que los dos sabemos que si te hubiera dicho lo mismo acerca de Lindsey y yo, ya estarías metiendo en el maletero mi cuerpo roto y ensangrentado.

En eso Izzy tenía razón. Tenía razón en todo. Jenk condujo en silencio durante un largo rato.

—¿Y tú...? ¿Estás... de Tracy? ¿Enamorado? —preguntó, finalmente.

Izzy rió.

—Eh, no.

Jenk lo miró de reojo.

—Mientes.

—No, tío, hablo en serio —dijo Izzy—. ¿Volvería a hacérmelo con ella? Claro que sí. Pero... ni siquiera estoy seguro de que me guste. Quiero decir, creía que sí, y luego se puso muy rara conmigo. Quiero decir, venga, fue un polvo por despecho. Ella lo dejó muy claro. Y, sí, el polvo fue increíble, pero de pronto se puso a hablar de planes para el futuro. Eso es una locura.

¿Lo era? Sonaba un poco demasiado familiar.

—Puede que no lo sea —sugirió Jenk—. Puede que se haya quedado colgada de ti, de verdad.

Izzy empezó a farfullar para protestar, pero Jenk alzó la voz.

—No es del todo imposible. Puede que sencillamente no supiera cómo hacerte saber que quiere conocerte mejor.

—¿A mí? —preguntó Izzy—. ¿O al héroe trágico que fingía ser? Verás, empezamos a hacer un juego de roles y...

—De verdad que no quiero saberlo —dijo Jenk para detenerlo.

—La mayoría de las veces, Tracy me mira como si viniera de otro planeta —dijo Izzy—. No entiende mis chistes y... Tío, no se parece en nada a lo tuyo con Lindsey. Sé que crees lo contrario, pero no lo es. Vosotros dos también os entendéis fuera de la cama. No quiero detalles, pero tengo que suponer que cuando os ponéis a ello, es...

—No quiero tener esta conversación —dijo Jenk.

—Yo tampoco —dijo Izzy—, pero puedo imaginarme...

—No te lo imagines.

—Lo que intento decir es que si de verdad quieres a Lindsey, ve a por ella. Quédate cerca de ella el tiempo suficiente, tarde o temprano caerá. Tú le gustas, M. Va en serio. Y sé que tú estás totalmente enamorado de ella, así que deja de fingir lo contrario. Pero ¿Tracy y yo? —Izzy rió—. Yo a ella no le gusto, a ella le gusta...

—Lo he entendido —dijo Jenk.

—Además, dejó muy claro que iba a volver con Lyle. Sería un tonto si le creyera, o si quisiera empezar algo con ella que no fuera... Quiero decir, joder, yo no gano seiscientos dólares la hora, ¿no? Además, hay algo que de verdad no va bien con una chica que va a casarse con un tío que la trata como la mierda.

—Así que estás arriesgando tu carrera por alguien que supuestamente ni siquiera te gusta.

Izzy asintió con un gesto de la cabeza.

—Así es. Estoy jodido, ¿no te parece? Pero si algo le pasara a ella mientras yo estoy sentado sin hacer nada... preferiría pasar el resto de mi vida sufriendo las consecuencias de una ausencia no autorizada. Joder, prefiero que me detengan a pasarme el resto de mi vida pensando *quizá podría haber sido yo el que la encontrara antes de que muriera por congelación.*

Izzy se giró y miró hacia la oscuridad de la noche. Su preocupación por Tracy era patente, Jenk casi podía olerlo. Y, aún así, ¿decía que ni siquiera le gustaba? Quizás habría tenido que decir que no *quería* que le gustara.

Siguieron varios kilómetros en silencio antes de que Izzy volviera a hablar.

—Sólo te diré que estaba increíblemente caliente. Caliente hasta echar humo.

Era típico de Izzy portarse como un gilipollas para ocultar cualquier asomo de vulnerabilidad.

—No digas nada más. A menos que quieras caminar a partir de aquí.

—No podría decir que quiero —dijo Izzy, con un suspiro—. No podría decir que quiero.

¿Qué haría Lindsey?

Tracy intentaba dominar el pánico que seguía apoderándose de ella y abrumándola imaginando a Lindsey atrapada en aquella situación horrible.

Aprobaría la impostación de la enfermera, eso al menos era seguro.

Trata de ganar tiempo, le diría a Tracy si estuviera ahí. *No creas que no nos hemos dado cuenta de que no estabas. Has dejado ese mensaje en mi contestador, claro que era el número de mi casa. Pero, oye, soy una profesional. Por supuesto que llamo a casa periódicamente para recoger los mensajes, ¿me entiendes?*

Tracy no tenía ni idea.

Pero Dios, qué daría por ver a Lindsey y al resto del equipo de Troubleshooters Incorporated irrumpiendo por esa pequeña ventana, armas en ristre. Hasta se alegraría de ver a Izzy Zanella y lo acogería con los brazos abiertos.

Había vuelto a mirar por la ventana. No sólo estaba pintada, también estaba cerrada, con una cerradura nueva que requería una llave. Al parecer, también había un sistema de seguridad. Se dispararía una alarma si la abrían.

Si el señor Te-cortaré-los-párpados se enfadaba con ella por hablar con la mujer de la cama, no se imaginaba lo fascinado que se sentiría si activaba la alarma.

Había conseguido limpiar a la mujer (Tracy se negaba a llamarla Cinco). Aparte de tener un corte en el brazo gravemente infectado, no vio otras heridas. Rasguños y arañazos, pero nada que fuera a poner su vida en peligro.

Desde luego, su enfermedad podría haber sido una gripe de las de siempre, además de esa fea herida. Pero pensar que tenía algo contagioso, algo que pudiera tumbar a su secuestrador, era esperar demasiado. Su suerte no daba para tanto. Aún así, aquello no le impediría seguir observando para detectar cualquier señal de debilidad.

También intentaría que saliera de la casa para que ella pudiera escapar.

—Necesita algo de comer —le dijo una de las veces que él entró en la habitación—. El medicamento que intentaré darle tiene que ser consumido con comida. Pero no le será fácil comer y no vomitarlo todo, así que tiene que ser algo ligero, como caldo de pollo. Si no tiene, yo puedo prepararlo. Si es que tiene pollo, claro está.

Él no respondió, y ella no pudo evitar seguir parloteando.

—Tendrá que dejarme usar su cocina.

Aquello lo hizo sonreír por algún motivo.

—¿Quieres entrar en mi cocina?

—No —dijo la mujer en la cama. Su voz era débil pero su «no» sonó enérgico.

Tracy casi se cagó en los pantalones. Incluso el Hombre-Párpado estaba sorprendido. Pero enseguida se echó a reír.

Sin dejar de reír, salió de la habitación. Siguió riendo por el pasillo y todavía se le oía al llegar a lo que debía ser la cocina.

—Me llamo Tracy —dijo a la mujer, en voz baja, con el corazón alojado en la garganta, porque la verdad era que tenía toda la intención de conservar sus párpados—. ¿Cuánto tiempo llevas encerrada aquí?

—Soy Beth —dijo la mujer—. Y no lo sé. —Sacudió enérgicamente la cabeza y enseguida se llevó un dedo a los labios para advertirle a Tracy con sus ojos vidriosos de fiebre.

Sí, Tracy oyó sus pasos que eran cada vez más sonoros. Ahora volvía.

—¿Pensabas que estaba bromeando? —preguntó. Tiró tres rebanadas de pan, tipo pan de molde Wonder, sobre la cama de Beth, y luego se volvió hacia Tracy. Tenía un bolso Ziploc, uno de los grandes, de color rosado, y lo sacudió y vació su contenido en el suelo.

Al principio, Tracy creyó que eran trozos de fruta seca, quizás albaricoques secos, porque se vació todo en un montón, pero luego vio que...

Algunos de los más pequeños tenían unos restos de... ¿pestañas?

Pestañas de ojos.

Tracy se lanzó hacia el cubo que había colocado junto a la cama por si acaso Beth volvía a ponerse enferma, pero el ruido de sus propios y violentos vómitos no apagaron la voz de él.

—Al cabo de un tiempo las pestañas se caen —dijo—. No hay manera de impedirlo, lo cual es una lástima.

Dios mío.

—Recógelos —ordenó él—. Y no vuelvas a hablar con Número Cinco.

Darlington, New Hampshire
Lunes, 12 de diciembre, 2005

Cuando las primeras luces del amanecer iluminaron el cielo invernal, Lindsey se encontraba en el exterior de la cabaña donde a Tracy se le había visto por última vez, esperando que... ¿Qué esperaba? ¿Encontrar alguna pista crucial en la que no hubieran reparado antes?

Por ejemplo, marcas de terreno quemado dejadas por el vehículo espacial que los extraterrestres habían utilizado para secuestrarla.

¿Y por qué no? En las últimas horas transcurridas desde su desaparición, Tom había enviado a sus hombres a comprobar en las estaciones de autobuses y en los aeropuertos locales. Habían visitado los hospitales e incluso habían indagado en las celdas de detención de personas ebrias en las comisarías de policía. Pero nadie había visto a la recepcionista desaparecida. Se había esfumado sin dejar ni rastro.

Los faros de un coche barrieron los esqueletos grises y negros de los árboles desnudos. Lindsey se volvió para ver quién más había acudido al lugar, quizá porque a ellos también se les habían agotado las ideas.

—Hola.

Era Mark Jenkins, la última persona que ella esperaba ver. Izzy también bajó del coche, iluminado por la linterna de Lindsey.

—¿Ha vuelto todo el equipo? —les preguntó.

—Sólo nosotros dos —dijo Jenk—. He cobrado algunos favores y he vuelto lo más rápido posible —añadió, y luego cruzó una mirada con Izzy—. Hemos vuelto —corrigió.

Izzy señaló la dirección que había cogido Tracy.

—Voy a ir y... —Desapareció entre los árboles. Quería comprobar con sus propios ojos que Tracy había efectivamente caminado directamente hacia la carretera.

Lindsey se quedó a solas con Jenk.

—Siento no haberte llamado. —Lindsey intentó sostenerle la mirada, pero no pudo—. Quería esperar hasta que la encontráramos y... —Era incapaz de quedarse ahí quieta, así que fue hacia el pequeño porche de la cabaña. Hasta ese momento, no había consumido otra cosa que cafeína—. Tracy dejó huellas muy visibles. Sé que estaba oscuro, pero... No se detuvo, no miró atrás y caminó a paso rápido y regular. No habría sido más fácil de seguir ni aunque hubiera dejado un reguero de migas de pan.

A menos que Lindsey, en su arrogancia, hubiera pasado algo por alto.

Jenk la siguió cuando ella entró en la cabaña.

El fuego que hasta hacía unas horas había ardido tranquilamente había sido apagado cuando Tom ordenó a los equipos que abandonaran la búsqueda en el bosque. El área se encontraba en una zona caliente del sistema de rastreo informático. Es decir, por lo menos a treinta kilómetros de la zona muerta más próxima. A menos que Tracy hubiera corrido a una velocidad de seis kilómetros por hora durante cinco horas sin parar, era muy probable que alguien la hubiera recogido.

La especialista, Tess Bailey, había empezado, entre otras cosas, a dibujar un mapa de aquellas zonas donde no había señal o donde ésta era incompleta, suponiendo que el motivo por el que no recogían la señal del chaleco de Tracy fuera porque se encontraba en una de esas zonas.

Sin embargo, en ese momento, Jenk centró su atención en la chimenea.

Lindsey había dejado astillas y ramas para encender el fuego, además de bolas de papel para facilitar la labor de una persona sin experiencia que quisiera encender un fuego. Había procurado montar un sistema a prueba de tontos, y había dejado una caja de cerillas sobre un montón de mantas a unos metros del hogar. Junto a las cerillas había un teléfono móvil desechable.

—En caso de que vuelva por aquí —dijo Lindsey—. He querido ponerle las cosas fáciles para que pueda encender un fuego.

Él se volvió para mirarla.

—¿Crees que todavía anda por ahí, en alguna parte del bosque?

Jenk no había pronunciado las palabras más importantes, a saber, *muerta, congelada.*

—¿Qué pasa si el chaleco no funciona bien? —preguntó Lindsey—. La tecnología no es infalible. Sin embargo, todos actúan como si fuera infalible. Además, si alguien la recogió, ¿dónde está? ¿Por qué no ha vuelto al motel?

—Supongo que habéis llamado a Lyle.

Lindsey asintió con un gesto de la cabeza.

—Dice que no ha sabido nada de ella. Sin embargo, Tom tiene un amigo en la oficina del Fiscal del Distrito en Manhattan que ha verificado que Lyle está trabajando en un caso criminal de perfil relativamente importante. Si ha habido juego sucio...

El sólo hecho de decir esas palabras la ponía enferma. No porque creyera que alguien había matado intencionalmente a Tracy. No, si Tracy estaba muerta (y a medida que pasaban las horas, parecía una opción cada vez más probable), habría muerto por las condiciones climáticas. Por haberse perdido en el bosque. Por haberse caído y quedar herida y no ser capaz de moverse. La temperatura seguía estando por debajo de cero grados, y una persona que se hubiera quedado inconsciente o desprotegida habría muerto congelada en pocas horas. Como comando de las SEAL, Jenk probablemente se habría entrenado en esas condiciones. Y eso tenía que saberlo.

Lindsey se obligó a mirarlo, a sostenerle la mirada a pesar de las lágrimas en los ojos.

—Lo siento mucho. Estaba segura de que iba a encontrarla.

—Lindsey, esto no es culpa tuya.

—Pero quizá si el Equipo Dieciséis no hubiera tenido que partir... —dijo ella, y se le quebró la voz bajo el peso de todas las emociones de esos penosos días y ahora le dieron en todo el pecho—. Quizá la habríamos encontrado enseguida.

—Oye —dijo él, y se le acercó porque Lindsey empezó a llorar—. Joder. —Venga—. Esta vez ella no se apartó ni lo rechazó. No podía. No quería. Se dejó ir a sus brazos, cerró los ojos y se apoyó en él, tocándole la barbilla con la cabeza.

—El equipo no partió debido a algo que tú hayas dicho o no hayas dicho —dijo Jenk, y su voz era tan cálida y sólida como su cuerpo—. Eso ya lo sabes. Si nos llaman, nos vamos. Así funciona en el grupo de operaciones especiales. No podemos llamarlos y decir *Lo sentimos, pero no es un momento adecuado. Llamadnos la próxima semana.* El único motivo por el que estoy aquí ahora es que se trataba de un ejercicio. Si fuera una operación de verdad, estaría en ese avión.

Jenk hizo una pausa, y ella supo que tenía que respirar hondo y separarse de él. Obligarse a sonreír y reconocer que lo que decía (que no era culpa suya) era verdad. Pero, por contra, se había convertido en una niña llorona. Y ahora que había comenzado, era como si no pudiera parar.

Pues no era sólo Tracy que se había perdido. Era todo.

Era la llamada de su padre. Y no sólo aquella llamada para cancelar su encuentro de Navidad, sino todas las llamadas. Su padre era tan distante, estaba tan distante, y más todavía desde que había muerto su madre.

Era la muerte de su madre. El alivio que había sentido cuando murió porque por fin su dolor se había acabado, un alivio mezclado con el sentimiento avasallador de la pérdida total. Su madre ya no estaba.

Era Jenk, que se había mostrado tan amable y acogedor y la había invitado a su casa para Navidad, a pesar de que si no le hubiera vuelto a dirigir la palabra, ella no lo habría culpado. Jenk desnudo entre las sábanas de su cama, sonriéndole, con los ojos encendidos por la diversión y la atracción y...

La satisfacción. Él había encontrado lo que buscaba. O al menos eso pensaba entonces.

Y luego, ella, con su empeño por demostrarle que se equivocaba.

—La hermana de Dan Gillman vivía en Nueva Orleans —dijo Jenk, y era evidente que hablaba sólo para llenar el silencio y para que no tuvieran que quedarse ahí parados, en una actitud rara, escuchando sólo la respiración llorosa de Lindsey—. Su padre murió hace unos años, y su madre fue a vivir con la hermana de Danny y su familia. Cuando vino el Katrina, estábamos en Irak. Empezaron a llegar noticias de que Nueva Orleans se había inundado, que la gente estaba literalmente muriéndose de sed, sus casas destruidas, y que nadie les estaba ayudando, con toda esa chapuza de operación que montó la Agencia Federal para las Emergencias, ¿te acuerdas?

Ni se molestó en darse una pausa, como si supiera que Lindsey ni siquiera podía asentir con la cabeza. Siguió hablando.

—Dan estaba como loco. No tenía ni idea de si su familia estaba viva, si habían logrado abandonar la casa a tiempo, o si estaban atrapados en el ático, muriéndose en ese mismo momento mientras él se encontraba al otro lado del mundo. No se supo nada durante dos semanas, pero ahí estábamos nosotros, luchando contra los insurgentes. Es lo que hacemos. Gillman no podía sencillamente coger sus cosas y volver a casa.

»Y resulta que todos sobrevivieron —siguió—, pero durante un tiempo aquello fue una pesadilla. Consiguieron llegar al Superdome, que era el doble de aterrador cuando el huracán pasó. A los chicos finalmente los pusieron en un autobús con destino a Houston, pero cuando Sandy y su marido y la madre salieron, los enviaron a San Antonio. Tuvieron que dedicar todas sus energías a encontrar a sus hijos. Nadie le envió un correo electrónico a Danny. —Siguió un silencio—. Puede que haya algo que en este momento esté demandando toda la atención de Tracy. O quizás haya caminado hasta llegar a una casa, llamado a la puerta... Puede que esté durmiendo en el sofá de alguien y llamará cuando se despierte. O quizás esté en algún sitio, a salvo y bien abrigada, pero ha esperado y no ha llamado porque está enfadada con... nosotros.

—No creo que dejara de llamar a propósito —dijo Lindsey—. Si no ha llamado, es porque no puede. —Jenk la dejó girarse para que se secara los ojos y la cara, y luego se sonara.

—Tampoco creo que haya salido anoche para que la asaltaran —señaló Jenk—. Respeto tu opinión, eso ya lo sabes. Pero creo que ninguno de nosotros la conoce lo suficiente como para afirmar tajantemente que no se está escondiendo a propósito. Creo que la encontraremos... En realidad, creo que sencillamente aparecerá por su propio pie, llamará para que la vayan a buscar, o yo qué sé. Creo que también se decepcionará mucho cuando sepa que Lyle no ha venido a ayudar en la búsqueda, y que no se está retorciendo las manos de los nervios. —Jenk sonrió con mirada triste—. En realidad, retorcerse las manos no sería suficiente. Tracy no se conformaría con menos que arrancarse el pelo o rasgarse la ropa.

Lindsey había creído que, en realidad, Jenk no conocía a Tracy, que no podía ver a la verdadera persona, más allá de la chica loca con su tremendo cuerpazo, su cara bonita y su peinado perfecto. Pero, al parecer, la había observado más de cerca.

También había venido a la cabaña no sólo porque era el último lugar donde habían visto a Tracy sino porque sabía que ella estaría allí. Había venido porque sabía lo mal que se sentía, había venido a ofrecerle su apoyo y consuelo. Y un hombro robusto donde llorar.

—Tenía celos —reconoció Lindsey, tanto ante sí misma como ante él—. De Tracy. Cuando llamó esa noche y tú estabas... tan dispuesto a salir, como si no importara...

—Linds, lo siento mucho. —Jenk dio un paso hacia ella, pero ella retrocedió.

—Me asustó —dijo—. Que pudiera importarme tanto. Y luego, tú me asustaste todavía más porque hiciste un giro de ciento ochenta grados, de pronto, después de haberme llegado tan adentro cuando, Dios, ni siquiera me conoces y... En cualquier caso, no puedo parar de pensar en ti. En nosotros, en el sexo —reconoció.

—El sexo fue magnífico —convino él—. Resulta un poco difícil no pensar en ello.

—Pero no quiero herirte más de lo que ya te he herido —dijo Lindsey. Y la verdad es que no quería exponerse a la posibilidad de que él acabara haciéndole daño. Aunque, ¿no había sido a eso precisamente a lo que se habían dedicado de manera casi permanente desde aquella noche? ¿A hacerse daño mutuamente?

Jenk la miraba con lo que pensaba era su cara de comando de las SEAL de la Armada, una mirada firme y una decisión implacable en su mandíbula tensa.

—Quizá debiera ser yo quien juzgue si me siento herido, y cuándo me siento herido.

Sonó el teléfono móvil de Lindsey, lo cual la salvó de tener que responder a sus razonables palabras. Ella se quitó los guantes con los dientes para meter la mano en el bolsillo.

—Es Sophia —avisó a Jenk, cuando lo sacó.

—Puede que sean buenas noticias —dijo él, cuando ella abrió el móvil.

—Fontaine. —A esas alturas, cualquiera noticia sería una buena noticia.

—¿Todavía estás en la cabaña? —preguntó Sophia—. ¿Izzy y Jenk están contigo?

—Sí y sí —contestó Lindsey—. ¿Qué ocurre?

Oyó que Sophia le transmitía la información a alguien, probablemente a Tom.

—Están allá —dijo—. Su voz sonó más fuerte cuando se puso directamente al teléfono. —Tenemos un punto. Acaba de entrar en vuestra zona. Según el ordenador, Tracy va hacia el suroeste, a unos trece kilómetros de donde estáis ahora.

Capítulo 17

Beth despertó poco a poco, con la horrible constatación de que la casa seguía en silencio.

Estaba tendida en la cama, sólo escuchando, probando automáticamente cada una de las restricciones que la mantenían prisionera.

Estaban todas en su lugar. Además, ahora le había encadenado el otro tobillo. Si estuviera en la casa, ella lo oiría.

Nada se movía. La madera del suelo no crujía. Ni siquiera un respiro.

Conocía bastante bien la sensación de encontrarse sola en la casa. Desde luego, estaba acostumbrada a que la dejara encerrada en el sótano.

—¿Tracy? —llamó. Pero, por supuesto, no hubo respuesta.

Tracy, que se había atrevido a encararlo, había desaparecido.

Le había dado a Beth un antibiótico para curar la infección en el brazo. También se lo había lavado y vendado, y le había puesto un ungüento que él había traído de la farmacia.

Tenía el maquillaje marcado por el llanto y la cara pálida, pero mientras se había sentado a vendarle el brazo, se había atrevido a desafiarlo.

¿Puedes leerme los labios?, le había preguntado en silencio, mientras seguía dándole motivos al hombre para que saliera de la habitación. El agua que había traído estaba demasiado fría. Necesitaba una aguja e hilo para suturarle la herida del brazo. Los dos tenían que estar esterilizados. Necesitaba hielo para adormecer los bordes de la carne viva. No, no importaba, ahora que la había limpiado, veía que sería mejor dejarla abierta para que supurara.

Aquello le pareció absurdo a Beth, que había seguido un curso de primeros auxilios en el ejército, pero no la cuestionó.

Aprieta mi mano, una vez para sí, dos veces para no.

Beth apretó una vez.

Si gritamos, ¿alguien podrá oírnos?

Beth apretó dos veces. Con todo lo que ella había gritado, estaba claro que no había nadie en los alrededores que pudiera escucharlas ni venir a rescatarlas.

¿De verdad eran párpados?

Beth apretó una vez y a Tracy se le llenaron los ojos de lágrimas.

¿Y a mí, me matará?

Beth apretó dos veces y ella también empezó a llorar. *Te mataré yo*, le dijo a Tracy, en lenguaje mudo. Pero vio que Tracy no había entendido. *Me obligará a hacerlo. Nos hará luchar hasta que una de las dos muera.*

Y entonces Tracy entendió, y una mirada de horror asomó en su bonita cara.

Oyeron unos pasos sonoros en el pasillo y supieron que había regresado.

Pero Tracy se atrevió a decir una cosa más.

Somos dos contra uno...

Se secó las lágrimas y se volvió hacia él.

—Beth está agonizando. Le daré algo para el dolor.

El hombre golpeó a Tracy en la cara con el dorso de la mano. Fue tal la fuerza que la lanzó contra la pared.

—Cinco —dijo Beth, frenética—. ¡Me llamo Cinco!

—Cinco —dijo Tracy, sollozando—. Quise decir Cinco.

—Dale lo que necesita.

Tracy se arrastró hasta los frascos de medicinas en el suelo y empezó a buscar. Tenía el labio partido. Sangraba y ya se había hinchado, y tenía la cara bañada en lágrimas. Encontró lo que buscaba, abrió el frasco y fue hacia Beth. Le pasó un vaso con agua y le puso una píldora en la boca.

Salvo que... no había píldora.

—Traga —le dijo Tracy, y luego se volvió para mirarlo—. Le he dado Percodan. La dejará sedada unas cuantas horas. Le sugiero que le ayude a mejorar la circulación quitándole la cadena durante ese rato.

Había sido un valiente intento.

—¿Qué le has dado para el brazo? —preguntó él.

Tracy sacudió la cabeza y la mantuvo en alto, desafiante.

—Si se lo digo, ya no me necesitará. Tendrá que mantenerme viva para que le dé la próxima dosis, dentro de ocho horas. Aunque me sorprendería que pueda retenerlo, después de haber comido sólo pan. Necesita tomar sopa.

Él se inclinó y la cogió. Tiró de ella y la sacó de la habitación a patadas y gritos.

—¿Qué hace? —Tracy no paraba de chillar. Y luego—: ¡Oh, Dios mío, Dios mío!

Y siguió gritando. Y siguió gritando una y otra vez.

Hasta que por fin paró.

• • •

Izzy oyó el sonido de un claxon y corrió hacia la cabaña.

Era Jenk, desde luego, el que metía tanto ruido. Lindsey estaba en el asiento delantero, así que el subió atrás.

—El ordenador ha captado la señal del chaleco de Tracy. —Jenk salió disparado, incluso antes de que Izzy cerrara la puerta.

—Ya era hora, joder. —Izzy se sentó en medio del asiento trasero y empujó a un lado una bolsa con las cosas de Lindsey, de manera que podía verlos a los dos—. Y entonces, ¿a qué se deben esas caras tan serias?

Lindsey hablaba por su teléfono móvil, pero Jenk lo miró por el retrovisor. Izzy supo que las noticias no serían buenas.

—Tommy acaba de recibir una llamada de la policía local —dijo Jenk—. Ha habido un robo con asesinato en una farmacia a unos treinta kilómetros al norte de aquí.

Por favor, no.

—¿Tracy? —consiguió preguntar Izzy. El ordenador había captado la señal del chaleco de Tracy, dijeron ellos. No de Tracy sino de su chaleco.

Lindsey se giró hacia Izzy con el móvil todavía pegado al oído.

—Creemos que no. Pero no sabemos gran cosa —dijo—. Al parecer, el dueño de la tienda, que también es el farmacéutico local... Lo golpearon hasta matarlo, a eso de las nueve de la noche de ayer.

Unas pocas horas después de que Tracy hubiera dejado la cabaña.

—Sí, Tess, sigo aquí —dijo Lindsey al teléfono. Hablaba con Tess Bailey, la experta informática de Troubleshooters Incorporated—. Nos estamos moviendo, pero la señal no es demasiado buena. ¿Cuál es el camino que debemos buscar?

—La policía cree que el crimen está relacionado con las drogas —informó Jenk—. Robaron todos los medicamentos de recetas de la tienda. Si Tracy se ha presentado allí, en medio del robo...

—El camino de Wellington Mountain —dijo Lindsey, que miraba un mapa—. ¿Es a la izquierda? Vale, lo he encontrado en el mapa.

—Pero ¿sólo hay un cuerpo? —preguntó Izzy.

—Por lo que sabemos —dijo Lindsey. Eran palabras que no transmitían demasiada esperanza. Tom acaba de recibir la llamada ahora mismo. Ha enviado un equipo a la escena del crimen. Él mismo viene hacia acá. Sabe que no estamos armados.

—A la mierda —masculló Izzy—. No necesito un arma para arrancarle el brazo a algún hijo de puta y matarlo a golpes.

Jenk se limitó a sacudir la cabeza, pero Lindsey sintió la necesidad de transmitir una advertencia.

—Nos han dado órdenes de proceder con extrema cautela.

A ella sí le habían dado un arma. Pero él y Jenk no recibían órdenes de Tommy Paoletti.

—¿Había señales de lucha? Quiero decir, aparte... los golpes. Joder.

—Tampoco lo sabemos —dijo Lindsey, como disculpándose—. Mierda, la señal ha desaparecido. Genial, se supone que estamos en una zona caliente.

Además, estaba el problema de la hora.

—¿De verdad crees que Tracy está con el asesino? —inquirió Izzy.

—Por lo visto, es lo que cree Tom.

—¿Qué crees tú? —insistió Izzy. Lindsey había trabajado mucho tiempo con la policía de Los Ángeles.

Ella miró a Jenk antes de girarse hacia Izzy.

—¿Sinceramente?

—¿Qué crees? ¿Qué quiero que te inventes algo? Desde luego que sinceramente.

—En el mundo de las investigaciones policiales —dijo ella—, cuando una persona desaparece, misteriosamente, en el mismo momento en que se produce un asesinato, en una zona rural donde la mayoría de las personas no cierran la puerta con llave, sí, las probabilidades nos dicen que hay una relación.

Izzy se reclinó en el asiento. Creyó que iba a vomitar.

—Pero hay una cosa que sí sabemos —dijo Lindsey, mirando a Jenk—. Creo que tampoco te lo conté. El asesino se tomó el tiempo no sólo de cerrar la puerta sino que, además, dejó una nota avisando de que el sistema de la fosa séptica había vuelto a estropearse. Aquí, a la izquierda, recuerda, es una bifurcación. El camino de Wellington Mountain, aunque es probable que no haya ninguna señal.

Lindsey encendió la linterna para mirar el mapa que sostenía. Aunque acababa de amanecer, el cielo estaba cubierto de nubes negras. Era sólo cuestión de horas antes de que empezara a nevar.

—Ya está —dijo Jenk, al girar.

—Seguiremos por aquí hasta el final y luego doblaremos a la derecha. —Lindsey apagó la linterna—. La tienda estaba abierta las veinticuatro horas del día —dijo—. Al parecer, el dueño era insomne. Un tanto excéntrico, pero era un conocido de toda la vida en la localidad, un hijo predilecto.

—¿Qué piensas del mensaje que han dejado en la puerta? —preguntó Jenk.

Lindsey no tenía por qué pensar en la pregunta.

—La clave está en el «vuelto a». El asesino sabía que habían tenido problemas en el pasado —dijo—. Es un hombre de la región.

—¿Un hombre? —dijo Jenk—. ¿Eso no es una inclinación sexista?

—Lo mató a golpes —dijo Lindsey, cuando el teléfono móvil volvió a sonar—. Según el manual de la policía de Los Ángeles, no es algo que se lleve a cabo mientras el asesino canta «*I Feel Pretty*». Buen cálculo —dijo, en el teléfono.

Jenk redujo la velocidad al llegar a una bifurcación.

—¿A la derecha? —preguntó.

—A la derecha —confirmó Lindsey—. Tess, hemos entrado en la carretera estatal y hay un coche que viene en nuestra dirección. ¿Qué hay de Tracy? —Guardó silencio mientras escuchaba, pero enseguida se volvió hacia Jenk e Izzy—. Tess dice que Tracy ha permanecido en un sitio más o menos sin moverse los últimos cinco minutos, a unos dos kilómetros, hacia el oeste. Tendremos que volver a girar a la derecha hacia Quarry Road, más o menos a un kilómetro de aquí.

El coche que venía en dirección contraria se cruzó con ellos, un modelo de coche americano, quizás un Impala. Izzy se giró, intentando ver la matrícula, pero el coche iba demasiado rápido.

—¿Estamos seguros de que la tenemos por delante?

—¿Qué significa *más o menos sin moverse*? —preguntó Lindsey, en el teléfono. Frunció el ceño al oír la respuesta de Tess, y luego miró de Jenk a Izzy—. El ordenador les está dando datos un poco raros.

Perfecto.

—Si no está ahí —dijo Izzy—. Si resulta que iba en ese coche... —Sin embargo, en ese momento pasó otro vehículo, una furgoneta, seguida de cerca por un Volvo destartalado. Era la hora punta en Dogbutt, New Hampshire.

—¿La altitud varía? —preguntó Lindsey a Tess, con una voz cargada de escepticismo. Se giró hacia Jenk—. ¿Es posible que esté esquiando?

Todos miraron por la ventana. El terreno era lo bastante montañoso como para que alguien decidiera lanzarse por un terreno de principiantes, pero Izzy sólo vio árboles por todas partes.

—¿En qué nieve? —preguntó.

—¿Al amanecer, después de haber estado perdida toda la noche? —preguntó Jenk—. ¿Aquí a la derecha?

—¿Aquí mismo? —preguntó Lindsey por teléfono—. Sí —le comunicó a Jenk. Dice que nos acercamos.

—¿Cómo sabía Tess dónde estaban? Izzy iba a preguntar, pero de pronto vio que entre las cosas de Lindsey había un chaleco de entrenamiento. Tess también recibía la señal de ellos y seguía sus movimientos. Alguien había pensado bien las cosas esa mañana. Lindsey.

—¿Cuán cerca? —preguntó Izzy.

—Uno coma dos kilómetros —dijo Lindsey—. Según Tess, el movimiento extraño ha parado. Ahora Tracy se ha detenido totalmente. Esperemos que esté dentro de una casa o en algún otro refugio. Puede que haya bajado al sótano.

Jenk, que iba al volante, tuvo que reducir la velocidad. El camino era poco más que piedras y barro congelado, similar al camino que habían seguido hasta llegar al refugio de la cabaña. Si había una casa por ahí, pertenecería a algún ermitaño que había perdido la chaveta.

Los próximos cientos de metros duraron una eternidad, pero finalmente llegaron a un lugar donde deberían haber obtenido una vista. Pero no había más coches, nadie en el camino, sólo árboles, árboles y más árboles.

—¿Dónde está? —preguntó Izzy. ¿Y qué estaría haciendo ahí, en medio del bosque?

—Todavía está a unos doscientos cincuenta metros al oeste. Para aquí —ordenó Lindsey a Jenk.

Izzy bajó del coche.

—¿Hacia dónde?

—Espera a Jenkins —dijo ella.

Pero él no podía. No quería. El oeste sólo quedaba en una dirección.

Izzy empezó a correr, y el cielo se volvió más claro porque ahora había menos árboles y... no, no, por favor Dios, no.

Ante él vio una laguna, desierta y congelada.

Excepto por el agujero que alguien había recortado en el hielo. La abertura ya se había congelado, pero Izzy la rompió fácilmente con el pie. Se quitó el anorak, el jersey y las botas.

Sintió la mano de Jenk en el brazo.

—Zanella, no lo hagas. Si está ahí dentro...

—Estamos junto a la señal —informó Lindsey, con el rostro desencajado.

—¿A cuántos metros está? —preguntó Izzy, sacudiéndose la mano de Jenk para aflojarse el cinturón. Se quitó los pantalones y los dejó sobre las botas.

—Izzy, escucha, lleva más de veinte minutos en el agua —dijo Lindsey—. Suponiendo que todavía estuviera viva cuando la metieron ahí dentro.

—Me importa un rábano —dijo Izzy, con voz tensa—. No te he preguntado eso. Te he preguntado a cuántos puñeteros metros está.

—Cuidado con lo que dices —advirtió Jenk—. No eres el único que está nervioso, ¿vale? Así que no te metas ahí dentro, joder.

—Tíos —dijo Lindsey—. Por favor. —Dio un paso y se situó entre Izzy y el agujero en el hielo—. No pensarás en serio...

—La voy a sacar de ahí dentro —dijo Izzy.

Algo en su mirada debe haberle dicho a Lindsey que no lo iba a disuadir, así que asintió.

—Hay una cuerda en el coche —dijo, mirando a Jenk—. ¿Por qué no vas a buscarla? Está en la mochila. —Al ver que Jenk vacilaba, agregó—: Izzy no va a entrar sin la cuerda —dijo, y miró a Izzy—. ¿Vale?

Se sabía de casos en que una persona se ahogaba en invierno y se le podía resucitar transcurrido un tiempo más largo de lo habitual, con poco o nulo daño cerebral. Tenía algo que ver con las bajas temperaturas del agua. Pero veinte minutos...

Izzy asintió con un gesto de la cabeza y Jenk corrió hacia el coche.

—También estamos averiguando a qué profundidad se encuentra. Tess tendrá esa información en un momento —dijo

Lindsey, mientras Jenk volvía corriendo hacia ellos con la cuerda, una cuerda de montañismo de color azul. Lindsey escuchó a Tess en el teléfono y dijo—: Diría que está a unos diez metros.

—¿Es tan profundo? —preguntó Izzy mientras se ataba el extremo de la cuerda al pecho, por debajo de los brazos. Debería haber estado helándose, pero no sentía nada, sólo una necesidad absoluta de sacar a Tracy del agua.

—Más profundo —dijo Lindsey—. Es una cantera inundada. Hay lugares donde hay más de treinta metros de profundidad. Creemos que se ha quedado enganchada en algo. —Era evidente que no veía esa idea con buenos ojos, así que siguió hablando—: Tess ya se lo ha notificado a Tom. Él traerá el equipo que necesitamos para sacarla, así que...

Jenk comprobó los nudos.

—No tienes que hacerlo, Iz.

—Sí que tengo —dijo él. Respiró una bocanada de aire y se sumergió en el agua helada.

Sophia encontró a Dave junto al contenedor de basura de la tienda, sentado en la tierra congelada y apoyado en la pared de ladrillo.

—¿Te encuentras bien? —preguntó.

—Oh, sí —dijo él—. Estoy bien. Estoy genial.

Había visto cadáveres en muchas ocasiones. Demasiadas ocasiones. Y no había ni siquiera pestañeado al ver al dueño de la tienda con la cabeza destrozada. ¿Por qué, entonces, le inquietaba tanto la visión de uno de los mitones rosados de Tracy? Lo habían encontrado en el suelo del lavabo de mujeres, junto con pequeñas salpicaduras de lo que las pruebas de ADN sin duda revelarían era sangre suya.

Aquello le había provocado náuseas... porque era él quien le había dicho a Tracy que saliera de la cabaña.

Volvió a sentir ese nudo en el estómago, y tuvo que cerrar los ojos para evitar quedar mal otra vez, ahora ante Sophia.

Él era quien había echado las cosas a rodar. Era evidente que Tracy se había subido al coche de una persona capaz de matar brutalmente y él, Dave Malkoff, era en parte responsable.

A eso se debía su temprano arrebato por la mañana, retorciéndose y gritando.

Era un debilucho total y absoluto.

—Si te sirve de consuelo —dijo Sophia, con las manos en los bolsillos y los hombros encogidos por el frío—, Alyssa dice que Sam a veces tiene la misma... ¿cómo ha dicho?, reacción física intensa. Así que estás en buena compañía.

Sí, claro. Un tío grande y duro, ex comando de las Fuerzas Especiales de la Armada, podía vomitar hasta las tripas cada vez que se topaba con la muerte violenta. Jamás pensarían en él como en un debilucho. Su debilidad sería entrañable. Las personas que lo rodeaban sonreirían, comprensivas, pensando en su naturaleza masculina pero sensible.

Pero cuando supieran lo de Dave, se reirían disimuladamente.

—Esto, por cierto, es lo que ocurre cuando soy jefe de equipo —dijo a Sophia, y se incorporó. Allí afuera hacía un frío horrible, y Dave sabía que Sophia no volvería a entrar hasta que él hiciera lo mismo.

—Tú no eras el jefe de equipo —señaló ella—. Era Decker.

—¿Ah, sí? Pues, yo maté a Decker. Intencionalmente. Eso me convirtió en jefe de equipo.

Sophia lo cogió por el brazo, y su semblante estaba serio por debajo de su gorro ridículamente peludo.

—Estás decidido a asumir la responsabilidad de esto, ¿no? Pero sabes que no eres culpable.

Él se soltó suavemente.

—Ya tendrás tiempo para convencerme de esto después de que hayamos encontrado a Tracy, ¿vale?

—Nadie podría haberlo previsto —insistió ella, y lo siguió hasta el otro lado del edificio, donde Decker estaba enfrascado en una conversación con el jefe de policía.

Un coche acababa de llegar al aparcamiento, ahora lleno. Aparcó y bajaron Gillman, Lopez y un oficial de las SEAL apodado Big Mac.

—Qué bien —dijo Dave—. Tu club de admiradores. Las cosas no son lo bastante emocionantes por aquí con sólo un robo con homicidio y secuestro.

—Ya no son precisamente mi club de admiradores —dijo ella—. Ahora me evitan. Sobre todo Danny, desde...

El incidente en la cabaña del refugio. Qué imbécil.

—¿Quieres que lo mate?

—No me parece divertido —dijo ella.

—Hola, Sophia. —El oficial Alec Mac la saludó con una gran sonrisa.

—¿Es así como la gente te evita? —preguntó Dave, cuando ella intentó saludar al hombre de las SEAL con una sonrisa más bien patética.

—Mac no me evita. De pronto se ha vuelto tan amigable que me asusta —reconoció Sophia, después de dar media vuelta—. ¿Por qué ese repentino interés? A menos que haya hablado con Danny y Jay y… —Esta vez su sonrisa forzada fue con Dave—. A veces me cuesta no preguntarme qué piensa la gente de mí.

—Estoy seguro que la mayoría de ellos piensa: *Madre mía, es tan bella* —dijo Dave—. Y luego te conocen y piensan: *Y además es lista y divertida.*

—Y luego salen corriendo a esconderse —agregó ella.

—Porque probablemente crean que tu novio de un metro noventa vendrá y los matará sólo por tener pensamientos lascivos contigo.

—O eso o me ven desnuda —dijo ella, y luego respiró hondo—. Creo que he decidido que me haré esa operación de cirugía estética.

Lo cual significaría más dolor. Dave volvió a sentir el retortijón en el estómago.

—Creo que deberías pensar más detenidamente en ello —dijo él, con voz tranquila—. Pero si decides que eso es lo que quieres hacer, te puedo ayudar con lo que necesites. Visitas al médico, ir a buscar una pizza… Incluso puedo ayudar a cambiar vendajes. Normalmente, no soy para nada tan delicado. —Desde luego, tuvo que cerrar los ojos al decirlo, con lo cual se contradecía.

—¿Te encuentras bien? —le preguntó Sophia—. Estás un poco verde de nuevo.

—Sí, me siento un poco verde de nuevo, gracias. —Al parecer, había salido demasiado pronto de su escondite junto al contenedor.

Dave se giró y fue hacia el teléfono de pago, fingiendo que tenía la intención de echarle una mirada. Lo que de verdad necesitaba era la pared en que apoyarse, además de la privacidad que le brindaba para esconderse. Y la verdad era que tener el camino despejado para ir al contenedor no estaba mal.

Sophia lo siguió, con la inquietud pintada en la mirada. También había cierta dosis de diversión, no demasiada, debido a la gravedad de la escena del crimen. Sin embargo, había sin duda un dejo de humor.

—¿Puedo traerte algo?

Dave asintió con un gesto que era a la vez sí y no.

—Por favor —consiguió decir—. Un poco de espacio. ¿Por favor?

Ella dio media vuelta y fue a reunirse con los demás.

Cuando Dave cerró los ojos y respiró, oyó a Deck avisando a los recién llegados que un equipo de forenses del FBI venía en camino. La policía local estaba más que contenta de dejar la primera investigación de un asesinato en veinte años en manos de los federales.

¿Estaban realmente seguros de que Tracy había estado allí?

El consenso era que el mitón en el lavabo de mujeres era suyo. Pero hasta que no llevaran a cabo las pruebas de ADN de la sangre, no podían estar del todo seguros.

Sin embargo, estaban seguros de que el arma usada para asesinar al dueño de la tienda, Stephen Syta, había sido su propio bate de béisbol. Según los miembros de la familia, lo guardaba justo dentro de la habitación donde tenía los medicamentos de receta bajo llave. La hipótesis que barajaban era que el asesino había amenazado a Syta con un arma, probablemente un cuchillo, y lo había obligado a abrir la puerta. En ese momento, Syta había cogido el bate. Había seguido una lucha, tras la cual el asesino se había apoderado del bate y lo había utilizado para poner fin a la lucha con una violencia brutal.

Los forenses lo confirmarían pero, por el daño observado en el cráneo de la víctima, tanto Alyssa como el jefe de policía estaban bastante seguros de que el asesino le había asestado más de un golpe. El resultado deseado de ese ensañamiento había sido matar.

¿No debería un comercio como ése, en ese paraje perdido, tener una cámara de seguridad?

La respuesta era que sí. Había sido desactivada a las veinte treinta.

Dave siguió respirando hondo mientras el martilleo en la cabeza remitía lentamente.

Todos los medicamentos de receta guardados en aquel cuarto trastero habían sido sustraídos, pero el asesino no había tocado el dinero de la caja. Aquello era un detalle importante.

También era importante que el asesino hubiera dejado una nota y hubiera cerrado la puerta al salir. Había querido esperar antes de huir.

Era probable que hubieran tardado más tiempo en descubrir el cadáver si el propio cuñado de la víctima no se hubiera detenido a comprar tabaco y hubiera encontrado la tienda cerrada. Como empleado de la empresa de evacuación de depósitos sépticos, el cuñado sabía que si la víctima tenía problemas con los desechos, como decía la nota, él habría sido el primero en enterarse.

La opinión unánime era que si el asesino no vivía en los alrededores, al menos vivía en la región cercana.

Dave abrió los ojos y se encontró mirando un lado de la cabina telefónica. Se incorporó para cerciorarse de que podía tenerse en pie. Vio que podía.

El teléfono era un modelo antiguo, de los que todavía aceptaban monedas, aunque cualquiera que lo usara necesitaría un buen puñado.

El FBI analizaría las llamadas para averiguar si alguien había llamado desde aquel teléfono, lo cual formaba parte de la rutina de levantar todas las piedras en busca de pistas. Des de luego, no encontrarían nada. Aquello costaría tiempo y dinero y no los acercaría al paradero de Tracy, que en ese momento estaba en manos de alguien que le había roto el cráneo a su víctima con un bate de béisbol.

Aún así, era una tarea rutinaria.

—Deberíamos poner una cinta para aislar el lugar del crimen —dijo Dave a Decker—. Querrán sacar huellas dactilares del teléfono.

Deck asintió con un gesto de la cabeza.

—Nos han dado órdenes de retirarnos hace unas horas —dijo Danny Gillman a Deck—. Todos vienen hacia aquí para ayudar en la búsqueda de Tracy. Aunque... ¿habéis visto a Izzy?

Lopez se acercó a Dave.

—¿Se encuentra usted bien, doctor Malkoff?

Genial. Al menos suponía que su aspecto no era tan lamentable.

—Sí.

—¿Tiene un pañuelo, señor?

—Sí —dijo Dave—. Pero, créeme, no querrás usarlo.

—No, señor, no es para mí. Tiene usted un poco de... —dijo Lopez, señalando su propia barbilla.

Dave se giró para limpiarse y vio un papel que anunciaba una recompensa por un labrador perdido llamado *Dixie*. Pero no fue la foto de *Dixie*, reproducida en una fotocopia de mala calidad, lo que atrajo su atención.

Justo por encima de la foto había un número de teléfono, garabateado con un boli de tinta azul.

—¡Hey! —gritó Dave, mientras sacaba su teléfono móvil—. ¡Venid aquí! —dijo, y encendió el móvil. En aquel sitio no había señal de rastreo, se encontraban en una de las famosas zonas muertas de Tess Bailey. Pero le bastó buscar en su agenda y... claro que sí—. Ésta de aquí tiene que ser la letra de Tracy porque éste es el número del móvil de Lindsey.

A nadie más le llamó la atención ese dato. Al parecer, ni siquiera lo habían oído. Todos estaban pendientes de algo que decía el jefe de policía, algo que Dave no alcanzaba a escuchar. Fuera lo que fuera, no eran buenas noticias.

—Lo siento —dijo el jefe. Eso sí llegó a sus oídos.

—¿Qué ha pasado? —preguntó Dave, yendo hacia ellos—. No lo he oído.

Sophia lo miró con lágrimas en los ojos.

—¿Qué ha ocurrido? —volvió a preguntar él.

—Tom acaba de llamar al jefe de policía —dijo ella—. Izzy, Jenk y Lindsey han encontrado un cuerpo. Creen que es Tracy.

—¿Creen? —dijo él.

Sophia asintió con un gesto de la cabeza.

—No han podido identificarla. Está demasiado mutilada.

—¿Izzy se encuentra bien? —preguntó Lindsey.

Jenk la miró desde donde estaba, en un tronco caído. Se había sentado cerca del coche, que seguía con el motor encendido. Izzy se encontraba en el asiento delantero con la calefacción a todo dar, recuperándose de su infernal inmersión.

Infernal en más de un sentido. El cuerpo que Lindsey había ayudado a sacar de la laguna de la cantera era... horrible.

Le habían arrancado el cuero cabelludo. Y los ojos, y las orejas. En lugar de la nariz había un agujero. La boca estaba cosida con un hilo negro y grueso. El resto del cuerpo también estaba mutilado horriblemente, con unos puntos de sutura estilo Frankenstein que cerraban un corte en la yugular, como si fuera el proyecto artístico de un desequilibrado.

—No lo sé —reconoció Jenk—. ¿Tú estás bien? Porque te aseguro que yo no—. Jenk no podía sostenerle la mirada. Tenía los ojos rojos, y se veía que había estado llorando.

Lindsey se sentó a su lado. Todas esas horas sin dormir hacían que le pesaran las piernas tanto como el corazón.

—No estamos del todo seguros de que sea Tracy.

—Izzy cree que sí.

—Ya lo entiendo. Pero hasta que hayamos verificado con la dentadura o el ADN...

—La única alternativa es que ahora esté en manos de ese tío. En este momento —dijo Jenk, con la cabeza entre las manos—. Joder, en cierto sentido, es incluso peor.

—Mark —dijo ella, y lo abrazó por el hombro.

—¿Qué les diré a sus padres? —murmuró él, abrazándola.

—La verdad —dijo Lindsey, descorazonada.

—¿La verdad? —preguntó él, apartándose para mirarla.

—Que encontraremos al que hizo esto —le aseguró ella—. Que no dejaremos que le vuelva a hacer lo mismo a nadie, nunca.

—¿También les diré la verdad acerca de lo que pensé, de lo que sentí cuando Izzy la sacó del agua?

Había sido horrible. Toda la escena.

Mientras esperaban, temiendo por la vida de Izzy, mientras él se sumergía en el agua helada, cada vez más profundamente. Viendo cómo aquella cuerda se deslizaba entre los dedos de Jenk a medida que la iba soltando.

Lindsey estaba segura de que si Tracy se encontraba ahí dentro, estaría muerta. No había esperanza de resucitarla. En cuanto había visto el agujero en el hielo, supo que su misión había dejado de ser un rescate para convertirse en la recuperación del cuerpo.

Y cuando Izzy tiró dos veces de la cuerda (la señal convenida para que tiraran de ella) Lindsey no pensó en rezar para que pudieran revivirla sino en un tipo diferente de milagro. Que Izzy encontrara sólo el chaleco de Tracy envuelto en torno a algo que descartarían. Una colección de discos de Duran Duran. Una funda de almohada llena de pornografía. El arma utilizada en un crimen.

Izzy salió a la superficie con un repentino chapoteo, buscando el aire que le faltaba desesperadamente, y con lo que era a todas luces un cuerpo, mucho más pequeño que él, más compacto. Una mujer. Y llevaba puesto el chaleco de Tracy.

Jenk dio un salto para ayudarle.

La mujer tenía la capucha puesta tapándole la cabeza cuando Jenk la cogió por debajo de los brazos. No tuvo tiempo para otra cosa que tirar de ella para dejarla sobre el hielo antes de volverse a ayudar a Lindsey para sacar a Izzy.

—¡Empezad la respiración asistida! —rugió Izzy. Parecía muy improbable que alguien pudiera salvarla, pero Lindsey se arrastró a aquel cuerpo tumbado en una postura rara, la tendió de espaldas y...

Al principio, creyó que era una especie de máscara, un recuerdo de Halloween. Y enseguida supo que no lo era.

—¡A qué esperas! —chilló Izzy, y la apartó de un empujón.

—Dios mío. —Jenk se quedó sin aliento cuando él también vio lo que quedaba de aquella cara.

Izzy perdió los papeles. Quizá no lo viera, o quizá fuera incapaz de verlo. Quizá su cerebro ya había empezado a congelarse. Temblaba de frío y tenía los labios azules. Movió el cuerpo para dejarlo completamente de espaldas e intentó empezar a devolverle la vida al corazón ya inerte.

Jenk lo apartó y tuvo que retenerlo.

—Está muerta —repitió una y otra vez—. No puedes ayudarla, tío. Está muerta.

Habían conseguido meter a Izzy en el coche y encender la calefacción. Luego habían llegado Tom y su equipo.

Sólo en ese momento pudieron darse un respiro para reaccionar ante aquella pesadilla.

Y mientras Lindsey miraba, la emoción le llenó los ojos de lágrimas a Jenk.

—Cuando la vi, cuando me di cuenta de que estaba muerta, di gracias a Dios de que no fueras tú. Di gracias a Dios, Lindsey, de que no te hubiera tocado el papel de rehén anoche —murmuró. Y luego, oh Dios, la besó.

Su boca era dura y caliente y el calor que generaron fue inmediato. Lo único que ella quería era estar cerca de él, más cerca. Pero tal como el llanto había empezado, cesó. Jenk se apartó, primero a la distancia de un brazo, después, más allá. Se incorporó de un salto para apartarse de ella.

—No —dijo, y dio media vuelta al tiempo que se secaba la cara. Por lo visto, no quería que Lindsey lo viera llorar.

—¿No? Eres tú el que me ha besado —dijo ella.

—No. *Tú* me has besado a mí. Debería saber cuando alguien me besa. —Jenk se giró hacia ella pero enseguida se vio que era incapaz de reprimir las lágrimas—. *Mierda.*

—Mark... —Lindsey se le acercó pero él se separó con un gesto brusco del brazo.

—¡Déjame en paz!

Ella se enardeció.

—¿Qué pasa? ¿Está bien si soy yo la que lloro, pero tú no? Tú puedes consolarme a mí, pero cuando yo intento hacer lo mismo contigo...

—¿Era eso? ¿Eso era un consuelo? —preguntó, al tiempo que se secaba la cara con un gesto violento—. Yo creí que era tu lengua en mi boca, pero, vale.

—Sé que estás enfadado —dijo Lindsey, con voz temblorosa—. Contigo mismo, con el mundo entero. Y conmigo. Eso lo he entendido perfectamente. Incluso me lo merezco, pero...

—¡Lindsey! —Era Tom Paoletti que la llamaba.

—¿Estarás en condiciones de conducir? —preguntó Lindsey a Jenk—. Porque tengo que acompañar a Tom a la farmacia.

A su jefe no le había causado buena impresión el agente del FBI a cargo de la investigación. Había hecho unas cuantas llamadas, y ahora venía alguien desde Washington para reemplazarlo, un pez gordo. Pero pasarían horas antes de que llegara. Hasta ese momento, Tom estaba convencido de que Lindsey tenía mucha más experiencia en la investigación de homicidios que cualquier otro hombre del condado. Le había pedido que acudiera a la escena del crimen.

—Estoy bien —dijo Jenk—. Vete. Ten cuidado.

—Para que lo sepas, Koehl y los demás SEAL han vuelto —le informó Lindsey—. En caso de que no lo sepas, lo cual es una estupidez, porque tú lo sabes todo, Izzy está detenido. —Cogió la llave de su habitación y se la enseñó—. No sé qué pasará, ni qué ha ocurrido entre él y Tracy, ni por qué era tan importante para él volver aquí. Sólo sé que estamos a punto de comenzar una gran operación de caza al hombre, y no me lo imagino quedándose al margen. Por lo que me ha dicho Tom, Izzy tendrá que enfrentarse a graves problemas. Si quiere permanecer lejos de Koehl para poder ayudar a coger a este cabrón enfermo, puede quedarse en mi habitación.

Jenk cogió la llave y asintió con un gesto mientras se la guardaba en el bolsillo. Emitió un ruido que, en otras circunstancias, podría haber sido una risa.

—Siempre me lo pones muy difícil para que me dure el enfado contigo.

Con un chillido de la transmisión, Tom empezó a retroceder con el SUV hacia Lindsey

—¿Me esperarás en el motel? —preguntó a Jenk—. Me gustaría tener una oportunidad para acabar la conversación que empezamos porque... no fui yo la que te besé.

Él volvió a emitir ese ruido que parecía una risa y cerró los ojos.

—Probablemente ha sido culpa mía. Te pido disculpas. Así que no hace falta...

—Sí que hace falta —dijo Lindsey—. Tenías una actitud de *no* y *déjame en paz*. No te paraste a preguntar si, quizá, después de haber dicho algo muy sincero y... Aterrador. —Lindsey cruzó una mirada con él y asintió con un gesto de la cabeza—. Ha sido aterrador. Para mí. Escuchar que te sientes de ese modo, incluso después de... todo. Pero no te paraste a pensar que quizá después de todo lo que habías dicho, no me importaba que, ya sabes... me besaras.

Lindsey se puso de puntillas, le echó los brazos al cuello y lo besó. Justo delante de Tom, que acababa de detenerse de un frenazo y empezaba a bajar la ventanilla. Al mirar, la subió enseguida.

—Esta vez he sido yo la que te ha besado —dijo Lindsey—. Para que no haya malentendidos.

Jenk rió. Su sonrisa no duró mucho, pero no era necesario. Lindsey le veía el corazón y el alma en la mirada. Jenk asintió con un gesto de la cabeza.

—Te veré en el motel —dijo.

—Y bien —dijo Tom cuando Lindsey subió al todoterreno.

—Por favor, no digas nada —le advirtió a su jefe mientras se abrochaba el cinturón—. No tengo ni la menor idea de lo que estoy haciendo. Ni la menor idea.

Tom metió la primera.

—¿Se me permite decir gracias?

—Gracias ¿por qué? —Lindsey intentaba no ser demasiado conspicua mirando a Jenk mientras se alejaban. Él también la miraba y alzó la mano a manera de despedida.

—Por recordarme —dijo Tom—, que incluso ante las circunstancias más horribles y perversas, sigue habiendo muchas cosas en la vida que son buenas y nos dan esperanzas.

Capítulo 18

A Izzy le importaba una mierda.

Jenk le había ofrecido la llave de la habitación de Lindsey, pero él se limitó a sacudir la cabeza. Entró directamente en el restaurante del motel, todavía temblando a causa de su inmersión en el agua helada, y fue hacia el suboficial.

Hasta allí habían llegado las noticias de la recuperación del cuerpo de Tracy (o de lo que quedaba de él). Todo el equipo estaba en silencio. Y el suboficial no lo castigó más al verlo.

—Siéntate allí Zanella. —Su voz era casi amable al señalar con el mentón las mesas junto a la ventana—. Ahora iré a hablar contigo.

Nadie se acercó a él. Por lo visto, no sabían qué decir. O quizá pensaban que era un gilipollas porque, en realidad, es lo que era. Y el hecho de haber salido sin autorización tampoco le había ayudado en nada a Tracy.

Sophia fue la única que se acercó. Le trajo una manta con que le cubrió los hombros y un tazón de chocolate caliente. Incluso se sentó frente a él.

—Entrarás en calor más rápido si bebes algo caliente, te lo digo en serio.

Así que Izzy tomó un sorbo. Por lo demás, le daba igual parar de temblar o no. Era el gesto de menor resistencia, si ella iba a quedarse ahí sentada mirándolo.

Su amigo, Dave, también lo miraba. O, mejor dicho, estaba vigilando y cuidando de Sophia. Como de costumbre, no se encontraba muy lejos de ella: en la mesa de al lado, pegando lo que parecían unos mapas generados por ordenador, fingiendo que no escuchaba.

—¿Estás al corriente? —preguntó Sophia a Izzy—. Tom recibirá una llamada, en unos treinta minutos, de Jules Cassidy, el agente del FBI de Washington. Lo pondrá en el altavoz.

Una llamada telefónica. Estaban todos ahí sentados esperando una llamada telefónica de un cretino de traje y corbata. Como si eso fuera a solucionar las cosas.

—A Cassidy le han cancelado el vuelo —informó Sophia—, pero sigue a cargo de la investigación. No sé si lo conoces, pero yo sí, y es muy bueno. Al parecer, tiene cierta información que quiere compartir con todos nosotros.

¿Y después, qué? ¿Se cogerían de las manos y empezarían a cantar todos juntos? A menos que el señor Muy Bueno tuviera información que los condujera directamente hasta el hijoputa que había matado a Tracy, todo eso era una pérdida de tiempo.

—¿Sabías lo de la llamada telefónica que Tracy le hizo a Lindsey? —preguntó Sophia, acercándole un poco más el tazón de chocolate.

—Sí —dijo él, y bebió otro sorbo. Tracy había acabado dejando un mensaje en el contestador automático del teléfono fijo de Lindsey. Al parecer, sabía que estaba en peligro y alcanzó a dar una breve descripción del asesino, así como parte de la matrícula del coche. Quizás. Ella misma había reconocido que estaba demasiado oscuro para leerla.

—Tess Bailey, la experta en informática, había conseguido levantar un mapa de la ruta de Tracy y su chaqueta. Después de dejar la cabaña, entró y salió de zonas que tenían cobertura. Ahora tenemos una imagen bastante clara de dónde estuvo, al menos parte de anoche. Pero, lamentablemente, no del lugar donde se encuentra su secuestrador ahora.

—Sí, de eso también me he enterado —dijo Izzy—. Habían logrado reducir los parámetros del lugar donde supuestamente se encontraba el asesino de Tracy hasta una superficie de unos doscientos cincuenta kilómetros cuadrados, con un margen de error de una veintena de kilómetros cuadrados. Eso suponiendo que el tipo no hubiera cruzado las fronteras del estado hacia Maine o Vermont—. Y una puñetera mierda que nos servirá saber eso.

A Dave le irritaba el lenguaje de Izzy. Que se joda él también, pensó.

A Sophia, por lo visto, no le importaban las palabras que usaba Izzy.

—Tiene que haber sido horrible —dijo, con una mirada de simpatía—. Verla en ese estado.

—Puede que no sea ella —dijo Izzy, porque eso es lo que decían todos los demás. Sin embargo, si no lo era, probablemente el cabrón que le había hecho eso a esa mujer estuviera ensañándose con Tracy en ese preciso momento. Costaba mucho pensar en eso cuando tenían prácticamente cero probabilidades de encontrarla. Lo único que tenían para empezar era una vaga descripción (¿quién coño era Ralph Fiennes?) y, posiblemente, información incorrecta, además de ese montón de zonas enormes de New Hampshire que conformaban lo que Tess Bailey acertadamente denominaba zonas muertas.

El plan genial estribaba en buscar en esas zonas. Llamar a las puertas y preguntar amablemente si habían visto a Tracy, esperando que alguien fuera a abrir la puerta con las zapatillas Nike ensangrentadas. Y hasta podía pasar que llamaran a la puerta del muy cabrón y tuvieran una conversación del tipo: *No, no la he visto, pero mantendré los ojos bien abiertos.* Luego se irían y él volvería al sótano a seguir alegremente cosiéndole la boca con una aguja de zapatero.

Izzy apoyó la cabeza en la mesa.

—Aunque no sea Tracy, es alguien —señaló Sophia—. Puede que para ti sea menos personal, pero eso no lo hace menos horroroso —dijo, y le tocó la mano con sus dedos cálidos—. Puede que esto no haya acabado, Irving. No te rindas.

Puede que no haya acabado. Quizá la parte de la costura de la boca todavía le estuviera esperando a Tracy.

—No sé por qué milagro tengo que rezar —dijo Izzy, y levantó la mirada hacia Sophia.

Ella entendió que con eso quería decir que no sabía si rezar o no porque el cuerpo fuera identificado como Tracy, lo cual significaría que su sufrimiento habría acabado, o...

—Yo siempre he rezado para seguir con vida —dijo ella. Izzy se dio cuenta, por la reacción de Dave, que Sophia hablaba de su propia experiencia como prisionera de un señor de la guerra, un sádico, en un país abandonado a su suerte, de la experiencia que le había dejado esas horribles cicatrices. También entendió por su lenguaje corporal y por los gestos de Dave, que aquello era algo de lo que no solía hablar.

—Rezaba para que alguien me rescatara, y esperaba poder respirar cuando llegaran —siguió, con voz queda—. Siempre que hay vida hay esperanza. Si Tracy sigue viva, sabe que la estamos buscando. Así que no la abandones ni te rindas, ¿vale? Prepárate recuperando el calor y estando dispuesto a ayudar. Y habla con quien tengas que hablar y convéncelos de que te entregarás... *después* de que encontremos a Tracy. De otra manera, no sólo no podrás ayudarnos, sino que alguien se verá obligado a quedarse para vigilarte.

No había pensado en eso. Aquello era inaceptable.

Sophia se incorporó, fue a buscar otro tazón de chocolate y lo dejó en la mesa frente a él.

—Bebe —dijo.

Izzy obedeció.

Cuando Lindsey volvió al motel, la nieve había comenzado a caer. Al principio lentamente; copos grandes y algodonosos.

Era muy bello. O podría haberlo sido, si hubiera podido borrar de su mente el horrible recuerdo de ese rostro.

Llamó a la puerta de la habitación de Jenk en el motel y él abrió enseguida. Como si la hubiera estado esperando. Parecía alerta, pero ella intuyó que había estado durmiendo. Tenía cara de haberse dado una ducha y haberse dormido enseguida.

Jenk no dijo una palabra. Ni *hola,* ni nada. La cogió y tiró de ella para hacerla entrar.

Y la besó.

Fue todo un beso. Tenía la lengua caliente cuando la hundió en su boca. Nada de precalentamiento ni de caricias previas. ¡Bum! Un beso que venía del alma. Todo su cuerpo irradiaba calor, y su camiseta estaba tibia y suave bajo las manos de ella, rozándole el cuerpo. Era evidente que hacía sólo unos segundos estaba durmiendo.

Lindsey también lo besó, más fuerte, más profundo, y cerró los ojos con fuerza, enredándole los dedos en el pelo, ahuyentando cualquier pensamiento que la apartara de su boca, sus manos, su cuerpo y su potente calor.

Jenk le metió las manos bajo la blusa y la arrinconó contra la pared antes de que ella se diera cuenta de que había conseguido bajarle la cremallera del anorak y se lo había quitado.

Y seguía besándola.

Lindsey sintió sus dedos en la cintura del pantalón, buscando el botón. Lo encontró al segundo intento y Lindsey supo que, aunque fuera sin su ayuda, se lo habría quitado en un momento.

—Deberíamos hablar —dijo ella, apartándose para respirar.

Él volvió a adueñarse de su boca y volvió a besarla con la misma pasión, parando sólo para respirar y decir:

—Te necesito —antes de seguir besándole la cara y el cuello.

Oh, Dios.

—Yo también te necesito. —Estaba todo dicho.

Él volvió a besarla, mientras ella enredó las piernas en torno a él, que la llevó hacia la parte de atrás de la habitación, donde había una maleta de cuero junto al mueble de la pila. La dejó sentada sólo un momento mientras hurgaba en la maleta, momento que ella aprovechó para quitarse una bota. Él encontró lo que buscaba y se cubrió con el condón y volvió a estrecharla para besarla mientras ella intentaba deshacerse de la segunda bota. Era imposible quitársela con el otro pie, con sólo un calcetín (no tenía adherencia), pero él lo ignoró y se concentró en quitarle los pantalones vaqueros.

Con una pierna liberada ya tenía suficiente, y no intentó probar con la otra. Él mismo ya tenía el pantalón hasta los muslos y la levantó y la empujó contra la pared junto al termostato, penetrándola con la misma brusquedad del primer beso.

Ella alcanzó a ver la imagen de los dos reflejada en el espejo por encima de la pila, la espalda ancha y tensa de Jenk, el culo que bombeaba, las nalgas redondas desnudas y brillantes. Habría sido una imagen divertida, con una bota puesta y la otra no, los vaqueros sacudiéndose en un tobillo, la cabeza de ella visible por encima del hombro de él, botando con cada embestida, a veces contra la pared.

Habría sido, si no fuera por la expresión de su rostro.

Con los ojos entrecerrados y la boca abierta de placer, parecía otra persona. Como alguien que sabía lo que quería y no tenía miedo de cogerlo con las dos manos y apretarlo con fuerza. Como alguien que hacía precisamente eso.

Lo vio besarla en el cuello, con la boca caliente y suave, con los ojos cerrados, sus pestañas largas y oscuras contra sus mejillas recién afeitadas. Jenk era tierno, era sólido y robusto.

Y ella era lo que él deseaba, aunque hubiera hecho todo lo posible por ahuyentarlo.

—Linds —respiró él—. Dios...

Sí, la había visto en su peor expresión y, aún así, la deseaba. La necesitaba.

La amaba.

Lindsey se vio a sí misma en el comienzo del orgasmo, y luego ya no vio más porque cerró los ojos cuando él la besó, cuando sintió el orgasmo de él y juntos rompieron una barrera, impulsados hacia un punto de no retorno.

No serían simplemente amigos después de eso. Esta vez no habría manera de retroceder, sólo podrían ir hacia adelante.

Si ella se atrevía.

Lindsey abrió los ojos.

En el espejo, vio a Jenk luchando por recuperar el aliento, con la cabeza apoyada en la pared.

Vio su propia mano, retorcida ligeramente en su camiseta de algodón. Daba la impresión de que, si de ellos dependiera, nunca pararían.

Sophia buscaba a Tom, pero encontró a Decker.

Estaba mirando detenidamente los mapas que alguien había pegado con chinchetas en la pared del restaurante, mirándolos fijo como si bastara concentrarse mucho en ellos para adivinar dónde tenían secuestrada a Tracy.

Como de costumbre, Decker supo que Sophia estaba a sus espaldas sin siquiera girarse.

—Tom está hablando por teléfono con el jefe de policía —dijo—. ¿Puedo ayudarte en algo?

—Sí —dijo ella—. Eso espero. Me estaba poniendo impaciente, sentada ahí esperando que empezara la reunión, sintiéndome un poco enclaustrada...

Decker dejó de mirar el mapa. A veces tenía una manera de mirarla como si sólo fueran conocidos, como si no pudiera recordar bien su nombre. Correcto, pero distante. Ella detestaba cuando se ponía así.

—Tom todavía insiste en que no pases demasiado tiempo a la intemperie y, lo siento, pero estoy de acuerdo con él.

—No —dijo ella—, eso no... Créeme, no tengo ninguna prisa por salir al monte de nuevo. En Hawai, seguro que sí, pero...

Él sonrió pero, una vez más, era una sonrisa correcta.

Ir al grano sería lo más indicado.

—Empecé a ordenar el equipo que usamos la otra noche en el ejercicio. A guardarlo. Pero he contado tres veces y todavía me falta un chaleco. Además del de Tracy. Si por algún motivo se ha llevado otro chaleco...

Entonces podrían volver a buscar a través del ordenador. Se requeriría un nuevo intento. Necesitarían nuevas antenas de repetición, o un equipo de hombres que desplazaran las que ya habían instalado...

De pronto, la mirada de Decker se volvió cualquier cosa menos correcta y reservada. Se acercó a ella, con una intensidad que podría haberse interpretado como ferocidad.

—Enséñamelo.

La alarma del reloj de Jenk sonó y, ya que éste todavía tenía a Lindsey en sus brazos, se volvió hacia un lado y la apagó con los dientes.

Sentía que ella lo miraba, y se giró para mirarla a su vez.

—Hola —dijo ella—. Quiero decir, ha sido un hola enorme, muy especial, sin necesidad de palabras, pero sentía la necesidad de decirlo.

—Hola —contestó él, sonriendo.

—¿Tu hombro está bien?

—Nunca ha estado mejor.

—¿Tenías el reloj puesto para que sonara en cinco o diez minutos? —preguntó Lindsey, alisándole la camiseta que hacia el final había retorcido en sus manos.

—Quince —dijo Jenk, buscando su mirada, sabiendo que sostenían una conversación como si no acabaran de hacer el amor, como si él todavía no estuviera dentro de ella—. Quedan todavía veinte minutos para que empiece oficialmente la reunión, pero quería llegar antes.

—Vaya —dijo ella—. Tenemos tiempo de comer algo y tomar un café. A menos que... nos quedemos así para siempre.

Él se apartó de ella y dejó que Lindsey se deslizara hasta tocar el suelo, aunque enseguida echó de menos su calidez.

Ella se agachó para girar la pernera de sus pantalones y limpiarse, y él la imitó. Al parecer, aquel no era el momento para hablar de lo que significaba aquello, aquel beso que ella le había dado en presencia de Tommy y aquella última acogida tan especial. A ella volvería a entrarle el miedo y saldría corriendo, o no. Y él podía hacer poca cosa hasta que eso ocurriera.

Aunque esta vez, si eso ocurría, él iría con ella. Era mucho más difícil intentar alejarse de alguien si ese alguien insistía en seguirte a todas partes.

—¿Y en ti también ha tenido el mismo efecto? —preguntó Lindsey. Jenk no entendió hasta que ella agregó—: Durante unos minutos, la verdad es que dejé de ver... ya sabes, esa cara.

Mierda. Jenk asintió con un gesto de la cabeza.

—Sí, lo ha tenido. Pero a mí el recuerdo también me perseguirá mucho tiempo. —Quien quiera que fuese. Se había hecho a la idea de que la mujer que habían sacado de la laguna no era Tracy. Quizás la dentadura demostraría que se equivocaba, y entonces ya pensaría en ello, pero hasta que eso ocurriera... No era Tracy.

—A mí la imagen me perseguirá toda la vida —dijo Lindsey, yendo hacia el cuarto contiguo, donde había un váter y una bañera. Dejó la puerta entreabierta para poder seguir hablando—. En esa carpeta ya tengo un montón de imágenes. Se llama *Material de pesadillas, para ser visto regularmente a lo largo de los próximos ochenta años, hasta en mi lecho de muerte.*

—¿Ah, sí? —Jenk hizo lo que pudo para que la voz sonara relajada, despreocupada, como si no tuviera el corazón alojado en la garganta. Al fin y al cabo, al traer el tema a colación, ella lo había autorizado a hacer preguntas—. ¿Quieres decir, como cuando te disparó tu colega?

Ella guardó silencio un momento.

—Sí —dijo, al cabo de un rato—, como eso. —Volvió a guardar silencio—. Se llamaba Dale. Era... Éramos amigos. Quiero decir, yo sabía que tenía problemas con su mujer, pero siempre hablaba de volver a conquistarla; era una idea siempre presente. Su mujer sólo necesitaba un poco de tiempo, decía. —Otra pausa—. Yo no tenía ni idea de que ella había vuelto a casarse. Y no tenía ni la más mínima percepción de que él había empezado a consumir drogas, ni la más mínima —repitió—. Un día no se presentó a trabajar, así que fui a verlo a su piso y... Me apuntó con un arma. Al principio, creí que bromeaba. Quiero decir, ahí estaba, apuntándome con su arma reglamentaria y... Luego pensé que estaba borracho. Intenté convencerlo de que lo dejara, pero... Me disparó. Me escucho a mí misma decirlo y todavía no me lo creo. Quiero decir, sería como que tú me dispararas.

—Eso no ocurrirá nunca —dijo Jenk—. Nunca.

—Lo sé —contestó ella—. No quise insinuar... Sólo que fue una sorpresa. ¿Cómo era posible que yo no supiera que estaba desesperado?

—Yo también solía pasar mucho tiempo recordando situaciones en que había cometido errores —dijo Jenk, a través de la puerta entreabierta—. Pensando que podría haber hecho alguna cosa de otra manera para cambiar el resultado.

—Sí —dijo ella. Quizá le costara menos hablar cuando no estaban cara a cara—. Aunque duele mucho cuando te das cuenta de que cualquier otra cosa que hubieras hecho habría cambiado el resultado —agregó, con un bufido de frustración—. Lo que más me reprocho a mí misma es no haberlo visto venir. Debería haberlo visto, haberlo sabido. Al contrario, me pilló totalmente desprevenida.

—Algo parecido a cuando murió tu abuelo, ¿no? —dijo Jenk—. El hecho de que un día no se despertara. Tuvo que haber sido muy chungo.

—Ya lo creo que sí —asintió ella.

—Porque estabas acostumbrada a la idea de una muerte presente y siempre inminente —aventuró él—. Todos esos años viviendo con el cáncer de tu madre....

Lindsey tiró de la cadena. Salió y se lavó las manos y también se mojó la cara.

—La parte más difícil de esa pesadilla —dijo, después de secarse con la toalla—, fue cuando le dieron el alta y le dijeron que estaba curada. Según las estadísticas, las personas que han llegado hasta ese estadio del tratamiento, suelen librarse del cáncer, pero... El de ella rebrotó más rápido de lo que nadie habría esperado. —Se encontró con la mirada de Jenk en el espejo—. Para mí se acabó en ese momento. Vivió otros doce años, pero estuvo siempre enferma. No era una verdadera vida. Fue más bien como si hubiera tardado doce años en morir. Era como vivir con una pena de muerte.

Es lo que Lindsey había hecho, a la vez que ocultaba a su madre su temor y su dolor, su rabia y su frustración.

—En una ocasión me acusaste de tener un plan para mi vida —dijo Lindsey—. Mirar la TiVo y...

—Ya sé lo que dije —interrumpió él—. Estaba enfadado y...

—La verdad es que no tengo un plan —dijo ella—. Soy incapaz de hacer un plan. Me enseñé a mí misma a no hacer planes cuando mi madre enfermó la primera vez. Proyectarme en el futuro significaba... —dijo, y calló, sacudiendo la cabeza.

Aquello significaba imaginar un momento en que su madre no estaría. Jenk dio un paso hacia ella, pero Lindsey se apartó con gesto deliberado.

—Quiero decir, puedo hacer que funcione para otros. Ya sabes, crear programas, horarios, estrategias, cómo capturar al malo o cómo impedir que te capturen. Eso lo sé hacer. Pero cuando se trata de mi vida personal... —dijo, negando con la cabeza—. No tengo un plan para una carrera a largo plazo. Y nunca me tomo unas vacaciones, quiero decir, me tomo mis días, pero no voy a ningún sitio.

¿Cómo se podía programar para el mañana si el mañana quizá no llegaría? Jenk volvió a acercársele, esta vez para que se sentara en la cama. Lindsey no se había dado el lujo de dormir la siesta y estaba visiblemente cansada. La hizo acurrucarse a su lado y entrelazaron los dedos.

—Conozco a personas que tienen planes para sus vidas a un año, a cinco años y a diez años vista —dijo ella—. Mírate a ti. Ingresaste en la Armada para ser un SEAL, ¿no es cierto?

—Sí —reconoció él, deseando poder quedarse más tiempo con ella, esperando que aquella conversación fuera sólo una de las muchas que vendrían—. Era mi objetivo, desde que estaba en el instituto.

—¿Y luego, qué? —preguntó ella—. ¿Te quedarás o...?

—Me quedaré unos cuantos años —dijo Jenk—. Y, después, Tommy ha dejado muy claro que me quiere en Troubleshooters Incorporated. Sería muy agradable volver a trabajar contigo, y que me pagaran lo mismo que a ti.

—Podrías pasar el fin de semana conmigo —se ofreció Jenk—. Quiero decir, si no te parecen mal dos fines de semana seguidos, porque el que sigue es Navidad.

Ella retiró la mano y se incorporó.

—No lo sé, Mark.

La había asustado. Vale.

—No te estoy proponiendo que nos casemos, Lindsey. Sólo se trata de pasar un rato juntos. Me encanta estar contigo. Es así de sencillo.

Ella sonrió.

—El sexo es fabuloso.

—El sexo —convino él— es fabuloso. —Si ella quería pensar que aquello era sólo sexo, él estaba dispuesto a permitírselo. Al menos por ahora.

Pero entonces ella se giró.

—Dios, estoy muy despistada.

—No, no lo estás —dijo él—. Bueno, quizás un poco, pero eso le pasa a todo el mundo.

—A ti no —señaló ella.

—Espabila —dijo él—. Recuerda que yo soy el que creía que con su criterio de adolescente de catorce años podía elegir a una mujer.

—Eso era la testosterona que hablaba. De verdad, no quiero hacerte daño.

—No dejas de repetir eso —observó él—. Lo único que tienes que hacer es no hacerme daño.

—Tengo miedo de todo. Además, tengo una relación horrible con mi padre, que desearía que yo nunca hubiera nacido.

—¿Has hablado con él de esto? —le preguntó Jenk.

—No, pero...

—Linds, entonces, ¿cómo sabes...?

—Lo oí hablando con mi madre. Después de que murió mi abuelo, se enteró de que su padre biológico era culpable de horribles crímenes de guerra, de genocidio, en China, antes de que Japón entrara en guerra con Estados Unidos. Y luego en Filipinas... Muchos presos aliados murieron por su culpa. Era un monstruo. Fue como descubrir que mi verdadero abuelo fuera Joseph Goebbels. ¡No puedo creer que te esté contando todo esto! —dijo, mientras buscaba su anorak—. De verdad, tenemos que irnos.

Jenk no se levantó.

—A ver si lo he entendido bien. Porque su padre era un monstruo, tu padre creía que él no debería haber tenido hijos. ¿Por qué? ¿Era una especie de castigo, o de penitencia? ¿Como que su linaje tenía que extinguirse, o algo así?

Lindsey asintió con un gesto de la cabeza.

—Eso es una locura —dijo—. Porque tu padre no nació espontáneamente del muslo de tu abuelo. También es el hijo de su madre.

Ella se puso el anorak.

—Escucha, es su locura. Yo no...

—Pero tú también te la crees.

—No, no me la creo.

—De acuerdo. Me parece bien —dijo él, que no quería presionarla. Tampoco le creería—. Porque, de verdad que es una locura, si es así como se siente tu padre, quiero decir. Si es que no lo dijo como una reacción exagerada a algo. Como si en tu familia ese tipo de reacciones no existieran.

Con eso consiguió arrancarle a Lindsey la sonrisa que él esperaba, a la vez que entornaba la mirada.

—Sí, pero yo no me parezco en nada a mi padre. Él es profesor en la Facultad de Económicas. Habla muuuy lentamente. Creo que nunca ha dicho nada que no haya pensado bien.

—A ti —observó Jenk—. Pero él no te hablaba a ti. Hablaba con tu madre. Y acababa de saber que su padre le había mentido, y Henry era su verdadero padre, al diablo con la biología. Henry le mintió, y eso tuvo que haberle dolido.

Ella asintió con un gesto de la cabeza.

—Deberíamos irnos.

Jenk se puso el anorak, cogió la llave de su habitación y la siguió. Ya habían bajado la mitad de la escalera cuando él se giró.

—¿Sabes? A veces, al escuchar algunas cosas cuando eres sólo un crío, te las crees sin cuestionártelo. Y conservas esas ideas en la vida adulta y no nos paramos a preguntarnos *¿es esto verdad?* Y a veces, cuando te detienes y piensas de verdad en esas ideas, te das cuenta y te dices: *¡Vaya, qué equivocado estaba!*. O *creer eso no me ayuda para nada.*

Lindsey no huía de lo que Jenk le decía, pero tampoco estaba totalmente pendiente de ello. Y Jenk no cejaba, no paraba de hablarle mientras la seguía a través de la nieve que caía lentamente.

—Durante mucho tiempo tuve miedo de las alturas —le dijo—. Tenía un miedo terrible de caerme, como si pensara que de verdad si me caía pasaría el resto de mi vida en una silla de ruedas. Casi no conseguí aprobar el entrenamiento de demolición submarina de las SEAL debido a eso. Y me senté a pensarlo, y le di mil vueltas y llegué a la conclusión de que era probablemente algo que mi madre me había inculcado cuando yo tenía, digamos, dos años, pues supongo que quería subirme a los árboles del jardín o al techo o algo por el estilo. Pero ya no me valía. Como adulto, podía aprender a escalar, aprender a hacerlo de la manera más segura posible. Y me dediqué a ello con tesón: aprendí a quitarme el miedo, es decir, la idea del miedo, del sistema. Empecé por subir por la cuerda y dejarme caer a propósito. Daba miedo, pero yo quería pertenecer a las SEAL. Lo quería lo suficiente.

Lindsey se había detenido, pero ahora empujó la puerta y entró en el vestíbulo del motel.

—Yo no sé lo que quiero —dijo.

Ay.

Lindsey tiene que haberse dado cuenta de lo duro que sonaba eso, teniendo en cuenta que en el fondo quería decir que *si ella lo quería lo bastante a él, también podría vencer sus miedos.*

—Por favor, no te lo tomes como algo personal —agregó—. No tiene nada que ver contigo.

Sí, claro.

—Tiene que ver... conmigo. —Lindsey no atinaba a encontrar las palabras—. En realidad, no sé... nada. Para mí, mañana es una... sombra gris de esa puerta por donde sé que pasaré. Ocurrirá, es inevitable. Pero no puedo ver qué hay al otro lado. Durante mucho tiempo, no he querido ver. Y ahora, por mucho que lo intente, ¡no puedo ver!

A un lado del vestíbulo, alguien (probablemente Stella) había instalado un árbol de Navidad. Sólo medía un poco más de un metro, pero estaba vivo y tenía las raíces en un contenedor. Estaba lleno de todo tipo de decoraciones, de todas las formas y tamaños, y con luces intermitentes.

—Mira esto —dijo Jenk, y tiró de la mano de Lindsey—. A mi madre le flipa tanto esto de la Navidad que ha añadido una habitación a la casa que ella llama la Habitación del Árbol de Navidad. En realidad, es una sala de juegos, pero ella insistió en ponerle un techo tipo catedral para meter un árbol de cuatro metros. Tiene un suelo de cerámica porque cuando la construyeron, *Chewie* tenía ciento diez años de perro, y se enfadaba mucho si tenía algún accidente...

—¿A tu perro le pusieron así por Chubaka?

—Era un perro asombroso —dijo él—. Ahora tienen a *Threepio*, que es un poco tenso. En cualquier caso, imagínate el siguiente cuadro. El árbol está en un rincón de la sala, y es como éste, lleno de adornos y cada uno tiene su propia historia. En realidad, la decoración del árbol, que siempre se celebra la noche antes de Navidad, es para contar historias. Como el año que yo nací, que hubo un incendio en el ático y sólo se salvaron tres adornos. Sabrás si le caes bien a mi madre si te deja sostener uno de ellos. En materia de luces, no le gustan las intermitentes, pero sí de muchos colores. Nada de esa mierda monocromática en su árbol, lo dice ella misma. La chimenea estará encendida y una cuna en la repisa, pero ay del que ponga a Jesús en el pesebre hasta la mañana del día de Navidad, porque habrá problemas. Y que no te asusten los diminutos tazones con la cara de Santa Claus. Son piezas antiguas y hay que enseñarlas, aunque con sólo verlas te das cuenta de que la diferencia entre Santa y Satán es sólo el lugar que ocupa la letra ene.

»Mi padre mira ritualmente *La leyenda de Santa Claus,* la historia de ese chico que quiere un fusil de balines (*«Te sacará un ojo»*) y el *Especial de Navidad de Charlie Brown.* Pero lo mejor de la Navidad en mi casa es que nunca sabes quién se presentará para la cena. Alumnos de programas de intercambio, colegas cuyas familias viven demasiado lejos, chicos del Centro de acogida de adolescentes. Un año fueron un montón de drag queens que se habían quedado en la estación de ferrocarril por una tormenta de nieve —recordó Jenk, y rió—. A partir de ese año se hizo obligatorio llevar una diadema a la hora de la cena. Se la queda el que saca la pajita más corta. Mi madre jura que juega limpio, pero nos suele tocar a mi padre o a mí. ¿Me imaginas a mí sentado a la mesa con una tiara rosada de imitación de diamantes y diciendo *Por favor, me puedes pasar la salsa?*

Lindsey reía.

—En realidad, sí.

—Vale —dijo Jenk—. Ahora imagínate a ti sentada a mi lado. —Y luego, viendo que el cansancio volvía a asomar en los ojos de Lindsey, Jenk la estrechó y le dijo:

—Te pondré la mano en la pierna, será una señal para que digas que ayudarás a despejar la mesa pero, en realidad, será una señal para que te encuentres conmigo arriba en el cuarto de baño para un polvo rápido, porque mi madre tiene sus reglas en casa, y tendremos que dormir en habitaciones separadas. Cuando llegue la hora de la cena, tendré tantas ganas de ti, acabaré por comerme los nabos (que, según mi madre, son tradicionales), que parecen calabazas de invierno. No te sirvas una cucharada muy grande porque, como he dicho, Dios mío.

Lindsey volvía a reír. De pronto, sonó la alarma del reloj de Jenk.

—Venga —dijo, y la besó en el cuello—. Vamos a comprobar que el cuerpo que hemos encontrado no es Tracy.

Pero ella lo detuvo.

—Mark.

Él se giró, preparándose para quién sabe qué. Algo que empezaba diciendo *Ya sé que el sexo es fabuloso, pero...*

—Creo que deberíamos estar preparados para lo peor —dijo ella.

Hablaba de Tracy. Jenk asintió con un gesto de la cabeza.

—Ya lo sé —dijo él—. Pero cuanto más pienso en ello, no creo que sea ella. No llevaba tanto tiempo desaparecida. Y quien quiera que haya hecho eso... Tiene que haberlo hecho durar —dijo, encogiéndose de hombros—. Puede que sea una tontería, pero yo esperaría lo mejor. Que podemos encontrarla. Y que la encontraremos.

Jenk veía su incredulidad.

—Podría estar en cualquier sitio —señaló Lindsey—. Y nos va a caer encima lo que llaman la peor tormenta de la década.

La mayoría de los miembros de las SEAL y del equipo de Tom ya estaban en el restaurante del motel, esperando que empezara la reunión. Jenk abrió la puerta y la dejó entrar primero, decidido a quedarse junto a ella. Así, si quería, podría huir. Pero esta vez él iba a seguirle los pasos.

—Puede que eso sea una buena cosa. Quizá le impida a ese cabrón salir del estado.

Lindsey rió.

—Vale, me parece demasiado optimista, aunque seas tú el que lo diga, pequeño Marky Sunshine.

—Una lástima —dijo él—. Mi copa no sólo está medio llena sino que, además, tiene un Dom Perignon de quinientos dólares la botella.

En ese momento, cuando ella se sentó junto a Izzy, él se dio cuenta de lo tocado que estaba. Tuvo una idea bastante certera de lo que sentía por Lindsey, y de las ganas que tenía de que formara parte de su vida.

Porque ella dijo:

—Me lo pensaré. Lo de Navidad.

Y ahí estaba él, contento como un cerdo en el lodo porque, aunque no había dicho que sí, tampoco había dicho que no.

—Bien —dijo Jenk. Pero no pudo agregar nada porque comenzó la reunión.

El cuerpo que Izzy había sacado de la cantera todavía no había sido identificado.

Tommy Paoletti comenzó la reunión con la idea de que no tener noticias es una buena noticia. Al parecer, habían tenido ciertas dificultades para encontrar la ficha dental de Tracy. Comprobar las huellas dactilares no sería posible porque al cadáver le habían cortado los dedos.

Joder.

Estaban a la espera de los resultados de las pruebas de ADN, que llegarían en las próximas horas, quizás en unos minutos, cuando conectaran por teléfono con Jules Cassidy, el agente del FBI encargado de la investigación.

Sin embargo, en lo que se refería a las buenas noticias, parecía muy posible que Tracy se hubiera llevado un segundo chaleco con sensores al abandonar la cabina.

—Todos los chalecos tienen un número de identificación —informó Sophia, y el que falta ha sido identificado como el chaleco de Gillman, no cabe duda. Danny recuerda habérselo quitado después de que lo «mataran» en el curso del ejercicio. Se lo dio a Tracy para que se tapara las piernas porque tenía frío.

Dos mesas más allá de Izzy, Gillman confirmó la información con un gesto de la cabeza.

Lindsey alzó una mano para hablar.

—Tienes en cuenta el chaleco que yo cogí prestado, ¿no? Lo llevé a la cabaña, que supuestamente era una zona no muerta. Quería comprobar que el ordenador efectivamente había cogido la señal.

—Para que quede registrado, cogió la señal —dijo Tess Bailey—. Y sí, Mark Jenk devolvió ese chaleco hace unas horas.

Izzy ya no podía quedarse callado.

—Entonces lo único que tenemos que hacer es mover las antenas que transmiten las señales y activar las zonas muertas hasta que el ordenador capte la señal del chaleco que falta. ¿Qué estamos haciendo aquí sentados?

—¿Has mirado por la ventana? —preguntó Gillman.

Izzy miró. El viento soplaba con fuerza, y la nieve caía en ráfagas tan rápidas y densas que apenas se alcanzaba a ver los todoterrenos en el aparcamiento, a un metro de distancia. Pero un poco de hielo y nieve no era nada comparado con lo que ese loco le podía estar haciendo a Tracy en ese preciso momento.

—Aunque, la verdad —dijo la simpática experta en informática—, sería preferible instalar nuevas antenas en lugar de desplazar las que ya existen. Si el asesino de Tracy mueve el chaleco.

—Por ahora, estamos limitados al equipo que tenemos —informó Tom—. Y creo que es razonable suponer que, esté donde esté, es probable que Tracy se quede allí, al menos hasta que pase la tormenta. Además, escuchad una cosa. Hasta que no se demuestre lo contrario, suponemos que Tracy está viva, ¿queda claro? —Paseó la mirada por la sala, fijándola en los hombres de las SEAL y en el personal de Troubleshooters Incorporated y, por último, en Lew Koehl, que a todas luces lo había dejado tomar el mando—. Tenemos que empezar por algún sitio, y bien podemos hacerlo por aquí. Formaremos equipos. Tenemos cinco antenas de satélite allá afuera. El objetivo será localizarlas, desmantelarlas, llevarlas a otro sitio, en coordinación con Tess y el ordenador. Sophia y Lindsey, vosotras ayudaréis a Tess.

Era evidente que a Lindsey no le parecía bien estar ausente de la acción, porque volvió a alzar la mano.

—Señor, teniendo en cuenta que soy la que tiene más experiencia en la investigación de homicidios...

—Te quiero aquí —volvió a interrumpir Tommy—, estudiando los mapas de los satélites. Quiero que identifiques las zonas donde creas más probable que viviría un asesino como éste sin ser detectado. No podemos darnos el lujo de hacer una búsqueda de sector por sector, sin más. Si Tracy está viva, se le está acabando el tiempo. Quiero que pongas tu experiencia a funcionar para encontrarla.

—Sí, señor.

—Además de los cinco equipos que moverán las antenas, también tendremos a otros equipos barriendo estas áreas. La policía local lo ha hecho en parte pero, repito, quiero concentrarme en las zonas más remotas.

Esta vez lo interrumpió Alyssa.

—Disculpa, Tom, tenemos a Jules Cassidy en el teléfono.

Tom asintió.

—Pásalo a los altavoces.

Alyssa cogió el teléfono.

—Jules, estás en altavoz —avisó.

—¿Hay alguna noticia sobre los análisis de ADN? —preguntó Tom, sabiendo que era la noticia que todos querían conocer.

—Lo siento. Todavía no —dijo la voz metálica—. En cuanto sepa algo, te lo comunicaré.

—¿Dónde estás ahora? —inquirió Tom.

—En realidad, he tomado un vuelo a Hartford —dijo el agente del FBI—. He alquilado un coche y me dirijo al norte por la noventa y uno. La cosa va lenta, pero me han asignado un quitanieves. Seguirá abriéndome camino y, si es necesario, llegará hasta Darlington.

—Tom cruzó una mirada con el comandante Koehl.

—Y, sí, ya sé que os estáis preguntando cómo la desaparición de una recepcionista justifica gastar tanto dinero de los contribuyentes —siguió Cassidy—. Y, vale, ¿queréis saber las buenas noticias o las malas?

—Las buenas —dijo Tom, en el preciso momento en que Koehl decía:

—Las malas.

—Era una pregunta con truco —dijo Cassidy—, porque las buenas noticias también son las malas —advirtió—. Creemos que el asesino es un tipo llamado Richard Eulie, a quien el FBI busca intensamente desde hace unos seis años. Es un psicópata, un asesino en serie. Las mutilaciones del cadáver que habéis recogido son similares a lo que ha hecho en el pasado. Y está claro que él piensa en ello como si fuera un trabajo, incluso una obra de arte.

Mierda.

—Aunque han pasado tres años desde que descubrimos el último cadáver, no se ha cortado para hacernos saber a quién ha secuestrado —siguió el agente—. Su modus operandi consiste en dejar por donde pasa un mensaje escrito a mano con la sangre de su víctima. Tengo una lista aquí de veinte secuestros, todos de los últimos tres años. Todas son mujeres, de diversas regiones del país. Pero uno de los estados donde nunca ha actuado es New Hampshire. Sobra decir que, actualmente, creemos que su cuartel general se encuentra en la región de Darlington/Happy Hills. También sospechamos que la cantera donde habéis encontrado el cuerpo ha sido su vertedero. En cuanto el tiempo mejore, vamos a drenarlo con la esperanza de encontrar a otras víctimas.

Mierda. Mierda, mierda. Izzy seguía sentado, escuchando al agente desgranar la información. Un jodido asesino en serie.

—Sin embargo, no había huellas dactilares en el lavabo de mujeres de la tienda —dijo Lindsey—. Donde encontraron el mitón de Tracy.

—Sí, limpió todas las huellas dactilares en la tienda, lo cual no coincide con lo que hace habitualmente —convino Cassidy—. El patrón también se rompe por el hecho de haber matado al dueño de la tienda, porque se trata de un varón y no ha sido mutilado. Sin embargo, creemos que eso calza con la teoría de que Eulie vive, y trabaja, por así decirlo, en esta región. Su objetivo era robar los fármacos, y el asesinato no estaría previsto. Queda claro que no quiere que lo descubran. Y, aún así, ha tenido un lapsus. Ha dejado un buen par de huellas en la cabina del teléfono fuera de la tienda. En ese teléfono también estaban las huellas de Tracy.

—Entonces... ¿Eulie robó los fármacos —dijo Dave Malkoff, pensando en voz alta—, porque... está enfermo?

—Él mismo o alguien a quien quiere —dijo Cassidy—. Es nuestra hipótesis más ajustada.

—¿Los asesinos en serie son capaces de querer a alguien? —preguntó Sophia. Estaba tan horrorizada como Izzy.

—El asesino que se hacía llamar BTK, que vendaba, torturaba y mataba a sus víctimas, estaba casado y tenía hijos.

—El vestido de enfermera —les recordó Lindsey—. Tracy iba vestida de enfermera.

—Sí —dijo Cassidy—. Creemos que quizá por eso la raptó. Pero ella no es enfermera, ¿no? ¿Ha tenido algún tipo de formación médica?

Todos miraron a Jenk.

—No que yo sepa —dijo éste, mirando a Izzy.

Que sólo atinó a sacudir la cabeza. Él tampoco lo sabía. Sin embargo, tenía una pregunta para el agente federal.

—¿Cree que si el cuerpo que hemos encontrado corresponde a otra persona hay probabilidades de que Tracy siga viva?

—No lo sé —respondió el agente.

—Yo sí —dijo Sophia, incorporándose—. Creo que sigue viva, y que deberíamos salir a buscarla.

Capítulo 19

—Sophia, espera.

Dave alzó la mirada de la mesa donde estaban los mapas junto a las fotos de Tracy y vio al pelirrojo grande, el oficial de las SEAL, de nombre MacInnough —también llamado Big Mac— que iba detrás de Sophia. Ella se giró para mirarlo, apretando contra el pecho la carpeta que llevaba.

Viene hacia mí con tanta energía que me da miedo.

Dave empezó a ir disimuladamente hacia ellos.

—Sólo quería decirte que haremos todo lo posible por encontrar a tu amiga —dijo Mac.

—Gracias —dijo ella.

—Al parecer, has sobrevivido a tu inmersión en aguas del Ártico ayer —dijo Mac—. Es todo un estado de shock para el sistema, ¿no? Sabes, de hecho yo hago lo mismo deliberadamente. Allá en casa, en Buffalo, pertenezco al club del oso polar. Todos vamos a nadar el primer día del año.

—Eso es una locura —contestó ella.

—No, es una tradición divertida. Mi padre y mi abuelo lo hacían en su época. Algún día mi hijo me verá y espero que también quiera ser como su padre. No es que tenga hijos. Hablamos de un futuro bastante lejano.

Sophia lo miró con una sonrisa tensa.

—Los dos tenemos que ponernos a trabajar.

—Sí —dijo él—. Tormenta, allá vamos. Sólo quería cerciorarme de que te encontrabas bien.

—Estoy bien.

—Y preguntarte dónde quieres ir a cenar para celebrar que hemos encontrado a Tracy —dijo Mac. No le estaba preguntando si quería salir a cenar, se lo estaba comunicando.

Dave no sabía si aquello lo impresionaba o le desagradaba. Aquel tío tenía unos huevos del tamaño de China.

—Tendré unos días libres —siguió Mac—. Podríamos ir a Boston o incluso a Nueva York, para conocernos mejor. Conozco un lugar estupendo en la Séptima Avenida y... Bueno, piénsatelo, ¿vale? —dijo—. Ya te veré más tarde.

Hasta ese momento, la actitud de Sophia había sido alejarse, pero ahora retrocedió y lo llamó.

—Alex, espera.

—Eh, en realidad, el nombre es Alec —dijo él—. Una ce en lugar de una equis.

Sophia hizo una mueca.

—Lo siento.

—Hasta ahí llega mi fantasía de verte escribiendo mi nombre en una libreta —dijo él—. Qué pena.

—No puedo cenar contigo —dijo Sophia—. Ni en Nueva York, ni siquiera aquí.

—Sí que puedes.

La verdad, era un tipo persistente.

—Mi marido murió hace sólo unos años. Es demasiado pronto para pensar en salir con alguien. Sencillamente no estoy preparada.

Dave se giró y vio a Decker junto a él.

—Vamos a peinar el sector sur —avisó éste a Dave, con un ojo en Sophia—. Tú y yo iremos en el mismo equipo.

Qué alegría.

—¿Tenemos que ir juntos? —preguntó Dave.

Decker ignoró la pregunta y le tendió las llaves del coche.

—¿Quieres conducir tú? —le preguntó. Era a todas luces una oferta de paz.

Al otro lado de la sala, Sophia fingió que se detenía para servirse un café. Sin embargo, era evidente que el verdadero motivo era darle la espalda a los que estaban en la sala para secarse los ojos.

Mac se había ido. ¿Qué había dicho el muy cabrón para casi hacerla llorar? Dave se propuso averiguarlo.

—Hola.

Ella forzó una sonrisa.

—¿Ya os marcháis?

—Sí —dijo Dave—. ¿Te encuentras bien? Te vi hablando con Mac. Si ha dicho algo inapropiado...

—No, sólo ha... —Su valiente expresión de pronto se le borró de la cara—. Dave, ¿crees que todos lo saben?

—¿Si saben que eres una gran persona? —preguntó él, aunque sabía que ella se refería a la pesadilla que había vivido como prisionera y concubina de un hombre perverso—. Absolutamente.

Sophia negó con la cabeza.

—¿No te parece una coincidencia demasiado grande? ¿Qué Alec se me acerque ahora? ¿Después de haber conversado con Gillman y Lopez acerca de mis cicatrices...? —Sophia murmuró las últimas palabras cuando miró por encima del hombro de Dave y éste vio que Decker estaba detrás.

La mirada en sus ojos era de *Los mataré, los cabrones.*

—Te esperaré en el coche —dijo Deck a Dave, y era evidente que se iba a pelear con un SEAL de la Armada. Sophia estaba demasiado preocupada de ocultar su malestar ante Decker como para darse cuenta.

Dave no sabía si desactivar la bomba Decker o explicarle las cosas a Sophia. Dejó que Deck desapareciera.

—Venga, Soph —dijo—. Yo ya he trabajado con estos tipos súper machos alfa. Mac no ha venido a invitarte porque piense que eres una mujer fácil o resultona. Quiero decir, desde luego que espera que le resulte algo. Eres bella y sumamente sexy, y él quiere tenerte en sus brazos y en su cama. ¿Cómo no habría de quererlo? Pero nunca lo he oído a él ni a nadie hablando de ti con otro sentimiento que respeto. En realidad, suele ser reverencia. Incluso adoración.

Aquello le valió una mirada de incredulidad.

—Venga, ahí exageras un poco —dijo Sophia.

—Es la pura verdad —dijo él—. Tú eres una diosa y ellos son todos unos perfectos. Si hay alguna comidilla entre ellos, seguro que es que tú siempre dices que no. Y piensa que se trata de hombres que se toman el no como un desafío. Le has dicho que no a Gillman, lo cual probablemente hizo que Mac se mostrara más decidido que nunca a conseguir que le digas que sí. Tiene sentido, ¿no?

Sophia asintió con un gesto de la cabeza y lo abrazó.

—Siempre dices la frase correcta. No sé si es verdad, pero, vale. Podría serlo.

—Lo es. —Dave cerró los ojos cuando él también la abrazó y le rozó con la mejilla el pelo sedoso y de aroma exquisito.

—Ten cuidado allá afuera.

—Tú cuídate también.

Ella se separó.

—¿Qué me cuide de no quemarme la boca con el café caliente? Yo estaré aquí, segura y abrigada, mientras tú...

—Hablando en serio —dijo él—. Hasta que demos con ese tipo, quiero que te mantengas cerca de Lindsey o de Tess.

—Espera. ¿No he oído esta historia en otra ocasión? —dijo ella, provocadora—. Los hombres dejan a las mujeres solas en el refugio de casa, en este caso, el Motel-A-Rama. ¿Dónde está Izzy con su *Devuélveme mi pierna*? —Sophia rió al ver la expresión de Dave—. Es una broma. Venga, ahora eres tú el que se ha puesto serio. Lindsey y Tess van armadas. Y Stella y Robert también se quedan aquí. Estamos exageradamente seguras.

—Suena como unas últimas famosas palabras —dijo Dave, aunque se alegraba de ver que su sonrisa parecía más genuina—. Cortamos y vamos a la escena en que estás atada a los rieles del tren.

Ella respondió con una risa cálida.

—Vete —dijo, empujándolo—. Encuentra a Tracy y tráela de vuelta, sana y salva. Entonces tendremos una cena de celebración.

Como últimas palabras, estaban mucho mejor. Cortar e ir a la escena de la habitación, donde el héroe y la bella heroína rubia por fin se besan, y fundido a negro.

Siempre y cuando el héroe dejara de pensar con el culo.

—Vete —repitió Sophia.

—Como quieras —dijo Dave, con una ligera reverencia.

Fue en ese momento, como esperando sus palabras, que se cortó la luz.

• • •

En la penumbra de luz que daba el generador sobrecargado, Lindsey tenía toda la atención del personal de las SEAL y de Troubleshooters Incorporated, que se aprestaban a salir a peinar la zona en grupos de dos, tres y cuatro.

Ya había revisado los mapas, buscando casas aisladas que se encontraran relativamente cerca, aunque no demasiado, de la antigua cantera y de la farmacia que habían robado, y había señalado varios lugares por donde empezar.

También les había hecho escuchar el mensaje que Tracy había dejado en su contestador automático. Dios, qué raro resultaba oír su voz. Tom les había dicho que debían suponer que todavía estaba viva, pero Lindsey veía en sus miradas que muchos lo dudaban.

Sí, hola soy yo, Tracy. Estoy llamando desde un teléfono de pago en el Polo Norte. Acabo de anotar el número de tu móvil, así que volveré a llamarte en un segundo. Escucha, hay aquí un tipo que está como drogado, pero como si no... imagínate a Ralph Fiennes después de haber aspirado cola, y está... diablos, está bajando del coche. Pienso que debería darte el número de la matrícula, por si desaparezco de la faz de la Tierra. Salvo que está muy oscuro y... creo que hay un nueve... no puedo ver más. Está manchado de barro o mierda de cerdo, o del animal que sea que tienen por aquí. Tiene una matrícula de New Hampshire. Vale, sólo se ha bajado a ponerle líquido del limpiaparabrisas. Qué tonta soy. Te vuelvo a llamar al móvil.

Lindsey les había mostrado a los equipos (gracias al generador del motel, su ordenador y la página imdb.com) una foto de Ralph Fiennes, el atractivo actor inglés que actuaba en

El paciente inglés, y *El jardinero fiel*. También les había mostrado fotos de gente que inhalaba cola, de sus ojos vidriosos y vacíos. Era probable que Tracy hubiera exagerado en su descripción del hombre que la había raptado, pero quería darles toda la información posible.

—Cuando alguien abra la puerta, tenéis que ser amables, —les recordó Lindsey. Alyssa acompañaba a Sam y a un oficial de las SEAL llamado John Nilsson. Dave hacía equipo con Decker, aunque éste había estado llamativamente ausente de esa reunión de información. Unos cuantos hombres de las Fuerzas Especiales incluso tomaban notas. Un punto a favor para ellos—. Pedidles ayuda en la búsqueda de una mujer desaparecida. No habléis de asesinos en serie ni del asesinato del farmacéutico. Preguntadles si podéis entrar. Hablad de cualquier cosa sin importancia, de la gripe que se ha desatado, preguntad si hay alguien enfermo en la casa. Fijaros en los olores. Podéis oler la enfermedad y también la muerte. Sobretodo en invierno con las ventanas cerradas. Fijaos también en cualquier olor penetrante con que se quiera ocultar los malos olores. Pedid hablar con todos los que viven en la casa. Preguntad por los vecinos, ¿desde hace cuánto tiempo que los conocen? Recordad que nuestro sospechoso Richard Eulie, sólo ha vivido en la zona los últimos tres años. Puede que lo vean relativamente como a un recién llegado. ¿Alguna pregunta?

Dios, cómo habría deseado salir a buscar con ellos.

Y, aún más, cómo deseaba que Tracy nunca hubiera desaparecido.

Y ya que se trataba de pedir deseos, deseaba que Jenk estuviera sentado a su lado, mirándola. Pero Jenk iba con uno de los equipos que desplazarían las antenas a nuevos lugares.

Lindsey no se sentía tan asustada cuando él estaba con ella. El pánico le entraba cuando él se iba. ¿Por qué le había dicho que se pensaría lo de ir con él a su casa en Navidad? ¿A conocer a sus padres como si fuera su amiguita?

Nadie tenía preguntas. Todos estaban ansiosos de salir a cumplir con su misión.

Habían puesto cadenas a los neumáticos de los todoterrenos.

Comprobaron las armas y las enfundaron. Lindsey llevaba consigo las armas de siempre, un par de pistolas calibre veintidós, ligeras y fáciles de ocultar. No eran demasiado útiles desde lejos, pero sí de cerca, ante una persona.

En cualquier caso, ella no necesitaría un arma.

Aún así, Tom y Alyssa también habían comprobado que Lindsey y Tess estuvieran armadas.

A medida que el motel se vació, con el viento que soplaba y la nieve cayendo transversalmente y volando en remolinos, aquella soledad empezó a ponerles los pelos de punta.

La visibilidad era una mierda.

Y las ruedas tendían a deslizarse fuera del camino.

No se debía a las malas condiciones de visibilidad provocadas por el viento y la nieve que seguía cayendo, aunque eso tampoco ayudaba.

El mayor problema que tenía Jenk era la falta de guardabarreras o de señales en aquellos caminos de montaña perdidos. Con un manto de nieve ya acumulado en el suelo, resbaloso en tramos, no podía calcular el ancho del camino, y no paraba de salirse del pavimento con las ruedas del lado derecho.

La berma solía ser un trozo de terreno en pendiente, a veces muy inclinado, pero él siempre conseguía recuperar el mando de la dirección.

Excepto esta vez. Mierda.

—¡Aguanta!

Se concentró en mantener el coche pegado al camino, pero sólo consiguió deslizarse y caer hacia una zanja en el borde.

—Joder, Jenkins —dijo Gillman, que no parecía nada contento—. ¿Ahora me dejarás conducir a mí?

—Lo ha hecho muy bien, no seas capullo —respondió Izzy. Ya habían bajado del coche, y se afanaban en devolverlo al camino. Izzy gritó por encima del viento que ululaba—. Ha impedido que volquemos. ¿Crees que empujar esto es duro? Ya verás lo que pesa si volcamos.

Devolver el todoterreno al camino con sólo músculo no sería fácil. Necesitaban tracción. Jenk abrió la puerta de atrás. Había palas y sacos de arena.

—Danny todavía está espantado —dijo Lopez, con la voz deformada por la capucha y el pasamontañas, mientras abría uno de los sacos—, después de su cara a cara con Larry Decker.

—Tú también te has espantado —dijo Gillman a Lopez—. No lo niegues. Ese hijo de puta da miedo.

—Sí, pero yo no soy el que se metió con Sophia —se defendió Lopez—. También te has espantado por eso.

—No me habría metido con ella —dijo Gillman—, si hubiera sabido que... Quiero decir, ha sufrido una mierda muy fuerte. Una mujer como ésa tendría que andar con una señal de «Peligro». Quiero decir, me advirtió que tenía una historia. Pero, tío.

—¿Queréis dejar de parlotear y empujar? —dijo Izzy.

Dios, qué frío hacía. La nieve arrastrada por el viento le daba a Jenk en el rostro como agujas heladas. Subió al SUV y metió la primera mientras sus compañeros se hundieron y empujaron. El motor chilló y las ruedas giraron en banda, hasta que finalmente encontraron un punto de adherencia.

Y ya volvían al camino.

—Tengo el pelo totalmente congelado —se quejó Gillman, mientras Lopez encendía al máximo la calefacción.

Izzy no le hizo demasiado caso.

—La próxima vez, trae un gorra para la ducha. —Se giró hacia Lopez, que tenía el mapa—. ¿Cuánto falta?

—Unos tres kilómetros.

—Jenk —dijo Gillman—, tú y Lindsey sois muy amigos, y ella es amiga de Sophia, ¿no? ¿Te ha contado lo de...? Ya sabes.

Jenk lo sabía. Gillman se refería a cómo habían marcado a Sophia con esas cicatrices.

—No —contestó, mirando por el retrovisor—. Pero aunque me lo hubiera contado, ¿no le habéis prometido a Decker que nada de cotilleos?

Larry Decker, que no era hombre de falsas amenazas, había señalado a Gillman, Lopez, Izzy, Jenk y el teniente MacInnough, cuando todavía estaban en el motel, mientras se preparaban para salir.

—Vosotros cinco —dijo—. Os quiero aquí. Ahora.

Decker había sido jefe de comandos en las Fuerzas Especiales de la Armada, y sabía poner una buena dosis de autoridad en su voz cuando se lo proponía. Incluso Mac, el oficial, obedeció la orden de Deck al instante.

—Manteneos apartados de Sophia Ghaffari —les dijo. Estaba muy cabreado, pero su tono de voz era sereno. Su tranquilo discurso fue mucho más eficaz para atemorizarlos que unos gritos destemplados—. No la toquéis. No habléis con ella. Ni siquiera la miréis. Lo que ha vivido ya es bastante malo como para, encima, soportaros a vosotros. Y la veis como alguien de quien os podéis aprovechar. La veis como un blanco fácil, ¿no? Os equivocáis. Es fuerte. Y valiente. Más de lo que vosotros cabrones jamás podríais ser. Así que cuando os dé por poneros a cotillear acerca de ella, o de sus cicatrices, tenedlo presente. Y tenedme presente a mí también. Porque si alguien se atreve aunque sea a mirarla de reojo, le cortaré el puto cuello.

Mac estaba francamente confundido.

—¿Qué cicatrices? Deck, aprecio tu preocupación por Sophia, pero yo nunca he hablado de ella ni he visto ninguna cicatriz.

Deck le lanzó una mirada dura, pero era bastante evidente que Mac no le estaba tomando el pelo.

—¿Gillman y Lopez no te lo han contado? —preguntó, bastante confundido.

Los dos hombres de las SEAL se sintieron ofendidos.

—Yo no se lo he contado a nadie —insistió Gillman.

—¿Qué tipo de imbéciles crees que somos? —lo secundó Lopez, con la boca tensa de indignación.

Por una vez, Izzy negó con la cabeza cuando Decker miró de él a Jenkins.

—Respetamos a Sophia —dijo Jenk.

—Sea lo que sea lo que estos hombres saben de Sophia y sus cicatrices, ninguno de ellos lo ha compartido conmigo —afirmó Mac, mirando a Deck.

—Le has pedido que vaya a Nueva York contigo —dijo Decker, como si aquello fuera una prueba de las fechorías de Mac.

—Sí —dijo Mac—. Soñar en grande siempre ha sido mi credo. Si quieres saber la verdad, jefe, le pedí que saliera conmigo porque sí, he oído rumores que dicen que es una especie de, no sé, Mata Hari, concubina de alguien en algún país de Lejano Oriente y... Supuse que todos habrían oído esos rumores y que se sentían muy intimidados por ella, por eso y por el hecho de que es muy guapa. Hay eso que yo denomino *síndrome de la mujer de otra liga,* que utilizo para mi ventaja. Cuando una mujer es demasiado bella, nadie se atreve a invitarla a salir. Pensé que en el caso de Sophia sería el doble porque, ya sabes, los rumores. Pensé que quizá tendría una buena oportunidad de que aceptara una invitación a salir. Y he dicho *a salir.*

—¿Así que de verdad es esa Mata Hari de la que todos hablan? —preguntó Izzy—. ¡Vaya!

—A la mierda —farfulló Decker—. Escuchad, os pido disculpas. Pero también os pediré que mi indiscreción no se vuelva contra Sophia. Espero que sigáis respetándola y que no contribuyáis a difundir estos... rumores.

Rumores, sí, claro.

—Yo no he difundido ningún cotilleo —dijo Gillman en ese momento—. Porque todos hemos visto esas cicatrices. Cotillear sería contárselo a Silverman o a Junior. O llamar a Carta Loca Karmody en California. Yo nunca haría eso. Estoy... espantado sería una palabra adecuada. Quiero decir, no es un secreto que la besé allá en la cabaña del refugio. Nunca se me ocurrió pensar que su silencio no era una aceptación, que quizá la hubiera asustado o... yo qué sé. Pero ni siquiera se lo pregunté. Fui y la besé en la boca. Dios, me siento fatal. Y lo peor de todo es que me sigue gustando mucho. Es una mujer increíble. Pero no sé qué decirle. Estoy muy... sí, espantado es la palabra.

—Deberías decírselo —aconsejó Izzy, mientras seguían avanzando en medio de la tormenta, con la calefacción de la ventana a todo dar para que el parabrisas no se congelara—. Yo se lo diría, Dan. La vida es demasiado corta.

Jenk lo miró por el espejo, preguntándose que le diría Izzy a Tracy si tuviera la oportunidad.

Izzy vio su mirada y sacudió la cabeza.

—Tú, calla, Weeble.

—Yo no he dicho nada —protestó Jenk.

—Sí, pero te conozco y estabas a punto de hablar.

Una llamada en su teléfono móvil salvó a Jenk de tener que responder. Se lo pasó a Zanella, porque necesitaba las dos manos para conducir, y Lopez estaba ocupado con el mapa.

—Es Lindsey —dijo Izzy, incluso antes de abrir el móvil—. Por favor dime que la habéis encontrado viva y entera —dijo, y siguió una pausa y de pronto—: ¡Para, Jenk, Dios mío, para! ¡Jenkins, para!

Jenk no paró al lado del camino. No quería arriesgarse a volver a caer en una zanja. Pero le dio a los frenos y el SUV se detuvo en seco.

Zanella dejó caer el teléfono móvil y bajó del vehículo a toda prisa.

Gillman lo recogió y se lo entregó a Jenk con mirada triste.

—Creo que ha sido una mala noticia.

Cuando se llevó el teléfono a la oreja, no alcanzaba a ver a Izzy, a pocos metros del SUV. La nieve era muy densa.

—Linds.

—¿Zanella se encuentra bien? —preguntó ella.

—Tenía que hacer una parada... eh, obligada. —Jenk se preparó—. ¿Qué noticias tienes?

—Tienen el análisis del ADN. El cuerpo que hemos recuperado es de una tal Connie Smith, de Midland, Michigan.

Gracias a Dios. Pobre Connie Smith, pero gracias a Dios.

—Tracy está viva —dijo a los demás.

Cuando Izzy volvió al coche, nadie comentó su repentina bajada ni el hecho de que tuviera la cara y los ojos rojos, como si se hubiera frotado con nieve para borrar las huellas de una fuerte reacción emocional. Gillman le pasó en silencio unas servilletas de Burger King que alguien había dejado en la bolsa de detrás del asiento delantero, para que se sonara.

En el otro extremo, Lindsey se mostraba cauta.

—No sabemos si Tracy está viva —le recordó a Jenk—. Pero estamos seguros de que el cuerpo encontrado en la cantera no era el de ella.

—Sigue viva —repitió Jenk, optimista—. Gracias por ponernos al corriente. Para que sepas, está a punto de oscurecer, en unos minutos. Nos acercamos a la torre. Durante los próximos treinta o cuarenta minutos estará desactivada. Llamaremos en cuanto la volvamos a instalar.

—Cuídate, Mark —dijo ella, y colgó. Jenk intentó no sentirse decepcionado porque no hubiera dicho *Ya que se trata de dar buenas noticias, pensé que te diría que sí a lo de la Navidad.* Al fin y al cabo, lo había llamado Mark en público. Pequeñas victorias, se recordó a sí mismo.

—¿Podemos seguir? —preguntó Izzy—. Porque ahora sabemos que Tracy está con ese cabrón, personalmente —dijo, y le temblaba la voz—. Me gustan mucho sus ojos ahí donde están, es decir, bien puestos en su carita.

Tracy se despertó en medio de la oscuridad, atontada y confundida.

Ignoraba dónde estaba, pero hacía frío y el aire estaba cargado de humedad. Le dolía el cuello porque había dormido en el suelo; le dolía la cabeza y, cuando se movió, oyó el ruido sordo de una cadena. Y recordó.

El hombre con la pistola, el hombre muerto en el suelo de la tienda, la mujer en la cama con el corte en el brazo.

Un recipiente de *tupperware* sacado de la nevera y lleno de ojos humanos.

El hombre la había arrastrado hasta la cocina, donde le había enseñado la pesadilla, junto con aquella horrible cosa sin ojos que antes había sido una mujer.

Oh, Dios. Quizá la oscuridad que la rodeaba se debía a que ella misma ya no tenía ojos. Pero se llevó las manos a la cara y vio que todavía estaba intacta. Párpados que le cubrían los ojos. Nariz. Orejas.

Clank. Tenía una especie de grillete alrededor del tobillo. Siguió la cadena hasta un soporte sujeto a lo que parecía un muro de piedra.

Debía de estar en un cuarto subterráneo. Un sótano o una bodega. No recordaba haber bajado por su propio pie, pero sí recordaba a aquel hombre reírse de sus gritos cuando la pinchó con una aguja.

Dios, cómo había gritado ante la visión de ese cuerpo horriblemente mutilado, sentado a la mesa de su cocina, como si lo acompañara durante la comida.

¿Acaso había silenciado a Tracy porque temía que alguien la oyera?

Y si gritaba ahora, ¿bajaría él para hacerle lo que le había hecho a esa pobre mujer? Dios mío, le había arrancado el cuero cabelludo y lo había puesto a secar en un bastidor de bordar. Quien quiera que fuese, antes había tenido un pelo largo y rubio dorado, que él había lavado hasta dejarlo brillante.

La alternativa era esperar en silencio, aunque en algún momento él la mataría de todas maneras.

—¡Ayuda! —empezó a gritar Tracy—. ¡Que alguien me ayude!

Dave intentó quitarse la nieve de las botas antes de volver a subir al vehículo.

—¿Hay algo? —preguntó Decker.

Él negó con la cabeza.

—Sólo un par de ancianas. Al principio no querían invitarme a entrar porque la casa olía a maría. Pero les dije que a mí eso no me importaba.

Deck lo miró.

—Marihuana por prescripción médica —explicó Dave—. Una de ellas se ha quedado calva por un tratamiento de quimio... así que era evidente lo que ocurría. Se han mostrado amables y dispuestas a ayudar, pero no han reconocido a Tracy ni al doble de Ralph Fiennes.

Deck asintió con un gesto de la cabeza.

—Hay un solo vehículo en el garaje —dijo—. La entrada exterior del sótano estaba abierta así que he entrado. Todo impecable; creo que han pintado el suelo del sótano.

Después de dejar el motel, habían puesto a punto un procedimiento. Dave llamaría a la puerta y Deck haría una inspección del exterior de la casa. También miraría cualquier estructura exterior o garaje con un coche que tuviera en la matrícula el número nueve.

—¿Adónde vamos ahora? —preguntó Dave.

Deck encendió la luz de la cabina para mirar el mapa.

—La casa número cinco queda unos seis kilómetros más arriba. Es la próxima a la izquierda. Hay una curva en el camino, así que conduce lentamente.

Como si hubiera otra manera de conducir con ese tiempo. Dave puso el coche en marcha. Apenas conseguía ver a través de la ventanilla. Sin embargo, se movían más rápido que si caminaran. Aún así, Decker tenía que bajar con frecuencia para indicarle el camino, como tuvo que hacer en ese momento.

Cuando volvió a la cabina, la confesión de Deck lo sorprendió.

—Hoy la he cagado en toda regla —dijo—. No sé cómo se lo contaré a Sophia.

—Contarle qué —inquirió Dave, mirándolo de reojo.

Deck fingió que miraba el mapa, pero Dave sabía que sólo procuraba evitar el contacto visual.

—Me las he dado de vaquero —dijo—. Con Gillman y MacInnough. Y con Zanella, Lopez y Jenkins. Joder, creía que... —dijo, y soltó un bufido de frustración—. Creí que se habían enterado de lo que le ocurrió a Sophia.

De cómo se había servido del sexo para mantenerse viva en el palacio de Bashir.

—Creí que su interés en ella era inapropiado —siguió Deck—. Pero me equivoqué. Ellos no lo sabían, pero ahora sí lo saben. —Cuando Dave lo miró, agregó—: Sí, he conseguido confirmar los rumores. Ha sido una intervención brillante, ¿no te parece?

¿Todos lo saben?

A Sophia aquello le molestaría, pero Dave estaba convencido de que, a la larga, tendría un efecto favorable en ella.

—No tiene nada de que avergonzarse —dijo Dave—. La verdad es que consiguió sobrevivir a una situación horrible. Mantenerlo en secreto no cambiará lo que ocurrió. Nunca se podrá borrar por arte de magia. Sinceramente, creo que se sentirá mejor si todos lo saben. Creo que debería hablar de ello. Quizás ahora sí hablará.

Decker sólo negaba con la cabeza.

—¿Qué, no estás de acuerdo?

—No —dijo Deck—. Es probable que tengas razón. Sólo que... me avergüenzo de mí mismo.

—¿De Sophia?

La mirada que Decker le lanzó lo habría convertido en piedra si se hubieran encontrado en otra dimensión.

—De mí mismo.

—¡Supéralo! —dijo Dave—. ¿Tienes alguna idea de cuánto te aprecia esa mujer? ¿Cuántas veces tendremos que repetir esta conversación? —Dave apretaba con tal fuerza el volante que tenía los nudillos blancos—. Pero ya está; ésta será la última vez. Escucha atentamente, porque después de esto te las arreglarás solo. No pienso volver a decírtelo. Invítala a cenar y, cuando ella te diga que sí, porque te aseguro que dirá que sí con una expresión de absoluta alegría en el rostro, abrázala y bésala con ganas. ¡Hazlo, no pienses en ello! No analices, no discutas y, por el amor de Dios, nunca, nunca te avergüences. El pasado es pasado. Déjalo correr. Empieza a centrarte en el futuro.

Decker no parecía convencido.

—Le dijo a Mac que era demasiado pronto para salir con un hombre.

—Sí, para salir con él, con Mac. —Dave empezaba a irritarse y, de hecho, dio un fuerte golpe en el volante—. ¿Tienes alguna idea, *alguna peregrina idea,* de lo que yo daría por ser tú, pedazo de imbécil? No habría esperado ni un segundo más de lo necesario. Ahora mismo, Sophia estaría esperando un hijo mío y tendría una sortija en el dedo anular. Y ya no tendría pesadillas porque yo estaría ahí por la noche para hablar con ella, para abrazarla y asegurarle que conmigo estaría a salvo para siempre. Dios, estoy tan enamorado de ella y, sin embargo, es a ti a quien ella quiere, ¡gilipollas, capullo! ¿Cómo es posible que tires todo eso por la borda debido a un error que cometiste hace millones de años? ¡Un error que ella te ha perdonado!

El silencio quedó flotando como un zumbido en la cabina, sólo roto por el sonido de las ruedas y el limpiaparabrisas que despejaba la nieve.

—No lo sabía —dijo Decker.

—Pues, felicitaciones, ahora lo sabes. —Dave no dijo más. Había pensado que Deck sería un buen hombre para Sophia, pero ahora... Se había acabado. Ya no estaba dispuesto a ayudarle a ella a encontrar la felicidad empujando a Decker a su lado, procurando convencerlo de que se le acercara. Eso se había acabado. *Finitto.* Nunca más.

Sí, ¿a quién creía engañar? Se había acabado, sí, hasta la próxima vez que Sophia mirara a Decker con sus ojos teñidos de añoranza. Mierda. Mierda.

—Lo haré —dijo Decker—. La invitaré. A cenar. Si eso es lo que ella quiere de verdad.

Dave sacó su teléfono móvil.

—Perfecto. Llámala ahora mismo.

—Estamos en una zona muerta.

—No durante unos minutos —dijo Dave, mientras marcaba el número de Sophia. Le pasó el móvil a Decker—. Cógelo, está llamando.

Decker lo cogió justo cuando Sophia contestó. Dave oyó su voz. Tenía el volumen del teléfono muy alto.

—¿Dave?

—No, eh, soy yo, Deck.

—¿Va todo bien? —preguntó ella—. ¡Has llamado en un momento increíble!

Sophia sonaba emocionada.

—Ya —dijo él—. Yo iba a... —Hablaron los dos al mismo tiempo, pero él calló—. Lo siento... dime.

—Estaba a punto de llamarte —dijo Sophia, con voz temblorosa, la conexión era muy débil, y Dave aminoró la marcha, temiendo que quizá dejaría atrás la cobertura—. Hemos recibido una señal del chaleco perdido de Gillman y vosotros sois el equipo que se encuentra más cerca.

Jenk estaba a punto de perder los nervios.

Le había pasado el volante a Gillman para mirar de cerca el mapa, pero no había duda.

Lindsey, en el motel, era la que estaba más cerca de la ubicación de la señal que recogía el ordenador, la señal del chaleco de Gillman que Tracy había cogido en la cabaña. La señal que correspondía a Tracy o al vicioso y peligroso asesino en serie llamado Richard Eulie.

Volvió a llamar a Lindsey.

Ella contestó (gracias a Dios) y él no esperó más allá de su «hola».

—Por favor, dime que esperas refuerzos.

—Me reuniré con Dave y Decker allí —dijo ella.

—Y los esperarás si llegas ahí antes que ellos, ¿no? —La conexión era una mierda, y el viento no ayudaba.

—Ya lo creo que sí —dijo ella—. No estoy loca.

Y, sin embargo, pensó Jenk, iba sola en un vehículo, probablemente el que había alquilado él, sin cadenas en las ruedas, conduciendo en medio de una tormenta. ¿No estaba loca? Sin comentarios. En realidad, Jenk apretó los dientes para reprimir cualquier recriminación que se le ocurriera pronunciar, sin más. No le gustaría que ella le cuestionara su destreza para enfrentarse a una situación peligrosa. Lindsey era una agente con experiencia y recursos, y aquello tenía que respetarse en los dos sentidos.

Aún así, se podía afirmar que, en lo que se refería a su relación, este aspecto era mucho menos divertido que follar. En realidad, tendrían que compensarse por aquello con muchas horas de sexo.

—No estoy demasiado loca —se corrigió Lindsey.

—Sí, eso es lo que me temo —dijo Jenk.

—Creí que los hombres de las SEAL nunca temen nada —dijo ella, con tono provocador.

—Hablo en serio, Linds, espera a que llegue el apoyo, ¿vale?

—He dicho que esperaría.

—Nosotros también vamos hacia allá —informó Jenk—. Vamos unos treinta minutos más tarde que Deck y Dave.

—Que bien saberlo. Oye, espera, que tengo una llamada. No cuelgues.

Jenk esperó. Más tiempo de lo que hubiera querido. No paraba de mirar su móvil para asegurarse de que no había perdido la conexión. De pronto volvió a oírla.

—Estáis a punto de recibir una llamada —informó Lindsey. Y, en cuanto lo dijo, sonó el teléfono móvil de Lopez.

—¿Qué hay?

—A Sophia acaba de llamarla la policía —dijo Lindsey—. Alguien vio a Tracy la noche que desapareció con un individuo llamado Todd Nortman. Es una especie de excéntrico, nadie lo conoce demasiado bien ni confía en él. Al parecer, regala comida, lo cual tiene a todo el mundo muy receloso. Es demasiado generoso... La mentalidad de estos pueblos me alucina. Aún así, encaja con nuestro perfil. Vive con su madre, que nadie ha visto nunca, en las afueras del pueblo desde hace dos años y medio.

—No crees que sea nuestro hombre. —Jenk la oía dudar.

—Parece demasiado obvio. ¿El hombre raro del pueblo es un asesino? Pero a todos les cae bien por su generosidad. La policía ha enviado un coche patrulla a su casa y... escucha esto: alguien vio el mitón de Tracy que faltaba por la ventanilla del coche de Nortman. —Se notaba su exasperación—. Parece demasiado descuido. Pero tienen una orden de registro, así que hemos enviado a su propiedad a todos los que están en la zona, y eso os incluye a vosotros. Quieren rodear la casa antes de llamar a su puerta.

—La propiedad de Nortman no coincide con la señal del ordenador —aclaró Jenk mientras Gillman giraba con cuidado para dar media vuelta.

—Correcto —dijo Lindsey—. Pero queda a unos quince kilómetros. Yo no paro de decirme que la señal es sólo del chaleco. Puede que Tracy se lo haya quitado hace horas. Dios, apenas se puede ver. ¿Sabes a qué se parece esto? Con la nieve que se refleja en la luz de los faros, es como pasar a la velocidad de la luz con el *Halcón milenario*.

—Estupendo —dijo Jenk—. Y luego dirás *Tengo un presentimiento*.

—Sí, es verdad, lo tengo. Seguiré investigando la señal. Con Decker y Dave —añadió, con una sonrisa en la voz.

—Me parece bien —dijo él.

—Hazme un favor —le pidió Lindsey—. Cuando llegues a lo de Nortman y le eches una mirada... Por favor, llámame y dime si crees que encaja con la descripción de Tracy de un *tío bueno*, ¿vale?

—No sé si soy el hombre cualificado para hacerlo —dijo Jenk—, pero haré lo que pueda.

En su sueño, Beth revivía los primeros días, cuando él la había llevado allá abajo. Al infierno del sótano. En esos sueños aparecía Número Cuatro, y los gritos que no paraban. Gritos y llantos. Ruidos horribles. Gritos que daría un animal herido.

En sus sueños veía aquella cosa horrible que él había bajado por las escaleras, con las manos sin dedos y las cuencas de los ojos vacías. Parecía imposible que todavía estuviera viva, con el cuero cabelludo arrancado y parte del cráneo expuesto, pero viva. Se movía. La mujer se movía.

Y luego habló, y sus palabras le resultaron casi ininteligibles detrás de sus labios cosidos.

—Es la hora de tus píldoras.

Beth despertó con un sobresalto. No era Número Cuatro quien le había hablado. Era él.

Tenía una bandeja con un cuenco y una cuchara de plástico. Una gragea de antibiótico junto a una taza de plástico con agua. De alguna manera había averiguado qué medicamento le daba Tracy, aunque intentara ocultarlo. Claro que lo había averiguado. Él siempre lo sabía todo.

—Caldo de pollo —dijo. Lo habría traído cuando había salido. Ella se lo imaginó en un supermercado, empujando su carro por el pasillo, esperando pacientemente a que una anciana cogiera su marca de cereales de avena preferidos. Dios, había estado en una tienda y nadie sabía que era el diablo en persona.

Los gritos de sus sueños seguían. No eran los gritos de Número Cuatro. Eran los de Tracy, Número Veintiuno. Todavía estaba viva.

El viento soplaba y ululaba, y la casa crujía y temblaba, pero no lo bastante para apagar los ruidos del sótano.

El caldo de pollo olía increíblemente sabroso. Sería la primera comida caliente que había consumido en... No recordaba cuánto tiempo.

—Muchas gracias —dijo, porque tenía que hacerlo bien. Tenía que ser amable, aunque lo único que deseaba era matarlo con aquella cuchara de plástico—. ¿Te sentarás conmigo un rato?

No podía dejar que trajera a Tracy a la cocina. Sólo Dios sabía las atrocidades que ya le habría hecho, aunque a juzgar por los gritos, todavía tenía lengua.

Le costaba tragar la sopa con él a su lado, mirándola con esos ojos horribles y con Tracy llorando allá abajo. Pero la tragó. Y no la vomitó. Se tomó la píldora.

—Me siento mucho mejor —mintió.

—Deberías descansar —dijo él. Se levantó y le cogió la bandeja del regazo.

—Espera —dijo ella—. Por favor.

Él se volvió hacia ella.

—Has sido muy bueno —dijo, y apenas pudo pronunciar las palabras, mientras se esforzaba en tragar la bilis que le subía hasta la garganta—. Sólo quiero pedir un gesto más de bondad. Déjame luchar contra Número Veintiuno. Déjame acabar con ella.

Él no dijo palabra. Se dio media vuelta y llevó la bandeja a la cocina.

—Por favor —llamó Beth—. Te lo ruego. Lo haré como tú quieras. Con tu cuchillo, si así lo quieres.

Tardó unos minutos, pero finalmente volvió. Se había puesto la chaqueta a cuadros de caza que siempre se ponía cuando ella luchaba, y Beth experimentó una mezcla de alivio y pesar.

También le había traído una taza de plástico. Se la entregó.

—Bebe —dijo.

Era Ginger Ale. Ella le obedeció y le devolvió la taza vacía. Él se la metió bajo el brazo porque ya sostenía en las manos su mortífera pistola y las llaves que la liberarían de las cadenas.

Le lanzó las llaves.

* * *

Deck no se lo había preguntado.

Dave lo miraba mientras conducía a través de la tormenta. Según el mapa, el camino que tenían por delante seguía una línea recta durante unos cuantos kilómetros, así que aceleró, a pesar de que la visibilidad era prácticamente nula.

Deck sabía lo que Dave pensaba.

—Ya lo sé —dijo—, soy un cobarde.

—No era precisamente el mejor momento —señaló Dave. Y no lo era, teniendo en cuenta las noticias sobre la señal del chaleco de Gillman y la orden judicial de registro de la casa de ese tío, Nortman. Siempre era una decepción perderse la acción, pero Lindsey andaba sola por ahí, y el asesino en serie no era el único peligro. Aquellos caminos eran traicioneros.

—Nunca será el momento correcto —reconoció Deck—. Porque sencillamente no sé cómo...

—Hola, Sophia —lo interrumpió Dave—. Soy yo, Deck, el imbécil. Te llamaba porque quería que tú y yo saliéramos a cenar uno de estos días. ¿Qué te parece el primer viernes después de que volvamos a California? —Miró a Decker—. ¿Quieres que lo repita?

Deck negó con la cabeza. Apretó los músculos de la mandíbula como si se preparara para enfrentarse con una pandilla de ninjas asesinos y marcó un número en su teléfono.

Estaba llamando de verdad. Dave sintió el impulso repentino de salirse del camino, quitarle el teléfono de las manos y rebobinar los acontecimientos de los últimos días.

Dejar que Decker y Sophia siguieran alejándose uno del otro.

Con el tiempo, Sophia lo superaría, ¿no? Y cuando lo superara, él estaría ahí.

Deck sostuvo el móvil contra la oreja y carraspeó mientras esperaba que ella contestara.

Pero luego entrecerró los ojos y se inclinó hacia delante, mirando más allá del limpiaparabrisas congelado y de la nieve.

—¡Dave!

Mierda. Había un árbol enorme caído delante de ellos, bloqueando totalmente el camino, y lo único que Dave consiguió al frenar fue bloquear las ruedas, que ya no sirvieron para nada.

—¡Sujétate!

Ahora se deslizaban de lado, y el lado de Deck iba directamente hacia...

La ventanilla se hizo trizas antes de que el metal se retorciera. Dave vio que el teléfono móvil de Deck salía volando por los aire.

Y luego no vio nada más porque el *airbag* le dio en toda la cara.

Capítulo 20

Lindsey fue la primera en llegar.

La casa que asomaba a través de la tormenta de nieve era una imagen salida de una novela de Stephen King, uno de esos monstruos victorianos de tres plantas que cuesta una fortuna mantener, sin contar la calefacción para mantenerla templada en invierno. Había varias casas de ese estilo en la zona, construidas como residencias de veraneo, sin duda a comienzos del siglo pasado, cuando los negocios en el viejo refugio de caza iban viento en popa.

Al igual que la mayoría de las casas por las que había pasado, ésta también se encontraba en un estado lamentable. Pintura descascarada, canalones rotos, tejado agujereado y un porche hundido.

Ventanas grandes con marcos podridos como ojos vacíos y sin vida. Una puerta principal como una boca abierta en un grito mudo.

Lindsey no podría haber encontrado una casa de aspecto más tétrico ni aunque hubiera acudido a la inmobiliaria local y hubiera pedido una clásica morada de psicópatas.

Había un edificio adosado, al parecer, un establo, junto al camino. Apagó las luces del coche mucho antes de estacionar al lado, y ahora acechaba en medio de los torbellinos de nieve y de la oscuridad.

Era probable que el establo no fuera un garaje, ya que frente a la casa había aparcado un pequeño Nissan destartalado, medio cubierto por la nieve y ni un solo nueve en la matrícula.

Mientras conducía hasta aquel lugar, había reunido algunos datos de la policía, con ayuda de Sophia, acerca del dueño, un tal Peter Thornton. El hombre había heredado la casa de un anciano tío hacía siete años. Aquello no concordaba con el perfil que tenían de Richard Eulie, el sospechoso de asesinato. Sin embargo, al parecer, el hermano de Peter, Dick... ¿Dick Richard?, se había mudado a vivir con él... hacía tres años.

Y eso sí encajaba.

Sobre todo porque, después de que apareció el hermano, la coincidencia quiso que Peter se mudara a vivir a Florida y que nunca más se volviera a saber de él.

Quizá, la verdad fuera que estaba escondido en el ático.

Su cuerpo momificado se convertiría en un atractivo especial cuando se tratara de revender la casa... para aquel contingente cada vez más numeroso de asesinos en serie que pululaban por el mercado inmobiliario.

Lindsey marcó el número de Dave, pero fue dirigida enseguida al buzón de voz. Aquella casa quedaba justo en el límite de una zona muerta. Con suerte, el hecho de que no pudiera conectar con ellos significaría que se encontraban cerca de allí y que llegarían en cualquier momento. Miró como pudo por la ventanilla trasera hacia el camino a sus espaldas.

En cualquier momento...

Pero no llegaron. Y no llegaron. Acabó llamando a Sophia, y pudo comunicarse.

—¿Hay alguna noticia de Nortman?

—Nada, todavía.

—¿Habéis sabido algo de Decker o Dave?

—¿Todavía no han llegado? —preguntó Sophia, con una inquietud palpable en la voz—. Deck acaba de llamar hace sólo unos minutos, pero... Ha sido raro, como si hubiera conexión, pero no hubiera nadie en el otro extremo. He intentado volver a llamar, pero no he conseguido comunicarme. Volveré a intentarlo después de hablar contigo.

La conexión dejaba mucho que desear.

—Hay un viento que sopla muy fuerte —dijo Lindsey—. Puede que haya derribado una de las antenas.

—Tess dice que incluso el viento influye en la señal —advirtió Sophia—, aunque las antenas aguanten.

Genial.

—El camino también es un desastre —informó Lindsey—. He tardado tres veces más de lo que pensaba en llegar hasta aquí —dijo, y le describió la casa a Sophia.

—Tengo más información sobre Dick Thornton —avisó Sophia—. Nadie en el pueblo lo conoce demasiado bien, es un hombre huraño. Compra en el supermercado, pero nunca se detiene a hablar con nadie. Al parecer, desaparece, a veces durante semanas, y se cree que viaja por cuestiones de negocios. Pero, aparte de esos viajes largos, parece estar jubilado, trabaja en el jardín, se ocupa de su coche... Hay gente que dice que hizo una fortuna con un negocio en Internet; otros creen que ha heredado un dinero, pero todos coinciden en que no vive como un hombre rico. Stella me dijo que Rob quería conseguir trabajo reparando la casa, pero Thornton no ha renovado nada, aparte de instalar un sistema de alarma que, francamente, todo el mundo describe como una locura. Como dice Stella, *¿quién* *necesita un sistema de alarma por aquí? La mayoría de la gente ni siquiera cierra la puerta con llave.*

A menos que el sistema sirviera para alertar no de la gente que entra en la casa, sino de la que sale. Aquello era cada vez más siniestro.

Al parecer, no había luces en la casa, aunque ésta era tan grande que era posible que la cocina estuviese en la parte trasera, con todas las luces y el horno encendido. Dick Thornton quizás estuviera horneando galletas de Navidad y preparándose para pasar la noche mirando *Rudolph* y *El Grinch.*

—¿Me harías el favor de volver a llamar a Dave y a Deck una vez más? —pidió Lindsey. O quizá se estaba preparando para sus labores de bordar con el rostro de Tracy—. Puede que conectes con el móvil de Dave. Sólo quiero tener un cálculo de lo que tardarán en llegar. Este lugar es el no va más de lo siniestro. Me pone los pelos de punta.

—No te acerques a esa casa —le ordenó Sophia—. Te llamaré enseguida.

Izzy no iba armado.

No era que el suboficial no confiara en él. Sí, en realidad, era que el suboficial no confiaba en él, teniendo en cuenta que cuando todo aquello llegara a su fin y Tracy estuviera de vuelta en casa, Izzy tendría que ir a pasar una larga estadía en la Tierra del Castigo.

El suboficial había entregado armas a todos los demás hombres de las SEAL en ese equipo. Y le había dado instrucciones especiales a Gillman para que las mantuviera lejos de las indisciplinadas manos de Izzy.

Aún así, él era un cuerpo, y ahí estaba, con sus colegas, además de unos cinco agentes de la policía local de diversas formas y tamaños, y probablemente diversos grados de habilidad, teniendo en cuenta que el tío ése con la pancha cervecera también estaba desarmado. Sin embargo, había una chica pelirroja que aparentaba unos catorce años, que sí estaba armada. Sin duda se había ganado su permiso de armas de fuego con las Exploradoras.

Con el sigilo de un rebaño de cabras, se situaron en posición al exterior de la pequeña casa de Todd Nortman perdida en el enorme bosque.

Era una casa muy pequeña. En Nueva Inglaterra era el equivalente de un cobertizo para guardar armas. Dos habitaciones, como máximo. El coche antiguo de Nortman, aparcado frente a la casa, casi era más grande.

El coche tenía un nueve en la matrícula y el mitón de Tracy estaba en el suelo del asiento delantero.

Dios todopoderoso, haz que la encontremos aquí, sana y salva.

La policía local era la encargada de aquella operación, y un agente uniformado llamado Morris esperaba una señal de Lopez diciendo que él y Gillman estaban apostados en la puerta de atrás.

El retraso (¿por qué coño tardaban tanto?) le estaba provocando ganas de ponerse a gritar de rabia.

Andando como un pato en la nieve profunda, a todas luces teniendo dificultades con el peso del chaleco antibalas, Morris por fin llamó a la puerta de Nortman.

Ésta se abrió enseguida y asomó un hombre pequeño con cara de tortuga y barbilla casi inexistente pero temblorosa y una calvicie que procuraba ocultar peinándose los pelos por encima.

—Agente Morris —dijo Nortman, genuinamente contento de verlo—. Qué sorpresa. !Que Dios lo bendiga por venir en medio de esta tormenta a ver si Mamá y yo estamos bien! ¿Quiere pasar?

Jesús en monopatín.

Si ése anciano era el asesino que buscaban, Izzy era su propia abuela.

Tracy no oyó que la puerta se abría porque estaba llorando.

Sin embargo, vio la franja de luz que inundó las escaleras del sótano.

También miró a su alrededor, lo cual la habría hecho llorar con más ganas, si no fuera porque se había jurado no volver a mostrarle lo asustada que estaba. Si gritaba, sería para pedir ayuda.

Estaba encadenada a un muro, tal como había pensado; en un sótano, tal como había pensado.

Lo que no había imaginado eran las manchas de sangre en el suelo de cemento. Ni el montón de... oh Dios... dedos humanos, algunos cortados hacía no mucho, la mayoría poco más que huesos.

¿A cuántas mujeres había traído allí abajo para matarlas? ¿Todos esos párpados, y esos ojos?

Pero no era él quien bajaba las escaleras. Era Beth. Se apoyaba pesadamente en la balaustrada y bajaba a paso lento.

Tracy vislumbró un rayo de esperanza, hasta que vio que él iba detrás, y que la luz se reflejaba en el cañón de su pistola.

* * *

Cuando Lindsey bajó del coche de alquiler, sonó su teléfono móvil.

Era Jenk, como si hubiera intuido que, después de esperar a Deck y a Dave lo que parecía una eternidad, Lindsey finalmente había decidido investigar el contenido del establo.

Volvió a subir al coche, encendió el motor y la calefacción.

—¿Hola?

Con sólo un par de segundos en el exterior, se había helado hasta los huesos.

—¿Dónde estás? —le preguntó él.

Sentada en el coche, en el exterior de esta casa siniestra, esperando a que lleguen Deck y Dave —acabó por confesarle, honestamente.

—Estoy bastante seguro de que Nortman no es nuestro hombre —le informó Jenk—. Ha cooperado en todos los sentidos, huellas dactilares, análisis de ADN. Vamos a seguir esa pista, aunque pasará un rato antes de que tengamos los resultados.

—¿Qué aspecto tiene? —le preguntó Lindsey.

—A menos que Tracy profese un amor oculto por Don Knotts... Espera un momento —dijo Jenk—. Te voy a mandar una foto. Si te pierdo, te volveré a llamar enseguida.

Y ahí estaba, en la pantalla de su móvil, una foto de Todd Nortman. Ojos anchos y protuberantes y una peinado sobre la calvicie y... Ni aunque se hubiera tomado una botella de tequila, Lindsey jamás habría descrito a Todd Nortman como un tío bueno.

—Dice que cogió a Tracy la noche del ejercicio —dijo Jenk—, en el camino que pasa por detrás de la cabaña. Tracy lo acompañó durante más de una hora, y lo ayudó a distribuir cestos de comida a gente que él llama «vecinos necesitados». Aunque, si vieras la casa de este tío, no entenderías por qué no está al comienzo de su lista. En fin, dice que dejó a Tracy en la farmacia, que también es una estación de autobuses, porque tenía que repartir más paquetes de comida y llevarla hasta el Motel-A-Rama lo habría apartado demasiado de su camino. Su madre... existe, y tiene unos ciento cincuenta años. Al parecer, la vieja se habría preocupado si él hubiera tardado demasiado en volver a casa. El tipo ha dicho que había otro coche en el aparcamiento de la tienda, un Impala oscuro que él no reconoció. Y hablamos de un tío que conoce a todos en el pueblo.

—¿Le has dado esta información a Sophia?

—Afirmativo —dijo Jenk—. Ya estoy en camino hacia donde estás tú, con Gillman, Lopez y Zanella. Sophia me pidió que te dijera que han desaparecido del mapa. Necesita que vuelvas sobre tus pasos para intentar encontrarlos. ¿Tienes tu mapa?

—Lo tengo. —Lindsey lo cogió y lo miró a la luz de la linterna. Estaba lo bastante lejos de la casa para no ser vista desde la ventana, pero eso cambiaría si encendía la luz de la cabina. Fue marcando el mapa a medida que Jenk nombraba una serie de caminos, en la ruta que Deck y Dave habían seguido para ir a reunirse con ella.

—Mientras nos esperas, vuelve atrás siguiendo esa ruta. A ver si no se han salido del camino.

Lindsey no podía no decirlo.

—Si entramos en esta casa, cuando tú llegues, y Tracy está ahí dentro y llegamos demasiado tarde... —Dios—. La idea de dar media vuelta y dejarla ahí dentro...

—Volverás —dijo Jenk—. Piensa en ello como una manera de entrar más pronto en la casa. Si puedes dar con Deck y Dave...

Y si no los encontraba.

—Tú, date prisa —fue lo único que dijo.

Tracy, Número Veintiuno, se incorporó, con el mentón en alto y desafiante y un sonido de cadenas.

No le había hecho daño.

El alivio que sintió Beth le hizo flaquear las piernas, y él la cogió por el brazo, mientras le presionaba la espalda con el cañón de su pistola.

¿Y ahora qué pasaría? Ella había bajado pensando que encontraría a Tracy después de haber sido torturada, ya medio muerta. Su intención había sido dispensar clemencia y poner fin a su sufrimiento.

Por el contrario, Beth cruzó una mirada con ella, recordando las palabras que había dicho a sus espaldas. *Dos contra uno.*

Dios, qué débil y mareada estaba. Le costaba tenerse en pie, y mucho más pensar. Sin embargo, odiaba que él la tocara. Apartó el brazo y bajó sola los peldaños que quedaban, aventurándose en el sótano mal iluminado.

Se cogió el brazo herido, un pretexto para juntar las manos a la altura del pecho y mantenerlas ocultas a su mirada. Beth le enseñó dos dedos. Y luego uno. Por favor, Dios, haz que Tracy entienda.

Era el momento en que él le lanzaría a Tracy las llaves de sus cadenas, salvo que esta vez no lo hizo.

En lugar de llaves, lanzó un cuchillo. Una navaja. Aterrizó en el suelo de concreto a los pies de Beth con un ruido metálico. Al abrirse, desveló una hoja larga y letal.

Ella se giró para mirarlo, a mirar el arma con que seguía apuntándole. Oía el miedo de Tracy por el ruido de su respiración, ahora acelerada.

—Acaba con ella —ordenó.

—Está encadenada —protestó Beth.

—Y tú estás débil —dijo él—. Acaba con ella. —Siguió una pausa—. O déjamela a mí.

El ruido de un timbre constante lo hizo volver en sí. Su teléfono móvil.

Vaya, qué frío hacía. ¿Cuánto rato llevaría en ese estado? El airbag le había doblado las gafas.

Dave lo deshinchó y... Joder.

La rama de un árbol, con un extremo en punta y afilado, como si la madre naturaleza hubiera fabricado una lanza gigantesca, había roto la ventanilla y clavado a Decker a su asiento.

Llamarla una simple rama se prestaba a errores, porque tenía un metro de largo y un diámetro de por lo menos veinticinco centímetros en su punto de unión al árbol caído.

Dave buscó su teléfono móvil y palpó el cuello de Decker buscando un pulso... y se dio cuenta de que tenía la muñeca rota.

Madre de Dios, cómo dolía.

El hecho de que Decker no se moviera no era buena señal, ya que acababa de gritarle al oído.

Se cogió la muñeca mientras respondía al móvil (era Sophia, desde luego) alojándolo entre el hombro y la oreja izquierda, y se inclinó con la otra mano, rezando para encontrar con vida a Deck.

—¡Dave! ¿Dónde has estado?

Tenía pulso, gracias a Dios. Pero era débil. ¿Cuánto rato llevaban ahí, con el viento y la nieve soplando por la ventanilla rota? Decker tenía nieve en la ceja y el oído izquierdo, en el hombro y...

La rama del árbol tenía ramas más pequeñas, y una de ellas le había dado a Decker en un costado. Había roto el anorak y la camisa. Se había desprendido, de modo que ya no estaba sujeta al árbol, pero...

Ahora Dave agradecía aquella ventanilla rota y el frío que seguramente había restañado la hemorragia de Deck. Por lo que veía, había perdido mucha sangre, que le había empapado la ropa y se acumulaba en un charco a sus pies.

—Hemos tenido un accidente —dijo Dave a Sophia, mientras intentaba ver con más detalle las heridas de Deck—. Ha caído un árbol y bloquea el camino —dijo, y le dio las coordenadas—, en Burlington Road, a casi un kilómetro del cruce de Mt. Trent.

La rama que había clavado a Deck iba a ser una pesadilla logística a la hora de sacarlo del todoterreno, pero no lo había herido. Al menos no como la rama larga que tenía clavada en las tripas.

—El todoterreno ha quedado destrozado. Deck está gravemente herido.

—Dios mío —dijo Sophia cuando él describió la herida—. He llamado pidiendo ayuda, pero no sé cuánto tardarán en llegar —avisó.

—Ya que estamos pidiendo lo imposible, habrá que pedir paramédicos —dijo Dave, mirando el mapa—. Podrías pedir que venga uno. Por lo que veo, la casa más cercana es la de las señoras Rogers y Kittford. —Las damas de la marihuana. Aunque su casa quedaba al menos a unos ocho kilómetros monte abajo. Ocho kilómetros a través de una zona muerta, donde no tendría conexión, ninguna posibilidad de pedir ayuda. Y eso era una idea inútil porque no había nadie a quien pedir ayuda.

Al parecer, Sophia también estudiaba el mapa.

—¿Piensas recorrer ocho kilómetros en medio de una tormenta de nieve con un hombre a cuestas?

Y la muñeca rota, pero no tenía por qué contarle eso.

—¿Quién te quiere? —Dijo Dave, con su mejor imitación de Kojak. Ella, desde luego, no lo reconoció. Era demasiado joven.

Sophia respondió algo, pero él no alcanzó a captarla antes de que la conexión se parasitara y luego muriera. Lo cual convertía a la zona muerta en una cuestión doblemente inútil de mencionar.

Dave se guardó el móvil. También cogió el de Decker, que había acabado en el suelo.

—Vale, Deck —dijo, respirando hondo varias veces, preparándose para coger en brazos al hombre inconsciente y pasarlo por encima del freno de mano. No había manera de hacerlo sin recurrir a la muñeca rota—. Me consuela pensar que esto te dolerá a ti tanto como a mí.

—Acaba con ella —sentenció el monstruo—, o déjamela a mí.

Tracy veía la indecisión en los ojos de Beth. Al parecer, pensaba seriamente en esa posibilidad.

Dos contra uno. Beth había hecho varias señales a Tracy al llegar abajo. Dos dedos y luego uno. Pero ahora había parado. Ahora miraba el cuchillo que tenía en la mano como si de verdad fuera a usarlo. Pero enseguida volvió a mirar a Tracy con ojos duros.

—Mírala —dijo Beth—. Está aterrada. Vale, está ahí parada como si no tuviera miedo, pero si doy un paso adelante se irá al rincón y se echará a llorar.

Vale. Ahí había un mensaje inconfundible. Beth dio un paso deliberadamente hacia Tracy.

—No me hagas daño, no me hagas daño —dijo Tracy, haciéndose un ovillo. Las lágrimas afloraban sin esfuerzo mientras ella pensaba: *Oh, Dios, te lo ruego, que Beth tenga algún plan*. Dos contra uno estaba bien, pero él tenía un arma. Desde luego, si las dos lo atacaban, sólo tendría tiempo para disparar a una de ellas. Siempre y cuando estuvieran lo bastante cerca de él...

—Dale las llaves —dijo Beth al monstruo.

—No —contestó él—. Tienes hasta diez, nueve...

La resignación reemplazó a la esperanza en la mirada afiebrada de Beth.

—Lo siento —le susurró a Tracy—. Lo he intentado.

—Ocho...

—Lo siento, lo siento. Lo haré rápido, te lo prometo. —Beth avanzó sosteniendo el cuchillo en una postura bien practicada—. No puedo dejar que te lleve arriba.

—Siete...

—Te lo ruego, no lo hagas —imploró Tracy. Pero Beth había dejado de ser Beth. Se había convertido en Número Cinco. Sus ojos eran salvajes y la expresión de su rostro, tensa.

—Seré rápida —repitió ella—. Se acabará y estarás libre. Te golpeará el agua pero no sentirás nada.

Ahora no sólo tenía la mirada enloquecida sino también decía incoherencias, como una loca.

—Seis...

—Tracy retrocedió ante la hoja del cuchillo, todo lo que le permitieron sus cadenas.

—No lo hagas —dijo. Dios, ella no quería morir—. ¡Socorro! ¡Que alguien me ayude!

Lindsey no podía hacerlo.

No podía irse sin antes comprobar que en el establo no había otro coche.

Y, desde luego, cuando cruzó la puerta, lo vio en la penumbra. Estaba cubierto con una lona. Levantó la pesada tela y...

Un Impala de color azul oscuro. Matrícula de New Hampshire. Con el número nueve.

Debería haber llamado a Tom Paoletti en ese preciso momento. Pero él le habría dicho que volviera al coche y esperara el jodido apoyo.

Al contrario, tomó la decisión de acercarse a la casa. Caminar a su alrededor por el exterior. Silenciosa. Sigilosa. Quizá mirar por una ventana. Conseguir toda la información posible.

El viento soplaba con fuerza, ululando, y la nieve seguía cayendo. Nadie la vería ni la oiría. Y si alguien la veía, ella haría su numerito Ninja y se pondría a buen resguardo.

Las cortinas estaban cerradas en las ventanas de la fachada.

Lindsey vio el sistema de seguridad del que le había hablado Sophia. Tendría que haber pedido más detalles. Aunque, con ese viento, los sensores de movimiento estarían apagados o, de otra manera, activándose cada diez segundos.

Fue hacia la parte trasera de la casa. Había un porche pequeño y una puerta trasera que daba a una cocina de tonos apagados. Con sólo una luz encendida.

Fue el momento en que, al mirar por la ventana, lo oyó.

¡Que alguien me ayude!

Y luego ninguna palabra, sólo gritos. Largos, penetrantes y agudos chillidos.

Lindsey sacó su teléfono móvil y marcó. Primero a Sophia. Después, a Tom Paoletti. Las dos veces saltó el buzón de voz.

Llamó a Jenk. Lo mismo.

Le dejó un mensaje.

—Por favor, no te enfades. Y, por favor, ojalá que estés cerca. Sigo aquí donde los Thornton. Hay un Impala en el establo, con un nueve en la matrícula. He oído gritos en el interior de la casa, una mujer que parece ser Tracy pidiendo ayuda. No puedo esperar apoyo. Voy a entrar.

Lindsey se guardó el móvil y echó una mirada al sistema de seguridad. No pensaba entrar en la casa si él estaba enterado de su presencia.

Lo cual significaba que sólo quedaba una alternativa.

Cuando se supo lo del accidente de Dave y Decker, Jenk le pidió a Lopez, que respondió la llamada, que preguntara si Lindsey estaba con ellos.

—No —dijo Lopez—. Y Sophia dice que hace un buen rato que no sabe nada de ella.

No era lo que Jenk quería oír.

—Nos acercamos desde otra dirección —informó Lopez, siguiendo la conversación—, así que no tenemos que preocuparnos del árbol caído, pero Danny lo ha marcado en el mapa.

—¿No podemos ir más rápido? —preguntó Izzy, con prisa no disimulada.

—Voy lo más rápido que puedo —dijo Jenk—. Hay una visibilidad de treinta centímetros. Si voy demasiado rápido, nos podría ocurrir lo mismo que a Dave y Deck.

—Yo podría correr más rápido que esto —anunció Izzy—. Aunque fuera con la nieve hasta las rodillas.

Sí, Jenk también podía. En realidad... Se puso el gorro y se subió la cremallera del anorak. Sin embargo, detenerse en esos caminos sería un desastre. Aunque no se deslizaran hacia una zanja, volver a ponerse en marcha sería otro cuento.

Pero a esa velocidad no tenían que detenerse.

—Gillman, coge el volante —ordenó Jenk—. Ahora. Deslízate hacia aquí.

Gillman le pasó el mapa que tenía en las manos a Lopez, mientras Jenk abría la ventana. El viento soplaba con demasiada fuerza e impedía abrir la puerta.

Un alud de nieve se coló en la cabina del vehículo, y una ráfaga de viento empujó el mapa hasta dar en la cara de Lopez.

—Oye, intento hablar por teléfono. Ya cuesta bastante oír...

Jenk se impulsó hacia arriba y quedó sentado en la ventana, con el SUV todavía en marcha. Antes de sacar las piernas, encendió las luces altas, lo cual, con el reflejo de la nieve, disminuía la visibilidad a menos de treinta centímetros. Pero eso iba a cambiar.

—¡Tío! —Atrás, Izzy también había bajado su ventanilla—. Eres la hostia, ¡te relevaré en diez minutos!

Jenk asintió con la cabeza, y corrió hasta situarse con facilidad por delante del SUV. Sin el reflejo de la ventanilla, la visibilidad aumentaba. No, mucho, pero lo suficiente. Desde luego, ahí afuera hacía mucho más frío. Él no lo sentía. Se situó a unos seis metros por delante del vehículo, justo donde las luces se reflejaban en su anorak, y empezó a correr.

Gillman, detrás, cogió velocidad.

¿Había una manera buena de morir?

Tracy siempre había pensado que morir mientras dormías sería la mejor manera de irse. Acostarse a dormir una noche y no despertar jamás. Sería tranquilo e indoloro.

Sin embargo, ahora sus dos opciones eran violentas y dolorosas: rápido, por la vía del cuchillo de Beth, o lenta, con el monstruo en su cocina de la muerte.

—Cierra los ojos y todo acabará enseguida —dijo Beth, por encima de los gritos de Tracy, mientras el monstruo seguía.

—Seis... cinco...

No. No podía. No quería. Si iba a morir, moriría luchando.

Tracy dejó de gritar y lanzó una patada a Beth con su mejor estilo Tae Bo, sabiendo perfectamente que le asestaría un corte. El Tae Bo servía para tonificar los músculos, no era un arte de defensa personal. Pero ella no podía quedarse ahí y dejar que la masacraran.

No le dio al cuchillo pero le dio al otro brazo de Beth, el brazo herido.

Beth lanzó un grito y perdió el control del cuchillo. Tracy le asestó una segunda patada... ¡Maldita cadena que no la dejaba ir más allá! Pero el cuchillo cayó al suelo con un tintineo.

Su rival estaba enferma y herida, lo cual era una desventaja al menos igual a la cadena que la retenía, quizá más. Intentó lanzar una tercera patada, pero esta vez Beth estaba preparada. La cogió por la pierna y le hizo perder el equilibrio.

Tracy cayó de espaldas sobre el cemento, y el golpe le quitó todo el aire de los pulmones. Entonces, Beth se abalanzó sobre ella y la agarró por el cuello con las dos manos.

Dios, ahora sí que no podía respirar.

Y en cuanto se retorció para quitarse a Beth de encima, pudo respirar. Beth había perdido asidero pero no la había soltado.

—¡Muere! —gritó Beth, sacudiéndola como si todavía pudiera arrancarle la vida—. ¡Muere!

Y Tracy entendió. Se sacudió y cayó a un lado. Y quedó inmóvil. Cuando las manos de Beth le soltaron el cuello, Tracy se obligó a quedar inmóvil, a no tragar aire. Oía que Beth respiraba con dificultad.

—Era más fuerte que yo —dijo Beth—. No estoy tan bien como... oh...

Tracy oyó un ruido que debía ser Beth cayendo a su lado al suelo. No se atrevió a abrir los ojos para mirar.

¿Se acercaría? Pensando que Tracy estaba muerta y Beth inconsciente. Beth tenía el cuchillo a su alcance.

A menos que de verdad se hubiera desmayado.

Te lo ruego, Dios, que funcione nuestro plan...

Tracy sintió que algo le daba con fuerza en la espalda. No se movió, ni reaccionó, ni pestañeó por el repentino dolor.

Era agua. Como un chorro de alta presión.

Beth le había avisado, cuando ella pensó que le estaba diciendo locuras. *Te golpeará el agua...*

La estaba poniendo a prueba. Las estaba poniendo a prueba a las dos.

Se obligó a permanecer como inerte, dejar que el agua la empujara. Y, finalmente, después de lo que a ella le parecieron minutos pero que debieron haber sido meros segundos, el monstruo apagó la manguera.

Tracy oyó un *clank* cuando dejó algo en el suelo. ¿Un tanque?

Oyó crujir los peldaños cuando bajó y pisó el suelo del sótano. Oyó los pasos en el cemento.

Y se aprestó, esperando que Beth hiciera lo mismo, lista para atacarlo —*dos contra uno*— cuando se acercara lo suficiente.

Ding-dong.

El hombre se detuvo.

¿Qué había sido eso? Era un ruido lejano, desde más arriba de las escaleras.

Volvió a sonar. *Ding dong.*

¿Un timbre?

El hombre se giro y volvió arriba, no sin antes recoger lo que había dejado en uno de los peldaños. Cerró la puerta a sus espaldas y las dejó encerradas en la oscuridad.

Lindsey esperaba en el porche destartalado de la Sede Central de Asesinos en Serie, y volvió a tocar el timbre.

Tenía su veintidós en la mano, en el bolsillo izquierdo del anorak, con el dedo en el gatillo, cuando se abrió la puerta. Ahí estaba, el tío bueno de Tracy, aunque, en realidad, se parecía más a Sean Bean que a Ralph Fiennes.

Tenía una barba de dos días y unos ojos que la hicieron pensar en un pollo. O quizás en una serpiente. O en las dos cosas. Lindsey estaba convencida de que los pájaros y los reptiles estaban más estrechamente relacionados de lo que se pensaba, teniendo en cuenta la enorme aparente diferencia entre las plumas y las escamas y, vale, estaría bien concentrarse un poco.

—Lo siento mucho —dijo Lindsey, en su mejor papel de mujer pequeña e indefensa—. Mi coche se ha salido del camino a un kilómetro de aquí. He caminado y caminado y, gracias a Dios, he encontrado su casa. ¿Por favor, puedo entrar?

Capítulo 21

A Beth le dolía la cabeza.

Cuando él la había rociado, el agua la había empujado hasta la pared y se había golpeado en la cabeza. Como si no estuviera lo bastante mareada por su enfermedad.

Se sentó en la oscuridad (él había apagado la luz) y se tocó la frente. Tenía la mano mojada. Con algo más cálido que el agua. Y pegajoso.

Sangriento.

—¿Beth?

Oyó el tintineo de la cadena cuando Tracy se movió.

—Sigo aquí —dijo ésta. Como si tuviera alguna alternativa. Empezó a reír, aunque su risa sonaba como sollozos.

—Gracias por no matarme —susurró Tracy.

Para lo que había servido. Dios, habían estado tan cerca... Podrían matarlo y acabar con aquella pesadilla. Pero la verdad es que nunca volvería a ser libre, nunca más.

—Se me ha ocurrido que quizá no tenga balas en su pistola —dijo Tracy—. O quizá no es de verdad. La tenía —la pistola— en la farmacia, pero mató al dueño con un bate de béisbol. ¿Alguna vez lo has oído o lo has visto usarla?

—Shh.

Las tablas crujieron por encima de sus cabezas cuando entró en la cocina. Beth oía el murmullo de su voz. Hablaba con alguien. Una respuesta, la segunda voz era más aguda. Una mujer. La persona que había llamado al timbre era una mujer. ¡Que Dios se apiadara de su alma!

Se sintió sacudida por otra ola de mareos.

Que Dios se apiadara de todas ellas.

El teléfono móvil de Marky-Mark sonó en una ranura del salpicadero, donde lo había dejado antes de hacer su truco de salir del coche por la ventanilla, a lo Mario Andretti.

Avanzaban unas tres veces más rápido que antes, pero aunque fuera tres veces más rápido seguía siendo jodidamente lento. Aún así, era mejor que nada.

Izzy se inclinó en el asiento delantero, cogió el móvil y lo miró. Jenk tenía un mensaje. De Lindsey, con quien Sophia había perdido contacto.

—¿Cuál es el código del móvil de Jenk? —preguntó.

Nadie contestó.

—Sé que tú lo sabes, Lopez —insistió Izzy—. Venga, dímelo, podría ser importante. Es de Lindsey.

—Yoda —dijo Lopez—. Ya sabes, nueve seis tres dos.

Yoda. Eso. Jenk era un fanático de la *Guerra de las Galaxias*. Izzy ingresó la clave y se puso el móvil al oído. Y oyó a Lindsey decirle a Jenk que no iba a esperar apoyo. Había oído gritos que podían ser los de Tracy. Dios, que iba a entrar.

Izzy abrió su ventanilla y trepó fuera del SUV, que seguía avanzando.

* * *

Lindsey estaba sentada a la mesa de la cocina mientras el agua se calentaba en una tetera.

—Es una casa maravillosa —mintió—. Perfecta para una familia numerosa.

Tenía que ser Richard Eulie. Estaba casi totalmente segura de ello. Sin embargo, él no le había ofrecido quitarse el anorak, así que se lo había dejado puesto. Aunque se lo hubiera ofrecido, ella habría alegado tener demasiado frío para quitárselo, lo cual le permitía mantener el arma en la mano. Tenía el cañón apuntando al sospechoso mientras se movía por la cocina, cogiendo unos tazones y una caja de bolsitas de té de una despensa con una puerta que chirriaba.

Lindsey no pensaba beber nada de lo que le ofreciera, pero había dicho que sí, que una taza de algo caliente estaría bien, cuando él se la ofreció. Le daba algo que hacer en lugar de sentarse en silencio al otro lado de la mesa. Era un hombre sumamente taciturno, y no había pronunciado más de tres frases desde que la dejara entrar.

La cocina era grande, pero estaba en un estado tan lamentable como el resto de la casa. El suelo tenía una cubierta de linóleo viejo, y en el centro de la sala todavía se alcanzaba a ver la figura deslavada y políticamente muy incorrecta de una mujer afroamericana, sonriente y tocada con un turbante, al estilo de las etiquetas en el almíbar de Aunt Jemima.

Un viejo hornillo a gas, con una plancha en el centro, estaba situado justo frente a la puerta que daba al pasillo. Las placas de cerámica a los lados eran semirredondas, al igual que la puerta de la vieja nevera al otro lado de la cocina. Las dos estaban igual de sucias y gastadas. La pila, situada frente una ventana, tenía unos armarios de cerámica similares en la parte inferior. Alguien había intentado montar una cubierta entre la pila y el hornillo, pero con su escasa habilidad, sólo había conseguido construir una superficie torcida, como una mesa de trabajos manuales mal hecha. En su tiempo, había estado recubierta de cerámicas mexicanas de vivos colores, de las cuales sólo quedaban unas pocas. El resto estaban trizadas y desportilladas.

Había algo que no olía nada bien ahí dentro. No era un olor tan intenso como para sospechar que había un cadáver metido debajo de la pila o en la despensa, pero era igualmente desagradable.

La cubierta de la mesa a la que se había sentado estaba muy desgastada. La habían limpiado hacía poco, supo Lindsey, porque todavía se palpaba el polvo residual del detergente, como arena bajo los dedos.

Las luces titilaron, pero no se apagaron.

—Quizá deberíamos encender unas velas —sugirió Lindsey—. Ya sabe, antes de que se apaguen las luces. Seguro que es mejor tenerlas a mano ahora que andar buscándolas a tientas en la oscuridad.

—No tengo velas —dijo él.

Desde luego que no. Los asesinos en serie son amantes de lo oscuro.

—¿Ni siquiera de esas velitas que se ponen en las tartas de cumpleaños? —le preguntó—. Todo el mundo tiene de ésas.

En la repisa de la cocina había una lata de sopa Campbells de pollo con arroz, junto a un abridor de latas. También había una botella de dos litros de Ginger Ale junto a un frasco de grageas. La etiqueta correspondía a la farmacia que habían robado.

—Yo no tengo. Además, ya se ha cortado la luz. Ahora funciona el generador. Ése no falla —dijo, y sonrió—. A menos que yo quiera.

Vale. Lindsey no estaba lo bastante cerca para ver el nombre del medicamento, pero hizo un gesto en esa dirección.

—Al parecer, tiene a alguien enfermo en casa con una infección —dijo, reprimiendo las ganas de descerrajarle un disparo. Ahí mismo. Darle de balazos hasta que estuviera muerto. Pero, si llegaba a equivocarse a propósito de su identidad, nunca se lo perdonaría—. Tuve una sinusitis hace un mes... y no se me iba. Tuve que tomar una doble dosis de antibióticos. Qué coñazo.

Había una puerta con una ventana junto a la pila, la puerta trasera por la que había mirado al oír los gritos. Ahora estaba todo en silencio, pero ella había oído algo, no tenía la menor duda.

¿Qué le había hecho a la mujer que gritaba?

Otra puerta, entreabierta y sin pomo, daba a la despensa a oscuras. Una tercera puerta, justo al lado, estaba cerrada con una serie de cerrojos de seguridad. Las bisagras eran brillantes, como si su instalación fuera mucho más reciente que cualquier otra renovación en la cocina. Cualquier otra remodelación dataría probablemente de 1939.

—¿Y luego hay una gripe estomacal que también anda por ahí? —siguió Lindsey—. Es justo esa época del año. Me han contado que hay un nuevo medicamento contra las náuseas que es muy bueno y... ¿Su mujer está enferma?

Él respondió con un sonido que podría haber sido un sí, o un no, justo cuando la tetera empezó a silbar. Apagó el gas, vertió el agua en los tazones. Era un hombre alto y delgado, de esos que se ven muy atractivos con pantalones vaqueros desgastados, sobre todo por detrás. Estaba de buen ver por detrás, con su chaqueta de caza a cuadros y sus botas. Y su rostro también habría parecido atractivo, de no ser por esos ojos.

Sin duda, desde una cierta distancia, Tracy podría haberlo confundido con un tío bueno.

Pero, de cerca. Era para echarse a temblar.

—Lo siento mucho —dijo Lindsey—, esto de aparecer de pronto e importunarlo...

Fue en ese momento que Lindsey la vio. Colgando en la ventana, por encima de la pila. Secándose en lo que parecía un bastidor de bordado.

Él vio que ella se percataba de la cabellera larga, rubia dorada. Una cabellera humana... ¿de Connie Smith? Todavía pegada al cuero cabelludo.

Pensó en disimular. *Vaya, qué interesante cazador de sueños...* Pero ¿para qué molestarse? Él había visto la sorpresa en sus ojos.

—Voy armada, señor Eulie —le advirtió—. Ponga las manos en alto, a la vista, o le dispararé ahora mismo.

—No me han llamado así en mucho tiempo. —El hombre se había girado hacia los tazones y se quedó quieto, mirándola casi de frente y con las manos sobre la cubierta—. Tu pelo no es lo bastante largo, no tendrá tan buen aspecto. Pero gritarás mientras te meto el cuchillo entre el cuero cabelludo y el cráneo...

—No hable —le ordenó ella, y sacó su móvil—. No se mueva, no hable.

—Echaré de menos esta casa —dijo él—. Me gustaba.

—Cállese. —Lindsey marcó el número de Jenk. Nada. Sophia. Tom. Dave. Nadie respondía, maldita fuera. ¿Cuánto tiempo tendría que estar con él en esas condiciones?

Él giró la cabeza con ademán de reproche.

—Si eres amable, te mataré rápido.

Y una mierda. Lindsey apretó el gatillo y le disparó a través del bolsillo del anorak.

Jenk corría ahora más rápido.

—Mark —dijo Izzy, que iba a su lado—. Déjame correr a mí un rato. Vuelve al coche.

—¿Cuánto falta? —preguntó Jenk.

—No lo sé exactamente —dijo Izzy—. Entre cinco y ocho kilómetros.

Lindsey debería haber esperado. Pero él no habría esperado si hubiera oído gritos.

—Ve a llamarla —insistió Izzy—. Puede que te comuniques. Quizá ya ha acabado todo. Quizá le haya disparado cuando él le abrió la puerta.

Y quizá no. Quizás el tipo la había dominado físicamente. Y ahora estaría con ella, mutilándola.

—Llámala —dijo Izzy—. Tómate cinco minutos, recupera el calor y luego vuelve. Yo ya tengo el culo congelado.

Eulie no cayó.

Se lanzó hacia la puerta que daba al pasillo.

Lindsey volvió a disparar, pero él ya había desaparecido.

No había sangre, ni salpicaduras, ni una gota. Le había dado con ese primer disparo, había visto que se sacudía con el impacto, así que tendría que haber sangre.

A menos que llevara algún tipo de chaleco antibalas debajo de la chaqueta.

Con el arma en alto, en la mano derecha, y con la izquierda de apoyo, Lindsey pegó la espalda a la pared de la cocina, junto a esa puerta que daba al pasillo.

Echó una mirada, sólo un instante, con el arma por delante.

El pasillo a la derecha acababa en la puerta de un lavabo pequeño.

A la izquierda, era mucho más largo. Una sala que parecía un salón quedaba a la derecha, y una serie de puertas cerradas a la izquierda. Se abría en el vestíbulo, de donde subía una escalera de caracol. Lindsey no podía verla desde la cocina, pero sabía que estaba ahí. La había visto al entrar.

Eulie había desaparecido. Y ahora sólo podía esperar que le hubiera dado con el primer disparo y que se hubiera arrastrado a morir en un rincón.

Y, vale. Apostaría mucho dinero a que Tracy estaba en el sótano, detrás de esa puerta con bisagras nuevas. ¿Cómo se explicaba, si no, que hubiera oído tan nítidamente los gritos cuando estaba en la parte trasera?

Una vez que encontrara a Tracy, se harían fuertes en la cocina esperando la llegada de refuerzos.

Volcó la mesa para montar una barrera. Podían meterse ahí, entre la mesa y la nevera. Y ella dispararía a cualquiera que entrara por esa puerta.

Pero, Dios, ¿qué pasaría si había una segunda manera de bajar al sótano? ¿Qué pasaría si se equivocaba y aquella no era la puerta del sótano sino de un simple armario?

Antes de que pudiera llegar a la puerta y abrir los cerrojos, lo más silenciosamente posible, se apagaron las luces.

Genial. Era evidente que no había acabado con Eulie. Y que Eulie había acabado con el generador.

Hasta ahí llegaba la idea de que su pistola no tenía balas. Tracy seguía temblando, pero al menos no estaba muerta. Se sentía muy bien no estando muerta.

—¿Crees que la ha matado?

¿Quién era la mujer que había llamado a la puerta? ¿Lindsey? ¿Tess? ¿Alyssa? Tracy sabía que los hombres de Troubleshooters Incorporated la estaban buscando. Tenían que buscarla. Pero aquello no tenía sentido. ¿Por qué enviar a una sola persona, a una mujer, a llamar a la puerta? ¿Por qué no venir con un equipo entero que entrara destrozando las ventanas, como en el cine?

A menos que la mujer que había llamado fuera una mujer sin suerte, quizás una vendedora de productos de belleza. O un simpatizante de algún partido pidiendo firmas. O...

—No. —La voz de Beth en la oscuridad era grave, a pesar de su acento del sur. Grave, pero dicho con lengua rasposa, como si estuviera borracha o a punto de dormirse—. Él nunca dispararía a matar. Nunca.

—¿Por qué no grita? —Tracy se esforzaba para oír, pero sin resultados. Ni siquiera el ruido de un paso sobre el suelo de madera, arriba.

—No lo sé. Mierda, voy a vomitar. Voy a ... Connie Smith, Jennifer Denfield, Yvette Wallace, Paula Kettering…

—Beth —dijo Tracy, con voz seca, buscando a la otra mujer en la oscuridad, estirando las manos—. No pierdas la chaveta. —Vaya, qué divertido. Ella misma estaba al borde del pánico, lo sentía alojado en la garganta, convertido en pavor, y le decía a Beth que no perdiera la cabeza—. Quédate conmigo. Tenemos que pensar en un plan.

—Un plan.

Tracy le tocó la pierna a Beth.

—¿Dónde está tu mano? —Ahí estaba. Delgada y fría; no tenía la fuerza que Tracy esperaba. Las cadenas resonaron. El primer paso de cualquier plan sería deshacerse de las cadenas—. ¿Sabes dónde guarda las llaves?

—En la cocina, en un gancho junto a la puerta —dijo Beth, con una voz aún más apagada, como si ya soñara—. Nunca las he visto, pero él me lo dijo. Siempre me lo decía, porque sabía que nunca llegaría hasta ellas. Siempre estaba encadenada.

—Ahora no lo estás —dijo Tracy, sacudiéndola—. ¿Puedes subir las escaleras y encender la luz? Al menos así podremos ver qué posibilidades tenemos.

—Si enciendo la luz, él lo sabrá. Connie Smith, Jennifer Denfield, Yvette Wallace…

—¡Beth!

—Paula Kettering, Wendy Marino, Julia Telman… Dios, creo que… tiene que haberme... drogado.

Beth apartó la mano y Tracy la oyó arrastrarse. Oyó ruidos de arcadas, como si Beth se hubiera metido los dedos en la boca.

—¿Cómo te ha drogado? —preguntó. Dios, Tracy no quería quedarse sola en medio de la oscuridad.

—La sopa —dijo Beth—. O en la bebida. Suele drogarme... después de la lucha... para que pueda volver a encadenarme... Tiene que haberlo... planeado... No te ha quitado las cadenas... Sabía que sería... rápido.

—¿Dónde está el cuchillo? —preguntó Tracy, a través de las lágrimas que le bañaban la cara. Beth se desvanecía y ella se quedaría sola en la oscuridad—. Al menos déjame tener el cuchillo.

Y ahí estaba, duro y frío, en su mano.

—Úsalo —dijo Beth, con un hilo de voz—. Acaba conmigo.

—*¿Qué?*

—Cuando vea que no te he matado... se llevará a una de las dos arriba —dijo Beth, que también había comenzado a sollozar—. No quiero morir así. Por favor, te lo ruego... Acaba conmigo.

Sophia ya no aguantaba ni un segundo más. Todos tenían problemas con la nieve y el hielo. Todos se movían lo más rápido posible pero, a pesar de eso, pasarían horas antes de que Dave y Decker recibieran la ayuda que necesitaban.

—Voy a dejar mi puesto —avisó a Tess, que se encargaba del ordenador.

—Sophia, no puedes —dijo ésta, aunque su expresión decía lo contrario.

Sophia sabía que Tess estaba casi tan preocupada por la suerte de Dave y Decker como ella.

—Pediré a Stella y a Rob que te ayuden. En cualquier caso, ellos conocen estos caminos mucho mejor que yo.

—Lindsey se llevó el único coche que quedaba —advirtió Tess.

—Rob tiene un camión con una quitanieves. —Si no tuviera la espalda maltrecha, él mismo andaría por ahí haciéndola funcionar, pero tal como estaba, a duras penas podía trasladarse de su cama al restaurante y volver.

—¿La quitanieves enganchada al camión que ni siquiera deja manejar a Stella? —preguntó Tess—. ¿Crees que te dejará cogerlo?

—No voy a pedírselo —dijo Sophia—. No necesito una llave para ponerlo en marcha—. Haría un puente y ya está. Era uno de los trucos que había aprendido viviendo en las calles de un país del tercer mundo.

Tess alzó las cejas. Sin embargo, no estaba convencida.

—¿Alguna vez has manejado una quitanieves?

—No, pero cuando postulé a un empleo en Troubleshooters Incorporated, puse en mi currículum que estaba dispuesta a adquirir nuevas competencias —dijo Sophia.

—Yo estoy al mando aquí y, oficialmente, no puedo dejar que hagas eso.

Sophia asintió con un gesto de la cabeza.

—¿Y extraoficialmente?

Tess le lanzó la llave de su habitación.

—Sé que eres alérgica a la lana, pero tendrás que aguantar el picor. Ponte al menos dos jerseys. Y al menos dos pares de calcetines. Lleva muchas provisiones. Y mantas. Y un chaleco de entrenamiento para que te pueda seguir. Y el *kit* de primeros auxilios que hay en la cocina. Me volarán el culo a patadas por esto. Y es probable que sean Decker y Dave los que lo hagan.

Siempre y cuando Sophia los encontrara vivos.

Lindsey encendió los cuatro quemadores del fogón a gas. Las llamas iluminaron la cocina, creando sombras que bailaban y saltaban en las paredes.

Era preferible a nada.

Estaba preparada para cuando volviera. Y volvería, de eso no tenía la menor duda.

¿Llevaría de verdad un chaleco antibalas? Si volvía a tener la oportunidad de dispararle, apuntaría a la cabeza.

Una pregunta mucho más acuciante era saber si estaba armado o no. Era posible que tuviera un armario lleno de AK-47 en alguna parte de aquella casa laberíntica.

Ella sólo contaba con sus dos pistolas pequeñas, de alcance limitado, incluso más limitado, ahora que tenía que apuntar a la cabeza. Y aunque su puntería era aceptable, una cabeza humana era un blanco muy pequeño. Sobre todo teniendo en cuenta la adrenalina que en ese momento corría por su torrente sanguíneo.

Lindsey acababa de abrir la puerta del sótano, quitando los cerrojos silenciosamente, cuando su teléfono móvil vibró. Era Jenk, gracias a Dios.

—Estoy adentro, es él —murmuró, moviéndose hasta quedar de espaldas a la pared, por detrás de la barricada que había armado con la mesa de la cocina—. ¿Cuánto calculas que te falta para llegar? Por favor, di ahora o pronto.

Pero él no dijo eso.

—Mierda. Aún estamos a unos cinco kilómetros. Nos estamos moviendo a razón de cinco minutos por kilómetro, pero el tiempo está empeorando. Todos los apoyos locales se han interrumpido y se les ha ordenado que busquen cobijo.

—Mierda —dijo ella—. Porque también pensaba pedirte una ambulancia o un helicóptero para evacuar heridos. Todavía no he encontrado a Tracy, pero... —Tuvo que respirar hondo cuando vio la cabellera dorada en la ventana, y recordó las palabras de Eulie. *Gritarás mientras te meto el cuchillo entre el cuero cabelludo y el cráneo...*—. Tengo la corazonada de que vamos a necesitar ayuda médica cuando la encontremos.

—Lopez está conmigo y... ¡mierda! Hay hielo en el camino, por debajo de la nieve. No podemos subir por la pendiente donde estamos. Llevamos veinte minutos entrando y saliendo del SUV para empujarlo.

—Busca un lugar donde protegeros —dijo ella, descorazonada.

—Ni te lo pienses. Vamos a...

—Shh —advirtió ella. ¿Qué era ese ruido? ¿Era el ruido de las tablas del suelo, como si alguien se acercara? ¿O era la vieja casona que crujía bajo los embates del viento?—. Escucha, he entrado con el pretexto de que mi coche se salió del camino. Él me dejó entrar, hablamos; era claro que se trataba de Eulie, así que... Dios, Mark, le he disparado. Pero creo que lleva un chaleco antibalas porque no lo tumbé. No hay sangre. Está en algún lugar de la casa, ha cortado la luz y no puedo hablar ahora. Tengo que saber por dónde anda, escuchar. Cuídate.

Colgó, pero enseguida el teléfono volvió a vibrar. *Aguanta. Voy hacia ti.*

Encuentra un lugar para guareceros —escribió ella—. *No te mueras.*

Voy.

No me podrás ayudar si mueres, escribió ella.

Sal de ahí, —respondió él—. *Espéranos en tu coche.*

Y una mierda. *No puedo dejar a Tracy,* respondió.

Vale, yo no tengo donde guarecerme, ¿me entiendes?

Era claro que el ruido venía del pasillo. Lindsey dejó el teléfono y sostuvo la pistola con las dos manos.

Y el chorro de agua le dio de lleno en la cara.

Lindsey se cubrió los ojos con el codo izquierdo, intentando moverse pero, atrapada entre la mesa y la nevera, no tenía adónde ir. Desde el otro lado, Eulie estaba utilizando una especie de manguera a alta presión, y el agua gélida rebotaba contra ella, empapándola, ahogándola e hiriéndola.

Se giró, intentado ver dónde estaba pero, como era de esperar, se había situado fuera de su alcance en la parte trasera del pasillo. Lindsey disparó de todas maneras intentando darle a través del tabique de yeso.

Tan repentinamente como había empezado, paró, hasta que lo único que ella oyó fue el latido desbocado de su corazón y el agua que caía de la mesa y de su cara hasta el charco donde ella se encontraba sentada.

Estaba totalmente empapada.

El muy cabrón había limitado sus opciones. Ahora le sería imposible coger a Tracy y huir. No duraría ni diez minutos en la tormenta con la ropa empapada.

—Tengo un equipo de las Fuerzas Especiales de la Armada que viene a apoyarme —dijo, en voz alta—. Llegarán en cuestión de minutos.

—Gracias por las noticias —dijo él, desde lo que parecía el salón—. Trabajaré más rápido. Y desde luego, cuando lleguen los mataré a ellos también.

Y, con un chillido, se activó la alarma contra incendios.

Beth era la única esperanza de Tracy.

—Nadie está acabado —le advirtió a Beth cuando la alarma empezó a sonar. No imaginaba qué podía entrañar aquello, si la casa estaba de verdad incendiándose y ella seguía encadenada—. Seguiremos luchando. Usaremos el cuchillo, pero lo usaremos contra él. Necesito que subas por la escalera y enciendas la luz.

Pero Beth había sucumbido a la droga que le había dado a beber el monstruo. Se había rendido.

Aquello que le había administrado era algo muy fuerte porque seguía hablando, al parecer todavía consciente, aunque muy adormecida. Incluso era capaz de moverse, pero se mostraba muy dócil y relajada.

—Te lo ruego —imploró Beth—. Acaba conmigo.

—Acabaré contigo —mintió Tracy—, si eso es lo que quieres. Pero, ¿no preferirías ser libre?

Beth volvía a farfullar y a pronunciar esa lista de nombres. Jennifer algo y Cathy quién sabe qué.

—Sube las escaleras —le ordenó Tracy—, y enciende la luz. ¿Puedes hacerlo?

Beth no contestó. Siguió arrastrándose.

Jenk había perdido a Lindsey.

Era como si el móvil se hubiera apagado del todo.

—Maldita sea —masculló—. Lopez, intenta llamar a Lindsey con tu móvil.

Estaba apoyado de espaldas contra la parte trasera del SUV. Todos resbalaban y se deslizaban, intentando tener suficiente tracción para ayudar al vehículo a subir la cuesta

—No consigo comunicar —dijo Lopez.

—Hay un viento de mierda —apuntó Izzy—. Quizás haya derribado una antena.

O quizás Eulie había destrozado el móvil de Lindsey, y luego le había dado en la cabeza...

El SUV resbaló casi diez metros por la pendiente, a pesar de los esfuerzos para evitarlo.

Gillman soltó una imprecación a toda voz.

—Déjalo —dijo Jenk. Abrió la puerta de atrás para coger su rifle y fue hacia la puerta de delante para coger el mapa.

Lindsey lo necesitaba. Y lo necesitaba, ya.

Había llegado la hora de usar el único medio de transporte con que podía contar. Había que empezar a correr.

El trozo de la rama que había herido a Decker en el costado no era tan larga como temía Dave.

Él había imaginado un trozo de punta aguda de unos treinta centímetros destrozándole los órganos internos.

Pero no tenía más de cinco centímetros y era delgada, como una astilla enorme, como un cuchillo afilado por la naturaleza. Decker había sangrado como un cerdo empalado, pero su pérdida de conciencia se debía probablemente a un golpe en la cabeza.

El muy cabrón seguía inconsciente, lo cual significaba que tenía que cargar con él. Las rachas de nieve le daban en la cara como balines de hielo y las corrientes soplaban enfriándole hasta la altura de las caderas.

Tropezó y se hizo daño en la muñeca malherida, y casi dejó caer a Deck, al tiempo que lanzaba un aullido de dolor. Maldijo la tormenta y maldijo a Deck pero, sobre todo, se maldijo a sí mismo.

En el coche, justo antes de estrellarse, había llamado cobarde a Decker. ¿En qué lo convertía eso a él?

¿Quién te quiere, nena?

En realidad, debería haberle dicho a Sophia cuando hablaba con ella por el móvil, *¿por qué no paras un momento, respiras hondo y miras a tu alrededor? Mira y te darás cuenta de una vez de quién te quiere de verdad.*

Su mundo se había convertido en un espacio de dolor y frío. Pero lo superaría; había superado situaciones peores. Llevaría a Deck hasta un lugar seguro y se convertiría en el héroe de la jornada.

Tampoco habría nadie para ser testigo.

Observaría, en silencio, a Sophia lanzarse a los brazos de Decker.

—Debería dejarte caer en una zanja —dijo a Deck, que, como era natural, no reaccionó.

La alarma antiincendios se había activado. Incluso antes de que Eulie lanzara algo que parecía una tela sobre los quemadores encendidos.

Lindsey creyó que intentaba apagar el fogón, pero enseguida vio que lo que había lanzado eran hojas de periódicos. Que enseguida prendieron.

Intentaba quemar la casa.

Con el arma por delante (daba gracias por haber invertido en una pistola que funcionaba a pesar de haberse mojado) fue hacia la puerta del pasillo. Eulie había vuelto a esfumarse.

Pero al mirar por el pasillo, alcanzó a ver un fulgor desde el salón. Eran llamas.

Efectivamente, había prendido fuego a la casa.

Sin embargo, ahora, si volvía a acercarse por el pasillo, ella vería su silueta recortada contra las llamas.

Lo malo era que la casa se estaba incendiando, que el móvil había quedado inservible con el chorro de alta presión, y que ella también se encontraba empapada.

Y afuera estaba cayendo la tormenta del siglo.

Salir del refugio de la casa no era una opción, pero si no apagaba el fuego, pronto sería imperativo.

Lindsey quitó el papel y las cortinas del fuego y apagó las llamas.

Tenía que ir al salón, apagar el fuego que él había encendido. Era lo que Eulie quería que hiciera. Estaría esperándola, preparado para matarla, pero no con una pistola

No, le había dicho cómo quería matarla, con la hoja de su cuchillo.

Sintió una punzada de asco, acompañado de miedo. Por primera vez desde que había salido del coche y llamado al timbre, se dio cuenta de que quizá moriría. Ahí mismo. A manos de esa bestia.

Un final horrible.

El miedo no era una emoción desconocida para ella. Había tenido miedo muchas veces en su vida. Nadie trabajaba siete años en la policía de Los Ángeles sin conocer el miedo, un miedo para, literalmente, cagarse.

Además, ella había vivido ese otro miedo, el de ver a su madre morir desde que era una niña pequeña.

Sin embargo, ese miedo en concreto era intenso. Estaba completamente sola en una casa a oscuras, en medio de una tormenta implacable, frente a un auténtico monstruo, a un asesino en serie.

En la policía, Lindsey había aprendido que lo que importaba no era el miedo, sino cómo una reaccionaba ante él. Tenía que dejarlo de lado. Tenía que pensar con claridad, y mantener la calma. Tenía que encontrar y matar a aquella bestia, apagar el fuego que había iniciado y buscar a Tracy. Sólo entonces tendría tiempo para echarse a temblar y estremecerse de miedo.

Respiró hondo y soltó el aire.

Otra vez. Y otra.

Deseaba que su móvil no estuviera inservible. El sólo hecho de leer los mensajes de Jenk le habría ayudado. No tenía miedo cuando él estaba. O quizá sí. Pero, quizá, cuando estaba con él, estaba demasiado ocupada viviendo la vida, disfrutando de la vida, para darse cuenta del miedo que la embargaba.

No puedo encontrar abrigo. ¿Me entiendes?

Jenk no podía encontrar abrigo por los mismos motivos que ella no podía abandonar a Tracy. No la abandonaría. Lo había entendido. Pero ya era demasiado tarde para decírselo.

No, eso era derrotismo. Se lo diría. No era demasiado tarde. Tenía planes provisionales para el futuro con él. Para este fin de semana y para Navidad. Provisional podría convertirse en definitivo; lo único que tenía que hacer era decirle que sí.

Y eso haría, en cuanto volviera a verlo.

Dios, qué cansada estaba de vivir como si no tuviera un futuro. Quería una vida que fuera algo más que ir al trabajo y luego esconderse en su piso. No era el momento más indicado para pensar en aquello, a punto de ver que todas sus grandes decisiones morían a manos de un loco que pretendía añadirla a su mierda de colección.

Pero quizás era eso lo que necesitaba para darle un sentido a su vida. Terapia de asesino en serie. Cincuenta minutos atrapada en una casa con Richard Eulie. Si sobrevivía y salvaba el cuero cabelludo, saldría fortalecida sabiendo qué era lo que de verdad importaba en la vida.

Hacer reír a Mark Jenkins.

Y sonreírle cuando él le sonriera.

Ver cómo sus ojos languidecían cuando la miraba, cuando creía que ella no se daba cuenta.

Sus besos, tan dulces, convertidos en fuego...

No dejaría por ningún motivo que Eulie le hiciera daño. Y menos aún que le hiciera daño a Mark.

No lo perdería a manos de un asesino. Puede que hubiera vivido temiendo que muriera su madre, impotente a la hora de impedir que ocurrieran cosas que no controlaba para nada.

Pero esto era completamente diferente.

Sabía qué quería Eulie, mirar en sus ojos y ver su miedo en el momento de morir. Era posible que le disparara, pero no lo haría para matar, sólo para herirla.

Si le disparaban, le dolería. Pero ya le habían disparado antes.

Sí, lo dejaría mirarla a los ojos.

¿Eulie quería que fuera hacia el salón? Eso haría, entrar en el salón. Tenía que apagar el fuego y encontrar a Tracy.

Pero antes le daría a aquel cabrón mucho más de lo que se esperaba.

Número Cinco había subido hasta la mitad de la escalera. Estaba tan mareada que cada paso le parecía un desafío insuperable.

Estaba muy oscuro y quizá lo más fácil habría sido cerrar los ojos.

—Sigue —le pidió Tracy. Suponiendo que aquella fuera la voz de Tracy y no una alucinación.

Flotaba en una dimensión donde el tiempo y el espacio se torcían. Oyó un ruido, una sirena ululando. Era más fuerte a medida que subía. Peligro. Era peligroso subir por esas escaleras. Si él llegaba a enterarse...

Número Cuatro estaba ahí, con ella, con su cara horrible y sus chillidos de dolor que salían de su boca cosida hasta acallarla.

—Oh, Dios, oh Dios...

—¿Beth?

Le había mostrado a las demás, lo que les había hecho. Pero se las había mostrado cuando ya estaban muertas, después de que él las hubiera matado.

Cinco sabía que se las había mostrado como un recordatorio. Por eso, ella acababa con las otras mujeres. Por eso le obedecía, y siempre hacía lo que le ordenaba.

—¿Beth, sigues ahí?

Beth. Ella se llamaba Beth, no Número Cinco.

—Todavía estoy aquí —contestó, y sus dedos por fin encontraron el interruptor de la luz en la pared junto a la puerta.

Pero cuando lo pulsó, no pasó nada. Ni luz, ni cambio alguno.

Nada de salvación.

Beth empezó a llorar. Se dejó ir contra la puerta... que se abrió con un chirrido. Y ahí estaba, en su cocina.

El hornillo estaba encendido, y las llamas saltaban y brincaban.

Ahí era donde él lo había hecho, donde había matado a Número Cuatro y cortado a todas las demás.

Y ahí estaba la llave, justo donde él decía que estaba, colgada de la pared, donde él decía que ella nunca la alcanzaría.

Beth la cogió y volvió abajo tropezando.

La realidad para Dave se había estrechado hasta ser sólo un paso, y luego otro paso, y luego un paso más. Cada paso significaba un golpe en la muñeca. Inspirar. Espirar. Respiraba a través del dolor.

Y a veces seguía adelante mientras le hablaba a Decker.

—La próxima vez que me vengas con esa mirada de reproche de *tú no perteneces a las SEAL*, quiero que recuerdes esto. Que te he llevado. Hasta aquí. Sin quejarme. ¿Y de aquí a unos cuantos meses? Cuándo tú y Sophia estéis haciendo vuestros planes para la boda, quiero que recuerdes quién te obligó a hacer esa llamada por teléfono. Porque aunque no lo hayas dicho con sus palabras, marcaste el número. Y ella mencionará que tú la llamaste mientras permanezca sentada junto a ti en tu cama de hospital, acariciándote el pelo, y tú dirás *sí, sabes, es curioso, justo antes de chocar con ese árbol yo acababa de darme cuenta de que llevaba un retraso de unos doce meses por no haberte invitado a cenar. Es uno de los grandes problemas de cuando uno piensa con el culo. ¿Qué me dices? Conozco un restaurante excelente en Coronado. Está justo al borde del agua...*

Dave dejó de hablarle a Deck, no porque éste no estuviera escuchando, sino porque un camión enorme con quitanieves había asomado ante ellos en el camino.

Paró con un estruendo y el conductor bajó de la cabina... y se convirtió en Sophia.

Genial. Dave siguió caminando. No estaba seguro de que uno de los síntomas de la hipotermia fueran las alucinaciones, pero las alucinaciones en general nunca eran buena señal.

—¡Dave! —Sophia lo siguió—. Venga, metamos a Decker en el camión. Lopez, que es paramédico, va hacia la casa de Thornton, donde el chaleco de Gillman emitió la señal.

Era real.

Sophia era real e intentó ayudarlo a cargar con Decker cogiéndole de la muñeca rota.

Joder. Dave se cayó al suelo y Sophia entendió que había dejado de lado algunos detalles al hablar con ella después del accidente.

Sophia no dijo palabra cuando subieron a Decker al camión y, después, cuando le ayudó a subir a él. Subió, se puso al volante y metió el cambio para arrancar.

—¿Tienes más heridas? —le preguntó, cuando el camión se puso en marcha, mientras Dave intentaba meterse dentro del conducto de la calefacción—. Quiero decir, además de tu nariz, que por lo visto te has roto.

¿Tenía la nariz rota? Se miró en el espejo del visor contra el sol. Sí, estaba rota.

—No —dijo, temblando tan fuerte que casi era incapaz de hablar—. Estoy bien.

Sophia estaba abrumada. Ver a Decker inconsciente la había sacudido, pero seguía conduciendo aquel monstruo de camión como una profesional.

—Deck se pondrá bien —le aseguró Dave—. Ya verás que estará perfectamente.

Sophia respondió sacudiendo la cabeza. Miró furiosamente hacia la nieve, y siguió.

Izzy añadió mentalmente «correr a través de la nieve, hundido, en medio de una tormenta» a su lista de cosas desagradables que hacer una desapacible tarde de diciembre.

Ir de compras a un centro comercial cuyo aparcamiento está siendo renovado y es inaccesible habría sido más divertido. Amenazas de muerte de otros conductores mientras intentabas entrar en la parte accesible del aparcamiento, golpes de parachoques cuando los coches se lanzan a toda prisa a ocupar una plaza repentinamente vacía. Veinte minutos esperando mientras la gente aparca en doble fila, con gritos incluidos: *¡que te den, gilipollas!* Era una manera de difundir la buena nueva y dar muestras de alegría navideña.

Aquello era una mierda de panorama. Pero esto otro era diez veces peor.

Jenk estaba decidido a romper el récord del kilómetro en cuatro minutos y medio en condiciones de tormenta. A Izzy no le quedaba aire, y empezaba a quedarse atrás. Y pensar qué él sí que tenía prisa por llegar lo antes posible a casa de los Thornton.

Jenkie era el que abría el camino. Rompía la dura capa de la nieve, lo cual facilitaba la marcha a los demás.

Lopez farfullaba algo en español.

Gillman por fin se había cerrado el anorak y se había puesto un gorro.

Hacía frío, eso no se podía discutir.

Jenk se giró y les gritó algo.

—¿Qué coño ha dicho? —preguntó Izzy.

—Creo que ha dicho que nos falta la mitad —repitió Gillman.

—Hemos hecho más de la mitad —dijo Izzy—. ¿No?

—Creo que ha dicho que huele a humo —dijo Lopez. Joder, eso no podía ser nada bueno. ¿Un incendio en esas condiciones?

Jenk había empezado a correr más rápido, y señalaba algo no muy lejos.

Izzy se lanzó a la carrera y al llegar a un recodo vio lo mismo que Jenk.

A menos de quinientos metros, cerro abajo, ahí estaba. La casa encantada más grande del mundo, con el humo saliendo por una ventana de la primera planta.

Lindsey se quedó inmóvil en el pasillo, segura de haber oído un ruido en la cocina, un ruido que no era la puta alarma de incendios.

Olvídalo. Apartó de su mente el chillido constante y agudo de la alarma y se concentró en avanzar por el pasillo sin meter ruido.

El salón era amplio y estaba lleno de muebles. Las sombras saltaban entre las paredes debido al fuego de las cortinas que ardían, formando enormes volutas de humo en el techo, pero también más abajo, lo cual le dificultaba respirar.

Y la visión. No sólo a ella sino a él.

Había una ventana abierta al otro lado del salón. ¿Acaso tenía que creer que Eulie había escapado? ¿Acaso tenía pinta de niña crédula?

Aún así, se dirigió hacia la ventana, porque eso quería él.

Y entonces lo oyó, justo a sus espaldas. Se giró para enfrentarlo, pero él le volvió a dar con el mismo poderoso chorro de agua.

Pero esta vez era diferente. El chorro la golpeó directamente en lugar de rebotar contra ella, y la levantó en vilo.

¡Mierda! Alcanzó a disparar antes de caer al suelo, pero sin apuntar. El agua la golpeó de frente, y no pudo evitar que la cabeza le rebotara una y otra vez contra la sólida pata de una silla, hasta que vio las estrellas.

La pistola voló de su mano derecha, y él se sirvió del chorro de agua para alejarla aún más. Lindsey se arrastró hacia ella a cuatro patas, pero la pistola se deslizó más allá.

El chorro volvió a darle en la cabeza. La fuerza del golpe fue como el puñetazo de un boxeador profesional, y se oyó a sí misma gritar, y a Eulie reír.

Quiso echar mano de su pistola y él volvió a darle con el chorro —*chás*— en toda la cabeza.

No la golpeaba si ella no se movía. Lindsey miró hacia la pistola. Estaba demasiado lejos. No alcanzaría a llegar a tiempo.

Sin embargo, Eulie se acercaba.

Y seguía acercándose.

Tenía la manguera a presión y el pesado tanque listos, en caso de que ella intentara ir hacia la pistola una vez más.

Pero Lindsey no necesitaba ir a por ella. Tenía su pistola de apoyo, un calibre veintidós más pequeño, y la tenía en la mano.

Por fin estuvo a su alcance, y Lindsey le descerrajó un tiro en toda la cara. Eulie se desplomó hacia atrás y el tanque cayó a su lado con un estruendo.

Entonces apenas se giró y selló el asunto con dos balas más, disparadas directamente a la cabeza.

—¡Hey!

Se giró hacia el pasillo con el arma alzada y lista para disparar y, entre los remolinos de humo, se dio cuenta de que estaba frente al cañón de un fusil ametralladora, sostenido por el abominable hombre de las nieves.

—¡Lindsey! —El hombre de las nieves sabía su nombre. Tenía hielo en el gorro y en el anorak, en la cara, el pelo y las cejas. Y detrás de él había otros tres hombres de las nieves.

—Ryan Seacrest —dijo Lindsey, al bajar el arma—. Sabía que vendrías.

Jenk rió. La alternativa era llorar. Era típico de ella, estar totalmente empapada, temblando de frío, con una pinta de haber sido arrastrada por lo peor del infierno, y soltar un chiste, y no sólo un chiste, sino una referencia a la conversación telefónica que había tenido con él y con Izzy la noche en que ellos hicieron de canguros para Charlie Paoletti. La noche en que *Oz* se había escapado.

La noche en que él se había enamorado de ella, pero había sido demasiado estúpido para darse cuenta.

También era verdad, como ella había señalado esa noche, que en realidad no necesitaba un equipo de las Fuerzas Especiales de la Armada para salvarla.

Se las había arreglado muy bien sola.

—Apaguemos este fuego —ordenó Jenk a Gillman, Izzy y Lopez, que se pusieron manos a la obra tirando de las cortinas en llamas y abriendo las ventanas.

Con el arma preparada, Jenk se acercó al cuerpo. Eulie estaba muerto, y bien muerto.

Lindsey se incorporó. Había cogido una especie de tanque con manguera y lo utilizó para apagar las llamas.

—¿Lleva chaleco antibalas? —preguntó.

—Sí —afirmó Jenk. Le quitó el chaleco y le sacudió la nieve—. Es el de Gillman.

—¿Dónde está Tracy? —preguntó Izzy.

—Todavía no la he encontrado —dijo Lindsey, y Gillman la relevó con el tanque—. Puede que esté en el sótano. —Jenk la abrigó con su anorak y ella lo miró—. Mark, no he vuelto a oírla desde que entré.

—¿Dónde está el sótano? —preguntó Izzy.

—Creo que hay una puerta en la cocina —le explicó ella, que ya se adelantaba a enseñarle el camino.

Pero Jenk la detuvo.

—Deja que vaya él.

—Recto por ese pasillo —dijo ella—. Escucha, Izz... —Ya había desaparecido, así que alzó la voz—. Prepárate.

Izzy respiró hondo, sacó la linterna de su mochila y entró en la oscuridad de la cocina.

Momento en que una mujer se le lanzó encima blandiendo un cuchillo como una loca.

—¡Au! ¡Mierda! —Era una hoja muy afilada y, cuando Izzy quiso protegerse del golpe, le dio en la mano—. ¿Qué coño...?

—¿Izzy?

Encendió la linterna.

—¿Trace?

Estaba viva. Estaba herida y sucia y magullada. Pero, madre de Dios, estaba viva.

—Tenemos que salir de aquí —susurró ella, con tono urgente—. Tienes que ayudarme con Beth. Hay un hombre horrible y...

—Está muerto —dijo Izzy, tan puñeteramente contento de verla que a punto estuvo de echarse a llorar como un bebé—. Se llamaba Dick Eulie. ¿Has oído esos disparos? Era Lindsey diciendo que no. Nunca se te ocurra ir y cabrearla. —De pronto cayó en la cuenta de lo que había dicho Tracy—. ¿Quién es Beth?

Tracy se giró y señaló hacia el suelo. Ahí estaba, una mujer con pinta de haberse criado entre lobos.

—Ha sido su prisionera durante no sé cuánto tiempo. Está herida, está muy enferma y tenemos que llevarla a un hospital. Además, la ha drogado y...

—Vale —dijo Izzy. Tracy estaba empapada, como Lindsey—. De acuerdo. Ocupémonos primero de ti. Vamos a la otra habitación y...

—No pienso dejarla —dijo Tracy, y se plantó—. Aquí no. Hay unas cosas horribles en la nevera. Abajo en el sótano también. Este tío, Dick, coleccionaba partes de cuerpos. De sus víctimas. Me las enseñó. Iba a... Yo era... Se suponía que yo era la número veintiuno.

Tracy intentó levantar a Beth, y entonces Izzy cayó en la cuenta de que probablemente la había subido por las escaleras.

—La tengo —dijo él. La mujer lobo era frágil, demasiado delgada. Y Dios, olía que era una peste. Pero a Tracy no parecía importarle, pues no se separaba de ella.

—¿Ha sido Lindsey la que ha llamado a la puerta? —preguntó Tracy—. ¿Ha tocado el timbre y ha entrado sin más?

Era impresionante. Esa Lindsey los tenía bien puestos.

—Se suponía que tenía que esperarnos, pero... nos retrasamos a causa del tiempo —explicó él.

Ella lo miró con sus enormes ojos azules.

—¿Está nevando? —preguntó.

—Sí —dijo Izzy, tragando el nudo en la garganta. Gracias a Dios que la habían encontrado a tiempo—. Un poco.

Las tres mujeres estaban empapadas hasta el tuétano. Pero ninguna de ellas quiso coger nada —ni siquiera una manta— con que taparse que perteneciera a la casa de Richard Eulie.

Habían apagado el fuego. Gillman había puesto el generador en marcha. La calefacción funcionaba y seguía nevando duro y tupido, Pero Lindsey era la única de las tres mujeres que estaban dispuestas a quedarse para entrar en calor.

Y Jenk sospechó que se debía a que *él* estaba ahí con ella.

Las otras dos, Tracy y Beth, ya se encontraban en el coche de alquiler que Lindsey había conducido desde el motel, con la calefacción al máximo. Lopez estaba con ellas, sanándoles las heridas. En el caso de Beth, habría que llevarla a un hospital y despiojarla.

—¿Te encuentras bien? —preguntó a Lindsey.

La había abrigado con su anorak y el de Lopez, la sentó junto a un calentador eléctrico, pero ella seguía temblando.

—De veras que está muerto, ¿no? —preguntó ella, y no era la primera vez. Ella misma lo sabía—. Lo siento, no puedo... No puedo ni imaginar lo que han vivido Tracy y Beth. El poco tiempo que estuve frente a él ya me pareció demasiado largo.

—Está muy muerto. —Jenk la abrazó y ella dejó descansar la cabeza en su hombro—. ¿Quieres volver a ver el cuerpo?

Ella dijo que no con la cabeza.

—Sophia ha llegado con el quitanieves —dijo Jenk—. Dave y Decker necesitan atención médica, y luego volveremos al motel. Gillman conducirá el coche, detrás del quitanieves. Nosotros iremos a recoger el todoterreno.

—¿Qué pasará con el cuerpo —preguntó ella, y se sentó para mirarlo? No lo dejaremos aquí, con todas las pruebas...

Lindsey parecía tan indignada con la idea que Jenk tuvo que sonreír. Un policía será siempre un policía.

—Sabes, ¿ese agente del FBI que ha venido desde Washington DC? —preguntó—. Viene hacia aquí, con un equipo forense. Llegarán antes de que nos vayamos. Creo que podemos dejar la escena del crimen en sus manos.

Lindsey se inclinó y lo besó. Su boca era suave y dulce. Jenk saboreó el té que Lopez le había preparado. Aquello empezaba a gustarle cuando sintió que ella se apartaba.

—Sí —dijo Lindsey.

—¿Sí? —repitió él, sin saber a qué se refería.

—Al fin de semana —dijo ella—. Me gustaría mucho... verte este fin de semana —dijo, con voz temblorosa—. Y en Navidad. Sí a la Navidad, si la invitación sigue en pie.

Como si no fuera a seguir en pie. O como si él no fuera a llorar de alegría.

—Desde luego que sigue en pie —balbuceó. Le sostuvo la cara suave en el cuenco de su mano, perdido en la oscuridad de sus bellos ojos—. Aunque debo ser sincero contigo. Cuando te invité, mentí al decirte que no estaba enamorado de ti. Y sé que eso te puede asustar, pero...

—Cuando estaba aquí, sola, con Eulie, y pensaba... esto podría acabar de cualquier manera —murmuró Lindsey—. No sólo no quería morir —dijo. Las lágrimas le bañaron los ojos y una resbaló por su mejilla—. Quería vivir.

Jenk la besó porque entendió lo que quería decir. Lo entendió perfectamente. No era necesario que lo dijera. Pero, puesto que ella era como era, y ya que siempre lo sorprendía, y siempre lo hacía reír, se lo dijo.

—Yo también te quiero, Mark —dijo, y rió, al tiempo que se secaba los ojos con las manos—. Me prometí a mí misma que si salía de ésta con mi cuero cabelludo a salvo, te lo diría. Te lo habría dicho con un SMS, pero mi móvil estaba empapado.

Jenk no podía ni hablar. No sabía qué decir, ni encontraba palabras para expresar la inmensa alegría que experimentaba. Se quedó sentado, respirando, abrazando a Lindsey, estrechándola con fuerza.

—Y entonces, ¿qué quieres hacer este fin de semana? —preguntó Lindsey, y él volvió a besarla.

Capítulo 22

San Diego, California
21 de diciembre, 2005

Cuando sonó el timbre de Tracy, ésta estaba segura de que era Lyle, que había vuelto en un último intento para convencerla de que volviera a Nueva York.

—Ya te he dicho que me lo pensaré —dijo, al abrir la puerta.

Pero no era Lyle el que había llamado, sino Izzy. ¿Qué hacía Izzy frente a su puerta?

Tracy no había vuelto a verlo en los últimos diez días. Desde que lo había herido con ese cuchillo en la cocina de Richard Eulie.

Iba vestido con pantalones vaqueros y una camiseta. Y zapatillas deportivas. Y unas gafas de sol, que se quitó en ese momento.

—He visto... ¿era Lyle el que se iba? —preguntó él. Llevaba un paquete envuelto en papel de regalo y con un lazo—. No me digas que piensas seriamente en volver con él.

Izzy no era el único que se mostró indignado porque Lyle no viajara a New Hampshire cuando le informaron de la desaparición de Tracy. De hecho, pasaron tres días con sus noches después de la liberación antes de que Lyle apareciera. Al parecer, tenía que ocuparse de un caso muy importante y no había podido abandonar Nueva York.

Sophia también estaba muy cabreada con Lyle. Había llamado a Tracy durante toda la semana para intentar convencerla de que se quedara como recepcionista de Troubleshooters Incorporated. También había conseguido que la llamaran Dave y Lindsey, e incluso Tom.

—No lo sé—dijo ella, dando un paso atrás para dejar entrar a Izzy—. No duermo demasiado bien. No creo que pueda apañarme para vivir sola.

—Este lugar es lo bastante grande como para tener un compañero de habitación —dijo él, mirando a su alrededor.

—No lo sé —repitió Tracy—. Sólo tiene una habitación.

—Jenk me dijo que fuiste a ver a Beth al hospital antes de abandonar New Hampshire —dijo. Se veía que estaba nervioso. No dejaba de manosear el paquete que tenía en las manos. Fue hasta la ventana y miró hacia afuera—. Bonita vista.

—¿De la calle? —preguntó ella.

Izzy la miró.

—He vivido en lugares que tenían por vista un muro de ladrillos, a un metro de distancia. Ésta es una bonita vista. ¿Cómo está Beth?

—No lo sé. —Tracy empezaba a sentirse como un disco rayado. Pero la verdad era que, desde New Hampshire, no sabía gran cosa—. Su madre y su hermano fueron a verla. Su hermano, Bobby, acababa de volver de Irak. A Beth le habían cortado el pelo muy corto ya que habría sido imposible deshacer los nudos. Al parecer, sufría una especie de neurosis de guerra.

—Le llevará tiempo —vaticinó Izzy.

—Supongo que sí —contestó ella.

—Tengo que irme —dijo él. Le entregó el paquete—. Esto es para ti. También quería pedirte disculpas otra vez...

—Olvídalo —dijo Tracy, mientras rasgaba el papel. Era una caja con el rótulo de Leather World. Genial. Aquello iba a ser embarazoso o raro.

Abrió la tapa de la caja.

Era un bonito cinturón de cuero color marrón. Nada especial. Excepto que tenía dos muescas grabadas.

Se había equivocado. Aquello era a la vez embarazoso y raro. Sintió que se sonrojaba.

—¿Sólo dos? —preguntó, con voz tensa—. Tú eras el número tres. ¿O es tu manera de decir que esa noche nunca ocurrió?

Izzy parecía realmente sorprendido y alarmado.

—No —dijo—. Espera. Crees que esto es... No, no, no. Qué va. No tiene que ver con el sexo. No es... Estas muescas son por las vidas que has salvado. La tuya y la de Beth.

Las vidas que había salvado.

Tracy sintió que los ojos se le llenaban de lágrimas. Las vidas que había salvado.

—¿De verdad? —preguntó.

Izzy asintió con un gesto de la cabeza.

—Sabes, se me acaba de ocurrir que, en algunos países, cuando le salvas la vida a alguien, te haces responsable de esa vida. Tú te has salvado a ti misma, Tracy. ¿No crees que te lo debes a ti misma hacer algo que valga la pena con ella? ¿Y no desperdiciarla con un gilipollas como Lyle?

Ella lo miró, lo miró de verdad. Izzy hablaba en serio.

—Gracias —dijo—. Es un regalo muy bonito.

—No hay de qué —dijo él, sosteniéndole la mirada—. Espero que pienses en lo que te he dicho.

—Tom y su mujer, Kelly, van a dar una fiesta de Año Nuevo —dijo Tracy. Las palabras salieron de su boca antes de que ella pudiera reprimirlas—. ¿Te veré allí? —De verdad esperaba que Izzy asistiera. Era una locura.

Pero él negó con la cabeza.

—Yo... eh, tengo que irme. Pasará un tiempo antes de que pueda volver.

—Oh —dijo Tracy—. No lo sabía.

—Sí —contestó él—. Es una de esas tareas que nadie quiere pero que alguien tiene que hacer, sobre todo cuando ha hecho algo ilegal o estúpido y se ha metido en líos —dijo, con una mueca—. Pero... ya te llamaré cuando esté de vuelta por aquí. Si todavía estás interesada. Porque yo estoy, ya sabes, interesado. Pero antes pasará un tiempo. Unos seis meses.

—Vaya —volvió a decir ella.

—Sí —respondió él—. Lo sé. Es demasiado. —Miró su reloj—. Ahora, lo siento, de verdad tengo que irme.

—Gracias —dijo Tracy, y lo acompañó hasta la puerta—. Por el cinturón y por...

Por un momento largo, Tracy estuvo convencida de que Izzy se despediría con un beso. Pero no. Hizo un gesto con la mano y desapareció.

Fue a la ventana y lo vio salir del edificio. Izzy dobló a la izquierda y se alejó por la calle. Ella esperó hasta que giró por una esquina y desapareció de su vista.

Y entonces cogió el teléfono y marcó un número. Conectó casi enseguida con el buzón de voz de Lyle.

—Hola —dijo, mirando el cinturón de cuero que Izzy le había regalado. Palpó las dos pequeñas muescas y sonrió—. Soy yo. He tomado una decisión. Me quedaré en California. Adoro mi trabajo y... en realidad, no quiero casarme contigo. Buena suerte y... adiós.

Colgó el teléfono y fue a cambiarse de ropa. Se puso unos pantalones vaqueros para probarse el cinturón nuevo.

Decker se movía con dificultad cuanto entró en el despacho de Troubleshooters Incorporated. Pero al menos el muy cabrón podía moverse.

Dave, al contrario, todavía estaba descubriendo las muchas cosas que no podía hacer con la muñeca rota.

—Te traeré un café —dijo Sophia, cuando Dave se sentó a su mesa de trabajo.

—Eso —dijo él, al verla salir—. Y también teclearás en mi lugar y me abrocharás los zapatos y la camisa y me cortarás la carne en el plato. Esto es como volver a ser un niño. No lo soporto... ¡me está volviendo loco!

—Hola, Dave —dijo Dan Gillman—. ¿Has visto a Sophia?

Vaya, ahora sí que la mañana se había convertido en una pesadilla. Dan Gillman se presentaba en su despacho vestido de blanco.

—No está aquí —dijo Dave, y se llevó una mano a los ojos—. Tío, me estás cegando.

—Sí —dijo Dan—. Já, já. Ésa todavía no la había oído. ¿Ése de ahí no es su despacho?

—Sí, está justo a mi izquierda. —Dave consiguió levantarse sin gritar del dolor. Los músculos de sus piernas todavía no se habían recuperado de tanto ejercicio en la nieve—. ¿Puedo ayudarte en algo?

—No —dijo Dan—. La esperaré en su despacho.

Decker estaba al otro lado del pasillo, y Dave entró en su despacho, donde podía ver a Gillman a través de la puerta abierta.

—¿De qué va esto? —preguntó Dave, en voz baja.

Deck sacudió la cabeza.

—¿La has...? —preguntó Dave—, ya sabes... ¿La has invitado finalmente a cenar?

Deck volvió a negar con un gesto de la cabeza.

Dave cerró la boca para no pronunciar las palabras hirientes con que iba a tratar a Decker, porque Sophia había vuelto.

—Te dejo el café en la mesa —avisó ésta a Dave.

—Gracias —contestó él.

—Hola —dijo Sophia, saludando a Gillman—. Qué... sorpresa.

—Espero que sea una sorpresa agradable.

—Claro que sí. —Era evidente que mentía.

—Escucha, seré sincero contigo, ¿vale? —dijo el comando de las SEAL—. No he podido dejar de pensar en ti. He disfrutado mucho de los momentos que compartimos y, sí, la verdad es que me asusté un poco, porque detesto pensar que alguien te haga daño. Eres muy bella, eres una mujer asombrosa, y sé que tienes tus reparos, pero espero que puedas dejarlos de lado y te des una oportunidad para conocerme. Me gustaría invitarte a cenar, o a comer, o a un café o una copa, ir al cine o... —dijo, como desgranando las posibilidades, y rió—. Ya sé que debo parecer un loco, pero lo que quiero decir es que me gustaría mucho volver a verte.

Sophia dijo algo, pero en voz demasiado baja como para que Dave la oyera.

Sin embargo, Dan se incorporó. Su voz sí se escuchaba.

—El viernes está bien. Perfecto. ¿A las siete? Estupendo... estoy encantado. Estaré contando los días. Ahora... tengo que irme, y te dejaré trabajar y... nos veremos. El viernes.

Dan Gillman salió del despacho de Sophia como si estuviera en la cima del mundo.

Dave ni siquiera se molestó en mirar a Decker. Entró en su despacho y cerró la puerta.

Jenk esperaba en las escaleras del apartamento de Lindsey cuando ella volvió del trabajo. A su lado tenía una pizza y una caja de DVDs.

—Hola —saludó ella.

—Hola —contestó él—. He tenido todo el día libre. Tengo algo que quería enseñarte, y como estaba en el barrio, pensé...

Lindsey lo besó.

—Quieres hacértelo conmigo —tradujo ella—, y has pensado mira, compraré una pizza.

—Siempre quiero hacérmelo contigo —dijo él. La cogió y la hizo sentarse en sus rodillas. Volvió a besarla.

—Cariño, he llegado —dijo ella, apoyando la frente en su cabeza y mirándolo a los ojos—. Dios, hasta podría acostumbrarme a esto.

—Me parece bien. —Jenk le sonreía—. ¿No vas a preguntarme qué he hecho durante mi día libre?

Lindsey se incorporó, fue hasta la puerta y la abrió.

—¿Qué has hecho en tu día libre?

—Te he grabado unos DVDs —respondió él, y la siguió—. Verás, conozco a un tío, que conoce a otro tío que trabaja en una casa de reposo donde hay un veterano de la Segunda Guerra Mundial. El viejo es un superviviente de un campo de prisioneros de la guerra en Filipinas.

Lindsey alzó la mirada al oír eso.

—Sí —dijo Jenk, y entró en la cocina con la pizza—. Es uno de los hombres que tu abuelo salvó. También conocía a tu abuela. Ella estaba con los guerrilleros que montaron el rescate. Fue su conocimiento del campo lo que hizo posible la operación. ¿Sabías eso?

Lindsey, que lo miraba atónita y sin decir palabra, sacudió la cabeza.

—Se llamaba Keiko, ¿vale? Sé que no la conociste, y pensé que... este tío, se llama Bruce Wendell, tiene más de noventa años. Puede que no dure mucho. Así que fui a la casa de reposo y grabé una entrevista. Pensé que a tu padre quizá también le gustaría. Según Bruce, Keiko, tu abuela, era una persona muy especial.

Lindsey tenía un nudo en la garganta.

—No puedo creer que hayas hecho eso... en tu día libre.

—Ha sido divertido —dijo Jenk. Abrió la caja de la pizza y sacó unos platos de un armario—. Era un tío simpático y ha sido interesante hablar con él. Creo que esto tendremos que recalentarlo.

Lindsey miró mientras él sacaba un par de botellas de cerveza de la nevera.

—Gracias... La verdad... No sé qué decir.

—Lo acabas de decir. —Jenk la besó, abrió las botellas y le pasó una—. Y no hay de qué. ¿Qué quieres mirar primero? ¿La entrevista a Bruce Wendell o *El Imperio contraataca*?

La *Guerra de las Galaxias*, por supuesto.

—¿Cuál es ésa, me lo puedes recordar?

—La mejor —dijo él—. Cuando Luke descubre que Darth Vader es su padre. Lo cual significa que Darth Vader también es el padre de la princesa Leia. Y, no sé si sabes esto, pero en los libros de la *Guerra de las Galaxias*, Leia y Han Solo se casan. Han no tiene problemas con que Leia sea la madre de sus hijos. Y piensa que Darth Vader es un genocida más horrible que Hitler. Quiero decir, el tío ha borrado planetas enteros del mapa y...

—Ya entiendo —dijo Lindsey, riendo, y puso una porción de pizza en su plato y la metió en el microondas—. Y, por cierto, puedes dejar de trabajar tan duro. Esta noche te aseguro que tendrás tu recompensa. Quedamos en *Luke, soy tu padre.*

Jenk rió. Pero enseguida se puso serio.

—No he grabado esa cinta porque quisiera...

—Lo sé —lo interrumpió ella, justo cuando sonó la campanilla del microondas—. He acabado mis compras de Navidad esta tarde. A partir de ahora, estoy oficialmente dispuesta a disfrutar de unas fiestas sin estrés.

—Eso es fabuloso —dijo Jenk—. Porque yo, de pronto, me siento muy estresado con la idea.

Lindsey palpó la temperatura de la pizza con un dedo y alzó la mirada. Jenk no bromeaba.

—Me da terror pensar que cuando te presente a mi madre, dirá... No sé qué dirá —tuvo que admitir—. He tenido pesadillas en que te recibe en la puerta de la casa con un montón de revistas para novias y con menús de salas de fiestas. Verás, nunca he llevado a nadie a casa.

—Pensará que lo nuestro es muy serio —dijo Lindsey, que había entendido. Se mordió el labio inferior—. Y eso puede ser un poco incómodo.

Él no se dio cuenta de que Lindsey lo estaba provocando.

—No sé cómo... —dijo.

—Sí, podría ser muy incómodo —lo interrumpió Lindsey—. Sí, ya sabes, si no fuera verdad.

Jenk la miró.

—¿Quieres decir que no te importa si mi madre se pone un poco pesada?

—Te he dicho que nada de estrés.

Pero Jenk no había acabado.

—¿O quieres decir que te casarás conmigo? Porque ya sabes que yo me casaría contigo.

Lindsey se tapó los oídos.

—No me asustes, no me asustes, no me asustes —dijo—. La, la, la, la.

Jenk rió y le apartó las manos de las orejas.

—¿No eras tú la mujer imperturbable que se enfrentó al asesino en serie más temible de la década?

—Aquello no fue ni la mitad de aterrador que planificar algo para un futuro impredecible. —Lindsey sólo bromeaba a medias—. Dime que nos lo tomaremos con calma, con mucha, mucha calma.

—Nos lo tomaremos con calma —prometió él.

Lindsey lo miró a sus ojos inquietos y asintió. Con aquel hombre a su lado, podía conseguir lo que se propusiera.

—Pero no con tanta calma como para que no puedas besarme. Ahora mismo.

Jenk rió y la besó.

Y entonces Lindsey se dio a sí misma el mejor regalo de Navidad de todos los tiempos.

—He estado pensando —dijo, esforzándose para que la voz no le temblara—, que cuando dejes la Armada deberíamos viajar durante un año o dos. Trabajar en el extranjero. Y luego, ya sabes, pensar en casarnos y... —dijo, y carraspeó—. Puede que incluso tener hijos.

El amor que vio en la mirada de Mark Jenkins le quitó el aliento.

—Me parece todo un plan —murmuró él. Y esta vez, cuando la besó, ya no paró.

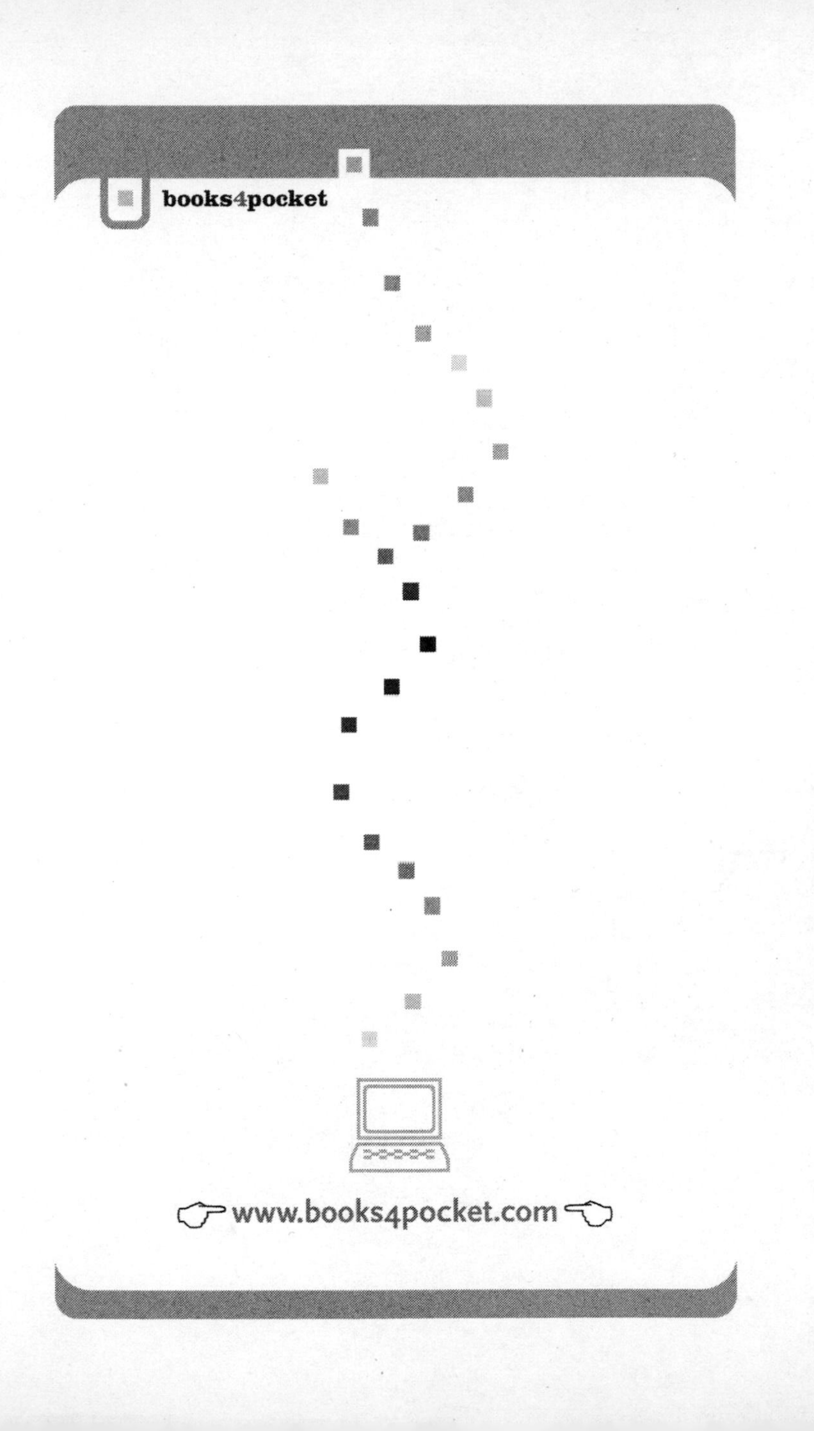
books4pocket
www.books4pocket.com